UN AUTRE MONDE

DU MÊME AUTEUR

Quand le capitalisme perd la tête, Fayard, 2003.

La Grande Désillusion, Fayard, 2002 ; Le Livre de Poche, 2003.

Principes d'économie moderne, De Boeck, 1999.

Joseph E. Stiglitz

Prix Nobel d'économie

UN AUTRE MONDE
Contre le fanatisme du marché

Traduit de l'anglais (américain)
par Paul Chemla

Fayard

Titre original :
Making Globalization Work
Édité par W. W. Norton, New York.

Pour Anya, pour toujours.

Préface

J'ai écrit *La Grande Désillusion* juste après avoir quitté la Banque mondiale, dont j'ai été le premier vice-président et l'économiste en chef de 1997 à 2000. Ce livre retraçait l'essentiel de ce que j'avais vu à la Banque mondiale et à la Maison-Blanche, où j'ai servi de 1993 à 1997 en tant que membre puis président du Council of Economic Advisers du président William Jefferson Clinton. Ce fut une période tumultueuse. La crise financière asiatique de 1997-1998 précipita dans des récessions et des dépressions sans précédent certains des pays en développement les plus brillants. En ex-Union soviétique, la transition du communisme au marché, censée inaugurer une ère de prospérité inédite, provoqua en fait une terrible chute – jusqu'à 70 % – des revenus et des niveaux de vie. Marqué par une concurrence acharnée, une immense incertitude et une forte instabilité, le monde n'est pas un lieu facile même dans les meilleures circonstances, et les pays en développement n'ont pas toujours fait leur possible pour promouvoir leur bien-être. Mais j'ai acquis la conviction que les pays industriels avancés, à travers des organisations internationales comme le Fonds monétaire international (FMI), l'Organisation mondiale du commerce (OMC) et la Banque mondiale, non seulement ne faisaient pas tout ce qu'ils pouvaient pour aider ces pays mais leur rendaient parfois la vie encore plus difficile. Les plans du FMI ont manifestement aggravé la crise asiatique, et la « thérapie de choc » qu'il avait préconisée en ex-Union soviétique et chez ses anciens satellites a pesé lourd dans les catastrophes de la transition.

J'ai traité nombre de ces sujets dans *La Grande Désillusion*. J'avais le sentiment de pouvoir apporter au débat un point de vue exceptionnel, puisque j'avais vu formuler les politiques de l'intérieur de la Maison-Blanche et de l'intérieur de la Banque mondiale, où nous travaillions aux côtés des pays en développement pour les aider à élaborer des stratégies de stimulation de la croissance et de réduction de la pauvreté. J'avais également – et c'est tout aussi important – passé près de quarante ans, en tant que théoricien de l'économie, à m'efforcer de comprendre les forces et les limites de l'économie de marché. Mes travaux avaient remis en cause non seulement la validité des assertions générales sur l'efficacité du marché, mais aussi certaines convictions fondamentales sur lesquelles repose la mondialisation, comme le postulat selon lequel « le libre-échange accroît nécessairement le bien-être ».

J'ai expliqué dans *La Grande Désillusion* certains échecs du système financier international et de ses institutions, et j'ai montré pourquoi la mondialisation n'a pas bénéficié à autant d'êtres humains qu'elle l'aurait pu et dû. J'ai aussi donné quelques indications sur ce qu'il fallait faire pour que la mondialisation « marche » – en particulier pour les pays pauvres en développement. Mon livre proposait certaines réformes du système financier mondial et des institutions financières internationales qui le gouvernent, mais l'espace m'a manqué pour les développer.

Si mes années à la Maison-Blanche et à la Banque mondiale m'ont apporté un avantage exceptionnel pour comprendre les problèmes de la mondialisation, elles m'ont aussi donné les bases nécessaires pour écrire cette suite. Pendant cette période de responsabilités à Washington, j'ai parcouru le monde et rencontré de nombreux chefs d'État et hauts responsables, pour étudier les succès et les échecs de la mondialisation. Quand j'ai quitté Washington pour regagner le monde académique, je suis resté engagé dans le débat sur la mondialisation. En 2001, j'ai reçu le prix Nobel pour mon travail scientifique antérieur sur la théorie économique de l'information. Depuis, j'ai visité des dizaines de pays en développement, j'ai continué à débattre avec des universitaires, des hommes d'affaires, des Premiers ministres, des présidents et des parlementaires de tous les continents, et j'ai participé à des forums de discussion sur le développement et la mondialisation où s'expriment toutes les composantes de notre société mondiale.

À la veille de mon départ de la Maison-Blanche pour entrer à la Banque mondiale, le président Clinton m'a demandé de rester, comme président de son Council of Economic Advisers et comme membre de son cabinet. J'ai refusé, car le fait de concevoir des politiques et des programmes capables de faire reculer l'odieuse pauvreté qui accable les pays les moins avancés me paraissait infiniment plus important. Il semblait terriblement injuste que, dans un monde de richesse et d'abondance, tant de personnes vivent dans une telle misère. Les problèmes étaient manifestement difficiles, mais j'étais certain que l'on pouvait faire quelque chose. J'ai donc accepté l'offre de la Banque mondiale, en partie parce qu'elle me donnait de nouvelles possibilités d'étudier ces questions, mais aussi parce qu'elle m'offrait un point d'appui pour soutenir les intérêts des pays en développement.

Au cours de ces années passées à la Banque mondiale, j'ai compris pourquoi la façon dont la mondialisation avançait suscitait un tel mécontentement. Si le développement était possible, il paraissait clair qu'il n'était pas inévitable. J'ai vu des pays où la pauvreté augmentait au lieu de diminuer, et j'ai vu ce que cela signifiait, pas seulement dans les statistiques mais dans la vie de leurs habitants. Certes, il n'y a pas de solution magique. Mais il y a une multitude de changements à opérer – dans les politiques, les institutions économiques, les règles du jeu et les états d'esprit – qui pourraient contribuer à mieux faire fonctionner la mondialisation, en particulier pour les pays en développement. Certains seront inévitables : l'entrée de la Chine sur la scène mondiale en tant qu'économie industrielle dominante et le succès de l'Inde dans l'infogérance, par exemple, imposent déjà des

modifications dans les politiques et dans la pensée. L'instabilité qui a marqué les marchés financiers mondiaux dans la
dernière décennie – de la crise financière planétaire de 1997-
1998 à la chute du dollar à partir de 2003 en passant par les
crises latino-américaines des premières années du nouveau
millénaire – nous a contraints à repenser le système financier
mondial. Tôt ou tard, le monde devra faire certaines des réformes
que je suggère dans ce livre. La question n'est pas de savoir *si*
ces réformes, ou d'autres du même ordre, auront lieu, mais
quand – et surtout si ce sera avant ou après une nouvelle
vague de désastres mondiaux. Opérer en toute hâte des
changements improvisés dans le sillage d'une crise n'est
peut-être pas la meilleure méthode pour réformer le système
économique mondial.

La fin de la guerre froide a ouvert de nouvelles possibilités
et aboli de vieilles contraintes. L'importance de l'économie
de marché était désormais reconnue, et, le communisme étant
mort, les États pouvaient oublier les affrontements idéologiques et se consacrer à résoudre les problèmes du capitalisme. Quel bienfait pour le monde si les États-Unis avaient
saisi cette occasion afin d'aider à construire un système économique et politique international fondé sur des valeurs et des
principes, par exemple un accord commercial conçu pour promouvoir le développement dans les pays pauvres ! Mais non :
sans le butoir d'une concurrence – ils n'avaient plus à dispu-
ter à un rival « les esprits et les cœurs » des populations du
Tiers Monde –, les pays industriels avancés ont en fait créé un
régime commercial mondial favorable à leurs intérêts industriels et financiers privés, et nuisible pour les pays les plus
pauvres du monde.

Le développement est complexe. L'une des grandes critiques
adressées au FMI et aux autres institutions économiques internationales, en fait, est que leurs solutions « taille unique » ne
saisissent pas – ne peuvent pas saisir – ces complexités. Néanmoins, à travers des milliers d'expériences économiques mondiales, certains principes généraux apparaissent. Beaucoup de
pays en développement ayant réussi ont en commun certaines

politiques, que chacun a adaptées à sa situation propre. L'un des objectifs de ce livre est d'expliquer ces points communs.

J'aimerais dire un mot du rapport entre mes anciennes recherches, en particulier celles qui m'ont valu le prix Nobel, mes positions politiques au cours des années que j'ai passées à Washington, et mes livres des années suivantes, en particulier *La Grande Désillusion* et *Quand le capitalisme perd la tête*[1].

Mes travaux scientifiques sur les conséquences de l'information imparfaite et limitée et de la concurrence imparfaite m'ont fait prendre conscience des limites des marchés. Au fil des ans, avec d'autres, je les ai prolongés sur le plan de la théorie macroéconomique. Mon travail sur l'économie du secteur public avait souligné le besoin d'un équilibre entre l'État et le marché – perspective proche de celle de l'administration Clinton, et que j'ai contribué à formuler dans le rapport annuel *Economic Report of the President* dans les années où j'ai servi au Council of Economic Advisers. Quand je suis entré à la Banque mondiale, j'ai été troublé par ce que j'ai vu. La Banque et plus encore le FMI préconisaient des politiques économiques conservatrices (comme la privatisation des caisses de retraite) qui étaient aux antipodes de ce pour quoi je m'étais si durement battu quand j'étais à la Maison-Blanche. Pis encore : ils utilisaient des modèles que mes propres travaux théoriques avaient beaucoup aidé à discréditer. (Et j'ai été encore plus troublé d'apprendre, bien sûr, que le département du Trésor de Clinton soutenait à fond ces politiques.)

Mes recherches scientifiques avaient révélé que la doctrine économique du FMI, le « fanatisme du marché », cette croyance qui veut que les marchés conduisent spontanément à l'efficacité économique, était viciée en profondeur. La cohérence *intellectuelle* – la cohérence avec mon travail scientifique antérieur – me poussait à exprimer mes préoccupations, à dire que les politiques que nous étions en train de promouvoir, en Asie orientale par exemple, allaient très probablement

aggraver les choses. Ne pas le faire eût été trahir mes responsabilités.

Ce pour quoi nous nous étions battus quand j'étais dans
l'administration Clinton était bon non pas pour les seuls
Américains mais pour le reste du monde également. Quand
je suis passé de l'administration Clinton à la Banque mondiale, j'ai continué à préconiser un juste équilibre entre les secteurs privé et public, et à promouvoir des politiques capables de
faire progresser l'égalité et le plein emploi. Les problèmes que
j'ai posés pendant mon mandat à la Banque mondiale – initiative que beaucoup de ses économistes ont chaleureuse-
ment accueillie – sont les mêmes que ceux posés dans *La
Grande Désillusion*.

Les passions soulevées par les crises financières mondiales
et par les difficiles transitions du communisme à l'économie
de marché se sont à présent apaisées. Aujourd'hui, nous
pouvons envisager ces questions plus sereinement, et, comme
je le montre au chapitre 1, on voit émerger sur bon nombre
de problèmes cruciaux un consensus qui rappelle les idées
avancées dans *La Grande Désillusion*. Ce livre a contribué
à changer le débat sur la façon dont il faudrait réorganiser
la mondialisation. Plusieurs de ses idées sont aujourd'hui
largement admises, et même le FMI en est venu à reconnaître,
adoptant mon point de vue, qu'autoriser la circulation sans
entraves des flux de capitaux spéculatifs est extrêmement risqué. Bien sûr, comme nous le rappelle la poursuite des affrontements entre la gauche et la droite aux États-Unis et ailleurs,
il reste de vastes zones de désaccord sur les valeurs, tant économiques que fondamentales. D'ailleurs, l'une de mes grandes
critiques adressées aux institutions économiques internationales est qu'elles ont soutenu, sans tenir compte des circonstances, une orientation économique bien précise – orientation,
selon moi, à bien des égards erronée.

Ce livre reflète ma foi dans les processus démocratiques :
je suis persuadé que des citoyens informés seront plus susceptibles d'exercer un certain contrôle pour limiter les abus des
intérêts particuliers, financiers et industriels, qui ont tant dominé

la mondialisation, et que les simples citoyens des pays industriels avancés et ceux du monde en développement ont un intérêt commun à faire « marcher » la mondialisation. J'espère que ce livre, comme le précédent, contribuera à transformer le débat sur celle-ci – et, finalement, les processus politiques qui lui donnent forme.

La mondialisation est le terrain sur lequel se jouent certains de nos grands conflits sociétaux – dont ceux qui portent sur les valeurs fondamentales. Parmi les plus importants, il y a celui qui concerne le rôle de l'État et des marchés.

Autrefois, les conservateurs pouvaient invoquer la « main invisible » d'Adam Smith – l'idée selon laquelle les marchés et la recherche de l'intérêt personnel allaient conduire, comme s'ils y étaient menés par une main invisible, à l'efficacité économique. Même s'il leur arrivait d'admettre que les marchés n'aboutiraient peut-être pas tout seuls à une répartition du revenu socialement acceptable, ils soutenaient qu'il fallait séparer les problèmes d'efficacité de ceux liés à l'équité.

De ce point de vue conservateur, la science économique s'attache à l'efficacité ; les questions d'équité (laquelle, comme la beauté, se trouve souvent dans le regard de l'observateur) doivent être laissées à la politique. Aujourd'hui, la défense intellectuelle du fanatisme du marché a complètement disparu[2]. Mes recherches sur la théorie économique de l'information ont montré que, chaque fois que l'information est imparfaite, en particulier quand il y a des asymétries d'information – lorsque certains savent quelque chose que les autres ignorent (autrement dit, *toujours*) –, la main invisible est invisible pour la bonne raison qu'elle n'existe pas[3]. Sans réglementations et interventions appropriées de l'État, les marchés ne conduisent pas à l'efficacité économique[4].

Ces dernières années, nous avons eu des illustrations spectaculaires de ces idées théoriques. Comme je l'ai dit dans mon livre *Quand le capitalisme perd la tête*[5], la recherche de leur intérêt personnel par les P-DG, les comptables et les banques d'affaires n'a pas conduit à l'efficacité économique mais bien à une bulle spéculative, accompagnée d'une allocation massivement déséquilibrée de l'investissement. Et quand cette bulle a éclaté, elle a conduit, comme c'est presque toujours le cas, à la récession.

Aujourd'hui, il existe en général (chez les économistes, sinon dans les milieux politiques) une certaine conscience des limites des marchés. Les scandales des années 1990 aux États-Unis et ailleurs ont jeté « la finance et le capitalisme de style américain » à bas du piédestal où ils se trouvaient depuis trop longtemps. Plus globalement, on a compris que la perspective de Wall Street, souvent à courte vue, était diamétralement opposée au développement, qui exige une réflexion et une planification à long terme.

On se rend compte aussi de plus en plus qu'il n'y a pas une seule forme de capitalisme, une seule « bonne » façon de gérer l'économie. Il existe, par exemple, d'autres formes d'économie de marché (comme celle de la Suède, où la croissance est restée vigoureuse) qui ont créé des sociétés tout à fait différentes, avec de meilleurs systèmes de santé et d'éducation et moins d'inégalité. S'il est vrai que la version suédoise fonctionnerait peut-être moins bien ailleurs, ou serait inadaptée à tel ou tel pays en développement, son succès démontre qu'il y a d'autres formes possibles d'économies de marché efficaces. Et du moment qu'il y a des alternatives et des choix, ce sont les processus politiques démocratiques qui doivent être au centre des prises de décision, et non pas les technocrates. L'une des critiques que j'adresse aux institutions économiques internationales, c'est d'avoir tenté de faire croire qu'il n'y avait pas de concessions possibles – qu'un seul et même ensemble de politiques allait améliorer la situation de tous –, alors que l'essence même de la science économique repose dans le choix, et qu'il existe différentes options, dont certaines bénéficient à des intérêts précis (les capitalistes étrangers, par exemple) aux dépens d'autres, dont certaines imposent des risques à des catégories précises (comme les salariés) pour permettre à d'autres de ne pas les subir.

L'un des choix centraux auxquels toutes les sociétés sont confrontées concerne le rôle de l'État. Le succès économique nécessite de trouver le juste équilibre entre l'État et le marché. Quels services l'État doit-il fournir ? Doit-il y avoir des systèmes de retraite publics ? L'État doit-il encourager des secteurs particuliers par des incitations ? Quelles réglementations, le cas échéant, doit-il instaurer pour protéger les travailleurs, les consommateurs et l'environnement ? Il est clair que cet équilibre change avec le temps, et qu'il sera différent d'un pays à l'autre. Mais je vais démontrer ici que la mondialisation, telle qu'on l'a imposée, a souvent rendu plus difficile d'obtenir l'équilibre requis.

J'espère montrer aussi que, si les censeurs de la mondialisation ont raison de dire qu'elle a servi à promouvoir un ensemble précis de valeurs, cela n'est pas fatal. Rien n'impose qu'elle nuise à l'environnement, aggrave les inégalités, affaiblisse la diversité culturelle et favorise les intérêts des grandes firmes aux dépens du bien-être des simples citoyens. Ce que je voudrais prouver dans *Un autre monde*, c'est qu'une mondialisation bien gérée, comme elle l'a été dans le développement réussi d'une grande partie de l'Asie orientale, peut beaucoup apporter aux pays en développement comme aux pays développés.

Le regard porté sur la mondialisation, et sur les échecs et injustices liés à la façon dont on l'a gérée, constitue un test clair, pour les pays comme pour les peuples : il révèle leurs croyances et leurs dispositions d'esprit fondamentales, leurs points de vue sur le rôle de l'État et du marché, l'importance qu'ils attachent à la justice sociale et le poids qu'ils assignent aux valeurs non économiques.

Les économistes qui accordent le moins d'importance à la réduction de l'inégalité des revenus sont plutôt enclins à penser que les initiatives que pourraient prendre les États pour la réduire coûtent trop cher, ou même risquent d'être contre-productives. Ces économistes « du libre marché » ont aussi le sentiment que les marchés laissés à eux-mêmes, sans interférence de l'État, sont efficaces, et que le meilleur moyen d'aider les pauvres consiste à laisser se produire, tout simplement, la croissance économique : d'une façon ou d'une autre, ses bienfaits ruisselleront jusqu'en bas de l'échelle sociale et toucheront les pauvres. (Notons avec intérêt que ces croyances persistent bien que la recherche en économie les ait privées de tout fondement intellectuel.)

En revanche, ceux qui estiment, comme moi, que les marchés, souvent, ne parviennent pas à des résultats efficaces (qu'ils produisent trop de pollution et trop peu de recherche fondamentale, par exemple), et qui sont choqués par les inégalités de revenus et le taux très élevé de pauvreté, pensent aussi que réduire ces inégalités pourrait être moins onéreux que ne le prédisent les économistes conservateurs. Ces esprits préoccupés par l'inégalité et la pauvreté mesurent les coûts énormes de l'inertie face à ces problèmes : les effets sur la société, qui sont entre autres le mécontentement, la violence et le conflit social. Ils sont aussi plus optimistes sur les possibilités d'intervention de l'État ; si les États sont parfois, ou même souvent, moins efficaces qu'on n'aurait pu l'espérer, ils ont dans certains cas remporté des succès remarquables, dont plusieurs seront analysés dans ce livre. Toutes les institutions humaines sont imparfaites, et l'important pour chacune d'elles est d'apprendre de ses succès comme de ses échecs.

Cet écart de points de vue quant à l'importance ou non de s'attaquer aux inégalités et à la pauvreté se retrouve dans des divergences d'opinion sur leurs origines. Globalement, ceux qui se soucient de l'inégalité comprennent qu'elle est en grande partie due à la chance – celle d'être né avec de bons gènes ou des parents riches (la loterie du sperme)[6], ou celle d'avoir acheté un terrain au bon endroit au bon moment (juste avant qu'on y trouve du pétrole, ou qu'apparaisse une bulle locale de spéculation immobilière)[7]. Ceux qui s'en préoccupent moins ont le sentiment que la richesse récompense l'effort acharné. De ce point de vue, non seulement la redistribution des revenus affaiblit les incitations au travail et à l'épargne, mais elle est presque immorale puisqu'elle prive les individus de leur juste rétribution.

Ces positions s'accompagnent d'attitudes tranchées sur quantité d'autres problèmes. Ceux qui pensent moins à l'inégalité et davantage à l'efficacité économique ont tendance à moins s'intéresser à des valeurs non économiques comme la justice sociale, l'environnement, la diversité culturelle, l'accès universel aux soins médicaux et la protection des consommateurs (il y a de nombreuses exceptions, bien sûr – des conservateurs qui, par exemple, se soucient de l'environnement).

J'insiste sur ces liens entre attitudes économiques et culturelles pour souligner à quel point il est important de bien choisir ceux à qui nous confions des aspects cruciaux de la prise de décision économique. C'est pratiquement inévitable : si nous déléguons le pouvoir de décision à des « conservateurs », nous aurons des politiques et des résultats économiques qui refléteront leurs intérêts politiques et leurs valeurs culturelles[8]. Ce livre, de toute évidence, reflète mes propres jugements et valeurs ; j'espère du moins l'avoir marqué au sceau de la transparence, et présenter les deux versants des débats économiques en cours.

Sauver la mondialisation de ses partisans

Il y a un peu plus de soixante-dix ans, pendant la Grande Crise, l'économiste britannique John Maynard Keynes a formulé sa théorie du chômage, qui expliquait en détail comment l'action de l'État pouvait aider à remettre l'économie sur les rails du plein emploi et de la croissance. Il a été vilipendé par les conservateurs, qui ont vu dans son remède une expansion du rôle de l'État. Ils voulaient, eux, saisir l'occasion des déficits budgétaires qui accompagnent inévitablement une récession pour réduire ce rôle. Mais Keynes, en réalité, a fait davantage pour sauver le système capitaliste que tous les financiers champions du marché réunis. Si l'on avait suivi le conseil des conservateurs, la Grande Crise aurait été encore pire. Elle aurait été plus longue, plus dure, et l'exigence de rompre avec le capitalisme et de passer à un autre système se serait accrue. De même, je crois que si nous ne comprenons pas les problèmes de la mondialisation, si nous ne les traitons pas, il sera difficile de maintenir sa dynamique actuelle.

Comme le développement, la mondialisation n'est pas inévitable – même si elle repose sur des forces économiques et politiques puissantes. Entre la Première Guerre mondiale et la Seconde, selon la plupart des indicateurs, le rythme et l'envergure de la mondialisation se sont réduits, voire inversés. Par exemple, le commerce extérieur mesuré en pourcentage du PIB a diminué[9]. Si la mondialisation fait baisser le niveau de vie de beaucoup de citoyens d'un pays, voire de la majorité, et si elle compromet des valeurs culturelles fondamentales, il y aura des pressions politiques pour la ralentir ou y mettre fin.

Il est évident que le cours de la mondialisation ne sera pas changé par la seule force des idées et des expériences (les idées qu'on a pu avoir sur l'impact de la libéralisation du commerce ou des marchés des capitaux sur la croissance, et les expériences réelles de ces réformes, par exemple), mais aussi par les événements mondiaux. Ces dernières années, le 11 septembre et la guerre contre le terrorisme, la guerre d'Irak, l'émergence de la Chine et de l'Inde ont redéfini le débat sur la mondialisation selon des modalités que je vais analyser.

Ce livre porte autant sur la façon dont on s'est servi de la politique pour modeler le système économique que sur la théorie économique elle-même. Les économistes accordent une grande importance aux incitations. Il y a de fortes incitations – et des occasions en or – pour orienter les processus politiques et le système économique dans un sens qui rapporte des profits à certains aux dépens de l'immense majorité.

Les processus démocratiques ouverts peuvent mettre des bornes à la puissance des intérêts particuliers. Nous pouvons réintroduire l'éthique en affaires. La gouvernance d'entreprise peut reconnaître les droits de ceux qui souffrent des activités des firmes, et pas seulement les droits de leurs actionnaires[10]. Un électorat engagé et bien informé peut comprendre ce qu'il faut faire pour que la mondialisation marche, ou du moins marche mieux, et exiger des dirigeants politiques qu'ils l'orientent dans ce sens-là. J'espère que ce livre contribuera à transformer ce possible en réel.

Remerciements

La liste de ceux qui m'ont aidé à comprendre la mondialisation s'est beaucoup allongée au cours des quatre dernières années, depuis que j'ai écrit *La Grande Désillusion*. Aux membres des institutions économiques internationales, notamment de la Banque mondiale, que j'ai cités dans ce livre, je dois ajouter Nick Stern et François Bourguignon, mes successeurs aux fonctions d'économiste en chef de la Banque mondiale, avec lesquels j'ai continué à discuter du développement. J'aimerais aussi remercier Supachai Panitchpakdi, ancien directeur général de l'Organisation mondiale du commerce, avec qui j'ai eu d'innombrables discussions sur l'orientation du « Round du développement » ; Leif Pagrotsky, ministre suédois de l'Éducation, qui a été l'un des plus ardents promoteurs d'un régime commercial équitable quand il était ministre du Commerce de son pays ; Pascal Lamy, ex-commissaire au Commerce de l'Union européenne (aujourd'hui directeur général de l'OMC), en particulier pour nos discussions sur l'initiative « Tout sauf les armes » ; Kemal Dervis, avec qui j'ai travaillé en étroite collaboration à la Banque mondiale, et qui dirige aujourd'hui le Programme des Nations unies pour le développement ; et Juan Somavia, directeur général de l'Organisation internationale du travail, qui a réuni la Commission mondiale sur la dimension sociale de la mondialisation, dont le rapport a été un jalon important dans le changement de perspective sur la mondialisation.

Pour préparer la rédaction de ce livre, je me suis à nouveau rendu dans de nombreux pays que j'avais déjà visités, étudiés et évoqués dans mes ouvrages – dont l'Argentine, l'Éthiopie, la Thaïlande, la Corée du Sud, la Chine, la Russie, la Colombie, les Philippines, l'Indonésie, le Mexique, le Vietnam, l'Équateur, l'Inde, la Turquie et le Brésil : je voulais voir comment ils avaient évolué. Je suis retourné aussi dans quelques pays où je n'avais séjourné que brièvement, comme le Bangladesh et le Nigeria, et dans d'autres où je n'avais jamais eu l'occasion d'aller, dont la Bolivie, Madagascar, le Venezuela et l'Azerbaïdjan. Je suis très reconnaissant aux nombreux dirigeants (du Premier ministre ou du président au ministre des Finances et à leurs conseillers économiques), chercheurs, hommes d'affaires et membres de la communauté des donateurs et de la société civile (les ONG) qui m'ont si généreusement donné de leur temps. Beaucoup verront que leurs idées sont bien présentes dans les analyses de ce livre.

Diverses versions de certaines des idées présentées ici ont été exposées et débattues en séminaire dans le monde entier. Je voudrais remercier particulièrement George Papandreou, ministre grec des Affaires étrangères, qui organise tous les ans un séminaire de chercheurs et de dirigeants politiques (le symposium de Symi) où les problèmes de la mondialisation tiennent souvent une large place ; l'Académie pontificale des sciences sociales au Vatican, où ont été discutées quelques-unes des idées portant sur la dette ; le Commonwealth, qui m'a demandé de réaliser avec Andrew Charlton, de la London School of Economics, une étude sur ce que pourrait être un *vrai* « cycle du développement » dans les négociations commerciales, et qui a contribué à la financer. Je tiens à remercier le président de l'Assemblée générale de l'ONU, les ministres des Finances du Commonwealth, l'OMC, le Center for Global Development et la Banque mondiale pour m'avoir invité à présenter les conclusions de ce travail. J'ai bénéficié aussi des larges débats dont le contenu de chaque chapitre a fait l'objet lors de séminaires et de réunions internationales dans le monde entier. Les idées sur la réforme du système financier mondial ont été présentées devant le Comité exécutif des affaires économiques et sociales de l'ONU, dans des réunions de l'American Economic Association à Boston en janvier 2006, dans un séminaire organisé en Suède (avec George Soros) en décembre 2001, et à la conférence annuelle de l'Association des économistes espagnols à La Corogne en septembre 2005. Les problèmes du régime de la propriété intellectuelle et les réformes que je propose ont été discutés dans une conférence ministérielle des pays les moins avancés (PMA) réunie par l'Organisation mondiale de la propriété intellectuelle à Séoul en octobre 2004, et dans une conférence internationale parrainée par l'Initiative for Policy Dialogue (IPD) à l'université Columbia en juin 2005. Certaines idées du chapitre 1 ont été exposées et discutées lors des conférences Tanner que j'ai données à l'université d'Oxford au printemps 2004. Je voudrais remercier la Fondation CIDOB de Barcelone qui, à l'automne 2004, a coparrainé une conférence sur le « consensus post-Consensus de Washington », lors de laquelle beaucoup de ces thèses ont été poussées plus loin.

Les positions exprimées dans ce livre couvrent de nombreux sujets. Il s'agit souvent de domaines dans lesquels je fais des recherches depuis plus de trente ans, et j'ai donc accumulé au cours de cette période une énorme quantité de dettes intellectuelles. Les analyses du chapitre 3 sur la politique commerciale doivent beaucoup à Peter Orszag, avec qui j'ai étroitement coopéré sur les problèmes du dumping quand j'étais au Council of Economic Advisers, et à Alan Winters, Michael Finger et Bernard Hoeckman de la Banque mondiale. Pour les analyses du chapitre 4 sur la propriété intellectuelle, j'ai une dette particulière envers Jamie Love, Michael Cragg, Paul David, Giovanni Dosi, Mario Cimoli, Richard Nelson, Ha-Joon Chang et tous les participants aux réunions du groupe de travail de l'IPD sur la propriété intellectuelle, ainsi qu'envers tous mes coauteurs des publications liées à la théorie générale de l'innovation, Richard Gilbert, Carl Shapiro, David Newbery et Partha Dasgupta. Plusieurs d'entre eux ont également travaillé avec moi sur des problèmes liés aux ressources naturelles et à l'environnement. Kevin Conrad et Geoff Heal, de l'université Columbia, Sir Michael Somare, Premier ministre de Papouasie-Nouvelle-Guinée, et Carlos Manuel Rodriguez, ministre de l'Environnement du Costa Rica, ont été au cœur de la Coalition Forêts tropicales évoquée au chapitre 6. Michael Toman, Alan Krupnick et Ray Squitieri ont été mes proches collaborateurs au Council of Economic Advisers sur les problèmes du réchauffement de la planète ; et Ruth Bell a eu l'amabilité de relire une première version du chapitre 6. Sur la question de la dette, David Hale, Barry Herman, Kunibert Raffer, Michael Dooley, Roberto Frenkel, Jurgen Kaiser et Susan George ont tous mes remerciements, ainsi que l'ensemble des participants aux réunions du groupe de travail de l'IPD sur la dette souveraine. La proposition sur les réserves mondiales, l'Initiative de Chang Mai et la tentative avortée de créer un Fonds monétaire asiatique ont été discutées dans des réunions, des séminaires et des colloques à Stockholm, à Washington et ailleurs, et je souhaite remercier ceux qui y ont participé, en particulier George Soros, qui a lui-même avancé une proposition comparable. J'ai aussi bénéficié de discussions avec Andrew Sheng et Eusake Sakikabara sur ces questions.

J'ai acquis une connaissance directe des problèmes que posent les pratiques des compagnies pétrolières à l'occasion d'un travail que j'ai réalisé pour les États de l'Alaska, du Texas, de la Louisiane et de la Californie, et je dois beaucoup à mon acolyte dans cette étude, Jeff Leitzinger. Le défi que représente le maintien de la concurrence sur le marché a toujours été pour moi une préoccupation cruciale, tant dans mon travail théorique que dans mes recherches appliquées. Steven Salop, Jason Furman, Barry Nalebuff et Jon Orszag ont compté parmi les nombreux collaborateurs qui ont influencé ma pensée.

Il y a un autre ensemble de dettes, un peu spéciales, que je voudrais reconnaître. Le débat sur la mondialisation et la question des limites de l'économie de marché, dont le débat sur la mondialisation est devenu une composante cruciale, dure maintenant depuis longtemps. Certains (devrais-je dire : beaucoup ?) ne sont pas d'accord avec les idées que j'expose ici ; je me

suis efforcé d'écouter attentivement leurs arguments, d'évaluer leurs preuves, de comprendre leurs modèles, de trouver la
source de nos désaccords. J'ai passé des années à la Hoover
Institution, l'un des instituts de réflexion les plus conservateurs du monde, avec des penseurs comme les Prix Nobel
Milton Friedman, George Stigler et Gary Becker. Je voudrais
dire ma gratitude à leur égard, pour leur patience et pour leur
tolérance. Il a dû être parfois éprouvant pour eux, je le crains,
de voir quelqu'un contester ce qui leur semblait évident ou
prouvé sans l'ombre d'un doute. Trop souvent, j'en ai peur,
ceux qui s'affrontent dans ces débats n'établissent pas un vrai
contact mais cherchent simplement à affirmer leurs positions.
Ils visent davantage à rallier leurs partisans qu'à faire des
convertis. Peut-être n'ai-je pas converti grand monde, mais je
me suis efforcé, je crois, d'engager un débat réel sur les problèmes, pour mettre à nu les différences de postulats et de
valeurs.

Le débat public sur la mondialisation a été particulièrement
animé depuis cinq ans, avec d'importantes contributions de
Martin Wolf (*Why Globalization Works*), Jagdish Bhagwati
(*In Defense of Globalization*), Bill Easterly (*The Elusive Quest
for Growth*), Jeff Sachs (*The End of Poverty*) et Thomas
Friedman (*The World Is Flat*). En public et en privé, nous
avons continué à discuter entre nous, et je crois que nous en
avons tous bénéficié – même si nous n'avons pas réussi à
nous convaincre mutuellement des mérites de nos positions.
Nos démocraties nous ont donné l'occasion – je dirais : la responsabilité – de mener ces débats, qui, je l'espère, joueront un
rôle pour orienter l'action publique dans ce domaine crucial.

J'aimerais insister sur quatre dettes particulières. La première
est celle que je ressens à l'égard de mes collègues de l'Initiative for Policy Dialogue, réseau d'économistes des mondes
développé et en développement dont le but est d'explorer des
approches alternatives au développement et à la mondialisation
et de les faire connaître dans le débat public. J'hésite à distinguer certains d'entre eux, mais je serais impardonnable de ne
pas citer José Antonio Ocampo, ancien secrétaire exécutif de la

CEPAL (Commission économique pour l'Amérique latine) à l'ONU et aujourd'hui secrétaire général adjoint de l'ONU aux affaires économiques et sociales ; K.S. Jomo, aujourd'hui sous-secrétaire général adjoint de l'ONU aux affaires économiques et sociales ; Deepak Nayyar, professeur d'économie à l'université Jawaharlal Nehru ; Dani Rodrik, de l'université Harvard ; Eric Berglof, économiste en chef de la Banque européenne pour la reconstruction et le développement (BERD) ; Patrick Bolton, professeur d'économie et de gestion à l'université Columbia ; Ha-Joon Chang, de l'université de Cambridge ; Ricardo Ffrench-Davis, également de la CEPAL ; Akbar Noman, avec qui j'ai eu une étroite relation de travail sur les problèmes de l'Afrique ; et tout particulièrement Shari Spiegel, directrice de l'IPD. L'IPD a reçu le soutien financier des fondations Ford, Charles Stewart Mott, John D. and Catherine T. MacArthur, et Rockefeller ; de l'Agence canadienne de développement international (ACDI) ; du secrétariat du Commonwealth ; de l'Open Society Institute ; du Rockefeller Brothers Fund ; de l'Agence suédoise d'aide au développement international (ASDI) ; et du Programme des Nations unies pour le développement. À tous, j'exprime ma profonde gratitude.

Ma seconde dette est à l'égard de Bruce Greenwald, mon collègue à Columbia. C'est avec lui que j'ai effectué une grande partie de mon travail fondateur en économie de l'information, et que je donne depuis quatre ans un cours sur la mondialisation et les marchés. Comme toujours, Bruce a contesté mes idées, enrichi ma pensée et apporté des points de vue originaux sur tous les aspects de la mondialisation. Son influence est évidente partout, mais tout spécialement au chapitre 9.

La troisième dette est envers Andrew Charlton, coauteur de notre rapport au Commonwealth : nous avons travaillé en contact étroit, en particulier sur les problèmes du commerce.

La quatrième dette est envers l'université Columbia et son président, Lee Bollinger, qui a contribué à orienter nettement l'attention de cette institution sur les problèmes de la mondialisation et à en faire un centre mondial d'études et de savoir, en créant à l'échelle de toute l'université un Comité sur la réflexion mondiale, que je préside. Des collègues comme Jeff Sachs et Merit Janow (qui servent actuellement au sein de l'organe d'appel de l'OMC) ont mêlé un attachement au monde académique et un engagement profond dans le monde extérieur. La diversité des étudiants et des enseignants de Columbia est un microcosme de la planète. Comme tout grand centre d'études, Columbia offre un environnement qui stimule l'épanouissement du débat entre conceptions rivales. Nous avons énormément bénéficié, ce livre et moi, de la contestation de mes idées.

Je dois beaucoup à mes assistants de l'université Columbia, dont Jill Blacksford – et tout particulièrement à Maria Papadakis, pour avoir franchi tant d'obstacles à tant d'occasions. J'aimerais remercier mes assistants de recherche de tout le travail qu'ils ont effectué sur ce livre, notamment Hamid Rashid, Anton Korinek, Dan Choate, Josh Goodman, Megan Torau, Jayant Ray et Stephan Litschig. Sharon Cleary a contribué aux recherches et à la mise en forme, et assumé l'énorme tâche de tout rassembler à la fin. Alan Brown, Sheridan Prasso et Gen Watanbe ont aidé à corriger les dernières rédactions du livre.

Chez Norton, mon éditeur de longue date Drake McFeely a compris dès le départ l'importance de cet ouvrage, et a travaillé inlassablement sur les deux premières versions du manuscrit. L'équipe de soutien – qui, sous la direction compétente de Nancy Palmquist et d'Amanda Morrison, comprenait Allegra Huston, Brendan Curry et Don Rifkin – a fait merveille dans des délais vraiment serrés. Et je remercie tout spécialement Stuart Proffitt, de Penguin, avec lequel j'ai conçu l'idée de ce livre lors d'un déjeuner, et dont les commentaires très précis sur le manuscrit ont été inappréciables.

Mon épouse, Anya Stiglitz, a participé à ce livre dès le début. Anya a été reporter dans le monde en développement pendant des années, et elle a l'œil : elle m'a aidé à y voir plus clair sur ce qui se passait dans ces pays, à voir, lorsque nous avons voyagé ensemble pendant plusieurs mois, comment la mondialisation touche les gens dans leur vie quotidienne – à voir au-delà des étroites limites où les disciplines universitaires enferment inévitablement l'esprit. Sa curiosité sur le pourquoi des situations m'a contraint à faire plus d'efforts pour expliquer les forces qui les sous-tendent. Elle est peut-être encore plus convaincue qu'un autre monde est possible, un monde où la réalité de la mondialisation ressemblerait davantage à son potentiel bénéfique pour le bien-être des pauvres – et elle m'a mis au défi de ne pas m'en tenir à diagnostiquer les problèmes, d'aller plus loin, de montrer comment on pourrait créer ce monde. Mais elle n'a pas hésité à passer de ces nobles aspirations au travail ingrat, difficile, souvent fastidieux, de la mise en forme de ce manuscrit : elle en a lu de bout en bout toutes les versions, et elle a eu la patience de les corriger et de les recorriger.

1

Un autre monde est possible

En janvier 2004, des militants venus du monde entier ont convergé sur un immense terrain aux abords de Bombay pour assister au Forum social mondial. C'était le premier à se tenir en Asie, et l'ambiance n'était pas du tout la même qu'à Porto Alegre (Brésil) les quatre années précédentes. Plus de 100 000 personnes ont assisté à cet événement d'une semaine, qui a été à l'image de l'Inde elle-même – une gigantesque cohue d'humanité haute en couleur. Des organisations de commerce équitable tenaient des rangées de stands où elles vendaient bijoux artisanaux, tissus multicolores et articles ménagers. « Le métier à tisser à main est l'une des plus grandes sources d'emplois en Inde », proclamaient des banderoles tendues le long des rues. Des colonnes de manifestants battaient tambour et scandaient des slogans, s'ouvrant un chemin à travers la foule. Militants dalit en pagne (ceux que, dans le système des castes, on appelait traditionnellement les « intouchables »), syndicalistes, déléguées des mouvements de femmes, représentants des institutions de l'ONU et des organisations non gouvernementales (ONG), ils étaient tous là, épaule contre épaule. Des milliers de personnes se rassemblaient soudain dans d'immenses « salles de conférences » temporaires, grandes comme des hangars d'aéroport, pour écouter des orateurs tels que l'ex-présidente de la République d'Irlande Mary Robinson (qui a été haut-commissaire des Nations unies aux droits de l'homme de 1997 à 2002) et la lauréate du prix Nobel de la paix Shirin Ebadi. Il faisait très chaud, très humide, et il y avait du monde partout.

On a beaucoup discuté au Forum social mondial. Comment restructurer les institutions qui régissent le monde ? Comment mettre un frein à la surpuissance des États-Unis ? Ces questions ont été longuement débattues. Mais la préoccupation majeure, celle qui dominait tout le reste, c'était la mondialisation. De l'avis général, il fallait que ça change – « Un autre monde est possible », disait la devise du Forum social. Les militants présents à ce rassemblement avaient entendu les promesses de la mondialisation : elle allait améliorer le sort de tous. Mais ils avaient vu la réalité : pour certains c'était beaucoup mieux, pour tous les autres c'était pire. À leurs yeux, la mondialisation contribuait lourdement au problème.

La mondialisation comporte de nombreux aspects : les flux internationaux d'idées et de connaissances, le partage des cultures, la société civile mondiale, le mouvement écologiste planétaire... Mais ce livre porte essentiellement sur la mondialisation économique : l'intégration économique croissante des pays du monde par intensification des flux de biens et services, de capitaux et même de main-d'œuvre. Le grand espoir que cette mondialisation-là fait miroiter, c'est d'élever les niveaux de vie dans le monde entier : en ouvrant aux pays pauvres des marchés extérieurs, donc en leur permettant de vendre leurs produits ; en ouvrant leur territoire aux investissements étrangers, pour y fabriquer de nouveaux produits à meilleur prix ; et en ouvrant les frontières, pour que les habitants de ces pays puissent se rendre à l'étranger pour étudier, travailler, gagner de l'argent qu'ils enverront au pays afin d'aider leur famille et de financer des activités nouvelles.

Je suis certain que la mondialisation est potentiellement porteuse d'immenses bienfaits, tant pour les populations du monde en développement que pour celles du monde développé. Mais les faits sont accablants : elle n'a pas concrétisé ces potentialités. Ce livre veut démontrer que le problème ne vient pas de la mondialisation elle-même. Il vient de la façon dont elle a été gérée. L'économie a été sa force motrice, notamment par la baisse des coûts de communication et de transport, mais c'est la politique qui lui a donné forme. Or les règles du jeu ont été largement fixées par les pays industriels avancés. Soyons précis : par des groupes particuliers en leur sein. Et – qui s'en étonnera ? – ils ont façonné la mondialisation pour qu'elle fonctionne dans leur propre intérêt. Ils n'ont pas du tout cherché à élaborer un ensemble de règles justes, et encore moins de règles conçues pour apporter plus de bien-être aux populations les plus pauvres du monde.

Après nous être exprimés au Forum social mondial, Mary Robinson, Deepak Nayaar, président de l'université de Delhi, Juan Somavia, directeur général de l'Organisation internationale du travail, et moi avons été parmi les rares personnes à passer sans transition à un autre rassemblement : le Forum économique mondial de Davos, station suisse de sports d'hiver où l'élite mondiale se retrouve chaque année pour évaluer l'état de la planète. Réunis dans cette ville de montagne enneigée, les grands capitaines de l'industrie et de la finance avaient sur la mondialisation de tout autres idées que celles que nous venions d'entendre à Bombay.

Le Forum social mondial était un lieu ouvert, où s'étaient rassemblés un très grand nombre de gens venus du monde entier, qui voulaient discuter du changement social, de la façon dont ils pourraient faire de leur slogan « Un autre monde est possible » une réalité. C'était chaotique, multiforme et merveilleusement vivant. Une chance unique de se voir en face à face, de se faire entendre, d'établir des contacts avec d'autres militants. Créer des réseaux, c'est aussi l'une des grandes raisons qui amènent les puissants « décideurs » aux réunions de Davos, où l'on n'entre que sur invitation. Elles ont toujours été un bon endroit pour prendre le pouls des dirigeants économiques de la planète. Elles regroupent essentiellement des hommes d'affaires blancs, entourés d'une escouade d'hommes d'État et de grands journalistes, mais, ces dernières années, la liste des invités a été élargie à un certain nombre d'artistes, d'intellectuels et de représentants d'ONG.

À Davos, le climat était au soulagement, avec un brin d'autosatisfaction. L'économie mondiale, languissante depuis l'éclatement de la bulle des point-com aux États-Unis, entamait enfin sa remontée, et la « guerre contre le terrorisme » semblait bien en main. La réunion de 2003 avait été marquée par une extrême tension entre les États-Unis et le reste du monde à propos de la guerre d'Irak, et les réunions précédentes assombries par des désaccords sur le tour que prenait la mondialisation. En 2004, chacun constatait, soulagé, que ces tensions s'étaient au moins atténuées. Mais on restait préoccupé par l'unilatéralisme américain, par la détermination du pays le plus puissant de la planète à dicter sa loi aux autres tout en leur prêchant la démocratie, l'autodétermination et les droits de l'homme. Cela faisait longtemps que les populations des pays en développement s'inquiétaient de la façon dont étaient prises les décisions mondiales – des décisions économiques et politiques qui changeaient soudain leur vie. À présent, de toute évidence, le reste du monde s'en inquiétait aussi.

J'allais aux réunions annuelles de Davos depuis plusieurs années, et j'y avais toujours entendu parler de la mondialisation avec le plus vif enthousiasme. Ce qui m'a fasciné en 2004, c'est la rapidité de l'évolution des esprits. Davantage de participants se demandaient si la mondialisation apportait vraiment les bénéfices promis – au moins à beaucoup d'habitants des pays pauvres. Ils avaient été dégrisés par l'instabilité économique qui avait marqué la fin du XXe siècle, et ils n'étaient plus très sûrs que les pays en développement pourraient faire face aux conséquences. Ce changement d'état d'esprit est symptomatique du grand basculement qui s'est produit à travers le monde au cours des cinq dernières années dans la façon de voir la mondialisation. Dans les années 1990, la discussion de Davos portait sur les vertus de l'ouverture des marchés internationaux. Dans les premières années 2000, elle s'est concentrée sur la réduction de la pauvreté, les droits de l'homme, la nécessité d'accords commerciaux plus équitables.

Dans un groupe de travail de Davos sur le commerce, le contraste entre les idées des pays développés et celles des pays en développement a été particulièrement net. Un ancien dirigeant de l'Organisation mondiale du commerce y a soutenu que, si la libéralisation (l'abaissement des droits de douane et la suppression d'autres obstacles aux échanges) n'avait pas pleinement tenu ses promesses – accélérer la croissance et réduire la pauvreté –, c'était la faute des pays en développement : ils devaient ouvrir davantage leurs marchés au libre-échange, se mondialiser plus vite. Mais un Indien qui dirigeait une banque de microcrédit a montré la face sombre du libre-échange pour l'Inde. Il a parlé des paysans producteurs d'arachide qui ne pouvaient concurrencer l'huile de palme importée de Malaisie. Il a expliqué que les PME avaient de plus en plus de mal à obtenir des prêts bancaires. Ce qui n'a rien d'étonnant. Dans le monde entier, les pays ayant ouvert leur secteur bancaire aux grandes banques internationales ont découvert que celles-ci préfèrent traiter avec d'autres multinationales – Coca-Cola, IBM, Microsoft... Dans la concurrence entre banques internationales et locales, on croit souvent que les perdantes sont les banques locales, mais ce sont en réalité les PME du pays, qui avaient besoin de celles-ci. La perplexité de certains auditeurs, persuadés que la présence des banques internationales ne pouvait être que meilleure pour tout le monde, montrait bien que ces hommes d'affaires n'avaient pas prêté grande attention aux récriminations déjà exprimées à ce propos en Argentine et au Mexique, où le crédit aux entreprises locales s'était asséché après le rachat de nombreuses banques nationales par des banques étrangères dans les années 1990.

Tant à Bombay qu'à Davos, on a discuté réforme. À Bombay, on a appelé la communauté internationale à créer une forme de mondialisation plus juste. À Davos, on a demandé aux pays en développement d'éliminer la corruption, de libéraliser leurs marchés et de s'ouvrir aux multinationales, si bien représentées dans cette réunion. Dans les deux cas, chacun était bien conscient qu'il fallait agir. À Davos, on a dit que c'était aux pays en développement de le faire – on les rendait carrément responsables de la situation ; à Bombay, que c'était à l'ensemble de la communauté internationale.

Les deux visages de la mondialisation

Au début des années 1990, la mondialisation avait été accueillie dans l'euphorie. En six ans, de 1990 à 1996, les flux de capitaux vers les pays en développement avaient été multipliés par six. La création, en 1995, de l'Organisation mondiale du commerce – objectif visé depuis un demi-siècle – allait donner au commerce international les dehors d'un état de droit. Chacun était censé y gagner – les populations du monde développé comme celles du monde en développement. La mondialisation devait apporter une prospérité sans précédent *à tous*.

Il est donc normal que le premier grand mouvement de protestation moderne contre la mondialisation – qui s'est produit à Seattle en décembre 1999, alors qu'il était prévu d'y lancer un nouveau round de négociations commerciales qui aurait poussé plus loin la libéralisation – ait été une grosse surprise pour les partisans de l'ouverture des marchés. La mondialisation avait réussi à unir les populations du monde entier... contre la mondialisation. Les ouvriers des États-Unis voyaient bien que leurs emplois étaient menacés par la concurrence de la Chine. Les paysans des pays en développement voyaient bien que les leurs étaient compromis par les énormes subventions américaines accordées au maïs et à d'autres denrées. Les ouvriers d'Europe voyaient bien que leur droit du travail, obtenu de haute lutte, était remis en cause au nom de la mondialisation. Les militants engagés contre le sida voyaient bien que les nouveaux accords de commerce avaient fait monter le prix des médicaments à des niveaux inabordables dans une grande partie du monde. Les écologistes estimaient que la mondialisation sabotait plusieurs décennies d'efforts destinés à instaurer des réglementations capables de préserver notre patrimoine naturel. Ceux qui voulaient protéger et développer leur patrimoine culturel voyaient aussi les ingérences de la mondialisation. Ces protestataires n'acceptaient pas l'argument selon lequel, économiquement au moins, la mondialisation finirait par améliorer le sort de tous.

La mondialisation a fait l'objet de nombreux rapports, de bien des commissions. J'ai participé à la Commission mondiale sur la dimension sociale de la mondialisation. Elle a été créée en 2001 par l'Organisation internationale du travail, institution fondée en 1919 à Genève pour établir un dialogue entre gouvernements, entreprises et syndicalistes. Coprésidée par Benjamin W. Mkapa, président de la République unie de Tanzanie, et par Tarja Kaarina Halonen, présidente de la République de Finlande, notre commission a publié en 2004 un rapport extrêmement sceptique. En quelques lignes, il en dit long sur les sentiments réels d'une grande partie de la population de la planète à l'égard de la mondialisation :

> Le processus actuel de mondialisation génère des déséquilibres, entre les pays et à l'intérieur des pays. Des richesses sont créées, mais elles ne sont d'aucun profit pour trop de pays et trop de personnes. Faute d'avoir suffisamment voix au chapitre, ils ne peuvent guère influer sur le processus. Pour la vaste majorité des femmes et des hommes, la mondialisation n'a pas répondu à leurs aspirations, simples et légitimes, à un travail décent et à un avenir meilleur pour leurs enfants. Beaucoup d'entre eux vivent de l'économie informelle, sans droits reconnus, et dans de nombreux pays pauvres qui subsistent de façon précaire en marge de l'économie mondiale. Même dans les pays dont l'économie est florissante, certains travailleurs et certaines collectivités ont souffert de la mondialisation. La révolution des communications mondiales fait que chacun est de plus en plus conscient de ces disparités. [...] Ces déséquilibres mondiaux sont moralement inacceptables et politiquement intenables[1].

La commission a étudié soixante-treize pays. Ses conclusions ont été saisissantes. Dans toutes les régions du monde, sauf l'Asie du Sud, les États-Unis et l'Union européenne (UE), les taux de chômage ont augmenté entre 1990 et 2002. Quand le rapport est sorti, le chômage mondial avait battu un nouveau record historique : 185,9 millions de personnes. La commission a aussi découvert que 59 % des habitants de la planète vivent dans des pays où l'inégalité augmente, 5 % seulement dans des pays où elle diminue[2]. Même dans la plupart des pays développés, les riches deviennent encore plus riches tandis que les pauvres, souvent, ne parviennent même pas à maintenir leurs revenus.

Bref, si la mondialisation a aidé certains pays – leur PIB, la somme des biens et services produits, a pu augmenter –, même en leur sein elle n'a pas aidé la plupart des gens. Peut-être la mondialisation est-elle en train de créer des pays riches au peuple pauvre.

Bien évidemment, les mécontents de la mondialisation économique ne refusent pas, en général, d'avoir plus largement accès aux marchés mondiaux. Ils n'ont rien contre une diffusion mondiale des connaissances qui permet aux pays en développement de tirer profit de découvertes et d'innovations faites dans les pays développés. Ils soulèvent, au fond, cinq problèmes :

• Les règles du jeu qui régissent la mondialisation sont injustes. Elles ont été spécifiquement conçues pour profiter aux pays industriels avancés. En fait, certains changements récents sont si injustes qu'ils ont aggravé la situation de pays qui comptaient déjà parmi les plus pauvres.

• La mondialisation fait passer les valeurs matérielles avant d'autres, telles que le souci de l'environnement ou de la vie même.

• La façon dont la mondialisation est gérée prive les pays en développement d'une grande partie de leur souveraineté. Elle réduit considérablement leur liberté de prendre eux-mêmes les décisions dans des domaines essentiels au bien-être de leurs citoyens. En ce sens, elle mine la démocratie.

• Les partisans de la mondialisation ont prétendu que tout le monde allait y gagner économiquement, mais on a quantité de preuves du contraire, tant dans les pays en développement que dans les pays développés : il y a beaucoup de perdants des deux côtés.

• Enfin, c'est peut-être le plus important, le système économique qu'on a si vivement pressé les pays en développement d'adopter – et dans certains cas qu'on leur a en réalité imposé –

est inadapté et leur fait souvent un tort énorme. Mondialisation ne doit pas être synonyme d'américanisation, que ce soit de la politique économique ou de la culture. Or elle l'est souvent, et cela suscite la rancœur.

Ce dernier point touche tout le monde, les populations des pays développés comme celles des pays en développement. Il existe de nombreuses formes d'économie de marché – le modèle américain est différent de celui des pays nordiques, du Japon et du modèle social européen. Même les habitants des pays développés voient avec une vive inquiétude la mondialisation servir à faire progresser le « modèle libéral anglo-américain » aux dépens des autres – modèle américain qui a réussi au niveau du PIB mais qui n'est pas brillant sur de nombreux autres plans : la longévité par exemple (et la qualité de la vie, pas seulement sa durée, ajoutent certains), l'éradication de la pauvreté, ou même le maintien du niveau de vie des classes moyennes. Les salaires réels aux États-Unis, notamment les plus bas, stagnent depuis plus d'un quart de siècle, et si les revenus sont ce qu'ils sont, c'est essentiellement parce que les Américains font beaucoup plus d'heures de travail que les Européens. On utilise la mondialisation pour répandre le modèle américain d'économie de marché, mais beaucoup d'habitants des autres pays ne sont pas du tout sûrs d'en vouloir. Ceux du monde en développement ont une raison encore plus forte de se plaindre : chez eux, la mondialisation a servi à promouvoir une version de l'économie de marché plus extrémiste, plus calquée sur les intérêts des entreprises, que celle des États-Unis eux-mêmes.

MONDIALISATION ET PAUVRETÉ

Les adversaires de la mondialisation font valoir que de plus en plus de gens vivent dans la pauvreté. Le monde est engagé dans une course entre croissance économique et croissance démographique et, jusqu'à présent, c'est la croissance démographique qui gagne. Même si le pourcentage de pauvres diminue, leur nombre absolu augmente. Selon les définitions de la Banque mondiale, on est en situation de pauvreté lorsqu'on vit avec moins de deux dollars par jour, et dans l'extrême pauvreté, ou pauvreté absolue, quand on vit avec moins d'un dollar par jour.

Réfléchissons une minute à ce que cela veut dire, vivre avec un ou deux dollars par jour[3]. Pour qui est pauvre à ce point, la vie est terrible. La malnutrition des enfants est endémique, l'espérance de vie souvent inférieure à 50 ans, et les soins médicaux sont rares. Il faut passer chaque jour de longues heures à chercher du combustible et de l'eau potable, ménager ses maigres ressources pour survivre, planter du coton sur un lopin semi-aride en espérant que cette année il va pleuvoir, ou s'épuiser à cultiver du riz sur son demi-arpent, en sachant pertinemment qu'en dépit de tous ses efforts on aura à peine de quoi nourrir sa famille.

La mondialisation a joué un rôle tant dans les succès les plus éclatants que dans certains échecs. La croissance économique de la Chine, fondée sur les exportations, a tiré de la pauvreté plusieurs centaines de millions de personnes. Mais la Chine a géré la mondialisation intelligemment : elle a été lente à ouvrir ses marchés aux importations, et aujourd'hui encore elle ne laisse pas entrer les capitaux spéculatifs « fébriles » – cet argent en quête de retours élevés à court terme qui, porté par une vague d'optimisme, se rue soudain sur un pays pour en ressortir tout aussi précipitamment à la première ombre de problème. Le gouvernement chinois a compris que, si un afflux massif de capitaux peut créer une prospérité éphémère, les dégâts des récessions et dépressions auxquelles il faut s'attendre ensuite sont durables et font plus qu'effacer les gains initiaux. Évitant ainsi le cycle expansion-effondrement qu'ont connu les autres pays d'Asie orientale et l'Amérique latine (comme nous le verrons au chapitre 2), la Chine a maintenu une croissance régulière de plus de 7 % par an.

Mais la triste vérité est qu'en dehors de la Chine la pauvreté a augmenté dans le monde en développement depuis vingt ans. Environ 40 % des 6,5 milliards d'habitants de la planète sont des pauvres (leur nombre s'est accru de 36 %

depuis 1981), et un sixième vit dans l'extrême pauvreté (3 % de plus qu'en 1981). L'échec le plus dramatique est l'Afrique, où le pourcentage de la population en situation d'extrême pauvreté est passé de 41,6 % en 1981 à 46,9 % en 2001. Compte tenu de sa croissance démographique, cela veut dire que le nombre d'Africains qui vivent dans l'extrême pauvreté a presque doublé : il est passé de 164 millions à 316 millions de personnes[4].

Historiquement, l'Afrique a été la région la plus exploitée par la mondialisation : à l'époque du colonialisme, le monde lui a pris ses ressources sans lui donner grand-chose en retour. Ces dernières années, l'Amérique latine et la Russie ont ouvert leurs marchés, mais elles ont aussi été déçues : la mondialisation n'a pas tenu ses promesses, en particulier envers les pauvres.

Les revenus, la hausse des niveaux de vie, c'est important, mais les épreuves de la pauvreté ne se réduisent pas au manque d'argent. Quand j'étais économiste en chef de la Banque mondiale, nous avons publié une étude intitulée *Les Voix des pauvres*. Une équipe d'économistes et de chercheurs ont interviewé 60 000 hommes et femmes pauvres de 60 pays pour voir ce qu'ils pensaient de leur situation[5]. Et, bien entendu, ils n'ont pas seulement parlé de l'insuffisance de leurs revenus mais aussi de leur sentiment d'insécurité, d'impuissance. Les sans-emploi, notamment, se sentaient marginalisés, rejetés par leur société.

Pour ceux qui ont un emploi, l'insécurité vient surtout du risque de le perdre, ou de subir une forte chute de leur salaire – on en a eu des exemples spectaculaires dans les crises d'Amérique latine, de Russie et d'Asie orientale à la fin des années 1990. La mondialisation a accru les risques dans les pays en développement, mais il est notoire que les marchés pour s'assurer contre ces risques n'existent pas. Dans les pays avancés, l'État comble le vide : il assure des retraites aux citoyens âgés, des allocations aux handicapés, une assurance maladie, des indemnités de chômage, une aide sociale. Dans les pays en développement, il est en général trop pauvre pour faire fonctionner des programmes de sécurité sociale. Il consacrera probablement ses maigres moyens financiers à l'éducation élémentaire, à la santé publique de base, à la construction d'infrastructures. Les pauvres ne peuvent compter que sur eux-mêmes, ils sont donc vulnérables quand l'économie ralentit ou quand la concurrence étrangère fait disparaître des emplois. Les riches ont une épargne qui les protège. Les pauvres n'ont rien.

L'insécurité est l'une des grandes préoccupations des pauvres ; le sentiment d'impuissance aussi. Les pauvres ont rarement l'occasion de dire ce qu'ils pensent. Quand ils parlent, personne n'écoute. Quand quelqu'un écoute, il répond qu'il n'y a rien à faire. Quand il dit qu'on peut faire quelque chose, il ne se fait jamais rien. Dans le rapport de la Banque mondiale, une jeune femme de la Jamaïque résume bien ce sentiment d'impuissance : « La pauvreté, c'est comme vivre en prison, vivre en esclavage, en attendant d'être libre. »

Ce qui est vrai pour les pauvres individuellement l'est aussi, trop souvent, pour les pays pauvres. Si l'idée de démocratie s'est répandue, si les États qui ont des élections libres sont plus nombreux qu'il y a trente ans[6], les pays en développement découvrent que leur liberté d'action est rognée, tant par de nouvelles contraintes imposées de l'extérieur que par l'affaiblissement de leurs institutions et de leurs équilibres, auquel la mondialisation a largement contribué. Pensons, par exemple, aux conditions que les pays en développement doivent satisfaire pour recevoir une aide. Certaines sont peut-être sensées (sûrement pas toutes, nous allons le voir au chapitre 2), mais là n'est pas la question. La conditionnalité mine les institutions politiques nationales. Les électeurs voient leur gouvernement s'incliner devant des étrangers, céder à des institutions internationales qu'ils pensent être à la solde des États-Unis. La démocratie est bafouée ; l'électorat se sent trahi. Bien que la mondialisation ait contribué à répandre l'idée de démocratie, la façon dont on la gère fragilise, paradoxalement, les processus démocratiques nationaux.

De plus, beaucoup ont l'impression – à mon avis tout à fait justifiée – que la façon dont on gère aujourd'hui la mondialisation est incompatible avec les principes de la démocratie.

Les pays en développement, par exemple, ont du mal à faire entendre leur voix, et leurs préoccupations n'ont guère de poids. Au Fonds monétaire international, l'institution internationale chargée de superviser le système financier mondial, un seul pays a de fait le droit de veto : les États-Unis. On est loin du principe « une personne, une voix », ou « un pays, une voix » : ce sont les dollars qui votent. Les pays qui ont les plus grandes économies ont le plus de voix – et ce ne sont même pas les dollars d'aujourd'hui qui comptent. Les droits de vote sont largement définis en fonction de la puissance économique qu'avaient les pays il y a soixante ans, à la fondation du FMI (seuls quelques ajustements ont été opérés depuis). La Chine, dont l'économie est en plein essor, est sous-représentée. Autre exemple : le dirigeant de la Banque mondiale, l'organisation internationale chargée de promouvoir le développement, est toujours nommé par le président des États-Unis (qui n'a même pas à consulter son propre Congrès). Ce sont des considérations politiciennes internes aux États-Unis qui déterminent sa décision, et non pas les compétences de l'intéressé : aucune expérience du développement, ni même de la banque, n'est exigée. Deux personnalités ainsi nommées – Paul Wolfowitz et Robert McNamara – venaient du monde de la défense, et il s'agissait de deux secrétaires à la Défense dont le nom était lié à des guerres discréditées (l'Irak et le Vietnam).

Réformer la mondialisation

Le débat sur la mondialisation avance : d'une reconnaissance générale du problème – tout ne va pas pour le mieux, une partie au moins du mécontentement a des bases réelles –, on est passé à une analyse plus approfondie, qui fait le lien entre des mesures précises et des échecs précis. Experts et décideurs sont aujourd'hui d'accord sur les domaines où un changement s'impose. Ce livre pose la plus difficile de toutes les questions : quels changements, grands et petits, donneront à la mondialisation les moyens de tenir ses promesses, ou du moins de s'en approcher davantage ? Comment avoir une mondialisation qui marche ?

Faire fonctionner la mondialisation ne sera pas facile. Ceux qui bénéficient du système actuel vont résister au changement, et ils sont très puissants. Mais les forces qui veulent que ça change se sont déjà mises en mouvement. Il y aura des réformes, même si elles se font au coup par coup. J'espère que ce livre contribuera à ce qu'elles soient fondées sur une vision large de ce qui ne va pas aujourd'hui. Il propose aussi plusieurs améliorations spécifiques au fonctionnement de la mondialisation. Certaines sont de faible envergure et ne devraient pas susciter beaucoup de résistance ; d'autres sont de grande ampleur et risquent de ne pas se concrétiser avant des années.

Il y a beaucoup à faire. En passant en revue six domaines où la communauté internationale a compris que tout ne va pas pour le mieux, nous allons mesurer les progrès accomplis et le chemin qui reste à parcourir.

L'OMNIPRÉSENCE DE LA PAUVRETÉ

La pauvreté est enfin devenue une préoccupation mondiale. Les Nations unies et des institutions internationales comme la Banque mondiale ont commencé à œuvrer davantage pour la réduire. En septembre 2000, 150 chefs d'État et de gouvernement ont assisté au « sommet du Millénaire » organisé par l'ONU à New York et ont signé les « Objectifs du millénaire pour le développement » : ils se sont engagés à réduire la pauvreté de moitié en 2015[7]. Ils ont admis que la pauvreté a de nombreuses dimensions – qu'il ne s'agit pas seulement d'une insuffisance de revenu, mais aussi, par exemple, d'une insuffisance de soins médicaux et d'accès à l'eau.

Jusqu'à une date récente, les points de vue du FMI dominaient les débats de politique économique, et cette institution, traditionnellement, se concentrait sur l'inflation et non sur les salaires, le chômage ou la pauvreté. La réduction de la pauvreté, selon lui, relevait de la Banque mondiale, et lui-même avait pour mandat de veiller à la stabilité économique du monde. Mais lorsqu'on se concentre sur l'inflation en ignorant l'emploi, le résultat auquel on aboutit est évident : le chômage monte et la pauvreté aussi. La bonne nouvelle est que le FMI, officiellement du moins, fait maintenant de la réduction de la pauvreté une priorité.

Désormais, on voit clairement qu'*en soi* ouvrir les marchés (c'est-à-dire éliminer les entraves au commerce, permettre la libre circulation des capitaux) ne « résoudra » pas le problème de la pauvreté ; cela pourrait même l'aggraver. Ce qu'il faut, c'est à la fois une aide accrue et un régime commercial plus équitable.

UNE NÉCESSITÉ : L'AIDE ÉTRANGÈRE
ET L'ALLÉGEMENT DE LA DETTE

Lors de la Conférence internationale sur le financement du développement qui s'est tenue en mars 2002 à Monterrey (Mexique), avec la participation de 50 chefs d'État ou de gouvernement et de 200 ministres, entre autres, les pays industriels avancés se sont engagés à accroître substantiellement leur aide, en la portant à 0,7 % de leur PIB (jusqu'à présent, rares sont ceux qui ont tenu parole, et certains – notamment les États-Unis – en sont très loin[8]). Non seulement le besoin d'une augmentation de l'aide a été admis, mais un large accord s'est fait pour qu'elle soit versée davantage sous forme de dons et moins de prêts – ce qui n'est pas surprenant, vu les problèmes constants que pose le remboursement des emprunts.

Mais le plus révélateur a été le changement d'approche à l'égard de la conditionnalité. Le pays qui sollicite une aide étrangère se voit en général demander de satisfaire un grand nombre de conditions. On peut lui dire, par exemple, qu'il doit adopter en urgence telle loi, réformer sa caisse de retraites, sa législation des faillites ou d'autres systèmes financiers s'il veut recevoir une aide. Le nombre de ces conditions étant énorme, les États, pour s'en occuper, ont souvent dû sacrifier des tâches bien plus importantes. Les excès de la conditionnalité ont été l'une des grandes critiques faites au FMI et à la Banque mondiale. Ces deux institutions reconnaissent aujourd'hui qu'elles sont allées trop loin et, dans les cinq dernières années, elles ont effectivement beaucoup réduit la conditionnalité.

De nombreux pays en développement ploient sous un énorme fardeau d'endettement. Certains doivent consacrer au service de la dette la moitié, voire davantage, de leurs dépenses publiques, ou des devises rapportées par leurs exportations – ce qui les prive de sommes avec lesquelles ils pourraient construire des écoles, des routes ou des hôpitaux. En soi, le développement est difficile ; avec le fardeau de la dette, il devient pratiquement impossible.

Une fois par an, les dirigeants des grands pays industriels (le G-8) se réunissent pour discuter des principaux problèmes mondiaux. Au sommet du G-8 de 2005, qui s'est tenu à Gleneagles (Écosse), ils ont accepté d'effacer complètement les sommes dues au FMI et à la Banque mondiale par les dix-huit pays les plus pauvres du monde, dont quatorze sont en Afrique[9]. Il y avait déjà eu deux autres tentatives d'allégement – et pourtant, de nombreux pays en développement ont toujours une énorme accumulation de dettes. À l'heure où j'écris, les pays en développement de toute la planète doivent, en gros, 1 500 milliards de dollars à divers créanciers, dont les banques internationales, le FMI et la Banque mondiale. Environ le tiers de cette somme est dû par les pays à faible revenu[10]. Et, en dépit des effacements, le niveau d'endettement de ces derniers a continué à augmenter.

La dette et la façon dont le monde traite les pays incapables de respecter leurs obligations de débiteurs ne posent pas seulement problème, malheureusement, aux pays à faible revenu. Un moment, la banqueroute de la Russie a fait planer la menace d'une crise financière planétaire. Celle de l'Argentine fin 2001 – la plus grande faillite de l'histoire – a fait voir, même au FMI, les avantages qu'aurait un mécanisme régulier de restructuration, analogue aux procédures de faillite pour les dettes privées. Grand pas en avant.

L'ASPIRATION À RENDRE LE COMMERCE ÉQUITABLE

La libéralisation du commerce – l'ouverture des marchés à la libre circulation des biens et services – était censée conduire à la croissance. Le bilan réel est au mieux mitigé[11]. Si les accords de commerce internationaux ont si peu réussi à promouvoir la croissance dans les pays pauvres, c'est en partie parce qu'ils étaient souvent déséquilibrés : ils autorisaient les pays industriels avancés à lever sur les produits des pays en développement des droits de douane en moyenne quatre fois plus élevés que ceux qui frappaient les produits des autres pays industriels avancés[12]. Et, tandis que les pays en développement étaient contraints de supprimer toute aide publique à leurs industries naissantes, les pays industriels avancés étaient autorisés à maintenir leurs aides gigantesques à l'agriculture, qui font baisser les cours des denrées et pèsent sur les niveaux de vie dans les pays en développement.

Lorsque, au lendemain des émeutes de Seattle, on a examiné plus attentivement les accords commerciaux antérieurs, on a constaté que le mécontentement était au moins partiellement justifié. Le dernier accord avait effectivement aggravé la situation des pays les plus pauvres. Et le monde a réagi : à Doha, en novembre 2001, on est convenu que le prochain cycle des négociations commerciales se concentrerait sur les besoins des pays en développement. (Malheureusement, nous le verrons au chapitre 3, dans les années qui ont suivi, l'Europe et les États-Unis sont largement revenus sur les promesses qu'ils avaient faites à Doha.)

LES LIMITES DE LA LIBÉRALISATION

Dans les années 1990, lorsque les politiques de libéralisation n'ont pas donné les résultats promis, le débat s'est concentré sur ce que les pays en développement n'avaient pas fait. Si la libéralisation des échanges n'y avait pas apporté la croissance, c'était parce qu'ils n'avaient pas assez libéralisé, ou parce que la corruption avait créé un climat peu propice aux affaires. Aujourd'hui, même les partisans de la mondialisation reconnaissent souvent que les torts sont partagés.

Le problème le plus passionnément discuté des années 1990 a été la libéralisation des marchés des capitaux, leur ouverture à la libre circulation des flux spéculatifs à court terme de « capitaux fébriles ». À son assemblée annuelle de 1997, tenue à Hong Kong, le FMI a même tenté de faire modifier sa charte pour qu'on lui donne mandat d'inciter les pays à libéraliser. En 2003, même le FMI avait reconnu que, à de nombreux pays en développement au moins, la libéralisation des marchés des capitaux n'a pas apporté plus de croissance, mais seulement plus d'instabilité[13].

Libéralisation du commerce et libéralisation des marchés des capitaux étaient deux composantes cruciales d'une conception plus générale, qu'on appelle le Consensus de Washington – puisqu'il s'est établi entre trois institutions basées dans cette ville, le FMI (19e rue), la Banque mondiale (18e rue) et le Trésor des États-Unis (15e rue) –, sur l'ensemble des politiques les mieux à même de promouvoir le développement[14]. Ce consensus préconisait de réduire l'intervention de l'État, de déréglementer, de libéraliser et de privatiser au plus vite. Les premières années du nouveau millénaire ont vu se désagréger la confiance dans le Consensus de Washington et émerger un consensus « post-Consensus de Washington ». Le Consensus de Washington avait prêté trop peu d'attention, par exemple, aux questions de justice sociale, d'emploi, de concurrence, au rythme et à l'enchaînement des réformes, ou encore au mode opératoire des privatisations. Le consensus actuel estime aussi que le précédent s'est trop concentré sur la seule croissance du PIB, en négligeant d'autres facteurs qui affectent le niveau de vie, et trop peu sur la durabilité – il ne s'est pas demandé si la croissance qu'il visait était économiquement, socialement, politiquement et environnementalement durable. Le fait que des pays comme l'Argentine – notée A+ par le FMI pour son adhésion aux préceptes du Consensus de Washington – n'ont prospéré que quelques années avant de faire naufrage a renforcé cet intérêt nouveau pour la durabilité.

LA NÉCESSITÉ DE PROTÉGER L'ENVIRONNEMENT

La déstabilisation de l'environnement menace le monde d'un danger encore plus grave à long terme. Il y a une décennie, l'intérêt pour le thème « environnement et mondialisation » se limitait essentiellement aux organisations et aux experts écologistes. Aujourd'hui, il est presque universel. Si nous ne modérons pas les atteintes à l'environnement, si nous ne conservons pas l'énergie et les autres ressources naturelles, si nous n'essayons pas de ralentir le réchauffement de la planète, nous courons au désastre. Le réchauffement de la planète est devenu un vrai défi pour la mondialisation. Les succès du développement, en particulier en Inde et en Chine, ont donné à ces pays les moyens économiques d'accroître leur consommation d'énergie, mais l'environnement planétaire ne peut soutenir cet assaut. Si tout le monde émet des gaz à effet de serre au rythme où le font les Américains, de graves problèmes nous attendent. La bonne nouvelle, c'est qu'aujourd'hui cette idée est presque universellement admise, sauf dans certains cercles de Washington ; mais ajuster les modes de vie ne sera pas facile.

UN SYSTÈME VICIÉ DE GOUVERNANCE MONDIALE

Il y a désormais consensus aussi, du moins hors des États-Unis, sur un autre point : quelque chose ne va pas du tout dans la façon dont sont prises les décisions au niveau mondial ; ce consensus porte, en particulier, sur les dangers de l'unilatéralisme et sur le « déficit démocratique » dans les institutions économiques internationales. Tant les structures que les méthodes ont pour effet que des voix qui devraient être entendues ne le sont pas. Le colonialisme est mort, mais les pays en développement n'ont pas la représentation qui devrait être la leur.

La Première Guerre mondiale a clairement révélé notre interdépendance croissante au niveau planétaire, et, au lendemain du conflit, plusieurs institutions internationales ont été créées. La plus importante, la Société des Nations, a échoué dans sa mission de préserver la paix. Alors que la Seconde Guerre mondiale se terminait, on était bien décidé à faire mieux. L'Organisation des Nations unies a été fondée pour empêcher les guerres qui ont été le fléau de la première moitié du xxᵉ siècle. Comme le souvenir de la Grande Crise des années 1930 était encore frais, deux nouvelles institutions économiques ont été créées : le Fonds monétaire international et la Banque mondiale. À cette date, une bonne partie du monde en développement était toujours colonisée. Ces institutions étaient des clubs de pays riches, et leur gouvernance reflétait cette situation. Lesdits pays ont rapidement établi des règles de club privé pour renforcer leur mainmise : les États-Unis ont accepté que l'Europe nomme le numéro un du FMI, avec un Américain comme numéro deux, et l'Europe a accepté que le président des États-Unis nomme le dirigeant de la Banque mondiale. Si ces deux institutions avaient été plus efficaces sur les problèmes qu'elles étaient censées traiter – si le FMI, par exemple, avait réussi à assurer la stabilité de l'économie mondiale –, on aurait pu leur pardonner ces anachronismes de gouvernance. Mais le FMI a échoué dans sa mission principale, assurer la stabilité financière mondiale, comme l'ont prouvé de la façon la plus claire les crises planétaires de la fin des années 1990 : elles ont frappé toutes les grandes économies de marché émergentes qui avaient suivi ses conseils. Et quand le FMI a conçu des politiques pour y riposter, il a souvent donné l'impression de penser davantage à secourir les créanciers occidentaux qu'à aider les pays en crise et leurs peuples. Il y avait de l'argent pour tirer d'affaire les banques occidentales, il n'y en avait pas pour assurer une aide alimentaire minimale à des populations au bord de la famine. Les pays qui avaient demandé au FMI de les guider ne parvenaient pas à avoir une croissance durable, alors que d'autres comme la Chine, qui prenaient leurs décisions eux-mêmes, remportaient d'énormes succès. Des analyses approfondies ont révélé le rôle que certaines mesures particulières du FMI, comme la libéralisation des marchés des capitaux, avaient joué dans les échecs. Le FMI se plaignait de problèmes de mauvaise gouvernance et d'opacité dans les pays en développement, mais il semblait avoir les mêmes. Certaines règles fondamentales des institutions démocratiques lui faisaient défaut, comme la transparence, nécessaire pour que les citoyens sachent quels sont les problèmes en discussion et aient le temps de réagir, et aussi pour qu'ils puissent savoir comment leurs représentants ont voté et les tenir responsables de leurs décisions ; de plus, il fallait une réglementation empêchant les responsables du FMI d'entrer rapidement dans des firmes privées dès qu'ils quittaient leurs fonctions de service public ; ce genre d'interdiction est la norme dans les démocraties modernes, afin de réduire l'apparence – et la réalité – des conflits d'intérêts, les hauts fonctionnaires étant incités à récompenser leurs futurs employeurs potentiels par des marchés publics lucratifs ou une réglementation favorable.

On admet de plus en plus largement qu'il existe un problème de gouvernance dans les institutions internationales publiques qui orientent la mondialisation, comme le FMI, mais aussi que ce problème joue un rôle dans leurs échecs. Au strict minimum, le déficit démocratique dans leur gouvernance contribue à leur manque de légitimité, qui mine leur efficacité – notamment quand elles dissertent sur la gouvernance démocratique.

L'État-nation et la mondialisation

Il y a cent cinquante ans, la baisse des coûts de communication et de transport a engendré ce que l'on peut considérer comme la première esquisse de la mondialisation. Jusqu'à cette époque, l'essentiel du commerce avait été local. Ce sont les changements du XIXe siècle qui ont conduit à la formation d'économies nationales et contribué à renforcer l'État-nation. On adressait à l'État de nouvelles demandes : les marchés produisaient la croissance, mais celle-ci s'accompagnait de nouveaux problèmes sociaux, et parfois même économiques. L'État a donc assumé des rôles inédits : empêcher les monopoles, jeter les bases d'un système moderne de sécurité sociale, réglementer les banques et autres institutions financières. Il y a eu renforcement mutuel : le succès de l'État sur ces plans-là a contribué à donner forme et dynamique à la construction d'une nation, et la montée en puissance de l'État-nation a mieux permis de dynamiser l'économie et d'accroître le bien-être individuel.

L'idée reçue selon laquelle le développement des États-Unis a été l'œuvre d'un capitalisme laissé à lui-même est fausse. Aujourd'hui encore, l'État américain joue, par exemple, un rôle crucial en matière financière. Il fournit ou garantit un important pourcentage du crédit par divers programmes : prêts immobiliers, prêts aux étudiants, à l'import-export, aux coopératives, aux petites entreprises. Non seulement il réglemente l'activité des banques et garantit les dépôts, mais il s'efforce aussi de garantir que le crédit soit accessible aux catégories de la population mal desservies et – du moins jusqu'à une date récente – à l'ensemble des régions du pays, et non pas seulement aux grands centres financiers.

Historiquement, l'État américain a joué un rôle encore plus important dans l'économie pour promouvoir le développement, dont celui de la technologie et des infrastructures. Au XIXᵉ siècle, quand l'agriculture était au cœur de l'économie, l'État a créé tout le système des universités agricoles et des services d'« extension* ». De gigantesques dons de terrains ont stimulé le développement des chemins de fer à l'ouest. Au XIXᵉ siècle, l'État américain a financé la première ligne de télégraphe ; au XXᵉ, la recherche qui a conduit à Internet.

Si l'essor économique des États-Unis a eu lieu, c'est en partie grâce au rôle qu'a joué l'État pour soutenir le développement, réglementer les marchés et assurer les services sociaux de base. Et la question qui se pose aujourd'hui aux pays en développement est simple : l'État pourra-t-il jouer chez eux un rôle

---

* Créés par le *Cooperative Agricultural Act* de 1914, les *farm extension services* étaient un réseau d'experts agronomes chargés de mettre le savoir scientifique et technique le plus avancé à la disposition directe des exploitants agricoles. (Toutes les notes de bas de page sont du traducteur.)

comparable ? La mondialisation impose de nouvelles tâches aux États-nations – faire face à la montée de l'inégalité et de l'insécurité qu'elle provoque, réagir au défi de compétitivité qu'elle représente –, mais en même temps elle réduit de bien des façons leur capacité à les assumer. Elle a déchaîné, par exemple, des forces de marché d'une telle puissance que les États, en particulier dans le monde en développement, sont bien souvent incapables de les contrôler. Ceux qui tentent de maîtriser les flux de capitaux n'y parviendront peut-être pas, car les particuliers trouvent des moyens de contourner les réglementations. Un pays peut souhaiter relever le salaire minimum mais découvrir qu'il n'a pas la possibilité de le faire, car les firmes étrangères présentes sur son territoire décideraient de passer dans un autre pays où les salaires sont inférieurs.

De plus en plus, la capacité d'un État à contrôler les actes des particuliers et des entreprises est également limitée par des accords internationaux qui empiètent sur ses droits souverains à prendre des décisions. Un État qui veut que les banques consacrent un certain pourcentage de leurs prêts à des zones géographiques mal desservies, ou que les normes comptables reflètent avec précision la véritable situation des entreprises, va peut-être constater qu'il ne lui est plus possible de se doter des lois nécessaires. La signature d'accords de commerce internationaux peut l'empêcher de réglementer les flux entrants et sortants de capitaux spéculatifs « fébriles », même si la libéralisation des marchés des capitaux risque de provoquer des crises économiques.

L'État-nation, qui a été le centre nerveux du pouvoir politique et (dans une large mesure) économique pendant un siècle et demi, est aujourd'hui pris en tenaille entre les forces de l'économie mondiale et les exigences politiques de dévolution du pouvoir. La mondialisation – l'intégration plus étroite entre les pays du monde – suscite le besoin d'une action collective forte : les peuples et les pays doivent pouvoir agir ensemble pour résoudre leurs problèmes communs, dont les principaux – le commerce, les capitaux, l'environnement – ne peuvent être traités qu'au niveau mondial. Mais si l'État-nation

s'est affaibli, les institutions démocratiques mondiales qui pourraient prendre en charge efficacement les problèmes nés de la
mondialisation restent à créer au niveau international.

C'est un fait : la mondialisation économique est allée plus
vite que la mondialisation politique. Nous avons un système
chaotique, non coordonné, de gouvernance mondiale sans gouvernement mondial, tout un attirail d'institutions et d'accords
qui traitent d'une série de problèmes, du réchauffement de la
planète au commerce international et aux flux de capitaux. Les
ministres des Finances discutent des questions financières mondiales au FMI sans s'intéresser beaucoup à l'impact de leurs
décisions sur l'environnement planétaire ou la santé de l'humanité. Les ministres de l'Environnement appellent à l'action contre
le réchauffement du climat, mais ils n'ont pas les moyens financiers nécessaires pour agir en conséquence.

Il est clair que nous avons besoin d'institutions internationales fortes pour affronter les défis de la mondialisation économique ; mais celles qui existent aujourd'hui n'inspirent
guère confiance. Les institutions qui prennent les décisions
souffrent, nous l'avons dit, d'un déficit démocratique, et cela
pose manifestement problème. Ce système aboutit à des décisions qui, trop souvent, ne sont pas dans l'intérêt des populations du monde en développement. Ce qui aggrave encore les
choses, c'est la mentalité des populations des pays industriels
avancés, dont les gouvernements fixent le cap de la mondialisation économique : elles ne font pas encore preuve de la solidarité nécessaire pour que la communauté mondiale fonctionne.
Certes, quand nous voyons un tremblement de terre en Turquie, une famine en Éthiopie, un tsunami en Indonésie – des
images que la mondialisation permet d'introduire dans tous
les foyers –, nous ressentons une immense compassion pour
les victimes et l'aide afflue. Mais il faut bien plus que cela.

Avec le développement de l'État-nation, les individus se sont
sentis liés entre eux au sein de la nation – pas aussi étroitement
qu'avec les membres de leur communauté locale, mais beaucoup plus qu'avec ceux qui ne faisaient pas partie de la nation.
Le problème, c'est que les progrès de la mondialisation n'ont

guère changé ces sentiments. La guerre montre ces différences d'attachement affectif de la façon la plus spectaculaire : les Américains tiennent le compte exact du nombre de leurs soldats tués, mais quand des estimations cinquante fois supérieures ont été publiées pour les victimes irakiennes, on n'a vu aucune émotion. La torture d'Américains aurait déchaîné l'indignation générale ; la torture par des Américains a essentiellement choqué, semble-t-il, les membres du mouvement pacifiste ; beaucoup l'ont même défendue, en la disant nécessaire pour protéger les États-Unis. Ces asymétries ont leurs parallèles sur le plan économique. Les Américains déplorent les emplois perdus chez eux, ils ne fêtent pas les emplois plus nombreux créés pour des populations infiniment plus pauvres ailleurs.

La plupart d'entre nous vivrons toujours localement – dans notre ville, notre région, notre pays. Mais, avec la mondialisation, nous faisons en même temps partie d'une communauté planétaire. Les Européens sont en train d'apprendre, parfois difficilement, à se penser à la fois comme Allemands, Italiens ou Britanniques *et* Européens. Les progrès de l'intégration économique les y ont aidés. Il en va de même au niveau mondial : peut-être vivons-nous localement, mais, de plus en plus, nous devrons penser globalement, mondialement, et nous considérer comme partie prenante d'une communauté mondiale. Ce qui veut dire plus que traiter les autres avec respect. Cela veut dire se demander ce qui est juste, ce que pourrait être, par exemple, un régime commercial équitable. Cela veut dire se mettre dans la peau des autres. Qu'est-ce qui nous paraîtrait juste si nous étions à leur place[15] ? Et cela veut dire distinguer soigneusement les cas où il est nécessaire d'imposer des lois et des réglementations générales pour que le système mondial fonctionne, et ceux où il faut respecter la souveraineté nationale afin que chacun puisse prendre les décisions qui lui conviennent.

Pour changer la façon dont la mondialisation est gérée, un changement d'état d'esprit est essentiel. Il a déjà commencé. Ce chapitre a montré à quel point la vision de la mondialisation a évolué depuis dix ans seulement. Le débat ne se situe plus, pour l'essentiel, entre anti- ou pro-mondialisation. Nous avons compris le potentiel positif de la mondialisation : près de la moitié de l'humanité – l'Asie, dont la Chine et l'Inde – est en train de s'intégrer à l'économie mondiale ; 2,4 milliards de personnes, dont les pays ont souffert du colonialisme et de l'exploitation, des guerres et des troubles intérieurs, connaissent des taux de croissance sans précédent depuis un quart de siècle ou davantage. C'est un événement de portée historique, qu'il faut replacer, lui aussi, dans une perspective historique. Même dans les périodes économiquement les plus brillantes de l'Occident, pendant la révolution industrielle ou le boom qui a suivi la Seconde Guerre mondiale, la croissance a rarement dépassé 3 %. La croissance moyenne de la Chine dans les trois dernières décennies représente le triple. Ces succès sont en partie dus à la mondialisation. Mais nous avons vu aussi la face sombre de celle-ci : récessions et dépressions apportées par l'instabilité mondiale ; dégradation de l'environnement due à une croissance mondiale qui a lieu sans règles mondiales ; un continent, l'Afrique, qu'on dépouille de ses biens, de ses ressources naturelles, et qu'on laisse écrasé sous des dettes qu'il est bien incapable de rembourser. Même les pays industriels avancés commencent à douter de la mondialisation, car elle apporte l'insécurité économique et l'inégalité ; car le matérialisme économique l'emporte sur toute autre valeur ; car les pays comprennent que leur bien-être, voire leur survie, dépend de forces extérieures qui ne leur inspirent pas toujours confiance, comme les régimes pétroliers instables du Moyen-Orient et d'ailleurs. Il peut y avoir croissance, mais pour le gros de la population la vie est peut-être plus dure. L'économie du ruissellement[*], qui soutient qu'une croissance globale de l'économie profite à tout le monde, a été constamment démentie par les faits.

Certains disent que la mondialisation est inévitable, qu'on doit simplement l'accepter, mauvais côtés compris. Mais

---

[*] La *trickle-down theory* prétend que l'argent des riches finit toujours par « ruisseler » jusqu'aux plus pauvres, donc que toute croissance, même très inégalitaire, est bonne pour tous.

puisque la plus grande partie de la planète vit maintenant en démocratie, si la mondialisation ne profite pas à la majorité des gens, ils finiront par réagir. On peut les tromper un moment – leur faire croire quelque temps que les souffrances ne dureront pas et que la récompense est imminente –, mais, après un quart de siècle ou davantage, l'argument n'est plus crédible. Il y a déjà eu des reflux de la mondialisation – le degré d'intégration économique de la planète, selon la plupart des mesures, a chuté après la Première Guerre mondiale[16] –, et il peut y en avoir encore. Déjà le monde a vu les premiers signes d'un choc en retour contre la mondialisation, même dans les pays qui ont été ses plus grands bénéficiaires, quand des firmes indiennes, chinoises ou de Dubaï qui voulaient acheter des entreprises dans le monde développé se sont heurtées à une vive résistance.

Parmi les problèmes que pose la mondialisation, certains sont incontournables, et nous devons apprendre à y faire face : des théories économiques bien établies, qui seront expliquées au fil des chapitres suivants, prouvent que la mondialisation va accroître l'inégalité dans les pays industriels avancés car elle va peser sur les salaires, en particulier ceux des travailleurs non qualifiés. On peut résister à cette pression sur les salaires, mais c'est alors le chômage qui va augmenter. Même les plus puissants dirigeants politiques ne peuvent pas abroger ces lois économiques, malgré leurs efforts. Mais ils peuvent aider nos sociétés à s'ajuster à cette immense transformation de notre société mondiale, comme l'État-nation l'a fait pour le passage à l'industrialisation il y a plus d'un siècle[17].

D'autres problèmes posés par la mondialisation – et ils sont nombreux – sont de notre fait : ils résultent de la façon dont elle a été gérée. On le comprend mieux aujourd'hui. Quel encouragement de voir des mouvements de masse, en particulier en Europe, exiger l'allégement de la dette, et les dirigeants de la plupart des pays industriels avancés appeler à un régime commercial plus équitable, agir contre le réchauffement de la planète ou s'engager à réduire la pauvreté de moitié en 2015 ! Mais il y a un gouffre entre le discours et la réalité – et beaucoup de ces dirigeants sont en avance sur les électeurs de leurs démocraties, qui sont tout à fait d'accord avec ces nobles objectifs, mais seulement dans la mesure où cela ne leur coûte rien.

J'espère que ce livre contribuera à changer les mentalités – qu'il aidera les peuples du monde développé à voir plus clairement certaines conséquences des politiques que mènent leurs gouvernements. J'espère qu'il convaincra beaucoup de lecteurs dans tous les pays qu'« un autre monde est possible », et même plus : qu'il est nécessaire et inévitable. Nous ne pouvons pas continuer sur la voie que nous avons prise. Les forces de la démocratie sont trop puissantes : les électeurs ne permettront pas que ce mode de gestion de la mondialisation se poursuive. Nous commençons déjà à le voir dans des élections, en Amérique latine et ailleurs. La bonne nouvelle, c'est que l'économie n'est pas un jeu à somme nulle. Nous pouvons restructurer la mondialisation au bénéfice de tous, les populations du monde développé comme celles du monde en développement, les générations actuelles comme les générations futures – même si certains intérêts particuliers vont y perdre, donc vont résister à ces changements. Nous pouvons avoir des économies *et* des sociétés plus fortes, qui accordent plus d'importance à des valeurs comme la culture, l'environnement et la vie.

2

La promesse
du développement

Les petites routes du Karnataka, dans le sud de l'Inde, sont criblées de nids-de-poule : même de courtes distances peuvent demander plusieurs heures de voiture. Des femmes y cassent des pierres à la main, dans un paysage parsemé d'hommes isolés qui labourent des champs poussiéreux avec des bœufs. Au bord de la route, des échoppes, où des commerçants vendent des biscuits et du thé. La scène est caractéristique de l'Inde, avec sa population en grande partie illettrée et son revenu médian de 2,70 dollars par jour.

Mais, à quelques kilomètres, la ville de Bangalore vit une révolution. Flambant neuf, le siège social mondial du géant indien de la technologie de pointe et du conseil, INFOSYS Technologies, est devenu le symbole d'un phénomène controversé, l'externalisation, ou infogérance : l'embauche par des firmes américaines d'un personnel indien pour faire un travail qui jusque-là s'effectuait aux États-Unis et en Europe. Cela faisait des décennies que les entreprises exportaient des emplois industriels dans les pays à bas salaires, mais l'Inde, en réussissant à attirer des tâches très qualifiées comme la programmation informatique et le service client, a causé beaucoup d'inquiétude aux États-Unis.

INFOSYS, dont le revenu annuel est de 1,5 milliard de dollars, a été une aubaine pour l'économie locale. Ses salariés achètent des voitures, des logements, des vêtements, ou dépensent leur argent dans les nouveaux bars et restaurants qui ont jailli un peu partout à Bangalore. Le visiteur sent monter la prospérité dans la ville. Mais l'enthousiasme pour ce nouveau monde n'est pas universellement partagé. Aux élections nationales de 2004, le parti au pouvoir, le Bharatiya Janata Party (BJP), avait axé sa campagne sur « l'Inde qui brille » – et effectivement, pour 250 millions de personnes environ, l'Inde brillait : leur niveau de vie s'était immensément amélioré dans les deux dernières décennies. Mais, à quinze kilomètres seulement de Bangalore, et même dans certains quartiers de la ville, la pauvreté était partout. Pour les 800 autres millions d'Indiens, l'économie ne brillait vraiment pas.

Environ 80 % de la population mondiale vit dans des pays en développement, où les revenus sont maigres et la pauvreté énorme, où le chômage est au plus haut et le niveau d'instruction au plus bas. À ces pays, la mondialisation apporte à la fois des risques inouïs et des opportunités sans précédent. Si l'on veut qu'elle parvienne à enrichir le monde entier, il faut la faire fonctionner pour les populations de ces pays.

Nous le verrons dans ce chapitre : il n'y a pas de solution magique, pas de prescription simple. L'histoire de l'économie du développement est marquée par la quête donquichottesque de « la » réponse. La déception causée par l'échec d'une stratégie nourrit l'espoir dans le succès de la suivante[1]. L'important, c'est l'éducation, a-t-on dit. Mais s'il n'y a pas d'emplois pour ceux que l'on a éduqués, il n'y aura pas de développement. L'important, c'est que les pays développés ouvrent leurs marchés aux pays pauvres. Mais si les pays en développement n'ont ni routes ni ports pour faire parvenir leurs produits jusqu'à ces marchés, à quoi bon ? Quand la productivité de l'agriculture est si faible que les paysans n'ont pas grand-chose à vendre, les ports et les routes ne changent pas grand-chose. Le développement est un processus qui concerne *tous* les aspects de la société, et qui exige les efforts de *tous* : des marchés, des États, des ONG, des coopératives, des institutions à but non lucratif.

Un pays en développement qui se contente de s'ouvrir au monde extérieur ne récoltera pas nécessairement les fruits de la mondialisation. Même si son PIB augmente, ce ne sera peut-être pas du développement durable – et parfois ce sera bref. Même si la croissance dure, la majorité de la population vivra probablement moins bien qu'auparavant.

Le débat sur la mondialisation économique est indissociable d'autres débats sur la théorie et les valeurs économiques. Il y a un quart de siècle, trois grandes écoles de pensée rivalisaient en la matière : le capitalisme de marché libre, le communisme et l'économie de marché gérée. Avec la chute du mur de Berlin en 1989, ces trois écoles se sont réduites à deux, et aujourd'hui la discussion oppose essentiellement les défenseurs de l'idéologie du libre marché et ceux qui estiment que l'État et le secteur privé ont tous deux un rôle important. Bien sûr, les positions peuvent se recouvrir partiellement : même les partisans du libre marché reconnaissent que l'un des problèmes en Afrique est le manque d'État ; et même les adversaires du capitalisme sans entraves admettent l'importance du marché.

Néanmoins, un gouffre sépare ces deux perspectives : ceux qui pensent qu'il n'y a aucune différence se laissent duper. Au chapitre précédent, nous avons décrit la stratégie de développement du Consensus de Washington. L'objectif central de ces politiques était clair : réduire au strict minimum le rôle de l'État et privilégier la privatisation (la vente des entreprises publiques au secteur privé), la libéralisation des échanges et des marchés des capitaux (l'élimination des entraves au commerce et à la libre circulation des capitaux) et la déréglementation (la suppression des réglementations imposées aux entreprises). L'État avait un rôle à jouer pour maintenir la macrostabilité, mais la grande préoccupation était la stabilité des prix, pas celle de la production, de l'emploi ou de la croissance. Il y avait de longues listes de commandements et d'interdictions : privatisez tout, des usines aux caisses de retraite ! Pas d'intervention de l'État pour promouvoir des branches particulières ! Renforcez les droits de propriété ! Pas de corruption ! Rétrécir l'État au strict minimum signifiait réduire les impôts – mais garder les budgets en équilibre.

En pratique, le Consensus de Washington ne mettait guère l'accent sur l'équité. Certains de ses partisans croyaient à l'économie du ruissellement, selon laquelle la croissance, d'une manière ou d'une autre, profite à tous – bien que les preuves à l'appui d'une telle assertion soient minces. D'autres estimaient que l'équité relevait de la politique et non de l'économie. Les économistes devaient se concentrer sur l'efficacité, et les stratégies du Consensus de Washington, croyaient-ils, réussiraient sur ce plan-là.

L'autre point de vue, qui est le mien, assigne à l'État un rôle plus actif, tant pour promouvoir le développement que pour protéger les pauvres[2]. La théorie économique et l'expérience historique nous donnent des indications sur ce qu'il doit faire. Puisque les marchés sont au centre de toute économie en bonne santé, l'État doit créer un climat permettant aux entreprises de prospérer et de créer des emplois. Il doit construire des infrastructures matérielles et institutionnelles – des lois garantissant, par exemple, un système bancaire et des marchés des titres honnêtes auxquels les investisseurs peuvent faire confiance, sûrs qu'ils ne seront pas volés. Les marchés mal développés se caractérisent par des monopoles et des oligopoles, et des prix élevés dans un domaine aussi crucial que les télécommunications entravent le développement : les États doivent donc avoir des politiques de la concurrence énergiques. Il y a beaucoup d'autres domaines où les marchés, laissés à eux-mêmes, ne fonctionnent pas bien : dans certains cas ils donnent trop (trop de pollution, trop de dégradation de l'environnement), dans d'autres pas assez (trop peu de recherche). Ce qui sépare les pays développés des pays en développement n'est pas un simple écart de moyens financiers mais aussi un écart de connaissances ; c'est pourquoi les investissements dans l'éducation et la technologie – qui viennent en grande partie de l'État – sont si importants.

En pratique, les partisans de ce second point de vue insistent aussi davantage sur l'emploi, la justice sociale, et des valeurs non matérialistes comme la protection de l'environnement, que ceux qui préconisent de réduire l'État à un rôle minimal. Le chômage n'est pas simplement, à leurs yeux, le gaspillage d'une ressource : il compromet également le sentiment de dignité personnelle d'un individu et a quantité de conséquences sociales indésirables – dont la violence. Les tenants de cette perspective différente recommandent souvent aussi des réformes politiques qui permettraient aux citoyens d'intervenir davantage dans les prises de décision. Ils soulignent que la conditionnalité et des institutions économiques comme les banques centrales indépendantes, qui ne sont responsables devant aucune autorité politique, minent la démocratie. Les défenseurs du Consensus de Washington, quant à eux, se méfient manifestement des processus démocratiques : ils soutiennent, par exemple, que l'indépendance des banques centrales est essentielle pour garantir une bonne politique monétaire.

Comment se fait-il, pourrait-on demander, que les économistes – qui ont tous fait de longues études couronnées par des diplômes de haut niveau – n'arrivent pas à se mettre d'accord sur ce qui va conduire au développement ? Que doit faire un Premier ministre quand il reçoit la visite d'un conseiller du FMI qui lui dit de suivre les prescriptions du Fonds, puis d'un universitaire qui lui recommande le contraire ? Tous deux commencent par invoquer la théorie économique, les lois universelles de l'économie, celles de l'offre et de la demande. Mais la théorie n'est pas monolithique. Les prescriptions du Consensus de Washington reposent sur une théorie de l'économie de marché qui suppose une information parfaite, une concurrence parfaite et des marchés du risque parfaits – idéalisation du réel fort peu pertinente, notamment pour les pays en développement. Dans toute théorie, les conclusions dépendent des hypothèses de départ, et si les hypothèses sont trop éloignées des réalités, les politiques fondées sur ces modèles vont probablement dérailler.

Dans les années 1970 et 1980, les progrès de la théorie économique ont expliqué les limites des marchés : on a prouvé que des marchés sans entraves ne conduisent pas à l'efficacité économique chaque fois que l'information est imparfaite ou qu'il manque certains marchés (par exemple, de bons marchés de l'assurance pour couvrir les principaux risques que courent les particuliers). Or l'information est toujours imparfaite, et les marchés sont toujours incomplets[3]. Les marchés laissés à eux-mêmes n'aboutissent pas nécessairement non plus à l'efficacité économique quand un pays entreprend d'assimiler une technologie nouvelle, de combler l'« écart du savoir » : c'est un trait central du développement. Aujourd'hui, la plupart des économistes universitaires en conviennent : par eux-mêmes, les marchés ne conduisent pas à l'efficacité. D'où la question : l'État peut-il améliorer les choses ?

S'il est difficile aux économistes d'effectuer des expériences pour tester leurs théories, comme peuvent le faire les chimistes ou les physiciens, le monde leur en procure un large éventail en grandeur réelle, puisque des dizaines de pays essaient des stratégies différentes. Malheureusement, comme ces pays diffèrent entre eux par leur histoire, leur situation et une nuée de détails dans leur vie politique – et les détails, ça compte –, on a souvent du mal à parvenir à une interprétation claire. Mais ce qui est incontestable, c'est qu'il y a eu des différences de résultats très tranchées, que les pays qui ont le mieux réussi sont ceux d'Asie, et que, dans la plupart de ces pays asiatiques, l'État a joué un rôle très actif. L'examen attentif des effets de certaines mesures précises conforte ces conclusions : il y a une adéquation remarquable entre les tâches que la théorie économique assigne à l'État et celles que les États d'Asie orientale ont effectivement accomplies. Et les théories économiques qui, sur la base de l'information imparfaite et des marchés du risque incomplets, prédisaient que la libre circulation des flux de capitaux à court terme – typique des politiques du fanatisme du marché – ne produirait aucune croissance mais de l'instabilité ont été aussi confirmées.

Il y a vingt-cinq ans, il était compréhensible qu'il y ait débat sur le fanatisme du marché et les politiques du Consensus de Washington : on ne les avait pas vraiment essayées.

(Les objections théoriques et l'expérience historique incitaient néanmoins à s'en méfier.) Aujourd'hui, au vu des succès et des échecs, on a du mal à comprendre que le débat continue – sauf si l'on prend en compte le rôle de l'idéologie et les intérêts qui sont bien servis par les politiques du Consensus de Washington (même quand l'économie n'est pas en croissance, certains peuvent tirer un gros profit de ces mesures).

La tâche des actuels pays en développement est, en un sens, plus facile que celle de l'Europe et des États-Unis quand ils se sont industrialisés au XIXe siècle. Il s'agit aujourd'hui de rattraper, non de progresser en territoire inconnu. Néanmoins, cette tâche s'est révélée insurmontable à peu près partout, sauf en Asie – l'exemple de développement économique le plus réussi que le monde ait jamais connu. Le succès des pays d'Asie a été si éclatant – et si prolongé – qu'il est facile de considérer qu'il va de soi. Mais la croissance asiatique aurait surpris beaucoup d'experts des années 1950 et 1960, comme le Prix Nobel d'économie Gunnar Myrdal, qui avait jugé les perspectives d'avenir de l'Asie vraiment sombres[4]. Selon la pensée d'alors, des pays tels que la Corée du Sud devaient s'en tenir à ce qu'ils connaissaient le mieux, la riziculture. Le miracle de l'Asie orientale démontre que le développement rapide est possible, même sans aucun atout préalable particulier – et que la croissance équitable, dont les riches et les pauvres bénéficient ensemble, est possible aussi. Les échecs dans le reste du monde prouvent que le développement n'est pas inévitable.

Les différences de résultats entre régions sont stupéfiantes. Tandis que l'Asie orientale a connu une croissance annuelle moyenne de 5,9 % pendant les trente dernières années (6,5 % pendant les quinze dernières), l'Amérique latine et l'Afrique ont fait la course au taux de croissance le plus bas, et le revenu par habitant de l'Afrique subsaharienne a baissé de 0,2 % par an, en moyenne, depuis trente ans[5]. Mais toutes deux ont été battues par la Russie. Depuis le début de sa transition du communisme à l'économie de marché, ce pays a vu son revenu baisser, au total, de 15 % ; en fait, le revenu par habitant a chuté de 40 % dans les dix premières années, mais

l'économie russe a finalement retrouvé le chemin de la croissance dans les cinq dernières.

L'ASIE ORIENTALE

La mondialisation – sous la forme d'une croissance dyna-
misée par l'exportation – a contribué à sortir de la pauvreté
les pays d'Asie orientale. C'est bien la mondialisation qui a
rendu cela possible, en ouvrant à ces pays les marchés internationaux et en leur assurant l'accès à des technologies qui
leur ont permis d'accroître considérablement leur productivité. Mais ils ont su gérer la mondialisation : ils ont été
capables d'en profiter sans se laisser exploiter par elle, et c'est
cela qui explique l'essentiel de leur succès.

Ces pays ont obtenu simultanément la croissance et la stabilité. Certains n'ont connu aucune année de croissance négative pendant près d'un quart de siècle, d'autres une seule ; leurs
résultats à cet égard ont été meilleurs que ceux de n'importe
quel pays industriel avancé. Même pendant la récession de
1997-1998, la Chine et le Vietnam ont poursuivi leur croissance. La Chine a suivi une macropolitique expansionniste
classique (et non les politiques que le FMI recommandait
ailleurs en Asie orientale) : après s'être repliée à l'honorable
niveau de 7 %, sa croissance est remontée à 8 ou 9 % (et certains pensent que ces chiffres sous-estiment la réalité). Si l'on
considérait les provinces chinoises comme des pays distincts
– avec des populations qui parfois dépassent les 50 millions
d'habitants, elles sont de fait de plus grande envergure que
bien des États –, la plupart des pays du monde à croissance
forte seraient en Chine[6].

Il importe de le noter : ces gouvernements ont fait en sorte
que les bénéfices de la croissance ne profitent pas qu'à
quelques-uns et soient largement partagés[7]. Ils n'ont pas seulement été attentifs à la stabilité des prix mais aussi à la stabilité réelle, en veillant à créer des emplois nouveaux au rythme
des entrées dans la population active. La chute de la pauvreté
a été spectaculaire – en Indonésie, par exemple, le taux de

pauvreté (au seuil de 1 dollar par jour) est passé de 28 % à 8 % entre 1987 et 2002[8] –, tandis que la santé s'améliorait, que l'espérance de vie montait et que l'alphabétisation devenait presque universelle. En 1960, le revenu par habitant de la Malaisie était de 784 dollars (en dollars constants de 2000), un peu plus bas que celui d'Haïti à la même époque ; aujourd'hui, il est de plus de 4 000 dollars. En 1960, la durée moyenne de scolarisation en Corée du Sud était de moins de quatre ans ; aujourd'hui, ce pays est à la pointe de certaines industries de haute technologie comme la production de puces informatiques, et son revenu a été multiplié par 16 depuis quarante ans[9]. La Chine est partie plus tard, mais ses réalisations ont été, à certains égards, encore plus remarquables : les revenus y ont été multipliés par plus de 8 depuis 1978 ; la pauvreté au seuil de 1 dollar par jour a diminué de 75 %[10].

Mais si ces économies « de marché » se sont engagées à fond dans la mondialisation, leurs propres marchés étaient loin d'être « sans entraves ». La mondialisation a été dosée, étalée, et l'État est intervenu, prudemment mais sur tous les plans, dans l'économie. Certes, il a fait tout ce que l'on attend habituellement d'un État. Il a développé simultanément l'enseignement primaire et l'enseignement supérieur, parce qu'il a compris que le succès exigeait à la fois l'alphabétisation universelle et l'encadrement d'individus très qualifiés, capables de maîtriser les technologies de pointe. Il a investi massivement dans des infrastructures comme les ports, les routes, les ponts, ce qui a facilité le transport des marchandises, donc rendu moins coûteuses l'activité des entreprises et l'exportation des produits.

Mais il ne s'est pas limité à la liste des missions ordinaires de l'État. Les États d'Asie orientale ont joué un rôle majeur sur d'autres plans : ils ont planifié et stimulé le progrès technologique, en choisissant quels secteurs leur pays allait développer au lieu de laisser le marché en décider. À partir des années 1960, ces pays ont fait de gros efforts pour créer des industries locales. Leurs investissements dans le secteur des technologies de pointe ont aidé Taiwan, la Corée du Sud et la Malaisie à devenir des acteurs de premier plan en électronique, en informatique et dans les semi-conducteurs (les puces). Et ils sont aussi devenus des producteurs parmi les plus efficaces du monde dans des activités traditionnelles comme la sidérurgie et les matières plastiques.

Non que l'État ait voulu se montrer « plus intelligent que le marché » – capable de choisir les gagnants mieux que le marché. Mais il s'est rendu compte qu'il y avait souvent d'énormes phénomènes d'entraînement, de diffusion : des progrès technologiques dans un domaine pouvaient contribuer à stimuler la croissance dans un autre. Il a compris que les marchés, souvent, n'arrivaient pas à coordonner correctement les activités nouvelles : les entreprises qui ont besoin de matières plastiques n'apparaîtront pas s'il n'y a aucun fournisseur local de ce produit, mais c'est un risque énorme pour une firme de produire des matières plastiques sans être sûre qu'il y aura une demande pour sa production. Et l'État a aussi constaté que prêter aux industries nouvelles intéressait moins les banques que financer la spéculation immobilière ou, tout simplement, comme elles le font si souvent dans les pays en développement, prêter au gouvernement.

Cela faisait longtemps que les économistes parlaient de l'importance de l'épargne et de l'investissement pour la croissance, mais, avant que l'Asie orientale ait pris sur ces questions les choses en main, les autorités politiques les laissaient simplement aux bons soins du marché. Les économistes se lamentaient volontiers sur la faiblesse de l'épargne, mais pensaient que l'État n'y pouvait pas grand-chose. Les gouvernements d'Asie orientale ont montré que ce n'était pas vrai. L'argent de leurs investissements est venu de leur propre peuple, car ils ont encouragé l'épargne ; ainsi, ces pays n'ont pas eu à dépendre de flux de capitaux instables venus de l'étranger. Pratiquement tous les pays de la région ont épargné à hauteur de 25 % du PIB ou davantage. Aujourd'hui, la Chine a un taux d'épargne nationale de plus de 40 % du PIB alors qu'il est de 14 % aux États-Unis. À Singapour, il y a eu placement obligatoire de 42 % des revenus salariaux dans un

« fonds de prévoyance ». Dans d'autres pays, comme le Japon, des caisses d'épargne créées par l'État, implantées jusque dans les campagnes les plus reculées, ont offert à la population des moyens commodes et sûrs d'épargner.

Tous ces pays croyaient fermement en l'importance des marchés, mais ils avaient compris que ceux-ci devaient être créés et gouvernés, et que les entreprises privées ne faisaient peut-être pas toujours le nécessaire. Si les banques privées ne fondent pas de filiales dans les zones rurales pour collecter l'épargne, l'État doit intervenir. Si les banques privées n'accordent pas de crédit à long terme, l'État doit intervenir. Si aucune entreprise privée ne fournit certains produits intermédiaires indispensables à la production – comme l'acier et le plastique –, l'État doit intervenir s'il peut le faire efficacement. La Corée du Sud et Taiwan ont démontré qu'il le pouvait. Le gouvernement sud-coréen a procédé avec prudence, mais, quand il a conclu qu'il pouvait investir de façon rentable, il est allé de l'avant et a créé en 1968 l'une des firmes sidérurgiques les plus efficaces du monde. Dès 1954, le gouvernement de Taiwan a contribué au lancement d'une entreprise qui allait avoir un énorme succès, la Formosa Plastics Corporation.

Si la grande majorité des pays de la région ont libéralisé – en ouvrant leurs marchés et en réduisant les réglementations publiques –, ils l'ont fait lentement, à un rythme compatible avec la capacité d'absorption des économies. Si les États asiatiques ont concentré leurs efforts sur une croissance tirée par les exportations, ils ont aussi, notamment au début de leur développement, limité les importations, qui risquaient de compromettre l'industrie et l'agriculture locales.

Certains pays, comme la Chine, la Malaisie et Singapour, ont invité les investissements étrangers ; d'autres, notamment la Corée du Sud et le Japon, se sentaient plus à l'aise sans ces investissements et leur croissance a été tout aussi forte. Même ceux qui ont fait venir les étrangers ont veillé à ce que les firmes invitées transfèrent la technologie et forment la main-d'œuvre locale, si bien qu'elles ont contribué à l'effort de développement du pays. La Malaisie n'a pas livré purement et simplement son pétrole aux compagnies pétrolières étrangères, elle a fait en sorte qu'elles l'aident à développer ses ressources, et n'a cessé de s'instruire auprès d'elles. Aujourd'hui, sa compagnie pétrolière publique, Petronas, forme des spécialistes dans d'autres pays en développement. En gérant sa propre compagnie pétrolière, l'État a réussi à conserver en Malaisie une part plus importante de la valeur de ses ressources naturelles, au lieu de la laisser partir à l'étranger sous forme de profits.

Le débat sur la libéralisation des marchés des capitaux a été plus conflictuel. Bien qu'ils aient ouvert leurs marchés à l'investissement à long terme, les deux géants asiatiques, l'Inde et la Chine, ont restreint les flux de capitaux à court terme. Ils ont compris qu'il est impossible de construire des usines et de créer des emplois avec de l'argent qui peut entrer et sortir du jour au lendemain. Ils ont vu que ces flux avaient été un facteur d'instabilité, qu'ils créaient un risque sans apporter d'avantage évident.

Avec leurs taux d'épargne élevés, les pays d'Asie orientale n'avaient guère besoin de capital supplémentaire. Néanmoins, au cours des années 1980, beaucoup – cédant peut-être aux pressions du FMI et du département du Trésor des États-Unis – ouvrirent leur marché à la libre circulation des capitaux. L'argent afflua un moment, puis l'humeur changea et il s'enfuit. Il en résulta une crise qui se répandit dans toute la région et au-delà. En 1997, les spéculateurs attaquèrent le baht thaïlandais, et firent tomber cette monnaie en chute libre dès le début du mois de juillet. Les banques étrangères annulèrent leurs prêts à la Corée du Sud. L'Indonésie eut des problèmes à la fois avec les banques et avec les spéculateurs. Dans toute la région, les banques centrales dépensèrent des milliards de dollars pour tenter de faire remonter leur monnaie. Quand elles furent à bout de ressources, elles se tournèrent vers le FMI, mais celui-ci assortit son financement d'une longue liste de conditions, dont des réductions de dépenses publiques, des augmentations d'impôts et une hausse des taux d'intérêt. Quand les banques centrales relevèrent leurs taux, les entreprises locales découvrirent qu'elles ne pouvaient plus payer le service de leur dette. Il y eut des faillites massives et la crise monétaire se transforma en crise bancaire.

Ce fut une période terrible : il y eut des émeutes et des troubles sociaux en Indonésie, des hommes d'affaires au chômage erraient dans les parcs de Séoul parce qu'ils avaient trop honte de dire à leur épouse qu'ils n'avaient plus de bureau, des habitants de Bangkok vendaient dans la rue leurs vêtements et leur vaisselle. Beaucoup de citadins sont retournés dans leur famille à la campagne parce qu'ils ne pouvaient plus trouver de travail dans la capitale. Les Sud-Coréens ont fait la queue pour remettre leurs bijoux en or, afin que l'État puisse les fondre et s'en servir pour rembourser une partie de la dette nationale.

Les mesures du FMI n'ont pas stabilisé les monnaies. Elles ont seulement réussi à rendre la crise bien pire qu'elle ne l'aurait été sans elles – exactement comme le prédisait la théorie économique admise. Les censeurs du FMI affirment que ces politiques n'étaient pas vraiment conçues pour mettre ces pays à l'abri d'une récession, mais pour protéger leurs créanciers. Elles visaient à reconstruire au plus vite les réserves des pays asiatiques pour qu'ils puissent rembourser leurs prêts internationaux. Effectivement, ils ont rapidement reconstitué leurs réserves, et même réussi en quelques années à rembourser au FMI tout ce qu'ils lui devaient.

Une grande partie de l'Asie s'est à présent relevée, mais la crise a été dévastatrice et inutile. L'Asie orientale sait maintenant que si la mondialisation, bien gérée, lui a apporté une prospérité considérable, elle lui a aussi apporté la catastrophe économique quand elle a signifié une ouverture à des flux spéculatifs déstabilisants. Après avoir médité sur cette terrible expérience, les responsables de ces pays rejettent encore plus fermement le fanatisme du marché qu'incarne le Consensus de Washington, parce qu'il a exposé leurs pays aux ravages des spéculateurs. Ils privilégient encore davantage l'équité et renforcent leurs politiques d'aide aux plus pauvres. La croissance a repris, mais ces étudiants de la « classe 1997 » n'ont pas oublié la leçon.

L'AMÉRIQUE LATINE

L'Asie orientale a démontré le succès d'une orientation nettement différente du Consensus de Washington, puisqu'elle reconnaît à l'État un rôle bien plus important que celui, minimaliste, autorisé par le fanatisme du marché. Pendant ce temps, l'Amérique latine embrassait les politiques du Consensus de Washington avec plus de ferveur que toute autre région (à l'origine, le terme avait d'ailleurs été créé pour désigner les politiques que l'on préconisait pour elle). Son échec, parallèle au succès de l'Asie orientale, constitue le dossier à charge le plus fort contre ce Concensus.

Dans les décennies précédentes, l'Amérique latine avait mis en œuvre avec un succès certain des politiques fondées sur une puissante intervention de l'État. Elles n'étaient pas aussi raffinées que celles de l'Asie orientale – ni aussi intelligentes, puisqu'elles s'attachaient davantage à restreindre les importations qu'à accroître les exportations. Les États avaient imposé des droits de douane élevés sur certains produits importés afin d'encourager le développement d'industries locales – conformément à la stratégie dite de « substitution aux importations ». Si le succès n'a pas été aussi brillant en Amérique latine qu'en Asie orientale, le revenu par habitant y a tout de même augmenté à un rythme moyen de plus de 2,8 % par an de 1950 à 1980 (2,2 % de 1930 à 1980)[11]. Le pays où l'État est intervenu le plus activement dans l'économie, le Brésil, a connu un taux de croissance annuel moyen de 5,7 % pendant le demi-siècle qui a commencé en 1930.

En 1980, pour combattre leur inflation intérieure, les États-Unis ont fortement relevé les taux d'intérêt, qui sont montés à plus de 20 %. En renchérissant les prêts consentis à l'Amérique latine, cette hausse des taux a déclenché dans la région la crise de la dette du début des années 1980 : le Mexique, l'Argentine, le Brésil, le Costa Rica et beaucoup d'autres pays ont dû se déclarer en défaut de paiement. La crise de la dette a entraîné trois ans de contraction et dix ans de stagnation – des résultats économiques si lamentables qu'on a baptisé cette période « la décennie perdue ».

C'est à cette époque que l'Amérique latine a radicalement changé de politique économique : la plupart des pays se sont ralliés au Consensus de Washington. Comme une forte inflation était apparue dans nombre d'entre eux, la concentration de cette doctrine sur la lutte contre l'inflation semblait judicieuse. Et, puisque l'État n'avait pas bien servi ces pays, on peut comprendre l'attrait du Consensus, qui proposait de réduire son rôle au strict minimum. Quand des pays comme l'Argentine ont adopté les politiques du Consensus de Washington, on les a donc couverts d'éloges. Lorsque la stabilité des prix a été rétablie et que la croissance a repris, la Banque mondiale et le FMI ont revendiqué le mérite du succès : la preuve était faite du bien-fondé du Consensus. Mais il est apparu que cette croissance ne pouvait pas durer, car elle reposait sur des emprunts extérieurs massifs et sur des privatisations qui bradaient les atouts nationaux à des étrangers – et dont les recettes n'étaient pas réinvesties. Il y a eu un boom de la consommation. Le PIB augmentait, mais la richesse nationale diminuait. La croissance ne devait durer qu'une courte période de sept ans avant de céder la place à la récession et à la stagnation. La croissance des années 1990 n'a représenté que la moitié de celle des décennies précédant 1980, et une part disproportionnée de cette modeste avancée est allée aux riches.

Tandis que l'Asie orientale a connu une réduction massive de la pauvreté, les progrès en Amérique latine ont été minimes. À l'heure où j'écris, on peut à bon droit parler d'une grande désillusion dans cette région à l'égard du Consensus de Washington : l'essor d'un contre-consensus qui lui est hostile s'est traduit par l'élection de gouvernements de gauche au Brésil, au Venezuela et en Bolivie. Ceux-ci ont souvent été fustigés pour leur « populisme », parce qu'ils avaient promis de faire accéder les pauvres à l'éducation et à la santé, et d'opter pour des politiques économiques qui non seulement apporteraient une croissance plus élevée, mais aussi garantiraient que ses fruits soient plus largement partagés. Dans une démocratie, il paraît naturel – et non condamnable – que les responsables s'efforcent d'améliorer le bien-être du citoyen moyen, et il est clair que les politiques précédentes n'avaient pas réussi à satisfaire ses besoins légitimes, même si une petite couche, tout en haut de l'échelle de la répartition des revenus, avait brillamment prospéré. Il est trop tôt pour voir si ces gouvernements vont parvenir à concrétiser leurs promesses. Le président du Venezuela Hugo Chávez semble avoir réussi à implanter des services d'éducation et de santé dans les *barrios* de Caracas, qui avaient eu jusque-là bien peu de part aux bénéfices de la richesse pétrolière du pays. Si les dirigeants actuels ne réussissent pas à tenir parole, il est difficile de prédire sous quelle forme les courants de la révolte s'exprimeront.

LES ANCIENS PAYS COMMUNISTES EN TRANSITION

Les succès de l'Asie orientale sont bien plus importants que ne le suggèrent les statistiques, déjà impressionnantes, de leur PIB ; il en va de même pour les échecs de la Russie et de la plupart des autres pays engagés dans une transition du communisme au capitalisme : ils ont été beaucoup plus graves que ne le montrent à eux seuls les chiffres de leur PIB. Le recul de l'espérance de vie – d'une ampleur stupéfiante en Russie, où elle a diminué de quatre ans entre 1990 et 2000 – a confirmé l'impression d'une montée de la misère[12]. (Ailleurs dans le monde, l'espérance de vie augmentait.) La criminalité et la délinquance se sont déchaînées.

Après la chute du mur de Berlin, il y a eu un espoir de démocratie et de prospérité économique dans toute l'ex-Union soviétique et dans ses États satellites. Des conseillers occidentaux ont accouru en Europe de l'Est pour guider ces pays dans leur transition. Beaucoup ont cru à tort qu'il fallait une « thérapie de choc » – que l'on pouvait passer au capitalisme de

style occidental du jour au lendemain en privatisant et en libé-
ralisant rapidement. Une libération instantanée des prix a provoqué – c'était à prévoir – une hyperinflation. Pendant un
moment, les prix en Ukraine ont augmenté à un taux annuel
de 3 300 %. On a alors mis en œuvre une politique monétaire
restrictive (hausse des taux d'intérêt et peu de crédit offert) et
une politique budgétaire d'austérité (contraction des dépenses
publiques) pour abattre l'hyperinflation ; mais ces politiques
ont aussi abattu les économies, qui ont sombré dans les récessions et les dépressions les plus graves. Simultanément, les privatisations rapides bradaient des centaines de milliards de
dollars d'actifs, les plus précieux de ces pays, et créaient une
nouvelle classe d'oligarques qui expédiaient l'argent à l'étranger beaucoup plus vite que n'entraient les milliards versés
sous forme d'aide par le FMI. Les marchés des capitaux ont
été libéralisés sur la base d'une idée fausse : on pensait que cela
encouragerait les entrées d'argent. Il y eut en fait une fuite massive des capitaux, dont le célèbre achat du club de football de
Chelsea et de nombreux domaines ruraux du Royaume-Uni par
l'un des oligarques, Roman Abramovich. Le simple citoyen
russe, naturellement, avait du mal à voir en quoi cela contribuait à la croissance de la Russie. C'était comme si les
conseillers occidentaux avaient cru qu'ouvrir une cage inciterait des oiseaux à y entrer, et non ceux qui s'y trouvaient à en
sortir.

Quand j'étais économiste en chef de la Banque mondiale,
nous avons eu un débat acharné à propos de ces privatisations
rapides. J'étais de ceux qui pensaient qu'elles allaient non
seulement réduire les recettes des États qui avaient désespérément besoin d'argent, mais aussi détruire la confiance dans
l'économie de marché. Sans législation adaptée sur la gouvernance des entreprises, il pouvait y avoir des vols massifs de
leurs actifs par les directeurs ; ils seraient incités à vendre
les meilleurs morceaux au lieu de produire de la richesse. Je
redoutais aussi l'énorme inégalité que pouvaient engendrer
ces privatisations. L'autre tendance disait : ne vous inquiétez pas,
privatisez aussi vite que possible ; les nouveaux propriétaires

veilleront au bon usage des ressources et ce sera l'expansion. Malheureusement, ce qui s'est passé en Russie et ailleurs a été encore pire que ce que j'avais craint. Bien que ses conseillers du FMI, du Trésor des États-Unis et d'ailleurs aient dit et répété au gouvernement russe que la privatisation conduirait à la croissance et à l'investissement, le résultat a été décevant : la production a chuté d'un tiers.

En Russie, les privatisations rapides et entachées de corruption ont déclenché un cercle vicieux. Les sommes reçues en paiement par l'État étaient si faibles que la légitimité du transfert de ressources publiques au secteur privé a paru douteuse à beaucoup. Les investisseurs – ceux qui avaient acquis les biens privatisés – ont alors eu le sentiment, justifié, que leurs droits de propriété n'étaient pas assurés : un nouveau gouvernement pouvait fort bien, sous la pression populaire, annuler les privatisations. Ils ont donc limité leurs investissements et fait sortir du pays le plus gros pourcentage possible de leurs profits, ce qui a aggravé la désillusion à l'égard des privatisations et rendu leurs droits de propriété encore moins sûrs. La libéralisation des marchés des capitaux, réalisée sur les conseils insistants du FMI, a encore aggravé les choses : elle a facilité aux oligarques, qui avaient pillé les actifs des entreprises qu'ils contrôlaient, le transfert de leur argent à l'étranger, dans des pays où le respect des droits de propriété était bien garanti juridiquement. Ils ont ainsi profité à la fois de la faiblesse de la loi chez eux et de sa force à l'étranger.

Ceux qui se sont rendus à Moscou aux premiers temps de la transition ont cru au succès. Les magasins regorgeaient de marchandises et il y avait quantité de voitures sur les routes. Mais ces marchandises étaient des produits de luxe importés pour les nouveaux riches, qui avaient réussi à s'approprier les vastes avoirs de l'État. Tandis qu'une poignée d'individus roulaient en Mercedes et jouissaient de la Russie nouvelle, des millions d'autres voyaient leurs maigres retraites tomber sous le seuil de subsistance.

Il est à présent largement admis que la rapidité des réformes dans les pays de l'ex-bloc soviétique a été une erreur. Les privatisations ont eu lieu avant l'adoption de réglementations saines et d'une législation fiscale forte. Quand les recettes de l'État se sont effondrées, les dépenses de santé et d'infrastructure en ont fait autant. L'un des héritages du passé en Russie était un système éducatif d'excellente qualité, mais il s'est vite dégradé quand on a coupé dans les budgets. En même temps, les anciens dispositifs de sécurité sociale ont été mis au rebut. Avec des résultats sinistres : entre 1987 (peu avant le début de la transition) et 2001, la pauvreté dans les pays de l'ex-bloc soviétique a été multipliée par 10. Entre ce qu'avaient prévu les partisans du libre marché – on allait libérer des forces qui apporteraient une prospérité record – et ce qui s'est passé en réalité – une montée sans précédent de la pauvreté –, le contraste n'aurait pu être plus grand.

Certains pays comme la Pologne et la Slovénie ont mieux géré la transition, en partie parce qu'ils n'ont pas adhéré aussi ardemment à la thérapie de choc[13]. Si, dans l'ensemble, les pays d'Europe de l'Est ont eu de bons résultats, je pense que c'est essentiellement parce qu'ils avaient la perspective d'entrer dans l'Union européenne. Cela les a obligés à se doter rapidement d'un bon cadre juridique, ce qui a rassuré les investisseurs. Quand ils sont entrés dans l'Union, ils ont eu accès à un immense marché, et leurs bas salaires associés à l'excellent niveau d'éducation de leur main-d'œuvre leur ont donné un avantage très net.

Les pays du bloc soviétique n'ont pas été les seuls à opérer une transition postcommuniste. La Chine et le Vietnam, tout en conservant un régime politique communiste, ont aussi commencé à évoluer vers une économie de marché, et le contraste a été frappant. Tandis que les revenus se sont effondrés en Russie (baisse d'un tiers de 1990 à 2000), ils sont montés en flèche dans ces pays (hausse de 135 % en Chine et de 75 % au Vietnam). Rejetant la thérapie de choc, la Chine et le Vietnam ont opté pour une transition plus lente et moins brutale. Aujourd'hui, le dynamisme de leurs économies montre que la tortue a dépassé le lièvre.

L'ampleur de la différence de résultats entre la Chine et la Russie a mis sur la défensive les partisans de la thérapie de choc, d'un changement rapide, sans grande sensibilité aux coûts sociaux ni souci des conditions préalables au bon fonctionnement d'une économie de marché[14]. Ils disent que la tâche était plus facile pour la Chine car il s'agissait d'un pays moins développé, essentiellement agraire. Mais le développement est lui-même difficile – hors d'Asie orientale, les succès sont rares. Et les défenseurs de la thérapie de choc n'ont jamais vraiment expliqué en quoi cumuler deux problèmes difficiles, le développement et la transition, aurait dû rendre la tâche plus facile. Beaucoup de pays moins développés, issus de l'ex-Union soviétique et ayant appliqué la thérapie de choc, ont eu des résultats aussi mauvais que la Russie ; les économies essentiellement agraires de Mongolie et de Moldavie ont connu une chute encore plus prononcée. Quant à ceux qui s'en sont mieux sortis, comme le Kazakhstan, ils ont pu le faire grâce au pétrole.

L'AFRIQUE

J'étais en Afrique orientale aux premiers temps de l'indépendance, à la fin des années 1960. Il y régnait un sentiment d'euphorie, même si ces pays savaient combien le colonialisme les avait mal préparés au développement et à la démocratie. Ils n'avaient pas la moindre expérience de l'autogouvernement – les individus formés étaient rares, et ces pays n'avaient ni l'infrastructure institutionnelle nécessaire à la démocratie ni l'infrastructure matérielle nécessaire à la croissance. En Ouganda, les Britanniques avaient fait monter Idi Amin dans la hiérarchie de l'armée, le préparant ainsi à devenir l'un des futurs dirigeants. Mais l'héritage de la Grande-Bretagne y est éclatant, comparé à la sanglante histoire des activités de la Belgique au Congo.

Il est à peine surprenant que, dans les années 1980, de nombreux pays africains se soient retrouvés en difficulté. Chacun avait sa propre histoire : dictateurs corrompus et souvent implacables en Ouganda, au Congo, au Kenya et au Nigeria ;

stratégie de « socialisme africain » bien intentionnée et pour l'essentiel honnête, mais largement défectueuse, en Tanzanie ; politiques macroéconomiques mal orientées en Côte-d'Ivoire. Dans les années 1980, beaucoup ont sollicité l'aide de la Banque mondiale et du FMI. On leur a donné une aide – en général des prêts et non des dons –, accompagnée de conditions qui devaient contribuer à leur « ajustement structurel ». Mais ces conditions ont été trop souvent mal inspirées, et les projets pour lesquels on leur prêtait cet argent mal conçus. On a exigé des pays emprunteurs qu'ils adaptent la structure de leur économie au fanatisme du marché du FMI et aux politiques du Consensus de Washington. La libéralisation a ouvert les marchés africains aux produits des pays étrangers, mais les pays du continent n'avaient pas grand-chose à vendre à l'étranger. L'ouverture de leurs marchés des capitaux ne leur a pas apporté un afflux de capital – prendre à l'Afrique ses abondantes ressources naturelles intéressait davantage les investisseurs. Souvent, les exigences du FMI ont imposé l'austérité budgétaire ; certes, tous les pays doivent apprendre à vivre dans la limite de leurs moyens, mais le FMI est allé beaucoup plus loin que nécessaire. Il a imposé des contraintes qui empêchaient même le pays emprunteur de faire bon usage du peu d'aide extérieure qu'il recevait. En Éthiopie, le FMI est allé jusqu'à exiger que l'équilibre du budget soit réalisé sans tenir compte de l'aide étrangère. Celle-ci allait donc accroître les réserves de devises, et non construire des hôpitaux, des écoles ou des routes. Bien entendu, ces politiques n'ont apporté aucune croissance. Mais le fardeau de la dette est resté.

Dans les années 1990, de nombreux pays africains, dont le Nigeria, le Kenya, la Tanzanie, l'Ouganda, l'Éthiopie et le Ghana, ont changé de dirigeants, et les nouveaux ont paru plus décidés que les anciens à suivre de bonnes politiques économiques. Ils ont maîtrisé les déficits et l'inflation. Certains, comme Olusegun Obasanjo au Nigeria, Yoweri Museveni en Ouganda, Benjamin Mkapa en Tanzanie et Meles Zenawi en Éthiopie, ont pris des mesures fortes contre la corruption ; même si celle-ci n'a pas été entièrement éliminée,

les progrès ont été remarquables. L'Ouganda et l'Éthiopie ont
eu des périodes de croissance : en Éthiopie, la croissance a été
de plus de 6 % par an entre 1993 et 1997, année où la guerre
a éclaté avec l'Érythrée ; l'Ouganda a connu une croissance
annuelle moyenne de plus de 4 % de 1993 à 2000. Plusieurs
pays ont beaucoup avancé dans la diffusion de l'alphabétisation, et, sans l'épidémie du sida, il y aurait eu de gros progrès
dans la santé et l'espérance de vie. Mais même ces pays qui
remportaient des succès n'ont guère attiré les investissements
étrangers. Les immenses marchés d'Asie, avec leur main-
d'œuvre instruite, leurs meilleures infrastructures, leurs économies en croissance rapide, étaient tout simplement plus
attrayants pour la plupart des multinationales.

Si l'Afrique n'a pas connu de croissance économique, elle
a connu une croissance démographique. Autrefois, l'Afrique
était un continent où la terre était abondante ; elle restait fer-
tile parce qu'on la laissait longtemps en jachère. Mais, avec
les nouvelles pressions démographiques, cela n'a plus été possible. La productivité agricole a baissé, la pauvreté a augmenté.
Sur ce plan-là aussi, la mondialisation a oublié l'Afrique. De
même que les pays qui ont suivi de bonnes politiques macroéconomiques n'ont pas pour autant attiré les investissements,
de même la révolution verte, qui a énormément accru la productivité agricole en Asie, est passée au large de l'Afrique.
Aujourd'hui, sa productivité agricole équivaut au tiers de
celle de l'Asie. Et, comme si cela ne suffisait pas, l'épidémie
du sida l'a frappée avec une force dévastatrice. Même un pays
comme le Botswana, qui avait bien géré son économie et pris
soin de ses ressources (après avoir obtenu son indépendance
de la Grande-Bretagne, il a maintenu une croissance annuelle
de 9 % pendant près de quarante ans), a vu s'inverser la courbe
de l'espérance de vie. Sous l'effet de ces forces, il y avait en
Afrique dans les premières années du XXIe siècle, nous l'avons
vu, deux fois plus de personnes en situation de pauvreté que
vingt ans plus tôt.

L'ASIE DU SUD

Depuis vingt ans, à l'exception d'une crise économique au début des années 1990, l'Inde – pays de 1,1 milliard d'habitants – a connu une croissance de 5 % par an ou davantage. En 2006, on s'attend à 8 %.

Pendant des décennies après l'indépendance, des doctrines socialistes ont dominé et l'économie a stagné. Mais, même pendant cette période, l'État a semé les graines du futur succès. Il a créé plusieurs instituts scientifiques et technologiques, et fait dans l'éducation et la recherche des investissements qui devaient finalement payer au début du nouveau millénaire. Bangalore est aujourd'hui la capitale des technologies de l'information en Inde parce que c'est dans cette ville qu'a été fondé en 1909 l'Institut indien des sciences, sur un terrain donné par le maharadjah de Mysore et grâce à une dotation du grand industriel J. N. Tata.

La révolution verte des années 1970, en répandant l'usage de meilleures techniques agricoles et de nouvelles semences, a énormément accru les rendements. Mais la croissance n'a pas vraiment décollé avant le début des années 1980, quand l'État a cessé de faire preuve d'une hostilité ouverte envers les milieux d'affaires et levé de nombreuses restrictions qui paralysaient le secteur privé[15]. Les libéralisations du début des années 1990 ont été cruciales dans le maintien de la dynamique des réformes antérieures, mais, si l'État a ouvert le pays à l'investissement direct étranger, il a conservé les barrières contre les flux de capitaux à court terme. Ce n'est qu'en 2006, quinze ans après le début des réformes de libéralisation, qu'ont été engagées des discussions sur un ajustement – et non sur l'élimination – de ces restrictions.

Le tournant le plus important a été l'avènement d'Internet. Grâce à cette nouvelle technologie, l'Inde allait enfin pouvoir toucher les bénéfices de ses investissements de longue date dans l'éducation, et ses insuffisances en matière d'infrastructures devenaient moins gênantes. Les occasions d'affaires créées par l'économie-bulle des années 1990 aux États-Unis l'ont aidée indirectement[16]. Si la technologie réduisait déjà les coûts de communication, le surinvestissement massif dans les télécommunications – grâce à la surcapacité des câbles tapissant le fond du Pacifique et à celle des satellites – les a fait chuter encore plus. En général, les entreprises qui envisagent d'investir dans un pays en développement doivent peser une longue liste d'avantages et d'inconvénients. Certes, les salaires sont bas comparés à ceux des pays développés, mais les infrastructures sont insuffisantes, ce qui signifie souvent que les coûts de transport seront plus élevés et la fourniture d'électricité et de services de communications chère et peu fiable. La différence, dans le cas du nouveau secteur de la technologie de pointe en Inde, c'est que ces problèmes d'infrastructure étaient soit hors sujet (les coûts de transport n'intervenaient pas), soit contournables. Les firmes ont construit leurs propres générateurs pour éviter les à-coups du réseau électrique local ; et les satellites capables de relier en une nanoseconde les sociétés indiennes à celles de la Silicon Valley ou d'ailleurs, en Europe comme aux États-Unis, leur ont permis de communiquer avec le monde entier sans dépendre du réseau téléphonique peu fiable de l'Inde.

Le succès de l'Inde, en fait, présente beaucoup de points communs avec celui de la Chine. Dans les deux pays émerge une classe moyenne de plusieurs centaines de millions de personnes, qui commence à jouir de la vie d'abondance dont les populations occidentales profitent depuis si longtemps, et dans les deux pays subsistent d'énormes écarts entre les riches et les pauvres. L'Inde a moins bien réussi que la Chine à réduire la pauvreté, mais elle a fait beaucoup mieux pour prévenir la montée des inégalités, que ce soit entre les régions ou entre l'élite la plus haut placée et le reste de la population. Mais, tout en parvenant à de nouveaux sommets, la Chine et l'Inde ont compris l'une et l'autre qu'elles ne peuvent pas continuer à agir comme elles l'ont fait jusqu'à présent. Les deux gouvernements ont décidé de concentrer leurs efforts sur une aide au secteur rural arriéré. Tous deux se préoccupent de créer de nouveaux emplois pour ceux qui entrent dans la population active (l'Inde a même mis en place un système d'emploi garanti dans les campagnes). Tous deux mesurent l'importance de la technologie et de la formation dans la concurrence mondiale et savent qu'il leur faudra accroître leurs investissements déjà énormes dans l'éducation – le nombre d'ingénieurs et de scientifiques diplômés que forme l'Asie est aujourd'hui trois fois supérieur à celui des États-Unis. La difficulté consiste à améliorer la qualité tout en augmentant la quantité.

Aujourd'hui, les pays en développement du monde entier regardent l'Asie et ses exemples de succès pour voir ce qu'ils peuvent en apprendre. Le soutien mondial au Consensus de Washington s'est évanoui, ce qui n'a rien d'étonnant. Ses échecs s'étalent partout dans le monde, en Afrique, en Amérique latine, dans les économies en transition. Le test le plus clair a été la transition du communisme à l'économie de marché. Les pays qui ont suivi la voie du Consensus de Washington ont échoué, presque jusqu'au dernier. Au mieux, ils n'ont bénéficié que d'une maigre croissance ; au pire, ils subissent la montée des inégalités et de l'instabilité. Même la démocratie y paraît moins assurée.

Une vision du développement

Dans le déploiement de statistiques et d'anecdotes qui décrivent les pays en développement – certaines totalement déprimantes, d'autres porteuses d'un immense espoir –, il importe de ne pas perdre de vue l'essentiel : le succès, c'est un développement durable, équitable et démocratique, où l'objectif central est la hausse des niveaux de vie et pas seulement celle du PIB mesuré. Certes, le revenu est une composante importante du niveau de vie, mais la santé (mesurée, par exemple, à l'espérance de vie et au taux de mortalité infantile) et l'éducation le sont aussi[17]. Le roi du Bhoutan, en quête de stratégies de croissance qui amélioreraient l'éducation, la santé et la qualité de la vie dans les campagnes comme dans les villes, tout en maintenant les valeurs traditionnelles, a lancé l'idée d'un BIB, « bonheur intérieur brut ».

Le PIB est une mesure commode de la croissance économique, mais il ne constitue ni le maître mot ni le fin mot du développement. La croissance doit être durable. Lorsqu'on fait du bachotage avant un examen, comme chacun sait, on obtient son diplôme mais ce qu'on apprend est vite oublié. On peut augmenter le PIB en ravageant l'environnement, en épuisant des ressources naturelles rares, en empruntant à l'étranger – mais ce type de croissance ne peut pas durer. La Papouasie-Nouvelle-Guinée est en train d'abattre ses forêts tropicales où vivent une multitude d'espèces. Ces ventes font monter son PIB aujourd'hui, mais dans vingt ans il n'y aura plus rien à couper[18].

Néanmoins, comme il est relativement facile à mesurer, le PIB est devenu l'obsession des économistes. C'est un problème, car à quoi consacrons-nous nos efforts ? À ce que nous mesurons. Parfois, une augmentation du PIB s'associe à une réduction de la pauvreté. C'est ce qui s'est passé en Asie orientale, mais ce n'était pas par hasard : les gouvernements avaient élaboré des politiques pour garantir aux pauvres une part des bénéfices. Ailleurs, la croissance s'est souvent accompagnée d'une montée de la pauvreté, et parfois même d'une baisse des revenus des classes moyennes. Par exemple aux États-Unis : entre 1999 et 2004, le revenu disponible moyen s'est accru de 11 % en termes réels, mais le revenu du ménage médian – la famille qui est au centre de la répartition, la vraie famille moyenne de la classe moyenne – a diminué d'environ 1 500 dollars si l'on tient compte de l'inflation, soit de 3 % environ. En Amérique latine, le PIB a augmenté de 25 % de 1981 à 1993, mais le pourcentage de la population vivant avec moins de 2,15 dollars par jour est passé de 26,9 % à 29,5 %. Si la croissance économique n'est pas partagée dans toute la société, c'est que le développement a échoué.

Les États d'Asie orientale ont compris que le succès exige la stabilité sociale et politique, et que la stabilité sociale et politique exige beaucoup d'emplois et peu d'inégalités. La consommation ostentatoire a été découragée, les gros écarts de salaires aussi. En Chine, du moins dans les premières phases du développement, un cadre supérieur ne gagnait en général pas plus de trois fois le salaire du travailleur de base. Au Japon, c'était dix fois. (Aux États-Unis, en revanche, la rémunération des cadres de haut niveau a été, ces dernières années, des centaines de fois supérieure à celle du salarié ordinaire[19].)

Je crois qu'il est important, pour un pays, d'être attentif à l'équité, de faire en sorte que les fruits de la croissance soient largement partagés. Pour des raisons morales incontestables, mais aussi parce que c'est nécessaire pour que la croissance soit durable. La ressource la plus importante d'un pays est sa population et, si une grande partie de ses habitants ne peuvent pas mettre en œuvre leurs potentialités – parce qu'ils n'ont pas eu accès à l'éducation, ou parce qu'ils gardent toute leur vie les séquelles d'une malnutrition subie pendant leur enfance –, le pays non plus ne pourra pas concrétiser son potentiel. Les États qui ne font pas un effort massif pour l'éducation ont du mal à attirer les investissements étrangers dans les secteurs qui nécessitent une main-d'œuvre qualifiée – et aujourd'hui de plus en plus d'activités reposent en partie sur du travail qualifié. À l'autre extrême, une forte inégalité, en particulier si elle résulte du chômage, peut provoquer des troubles sociaux ; la criminalité risque fort de s'amplifier et de créer un climat fort peu attrayant pour les entreprises.

Ce n'est pas seulement le revenu qui compte, même celui de l'individu moyen ; ce sont les conditions de vie dans leur globalité. Il peut y avoir un écart entre les deux. Le développement s'accompagne en général d'un mouvement d'urbanisation ; or les villes des pays en développement sont souvent sales, bruyantes, congestionnées, mal équipées en systèmes d'assainissement, et on y respire un air pollué. En mars 1991, la pollution aérienne a été si terrible à Mexico que le président Carlos Salinas de Gortari a fait fermer une grande raffinerie de pétrole. Dans la mutation qu'a représentée la révolution industrielle du XIXe siècle en Europe et aux États-Unis, les

problèmes environnementaux ont été si graves que la santé
s'est dégradée et la durée de vie raccourcie[20]. En Grande-Bretagne, premier pays entré dans l'ère industrielle, la taille
moyenne – à laquelle on mesure le bien-être physique – a
diminué entre la fin du XVIIIe siècle et le milieu du XIXe[21].
Heureusement, les progrès de la médecine et de la nutrition
ont permis de surmonter en partie les facteurs environnementaux, si bien que dans la plupart des pays en développement,
sauf ceux que ravage le sida, la durée de vie augmente.

Aujourd'hui, les experts du développement comprennent
mieux l'importance de la santé et de l'environnement. Ils se
soucient davantage aussi de la sécurité économique – ce qui
reflète son importance aux yeux des simples travailleurs,
comme nous l'avons vu au chapitre 1[22].

LE RÔLE DES MARCHÉS

Au cours des dernières décennies, les idées ont nettement
changé sur ce que signifie un développement réussi, mais aussi
sur la façon de s'y prendre pour le réussir[23]. Dans les années
1960 et 1970, on pensait que la différence entre les pays en
développement et les pays développés était le manque de capital des premiers. On mettait l'accent sur l'épargne et l'investissement. C'est l'une des raisons pour lesquelles la Banque
mondiale a été créée en 1944 : pour contribuer à fournir
davantage de capital aux pays en développement. Quand ils
ont constaté que l'aide étrangère et l'accès facilité aux capitaux
ne donnaient pas les résultats espérés, beaucoup d'experts du
développement ont soutenu l'idée que la solution, c'étaient les
marchés – bien qu'ils n'eussent pas réussi à développer ces pays
dans les années qui avaient précédé la fin du colonialisme[24].
Quand était posée la question « Pourquoi les marchés ne l'ont-
ils pas déjà fait ? », il y avait une réponse facile : parce que
l'État les avait gênés. Pour réussir le développement, il suffisait
d'ôter l'État de leur chemin : privatiser, libéraliser, démanteler
les réglementations, couper dans les dépenses publiques et ser-
rer les freins à l'emprunt public.

L'insistance sur le rôle majeur des marchés, qui avait commencé dans les années 1980 sous Thatcher et Reagan, s'est accentuée après la chute de communisme – réaction naturelle à l'échec de l'économie planifiée dans les ex-États communistes. Puis, dans la dernière décennie du XXᵉ siècle, les cas de la Russie et de l'Amérique latine ont montré que la stratégie se résumant à mettre l'État hors jeu échouait aussi. C'est alors que l'on a commencé sérieusement à chercher d'autres solutions. Certains économistes ont opté pour de petites variantes sur le même thème, diverses formes de « marché plus » (ou de « Consensus de Washington plus ») – en y ajoutant, par exemple, l'importance du capital humain et notamment de l'éducation des femmes. Quand ces politiques aussi ont échoué, il est devenu évident qu'il fallait changer radicalement de stratégie et adopter une approche très large du développement – où l'accent porterait sur des aspects différents suivant les pays et les périodes. Ces stratégies, cependant, n'étaient pas vraiment nouvelles ; c'étaient des variantes de celles qui avaient si bien et si durablement fonctionné en Asie orientale et ailleurs, mais que les fidèles du Consensus de Washington et du fanatisme du marché avaient longtemps ignorées.

UNE APPROCHE GLOBALE DU DÉVELOPPEMENT

La Banque mondiale a adopté cette approche « large » du développement quand j'étais son économiste en chef et Jim Wolfensohn son président[25]. On a reproché à cette stratégie de ne pas être « ciblée », mais c'est faux. À chaque instant, l'attention peut se concentrer sur plusieurs points – les goulots d'étranglement dans l'économie, par exemple. Cela dit, l'approche globale a compris les dangers du type de concentration obsessionnelle qui caractérisait les politiques de développement précédentes : les écoles sans les emplois ne conduisent pas au développement, de même que la libéralisation des échanges sans routes ni ports ne stimule pas le commerce. La Chine a été habile à déplacer l'objet central de ses efforts au fil de ses trois décennies de développement. Prenant acte de la montée des pressions protectionnistes dans le monde, son onzième plan quinquennal, adopté en mars 2006, est passé de la promotion des exportations à l'augmentation de la demande intérieure. Avec son taux d'épargne supérieur à 40 % du PIB, se procurer des capitaux pour investir n'était plus un problème pour la Chine ; ce qu'il lui fallait désormais, c'était stimuler la consommation. Un moment, son grand souci avait été de trouver comment attirer les investisseurs étrangers. Lorsqu'elle y est parvenue avec un immense succès, elle s'est concentrée sur une autre tâche : former des entrepreneurs chinois.

Les éléments clés de la stratégie de développement initiale de la Banque mondiale – apporter davantage de moyens financiers et renforcer les marchés – restent importants pour réussir le développement. La croissance n'est pas possible sans capitaux. Les marchés sont essentiels : ils contribuent à l'allocation des ressources et garantissent leur bon déploiement, ce qui est d'autant plus important qu'elles sont rares. L'approche globale exige de renforcer les marchés. Mais il est tout aussi important de renforcer l'État, et de trouver pour chaque pays, à chaque étape, le bon dosage entre l'État et le marché.

Les succès de l'Asie ont fait écho à ceux des États-Unis et des autres pays du monde industrialisé. L'État a un grand rôle à jouer. Le bon dosage entre l'État et les marchés sera différent selon les pays et les époques. En Chine, par exemple, où il y a déjà beaucoup d'État, le défi était de développer le marché. C'est ce qui s'est fait dans la période d'après la Révolution culturelle, dans les années 1980, quand l'économie chinoise a entrepris le décollage ahurissant qui se poursuit aujourd'hui[26]. L'important, bien sûr, n'est pas seulement l'envergure de l'État, mais ce qu'il fait. Les entreprises de cantons et de villages créées par les communes locales ont joué un rôle crucial dans la croissance rapide de la Chine. L'État s'est retiré de l'agriculture, il a laissé aux familles le contrôle de la terre, et la productivité agricole s'est accrue. Simultanément, l'État central s'est désengagé de la microgestion de l'économie dans les détails pour mieux gérer le cadre économique global, notamment en assurant une source de financement pour le développement des infrastructures. Quand la transition a été bien avancée, le gouvernement chinois a compris que la poursuite du succès exigeait des lois plus strictes sur la gouvernance d'entreprise. Il a aussi compris que, dans son zèle pour renforcer le marché, il avait négligé des domaines comme l'éducation et la santé en zone rurale. Le plan quinquennal de 2006 entend corriger ces déséquilibres.

La liste des champs d'intervention potentiels de l'État est longue. On estime aujourd'hui, à l'unanimité ou presque, qu'il doit agir pour assurer l'éducation de base, fixer les cadres juridiques, mettre en place les infrastructures et certains éléments d'un système de sécurité sociale ; et aussi réglementer la concurrence, les banques et les atteintes à l'environnement. Les pays d'Asie orientale, on l'a vu, estiment que l'État doit faire plus. Selon eux, il lui incombe de maintenir le plein emploi et de promouvoir activement la croissance, et leurs gouvernements restent attentifs à l'inégalité et à la stabilité sociale. En Malaisie, le rôle de l'État s'est étendu dans une autre direction encore. Depuis des décennies, le gouvernement de ce pays mène une politique résolue de discrimination positive en faveur des citoyens d'ethnie malaisienne, et cette politique a été un facteur important de l'édification de la nation. Une société plus stable et plus équitable serait bénéfique pour tous les groupes ethniques : cette idée a été largement admise, même si certains membres de la communauté chinoise de Malaisie ont pu y perdre des occasions d'affaires intéressantes. Mais, comme l'État a fait en sorte que tous aient leur part des fruits du développement, le conflit interethnique a été globalement évité.

• L'être humain est au cœur du développement

Le développement vise à changer la vie des gens, pas seulement à transformer l'économie. Les mesures sur l'éducation ou l'emploi doivent être envisagées d'un double point de

vue : que font-elles pour promouvoir la croissance et quel
est leur impact direct sur les individus ? Les économistes
conçoivent l'éducation comme un capital humain, un investissement dans des personnes qui doit rapporter, au même titre
que l'investissement dans les machines. Mais l'éducation fait
davantage. Elle ouvre les esprits, montre que le changement
est possible, qu'il y a d'autres façons d'organiser la production, autant qu'elle enseigne les principes fondamentaux de la
science moderne et les éléments du raisonnement analytique,
ou qu'elle renforce la capacité d'apprendre. Le Prix Nobel
d'économie Amartya Sen a mis l'accent sur les « capabilités* »
accrues que confère l'éducation, donc sur la liberté que le
développement apporte à chacun[27].

De même que la concentration sur le PIB aboutit à une
vision trop étroite des stratégies de développement, de même
l'intérêt exclusif pour le nombre d'années d'études peut
conduire à une vision étriquée des politiques d'éducation. Le
nombre d'années de scolarisation est un indicateur important
des progrès de l'éducation dans un pays, mais ce qui est
enseigné à l'école est tout aussi important. L'éducation doit
être compatible avec le travail que feront les élèves après
leurs études. En Éthiopie, le gouvernement de Meles Zenawi
a pris conscience que, même si ses plans de développement
les plus ambitieux réussissaient, la plupart des enfants qui
suivent aujourd'hui les cours des écoles rurales vivraient toujours de l'agriculture à l'âge adulte ; il a donc entrepris de
réorienter les programmes pour faire d'eux de meilleurs agriculteurs. Autrefois, l'éducation était conçue comme un moyen
de s'en sortir, d'obtenir un meilleur emploi en ville. Désormais, on la voit aussi comme une façon d'améliorer son sort
et d'élever son revenu même en restant dans le milieu rural.
L'éducation peut servir à promouvoir la santé et la protection

---

* Amartya Sen désigne par « capabilités » l'ensemble des modes de
fonctionnement humain qui sont potentiellement accessibles à une personne, qu'elle les exerce ou non. Voir Amartya Sen, *Repenser l'inégalité*,
Paris, Seuil, 2000, chap. 3.

de l'environnement autant qu'à donner des compétences techniques. Les élèves peuvent apprendre à l'école le danger des latrines situées en amont de la source d'eau potable, ou de la pollution aérienne à l'intérieur des habitations – les fumées étouffantes dans des cabanes non ventilées –, et ce qu'on peut faire pour y remédier.

En matière d'éducation, il est important de voir large. Trop souvent, des institutions internationales de développement comme la Banque mondiale se sont étroitement concentrées sur l'enseignement primaire. C'était compréhensible : ce choix est payant, et trop de pays consacraient une part disproportionnée de leur budget d'éducation aux études universitaires des enfants de l'élite. De plus, une bonne base d'enseignement primaire est essentielle pour identifier les élèves les plus aptes à une formation poussée. Néanmoins, si l'on veut réduire l'écart du savoir entre pays développés et pays en développement, il faut aussi un enseignement secondaire et supérieur solide[28].

Certes, rien ne sert d'avoir des individus très instruits si l'on n'a pas d'emplois à leur offrir. Sans postes adaptés à leurs compétences, les pays en développement perdront ce capital intellectuel dont ils ont grand besoin – leurs enfants les plus brillants, en qui ils ont énormément investi dans l'enseignement primaire, secondaire et parfois supérieur – au profit des pays développés. C'est ce qu'on appelle souvent le « drainage des cerveaux » : encore un cas où les pays en développement finissent par subventionner les pays riches[29]. Dans le langage coloré dont il est coutumier, l'ancien Premier ministre de Malaisie Mahathir Bin Mohamed appelait cette perte sèche « le vol de la propriété intellectuelle des pays en développement ». Comme nous le verrons au chapitre 4, les pays développés justifient leur politique de protection des droits de propriété intellectuelle en expliquant que les médicaments sont chers parce qu'il faut payer les échecs, les recherches qui ne conduisent pas à des percées. Mahathir souligne qu'on peut appliquer la même logique à l'éducation : le pays instruit tous ses jeunes – mais pour découvrir que, parfois, les meilleurs s'en vont en Occident, sans aucune compensation pour les pays en développement.

• L'importance de la communauté

Les marchés, l'État et l'individu sont trois piliers d'une stratégie de développement réussie. Il y en a un quatrième : les collectifs, les gens qui travaillent en commun, souvent avec l'aide de l'État et d'organisations non gouvernementales. Dans de nombreux pays en développement, une grande partie du travail collectif efficace a lieu au niveau local. À Bali, et dans une grande partie de l'Asie, l'irrigation est assurée au moyen d'un réseau de canaux qui sont entretenus par la communauté locale, laquelle veille au partage équitable de l'eau entre les villages et les villageois.

L'histoire de la banque Grameen est bien connue. C'est un établissement de microcrédit du Bangladesh, qui consent de petits prêts à des femmes pauvres des campagnes (lesquelles ont un taux de remboursement bien meilleur que celui des emprunteurs riches des villes). Si ses méthodes ont eu un tel succès, c'est parce qu'elles reposent sur des groupes de femmes qui sont garantes les unes des autres, s'entraident et s'assurent que chacune paie ce qu'elle doit[30]. La banque Grameen a une organisation sœur, le BRAC (à l'origine : Bangladesh Rural Advancement Committee), qui est aussi une ONG. Il est encore plus étendu que Grameen, et tous deux se sont diversifiés dans une large gamme d'activités. Aujourd'hui, ils construisent des écoles – et gèrent même une université –, fournissent des téléphones portables, du crédit immobilier, des soins médicaux et des services juridiques. Regarder le résultat de leur travail est une expérience extraordinaire : des groupes de femmes assises en rang à même le sol discutent fièrement de ce qu'elles ont fait des petits prêts qu'elles ont reçus ; dans des écoles rurales vraiment rudimentaires, des enfants scandent la leçon du jour ; dans tout le Bangladesh, des panneaux font connaître les programmes de distribution de téléphones portables, qui ont permis de connecter des milliers de pauvres et les ont aidés à rejoindre le monde après des siècles d'isolement.

En août 2003, j'ai visité une usine d'aliments pour volailles gérée par le BRAC. L'une des premières initiatives des femmes avec leurs prêts avait été d'acheter des poussins nouveau-nés : elles voulaient élever des volailles, pour le poulet et les œufs. Or il est vite apparu que beaucoup mouraient : leurs tout premiers jours de vie exigeaient des compétences et une attention que les femmes ne pouvaient fournir. Au lieu de mettre fin à l'expérience, le BRAC a pris en charge les soins aux tout jeunes poussins, afin de les remettre aux femmes quand ils étaient assez âgés pour survivre. Jugeant nécessaire de disposer d'aliments pour volailles de meilleure qualité, ses membres ont fondé une entreprise d'alimentation animale dont ils ont vendu les produits aux éleveuses de poulets. Ainsi, le BRAC a créé de la richesse et des emplois par la chaîne d'approvisionnement : des œufs, on est passé aux poussins, puis à la fabrication de nutriments pour poussins.

Sans le BRAC et la banque Grameen, les paysans du Bangladesh seraient encore plus pauvres qu'aujourd'hui. La santé s'est améliorée et le taux de natalité a baissé grâce aux efforts de ces deux organisations et d'autres du même type. L'espérance de vie a augmenté de 12 % en douze ans, pour atteindre soixante-deux ans en 2002, et le taux de croissance démographique, qui était de 2,4 % en 1990, est tombé à 1,7 %. Le modèle de microfinance du BRAC et de la banque Grameen a été imité dans le monde entier. Si leurs programmes ont eu un tel succès, c'est qu'ils étaient issus des collectivités qu'ils servaient et répondaient aux besoins de leurs membres.

La banque Grameen et le BRAC savaient, par exemple, que le succès n'était pas seulement une question d'élevage de poussins. Il s'agissait aussi pour eux de changer les rapports de pouvoir au sein de la communauté, en donnant davantage de ressources économiques aux plus pauvres des pauvres, en particulier aux femmes, traitées depuis si longtemps en citoyennes de seconde catégorie. Les dispositifs qu'ils ont créés en matière de santé, d'aide juridique et d'éducation ont renforcé la communauté. On m'a emmené assister à un cours élémentaire de droit familial organisé par le BRAC, où l'on enseignait aux femmes leurs droits légaux fondamentaux, notamment les rudiments du droit du divorce, afin qu'elles sachent de quelles protections elles jouissaient contre la violence physique et l'abandon par leur mari. Beaucoup ignoraient que la loi du Bangladesh n'autorise pas le divorce islamique rapide. Les cours du BRAC leur ont conféré du pouvoir non seulement en leur révélant leurs droits mais en les aidant à les faire respecter. La banque Grameen, par ses activités de crédit, a renforcé cette démarche : en mettant simplement au nom de la femme les prêts immobiliers pour les maisons, elle a créé pour le mari une incitation économique à rester avec son épouse.

Les études de la Banque mondiale ont fait apparaître l'importance de l'engagement collectif : elles ont conclu que la participation locale au choix des projets et à leur conception accroît les chances de succès[31]. La Banque mondiale a aujourd'hui un programme qui alloue des dons de 25 000 dollars à des collectivités pour qu'elles les dépensent comme il leur plaît. La Thaïlande est l'un des pays qui ont imité cette initiative, et qui laissent la prise de décision aux communautés locales. Il y a un argument impérieux en faveur de ces programmes : les villageois savent mieux que quiconque ce qui va vraiment leur changer la vie ; ils savent comment l'argent est dépensé, et toute corruption les atteint directement. Quand ils se sont investis dans la préparation et l'exécution d'un projet, ils le ressentent davantage comme étant leur projet, s'engagent plus résolument pour son succès, et sont plus attentifs à ce que les fonds nécessaires à son entretien lui soient bien consacrés. En Inde et dans beaucoup d'autres pays en développement, par exemple, les femmes passent un temps considérable en pénibles allers-retours jusqu'au point d'eau pour rapporter l'eau nécessaire à la cuisine et au nettoyage. Les habitants du village sont les mieux placés pour savoir où il faudrait un nouveau puits, et c'est pour cela que, là où il y a eu participation locale, les projets indiens sur l'eau ont tellement mieux réussi que ceux qui ont été conçus à l'extérieur des communautés. Certes, il y a eu des échecs, comme au Timor-Oriental, où certains dons locaux ont été mal dépensés, mais, globalement, il est clair que le développement aura de meilleures chances de se produire avec l'engagement de la communauté.

LES DÉFIS DE LA MISE EN ŒUVRE

Le succès du développement n'exige pas seulement une vision et une stratégie ; il faut convertir les idées en projets et en politiques. Quand j'étais à la Banque mondiale, j'entendais souvent dire, face à des échecs évidents : notre stratégie était juste, c'est simplement qu'elle a été mal appliquée. La faute était rejetée sur les fonctionnaires d'exécution – surtout ceux des pays en développement, parfois ceux de la Banque mondiale ou du FMI. On les accusait de négliger certains détails. Mais les politiques doivent être conçues pour pouvoir être appliquées par de simples mortels, et si l'on constate que ce n'est pas possible, s'il y a constamment des problèmes de mise en œuvre, c'est qu'elles souffrent d'un défaut fondamental.

Gérer le changement est extraordinairement difficile. Il est clair que se jeter tête baissée dans de vastes réformes ne marche pas. La thérapie de choc a échoué en Russie, le Grand Bond en avant des années 1960 a été un désastre en Chine. Ce n'est bien sûr pas seulement une question de vitesse, mais d'étapes. La privatisation a eu lieu en Russie avant la mise en place de dispositifs adéquats pour faire rentrer l'impôt et réglementer les entreprises devenues privées. Instaurer la libre circulation des flux de devises avant de consolider le système bancaire s'est révélé catastrophique en Indonésie et en Thaïlande. Instruire les gens sans avoir d'emplois à leur donner est la recette de la rancœur et de l'instabilité, pas de la croissance. L'équilibre aussi est important : laisser grandir l'écart des revenus entre les villes et les campagnes est un autre bon moyen de s'attirer des problèmes. De nombreuses stratégies de développement qui n'ont pas été mises en œuvre correctement ont échoué parce qu'elles reposaient sur une conception erronée. Les pays qui réussissent ont une vision plus large de ce qu'implique le développement, et une stratégie plus complète pour le réaliser. Étant sensibles à des préoccupations comme celles que l'on vient d'évoquer, ils sont plus efficaces pour mettre en œuvre le changement.

• La gouvernance

Une grande partie du débat sur le développement tourne autour de l'action des pays industriels avancés. Comment peuvent-ils fournir davantage de ressources avec un maximum d'efficacité : par l'aide ? l'allégement de la dette ? l'investissement direct ? Comment peuvent-ils réformer au mieux les dispositifs existants du commerce mondial pour créer davantage d'opportunités de développement ? Mais même si la mondialisation parvient à augmenter les moyens financiers des pays du Sud et à leur ouvrir des possibilités nouvelles, le développement n'est pas garanti. Encore faut-il qu'ils soient capables d'utiliser correctement ces moyens financiers et de tirer profit de ces occasions inédites. Cela relève de la responsabilité de chaque pays, pour lequel un des principaux facteurs du succès futur est la « qualité » de ses institutions publiques et privées, qui elle-même dépend de ces deux questions : comment les décisions sont-elles prises, et dans l'intérêt de qui ? Voilà le champ que désigne le terme général de « gouvernance ».

Aujourd'hui, dans l'ensemble du monde en développement, on porte une attention considérable à un aspect crucial de la gouvernance : la corruption. Je crois que cela fait son effet. Certes, il y aura toujours des cas de corruption. Nul n'est à l'abri de ce phénomène, qui prend des formes différentes selon les pays. Les contributions de campagne versées par les grandes firmes dans les pays industriels avancés, dont nous parlerons au chapitre 7, sont une forme de corruption d'une tout autre ampleur, et en un sens plus insidieuse dans sa subversion des processus démocratiques, que la corruption modique mais permanente des petits bakchichs aux fonctionnaires. Quand les agents de l'État ont le plus grand mal à vivre avec un salaire minime, il est compréhensible, bien qu'inexcusable, qu'ils demandent un pot-de-vin avant de faire le travail pour lequel on les a embauchés. Au moins cet argent mal gagné sert-il à nourrir ou à éduquer leurs enfants.

Singapour a montré que, avec des sanctions énergiques et de hauts salaires dans la fonction publique, on peut éliminer rapidement ce type de corruption. Mais il y a eu plus remarquable : les progrès qu'ont faits des pays qui ne pouvaient s'offrir le luxe d'imiter Singapour. Ainsi, en Éthiopie, le gouvernement combat la corruption avec un tel acharnement que les milieux d'affaires se plaignent de ses excès de zèle. En Ouganda, l'État rend public le montant de tous les chèques destinés aux autorités locales, si bien que les villageois savent combien ils doivent recevoir – et peuvent vérifier qu'entre Kampala et leur village personne n'en a retenu une partie. Au Nigeria, le gouvernement a promis de publier les chiffres des versements effectués par les compagnies pétrolières, pour que les citoyens puissent voir que cet argent n'est pas volé. En Thaïlande, la nouvelle Constitution reconnaît aux citoyens le droit fondamental de savoir ce que fait leur gouvernement – version locale du *Freedom of Information Act*. Des législations comparables sont adoptées dans l'ensemble du monde en développement. Ces succès sont des pas impressionnants dans la bonne direction – mais ils n'ont fait, trop souvent, qu'une faible entaille dans les cultures existantes de la corruption.

Il y a deux décisions que les Occidentaux pourraient prendre pour aider les pays en développement à renforcer leur gouvernance démocratique. La première est simple : ne pas miner leur démocratie. (Même si, parmi les pays qui ont le mieux réussi, beaucoup ont des systèmes politiques qui sont loin d'être démocratiques, la poursuite de la prospérité des pays d'Asie orientale après la démocratisation et l'essor de l'Inde suggère que le succès économique est tout à fait compatible avec la démocratie.) Le scénario se répète pays après pays : on explique aux gens l'importance cruciale de la démocratie, mais, dès qu'ils ont compris le message, on leur dit que ce qui leur tient le plus à cœur – le niveau d'activité global de leur économie, qui détermine le rythme de la création d'emplois et de l'inflation – est trop important pour qu'on le laisse à la politique démocratique. La conditionnalité du FMI mine la démocratie. Il serait facile de prouver que retirer la politique monétaire à la vie politique démocratique pour la confier à des « experts » y contribue aussi. Et, en restreignant le champ des activités légitimes des gouvernements démocratiquement élus, de nombreux accords commerciaux internationaux – en particulier les accords de commerce bilatéraux, que nous évoquerons au chapitre suivant – ont le même effet.

La seconde décision est tout aussi importante, et sera analysée plus longuement au chapitre 5. Les pays développés doivent faire plus pour réduire tout ce qui facilite la corruption : limiter le secret bancaire, accroître la transparence, prendre des mesures contre les pots-de-vin. Dans chaque acte de corruption, il y a un corrupteur et un corrompu, et trop souvent le corrupteur vient d'un pays développé. Certes, la corruption existerait même s'il n'y avait pas de refuges sûrs où l'argent peut aller, et où le corrompu mènera grande vie quand ses méfaits auront été découverts, mais les comptes bancaires secrets simplifient beaucoup les choses.

Faire fonctionner la mondialisation – pour plus de gens

Dans son livre paru en 2005, *The World Is Flat*, Thomas L. Friedman affirme que la mondialisation et la technologie ont « aplati » le monde, c'est-à-dire qu'elles ont créé un terrain sans aspérité où les pays développés et moins développés peuvent rivaliser sur un pied d'égalité[32]. Il a raison de dire qu'il y a eu des changements spectaculaires dans l'économie et dans le paysage mondiaux. À certains égards, le monde est bien plus plat qu'il ne l'a jamais été, puisque les habitants de ses diverses régions sont plus « connectés » qu'ils ne l'ont jamais été. Mais le monde n'est pas plat[33].

Les pays qui veulent participer au nouvel univers de la mondialisation *high tech* ont besoin de technologies modernes, d'ordinateurs et d'autres équipements pour se connecter au reste du monde. Les personnes qui veulent prendre part à la concurrence dans cette économie mondiale doivent avoir les compétences et les moyens financiers de le faire. Certaines régions de l'Inde, comme celle de Bangalore, ont à la fois la technologie et le personnel compétent pour l'utiliser, mais l'Afrique ne les a pas. Plus la mondialisation et les nouvelles technologies rapprochent ces régions indiennes et chinoises des pays industriels avancés, plus l'écart se creuse entre l'Afrique et le reste du monde. Et il se creuse aussi, au sein même des pays, entre les riches et les pauvres – donc entre ceux qui peuvent participer efficacement à la concurrence mondiale et ceux qui ne le peuvent pas.

La haute technologie est un jeu où la mise est élevée : il faut de gros investissements (de la part de l'État et du pays). Les pays industriels avancés et leurs grandes firmes en ont les moyens ; beaucoup d'autres ne les ont pas. Étant donné leurs handicaps, la réussite de l'Inde et de la Chine est vraiment remarquable.

Non seulement le monde n'est pas plat, mais il l'est de moins en moins. Les pays d'Asie orientale ont fait fonctionner la mondialisation à leur profit ; leur succès est la meilleure preuve des bienfaits qu'elle peut apporter aux autres pays en développement. Mais, quand certains des pays les plus pauvres du monde dépendent de l'aide de la Banque mondiale, du FMI ou de donateurs en Europe, aux États-Unis et au Japon, les conditions liées à cette aide – bien qu'elles soient moins pesantes qu'autrefois – peuvent encore les empêcher de suivre les politiques économiques de leur choix, dont celles qui se sont révélées si efficaces en Asie orientale. D'autant plus que les accords commerciaux récents ont rendu ces stratégies – qui consistent à promouvoir les technologies, à combler l'écart des connaissances, à utiliser les marchés financiers comme catalyseurs de la croissance – plus difficiles, voire impossibles, à suivre.

Il est déjà regrettable que les pays en développement soient désavantagés par la nature des choses. Mais les règles du jeu aussi sont contre eux – et, sur certains plans, de plus en plus. Le régime du commerce mondial et le système financier international favorisent nettement les pays industriels avancés. Dans les chapitres qui suivent, je montrerai en détail comment ils les avantagent aux dépens des pauvres.

Une autre réalité est peut-être aussi inquiétante : les technologies nouvelles (avec le renfort des nouvelles règles commerciales) accroissent le pouvoir de marché des firmes dominantes, bien en place, comme Microsoft, toutes issues du monde développé. Pour la première fois, dans une industrie mondiale cruciale, il y a un quasi-monopole planétaire si puissant que même des firmes américaines extrêmement innovantes comme Netscape, qui a mis au point le premier grand navigateur, ont été facilement écrasées. Quelles sont, dans ces conditions, les chances des entreprises innovantes mais bien moins capitalisées des pays en développement ? Elles pourront au mieux ramasser les miettes en occupant des niches du marché trop petites pour intéresser les géants. Microsoft exerce un tel pouvoir de marché qu'il a effrontément menacé de se retirer de Corée du Sud si ce pays poursuivait son action antitrust contre lui – confirmant ainsi, en un sens, qu'il possédait bien un pouvoir de marché hors du commun, car, si ce n'était pas le cas, sa menace n'aurait eu aucun sens.

Les chapitres suivants vont passer en revue ces échecs de la mondialisation, et notamment l'impact des accords commerciaux qui, au lieu de créer les possibilités d'affaires promises, ont parfois rendu le terrain encore plus inégal. Les derniers accords ont, en réalité, *aggravé* la situation des pays les plus pauvres. Ils ont aussi condamné à mort des milliers d'habitants du monde en développement atteints de maladies comme le sida, pour lesquelles il existe déjà des médicaments qui font merveille. Nous verrons que des entreprises ont dépouillé des pays de leurs ressources naturelles en laissant derrière elles une traînée de ravages sur l'environnement – et que le cadre juridique communément admis leur permet de s'en tirer sans problème. Nous verrons que le pays le plus riche du monde refuse de faire quoi que ce soit sur le plus grand problème environnemental de la planète, le réchauffement du climat, dont les effets dévastateurs se feront particulièrement sentir dans certains des pays les plus pauvres. Nous verrons que les États occidentaux ont parfois laissé opérer des monopoles et des cartels mondiaux au détriment des populations du monde en développement.

Certes, si les pays en développement avaient mieux résolu tous les problèmes qui dépendent d'eux, s'ils avaient eu des gouvernements plus honnêtes, des intérêts particuliers moins influents, des entreprises plus efficaces, une main-d'œuvre mieux formée – bref, s'ils n'avaient pas souffert des mille maux de la pauvreté –, ils auraient pu mieux gérer cette mondialisation injuste et déréglée. Mais de toute manière le développement est difficile. Les *success stories* sont rares : notre bref tour du monde nous a révélé une planète saturée d'échecs. Le reste du monde ne peut pas résoudre les problèmes des pays en développement. Ils devront le faire eux-mêmes. Mais nous pouvons au moins égaliser le terrain, et ce serait mieux encore de le déséquilibrer en leur faveur. C'est un impératif moral. Et de bons arguments prouvent aussi, je crois, que c'est dans notre intérêt. Leur croissance stimulera la nôtre. Stabiliser et sécuriser le monde en développement contribuera à stabiliser et sécuriser le monde développé.

3

Rendre le commerce équitable

S'il est un accord de commerce qui aurait dû être un succès, c'est bien celui qui a réuni le Mexique, les États-Unis et le Canada. Entré en vigueur en 1994, l'Accord de libre-échange nord-américain (ALENA) créait la plus grande zone de libre-échange de la planète (à cette date) : 376 millions d'habitants et un PIB de près de 9 000 milliards de dollars[1]. Ce traité ouvrait au Mexique le pays le plus riche du monde, les États-Unis. Les deux pays avaient une histoire commune – pas toujours agréable, certes. Les États-Unis ont attiré une importante immigration mexicaine, ils ont de vastes régions hispanophones et, dans des branches comme l'agriculture, l'industrie manufacturière et les services non qualifiés, ils comptent beaucoup sur la main-d'œuvre mexicaine. Dix millions de Mexicains – un dixième de la population du Mexique – vivent, légalement ou illégalement, aux États-Unis[2]. Beaucoup de ceux qui viennent y travailler s'y installent avec un conjoint américain et y élèvent leurs enfants ; ils commencent même, à présent, à dominer des collectivités locales dans des États comme la Californie, le Texas et l'Arizona. Dès avant l'ALENA, le Mexique et le Canada étaient les premiers partenaires commerciaux des États-Unis et les pays les plus visités par les Américains.

La conjonction de ces liens entre les deux pays et de leur écart de puissance économique et politique crée des tensions. « Pauvre Mexique – si loin de Dieu et si près des États-Unis », dit un proverbe mexicain. Le revenu par habitant est 6 fois plus élevé aux États-Unis qu'au Mexique. Avec l'écart correspondant des salaires (6 fois plus élevés aussi) et l'ampleur du chômage au Mexique, le territoire américain exerce une force d'attraction considérable, et des milliers de personnes risquent leur vie pour y entrer clandestinement. Il n'est pas dans l'intérêt des États-Unis d'avoir à leur frontière sud un pays pauvre et instable. Les partisans de l'ALENA espéraient que ce traité stimulerait l'économie du Mexique, et aiderait ce pays doté d'immenses richesses artistiques, historiques et culturelles à connaître la prospérité. Mais il est clair, plus de dix ans après, qu'il n'a pas atteint son but. S'il n'a pas été le désastre prédit par ses adversaires, il n'a pas non plus apporté tous les bienfaits promis par ses partisans.

Les tenants de la libéralisation du commerce sont persuadés qu'elle va répandre une prospérité inouïe. Ils veulent que les pays développés s'ouvrent aux exportations des pays en développement, libéralisent leurs marchés, démantèlent les obstacles artificiels à la circulation des biens et services et laissent la mondialisation faire des miracles. Mais la libéralisation des échanges compte aussi au nombre des aspects les plus controversés de la mondialisation. Aux yeux de beaucoup, elle aurait des coûts (baisse des salaires, hausse du chômage, perte de souveraineté nationale) supérieurs aux bienfaits qu'on lui prête (plus d'efficacité et de croissance).

Si le libre-échange n'a pas fonctionné, c'est en partie parce que nous ne l'avons pas essayé : les accords de commerce passés n'ont été ni libres, ni équitables. Ils ont été asymétriques. Ils ont ouvert les marchés des pays en développement aux produits des pays industriels avancés sans pleine réciprocité. Quantité d'entraves au commerce, subtiles mais efficaces, sont restées en place. Cette mondialisation asymétrique a mis les pays en développement en position d'infériorité. Leur situation actuelle est pire qu'elle ne le serait avec un régime commercial réellement libre et équitable.

Mais même si les échanges régis par les accords de commerce avaient été vraiment libres et justes, tous les pays n'en auraient pas bénéficié – du moins pas sérieusement – et, dans ceux qui en auraient profité, tous les habitants n'auraient pas eu leur part des gains. Même si les obstacles au commerce sont supprimés symétriquement, tout le monde n'est pas également capable de tirer profit des nouvelles opportunités. Pour les entreprises des pays industriels avancés, il est facile de saisir les occasions offertes par l'ouverture des marchés des pays en développement, et elles s'empressent de le faire. Mais celles du monde en développement se heurtent à de nombreux obstacles. Les infrastructures nécessaires au transport de leurs produits jusqu'au marché font souvent défaut, et la mise en conformité de ces produits avec les normes exigées par les pays industriels peut prendre des années. Ces raisons expliquent, entre autres, ce qui s'est passé quand l'Europe, en février 2001, a ouvert unilatéralement ses marchés aux pays les plus pauvres du monde : il n'y a eu pratiquement aucun commerce nouveau. Bien d'autres facteurs sont nécessaires, nous le verrons, pour que la libéralisation du commerce apporte, comme promis, l'expansion des échanges.

De plus, cette libéralisation expose les pays à davantage de risques, et les pays en développement (comme leurs travailleurs) sont moins préparés à les supporter. Les salariés des États-Unis et d'Europe craignent qu'une forte poussée des importations ne les prive de leurs emplois, mais ils ont une position de repli : un puissant système de sécurité sociale. Ils sont instruits, ce qui facilite le passage d'une activité à une autre. Ils ont souvent des comptes en banque, où ils reçoivent des indemnités de licenciement qui adoucissent la transition. Les travailleurs des pays en développement n'ont rien de tout cela.

Enfin, même si un nouveau commerce est effectivement créé, il n'est pas bénéfique pour tous. La théorie de la libéralisation des échanges (qui postule des marchés parfaits et suppose une libéralisation juste) promet seulement que le pays y gagnera *globalement*. Elle prédit qu'il y aura des perdants. En principe, les gagnants pourraient les indemniser ; en pratique, cela n'arrive presque jamais. Quand tous ses profits vont à une petite élite au sommet, la libéralisation du commerce crée des pays riches aux peuples pauvres, et même les classes moyennes peuvent en souffrir. Si la libéralisation n'est pas bien gérée, le sort de la majorité des citoyens risque de se dégrader – et ils ne verront alors aucune raison de la soutenir. Il ne s'agit pas d'« intérêts particuliers » dressés contre le libre-échange. Il s'agit de citoyens qui voient le monde tel qu'il est.

Mais ce n'est pas le monde tel qu'il devrait être. Effectuée de manière équitable, accompagnée des mesures et des politiques adéquates, la libéralisation du commerce peut stimuler le développement. Nous l'avons vu aux chapitres 1 et 2 : les pays en développement qui réussissent le mieux dans le monde doivent leur succès au commerce – aux exportations. D'où la question : les gains dont ils jouissent actuellement peuvent-ils être pérennisés, et peuvent-ils être étendus à tous les peuples du monde ? Je pense que oui. Mais à condition que la libéralisation du commerce soit gérée tout autrement que par le passé.

L'ACCORD DE LIBRE-ÉCHANGE NORD-AMÉRICAIN

Comprendre pourquoi l'ALENA n'a pas tenu ses promesses peut nous aider à comprendre les résultats décevants de la libéralisation du commerce. L'un des grands arguments en faveur de cet accord était qu'il allait aider à réduire l'écart des revenus entre le Mexique et les États-Unis, donc la pression de l'immigration clandestine[3]. Pourtant, cet écart s'est accru dans ses dix premières années – de plus de 10 %. L'ALENA n'a pas non plus réussi à stimuler une croissance rapide de l'économie mexicaine. Pendant cette première décennie, la croissance réelle par habitant a été bien terne : seulement 1,8 %. Supérieure à celle d'une grande partie de l'Amérique latine, mais très inférieure à celle du Mexique à d'autres périodes du XXe siècle (dans le quart de siècle 1948-1973, son taux de croissance annuel moyen par habitant a été de 3,2 %[4]). Lors de sa prise de fonctions en 2000, le président

Fox avait promis un taux de croissance de 7 % ; en fait, en termes réels, la croissance pendant son mandat n'a été, en moyenne, que de 1,6 % par an – et la croissance réelle par habitant négligeable. L'ALENA, en réalité, avait rendu le Mexique plus dépendant des États-Unis : désormais, quand l'économie américaine se portait mal, l'économie mexicaine aussi allait mal.

Non seulement l'ALENA n'a pas déclenché de croissance forte, mais on peut même soutenir qu'il a contribué, en un sens, à la pauvreté du Mexique. Les planteurs de maïs mexicains, qui sont pauvres, doivent à présent subir dans leur propre pays la concurrence du maïs américain massivement subventionné (certes, les citadins, dont la situation est relativement meilleure, bénéficient ainsi d'un maïs meilleur marché). Un traité de commerce plus équitable aurait éliminé les subventions agricoles américaines et les restrictions sur les importations de denrées comme le sucre aux États-Unis. Même si ceux-ci n'avaient pas supprimé toutes leurs subventions, le traité aurait dû permettre au Mexique de les compenser – c'est-à-dire d'annuler leur impact en imposant des droits à l'importation sur les produits américains. Mais l'ALENA ne l'y autorise pas.

Si l'ALENA a éliminé les droits de douane, il a permis le maintien de toute une série d'obstacles non tarifaires. Après la signature du traité, les États-Unis ont continué à user de ce type d'entraves pour empêcher l'entrée de produits mexicains qui avaient commencé à percer sur certains de leurs marchés, dont ceux des avocats, des balais et des tomates. En 1996, lorsque les exportations de tomates mexicaines vers les États-Unis ont commencé à augmenter, les producteurs de tomates de Floride ont fait pression sur le Congrès et sur l'administration Clinton pour que l'État prenne des mesures. Si l'on parvenait à prouver que le Mexique vendait ses tomates au-dessous de leur prix de revient, on pourrait l'accuser de dumping, et lui imposer des droits antidumping. Mais le Mexique ne faisait pas de dumping sur ses tomates. Si on a pu l'accuser de les vendre au-dessous du prix de revient, c'est qu'on a mesuré ce prix d'une manière délibérément truquée (j'en dirai plus sur ce point dans la suite de ce chapitre). Le Mexique n'a pas voulu prendre le risque d'un procès ; il a donc accepté de relever ses prix. Les consommateurs américains et les planteurs de tomates mexicains en ont souffert, mais les producteurs de Floride ont obtenu ce qu'ils voulaient : moins de concurrence des tomates mexicaines.

La seule composante de l'économie mexicaine qui ait brillamment réussi, du moins dans les années immédiatement postérieures à l'entrée en vigueur de l'ALENA, a été la zone située juste au sud de la frontière. Des usines – qu'on a appelées les *maquiladoras* – y ont jailli de toutes parts, offrant à des industriels américains comme General Motors et General Electric des pièces détachées à bas prix. L'emploi y a augmenté de 110 % pendant les six premières années de l'ALENA, contre 78 % les six années précédentes[5] (ailleurs, il a stagné[6]). Les partisans de l'ALENA sont prompts à lui attribuer le mérite de ces succès, tout en soutenant qu'il n'est pas responsable des échecs et que la situation aurait été bien pire sans lui. Il n'y a évidemment aucune réponse facile à ce type de raisonnement « contrefactuel », fondé sur une alternative dont le second terme est imaginaire, mais des études attentives ont apporté certains éclairages. On peut se demander si, étant donné l'expansion de l'économie américaine et la chute spectaculaire des salaires réels au Mexique après 1994, tant par rapport aux États-Unis qu'à ses concurrents d'Asie, on n'aurait pas pu s'attendre, de toute façon, à une augmentation des exportations mexicaines vers les États-Unis comparable à celle qui a été observée. La réponse fondée sur les modèles économiques standard est oui. Il semble que l'ALENA ait ajouté fort peu de chose, voire rien du tout[7].

Ce qui s'est passé après le premier élan de l'ALENA est tout aussi révélateur. Au bout de quelques années de croissance, l'emploi dans la région des *maquiladoras* s'est mis lui aussi à baisser : cette zone a perdu près de 200 000 postes par an dans les deux premières années du nouveau millénaire[8].

Certains facteurs qui avaient dynamisé sa croissance, comme la santé de l'économie américaine, avaient décliné, mais il y avait un problème plus fondamental. Dans les années qui ont suivi la mise en place de l'ALENA, la croissance a été plus faible au Mexique qu'aux États-Unis… et qu'en Chine[9]. La libéralisation des échanges est importante pour la croissance, mais pas aussi importante que l'avaient espéré les partisans de l'ALENA. Celui-ci a donné au Mexique un léger avantage sur d'autres partenaires commerciaux des États-Unis. Mais, avec ses faibles investissements dans l'éducation et la technologie, il a eu bien du mal à résister à la concurrence de la Chine, qui investit deux fois plus (en pourcentage du PIB) dans la recherche. Les États espèrent souvent que les accords de commerce vont stimuler l'investissement étranger et créer des emplois. Mais lorsque des entreprises décident d'investir, elles prennent en compte de nombreux facteurs, dont la qualité de la main-d'œuvre, les infrastructures, la situation géographique et la stabilité politique et sociale.

Les droits de douane ne jouent qu'un rôle limité, comme le prouve clairement le succès de la Chine. En se concentrant sur eux, l'ALENA a détourné l'attention d'autres mesures nécessaires pour rendre le Mexique compétitif. D'ailleurs, la réduction des droits de douane a créé ses propres problèmes. Avant l'ALENA, ils constituaient 7 % des recettes fiscales du Mexique ; après, 4 %. Pesant environ 19 % du PIB, les dépenses publiques du Mexique – dont plus d'un tiers sont payées par les revenus pétroliers – sont nettement inférieures à celles du Brésil ou des États-Unis, et insuffisantes pour financer l'investissement public nécessaire dans l'éducation, la recherche et les infrastructures.

La libéralisation des échanges : théorie et pratique

L'économiste britannique Adam Smith, fondateur de la science économique moderne, était un champion résolu des libres marchés et du libre-échange, et ses arguments sont incontestables : le libre-échange permet aux pays de tirer pro-fit de leurs avantages comparatifs ; tous les pays sont gagnants quand chacun se spécialise dans les domaines où il excelle. Les vastes zones commerciales permettent aux entre-prises et aux individus de se spécialiser encore plus et de devenir encore meilleurs dans ce qu'ils font. Pensons à un petit village qui n'aurait qu'un seul boulanger. Un plus gros pourrait en avoir deux ou trois. Une ville en ferait vivre davantage, dont certains ne feraient que du pain, d'autres que des gâteaux. Une très grande ville aurait non seulement des boulangers et des pâtissiers, mais ils auraient tant de clients qu'ils se spécialiseraient encore plus, et mettraient en vente un large éventail d'excellents gâteaux et de pains raffinés. Les grands marchés augmentent l'efficacité de chaque producteur et le choix offert aux consommateurs.

Sans le libre-échange, le capital et le travail auront des rémunérations différentes dans des pays différents (en suppo-sant qu'ils ne puissent pas circuler librement – postulat acceptable, notamment à court terme). Dans un pays dénué de capital – de machines, de technologie –, le travail sera moins productif et les salaires plus bas. Si la main-d'œuvre passe d'un pays où la productivité et les salaires sont bas à un pays où ils sont élevés, l'augmentation de la production peut être énorme, et il y a croissance de l'économie mon-diale. Le libre-échange est un substitut de ces mouvements réels de population. Nous pouvons rester chez nous, dans le monde développé, et acheter des produits bon marché venus de Chine, pays où la main-d'œuvre ne coûte pas cher. Inver-sement, les Chinois peuvent rester en Chine et recevoir des produits technologiques venus des États-Unis, pays qui a davantage de technologie avancée, une main-d'œuvre très qualifiée et de gros investissements en capital. En théorie, lorsque la demande de produits chinois augmente, la demande pour leur main-d'œuvre non qualifiée augmente aussi et, finalement, il y a hausse des salaires non qualifiés en Chine[10].

La face sombre de cet agréable scénario, c'est que des emplois peuvent être perdus quand le travail passe d'un pays à un autre – par exemple quand les Américains achètent les produits bon marché venus de Chine et non ceux qui sont fabriqués aux États-Unis. Les tenants du libre-échange répondent que, s'il y a perte d'emplois, il y a aussi création de nouvelles opportunités : des emplois très productifs et bien payés vont remplacer les emplois peu productifs et mal payés. L'argument est convaincant, à un détail près : de nombreux pays ont un taux de chômage élevé, et ceux qui perdent leur emploi ne vont pas en occuper un autre mieux rémunéré ; ils deviennent chômeurs. C'est ce qui s'est passé, notamment, dans de nombreux pays en développement du monde entier, quand ils ont libéralisé si vite que leur secteur privé n'a pas eu le temps de réagir et de créer de nouveaux emplois, ou quand les taux d'intérêt ont été si élevés que leur secteur privé n'a pas pu faire les investissements nécessaires pour créer ces emplois.

Ce scénario se produit aussi dans les pays développés, même si dans leur cas, avec de bonnes politiques monétaire et budgétaire, les créations d'emplois pourraient rester parallèles aux pertes d'emplois. Mais trop souvent ce n'est pas ce qui se passe. En Europe, le chômage reste obstinément élevé. Qui perd son emploi n'en trouve pas automatiquement un nouveau. Quand le taux de chômage est fort, notamment, les salariés en recherche d'emploi peuvent rester chômeurs sur une longue période. Souvent, les travailleurs d'âge moyen ne parviennent pas à retrouver un employeur – ils prennent simplement leur retraite plus tôt. Ceux qui risquent de souffrir le plus sont les travailleurs non qualifiés. C'est pourquoi les populations des pays industriels avancés ont peur de perdre des emplois industriels au profit de la Chine, ou tertiaires (comme les services de postmarché des compagnies financières) au profit de l'Inde.

Quand la libéralisation rapide du commerce se traduit par une montée du chômage, il est fort probable que les avantages promis ne vont pas se concrétiser[11]. Lorsque les salariés passent d'emplois protégés peu productifs au chômage, c'est la pauvreté qui augmente, pas la croissance[12].

Même s'ils ne perdent pas leur emploi, les travailleurs non qualifiés des pays industriels avancés voient leurs salaires baisser. S'ils n'acceptent pas cette baisse de leurs rémunérations, ainsi que la réduction de leurs avantages sociaux et l'affaiblissement des réglementations qui, leur dit-on, protègent l'emploi, la concurrence obligera l'entreprise à transférer les emplois outre-mer. En France, les jeunes n'ont pas du tout compris comment la suppression de protections de l'emploi gagnées de haute lutte et la baisse des salaires – prétendument nécessaires pour être compétitifs sur le marché mondial – allaient améliorer leur sort. On leur a dit d'être patients, qu'à long terme ils verraient qu'ils s'en trouveraient mieux. Mais quand on pense au nombre de cas où, dix ans, vingt ans après la libéralisation, ces promesses n'ont pas été tenues, leur scepticisme est bien compréhensible. À ceux qui, au plus fort de la Grande Crise, conseillaient la patience, puisque à long terme les marchés ramèneraient l'économie au plein emploi, John Maynard Keynes, le grand économiste du milieu du XXe siècle, a répondu oui, mais « à long terme nous serons tous morts[13] ».

Les politiques et les économistes qui promettent que la libéralisation du commerce va améliorer le sort de tous sont des imposteurs. La théorie économique (comme l'expérience historique) indique le contraire : même s'il est possible que la libéralisation des échanges améliore globalement la situation d'un pays, elle aggravera celle de certaines catégories[14] de sa population. Et la théorie suggère que, du moins dans les pays industriels avancés, ce sont les travailleurs du bas de l'échelle – les non-qualifiés – qui souffriront le plus[15].

Le monde d'Adam Smith et des partisans du libre-échange, dans lequel celui-ci améliore la situation de tous, n'est pas seulement un monde mythique de marchés parfaits sans aucun chômage ; c'est aussi un monde où le risque ne compte pas, parce qu'il y existe des marchés d'assurances parfaits auxquels on peut transférer les risques ; un monde où la concurrence est toujours parfaite, sans aucun Microsoft ni Intel pour dominer le terrain. Dans ce monde-là, les salariés n'ont pas à craindre de perdre leur emploi à cause de la libéralisation du commerce ; ils vont passer en douceur à d'autres activités. Et, s'il y a un problème, ils peuvent s'assurer contre le risque de chômage temporaire, ou d'un nouvel emploi moins rémunéré que l'ancien. Or, même dans les économies de marché qui fonctionnent le mieux, acheter ce type de police d'assurance est impossible. Dans les pays développés, l'État verse des indemnités de chômage, mais dans la plupart des pays en développement les travailleurs doivent se tirer d'affaire eux-mêmes.

C'est pourquoi la libéralisation du commerce exige davantage qu'une aide ponctuelle pour passer des vieilles activités aux nouvelles. Une économie plus ouverte peut être soumise à toutes sortes de chocs – les entreprises nationales peuvent avoir du mal à faire face, disons, à une marée d'importations devenues soudain moins chères parce qu'un pays étranger a dévalué sa monnaie, par exemple lors d'une crise. Quand la Corée a dévalué sa devise, les exportations coréennes d'acier vers les États-Unis ont augmenté et les ouvriers sidérurgistes américains ont protesté. Quand le Brésil a une bonne récolte d'oranges, les propriétaires des orangeraies de Floride crient au secours, et obtiennent parfois l'un des dispositifs protectionnistes non tarifaires décrits plus bas[16]. Tout le monde ressent l'insécurité.

Les personnes licenciées et leurs familles ne sont pas les seules touchées. Tout le monde, ou presque, est en danger. Quand des entreprises locales ferment à cause de la concurrence des importations, leurs fournisseurs, par exemple, en pâtissent aussi. La montée de l'insécurité est l'une des raisons pour lesquelles l'opposition à la libéralisation du commerce est si répandue.

Tout en créant davantage d'insécurité et en contribuant à une aggravation des inégalités, tant dans les pays développés que dans ceux qui le sont moins, la mondialisation a limité la capacité des États à réagir. Non seulement la libéralisation impose la suppression des droits de douane, qui sont une source importante de recettes publiques pour les pays en développement, mais, pour être compétitif, un pays peut avoir à réduire aussi d'autres impôts[17]. Quand on réduit les impôts, les recettes publiques diminuent, ce qui contraint à restreindre les dépenses d'éducation, d'infrastructures, de sécurité sociale comme les indemnités de chômage – au moment où elles sont plus importantes que jamais, tant pour réagir à la concurrence que pour aider les gens à faire face aux conséquences de la libéralisation.

Si les pays en développement peuvent souffrir de la libéralisation des échanges, ils ne sont pas toujours en position d'en bénéficier en exportant davantage. Il y a à cela plusieurs raisons. On a déjà noté qu'il leur manque souvent les infrastructures nécessaires à la circulation de leurs produits (les routes et les ports). Ou alors ils n'ont peut-être rien à exporter. Leurs marchés des capitaux sont très imparfaits, et les taux d'intérêt sont beaucoup plus élevés dans ces pays que ce que pourraient supporter même les meilleurs entrepreneurs du monde développé. Même si quelqu'un voit une nouvelle occasion d'exporter, il ne peut pas obtenir le financement nécessaire, du moins à des conditions raisonnables. Ces contraintes sur l'offre sont un gros problème dans beaucoup des pays les plus pauvres, comme ceux d'Afrique. Les cas sont maintenant nombreux où des pays industriels avancés ont ouvert leurs marchés mais où les gains des pays en développement en termes d'exportations ont été limités. Ces pays auront besoin d'une forme d'assistance – une « aide au commerce » – pour parvenir à tirer profit des nouvelles opportunités. Certains soutiennent volontiers que le commerce est plus important que l'aide : il permet à un pays de vivre par ses propres moyens. Mais mieux vaut concevoir l'aide et le commerce comme complémentaires : ils sont tous deux nécessaires au succès du développement[18].

INDUSTRIES NAISSANTES ET ÉCONOMIES NAISSANTES

Les pays ont souvent besoin de temps pour se développer, afin de pouvoir concurrencer les entreprises étrangères. Pour avoir ce temps, il leur faudra peut-être protéger temporairement leurs industries naissantes. L'argument classique en faveur du libre-échange repose sur l'efficacité : si chaque pays se concentre sur l'avantage comparatif qui lui est propre, on pourra produire davantage de biens avec les mêmes ressources. Mais la vitesse à laquelle les pays en développement acquièrent les connaissances et la technologie des pays industriels avancés est un déterminant encore plus important du rythme de leur croissance. Nous avons vu au dernier chapitre que les pays en développement non seulement manquent de ressources, mais ont aussi un retard technologique. Pour réussir une croissance durable, combler l'écart du savoir est plus crucial qu'améliorer l'efficacité ou accroître le capital disponible. Mais quelle est la meilleure façon d'apprendre ? Telle est la question. Certains soutiennent que la meilleure – et probablement la seule – façon d'apprendre à produire de l'acier, c'est de produire de l'acier, comme l'a fait la Corée du Sud quand elle a lancé son industrie sidérurgique. À l'époque, son avantage comparatif était dans le riz, mais, même si les paysans sud-coréens étaient devenus les riziculteurs les plus efficaces du monde, leurs revenus seraient restés fort limités. Le gouvernement sud-coréen a compris que, pour réussir à développer le pays, il devait transformer son économie en passant de l'agriculture à l'industrie.

Pour entrer dans ce type de branche, les pays en développement doivent protéger leurs entreprises jusqu'au moment où elles seront assez fortes pour concurrencer des géants internationaux bien établis. Avec les droits de douane, les prix sont plus élevés – assez élevés pour que les nouvelles activités puissent couvrir leurs coûts, investir dans la recherche et faire les autres investissements dont elles ont besoin afin de pouvoir, finalement, tenir sur leurs jambes. C'est l'argument dit « de l'industrie naissante » en faveur du protectionnisme[19]. Ce fut une idée populaire au Japon dans les années 1960 – comme aux États-Unis et en Europe au XIXe siècle. De fait, la plupart des pays qui ont réussi se sont développés à l'abri de barrières protectionnistes ; les censeurs de la mondialisation accusent des pays comme le Japon et les États-Unis, qui ont

grimpé l'échelle du développement, de vouloir la faire bascu-
ler derrière eux pour que les autres ne puissent pas les suivre.

Les partisans du libre-échange opposent deux grandes critiques à l'argument de l'industrie naissante. Ils disent d'abord
que le protectionnisme n'est pas la réponse adaptée au problème posé ; si l'entreprise est destinée à devenir rentable à
terme, elle pourra obtenir un prêt de soutien pendant la période
délicate. Mais, dans le monde réel, les nouvelles entreprises
ont du mal à trouver des capitaux. L'État fédéral américain
n'a que partiellement résolu la difficulté en créant une Small
Business Administration (SBA) qui octroie des prêts aux
PME (FedEx, le géant américain de la logistique et du transport, a commencé avec un prêt de la SBA). Dans les pays en
développement, ces problèmes sont encore plus terribles.

La seconde critique avancée par les libre-échangistes est
que, trop souvent, les industries naissantes protégées ne gran-
dissent jamais, et veulent rester en permanence à l'abri de la
concurrence extérieure.

Plus généralement, poursuivent-ils, les intérêts particuliers
se saisissent de n'importe quel argument, dont celui de
l'industrie naissante, pour faire pression en faveur de mesures
protectionnistes qui accroîtront leurs profits – ce qui impose
des coûts énormes au reste de l'économie[20]. Au Bangladesh,
le protectionnisme des producteurs de tissus met en danger les
industriels de la confection en augmentant le coût de leur
matière première. Ces expériences devraient servir d'avertissement à tout pays qui envisage de recourir au protectionnisme pour soutenir des industries nouvelles.

Mais la politique diffère selon les pays, et ce type d'échec
n'a rien d'inévitable. L'Asie orientale a manifestement réussi
à sevrer ses industries naissantes. Mais les autres ont-ils des
systèmes politiques capables d'en faire autant ?

L'une des réponses à la seconde critique contre l'argument
de l'industrie naissante consiste à opter pour un protectionnisme à large base, par exemple des droits de douane prélevés
uniformément sur tous les produits manufacturés. C'est l'argument de l'« économie naissante » (à distinguer de celui de

l'« industrie naissante ») en faveur du protectionnisme[21]. Sans protectionnisme, un pays dont l'avantage comparatif statique est dans l'agriculture risque la stagnation : son avantage comparatif restera dans l'agriculture et ses perspectives de croissance seront limitées. Le protectionnisme à large base peut faire grossir le secteur industriel, qui est pratiquement partout à la source de l'innovation ; beaucoup de ces progrès ont des effets d'entraînement dans le reste de l'économie ; de même, le développement des institutions, telles que les marchés financiers, qui accompagnent la croissance d'un secteur industriel est aussi très bénéfique. De plus, avec une industrie importante et en expansion (et les droits de douane sur les produits manufacturés), l'État aura les revenus nécessaires pour financer l'éducation, les infrastructures, et les autres ingrédients nécessaires à une croissance à large base. Au chapitre 4, nous verrons que les partisans d'une protection forte des droits de propriété intellectuelle préconisent exactement le même compromis : ils affirment que des inefficacités à court terme (dans leur contexte, celles du monopole ; ici, celles des droits de douane) sont plus que compensées par des gains dynamiques à long terme. Dans les deux cas, il s'agit de trouver le bon équilibre : il est à peu près sûr qu'une certaine protection des droits de propriété intellectuelle est souhaitable ; et il est à peu près sûr qu'un certain protectionnisme commercial est souhaitable. La logique économique implicite de l'argument de l'économie naissante est la même que celle de l'argument de l'industrie naissante, mais sa logique politique est beaucoup plus solide : le protectionnisme à large base réduit la marge de manœuvre des intérêts particuliers.

Si les tenants de l'argument de l'industrie naissante se sont parfois montrés trop optimistes sur les vertus du protectionnisme, les partisans de la libéralisation semblent parfois vivre encore davantage au pays des rêves : ils sont persuadés que n'importe quel accord commercial ou presque, en particulier avec les États-Unis ou l'Union européenne, aussi injuste qu'il puisse être, va, comme par magie, apporter des investissements et créer des emplois. Ils s'appuient sur des études statistiques pour conclure que la libéralisation des échanges stimule la croissance. Mais un examen attentif de ces chiffres révèle un phénomène tout à fait différent : il montre que des pays comme ceux d'Asie orientale, qui se sont davantage intégrés à l'économie mondiale, ont connu une croissance plus rapide. Or la force motrice de la croissance, ce n'est pas la suppression des entraves au commerce mais les exportations. Les travaux qui portent directement sur la suppression des obstacles au commerce montrent fort peu de rapports entre libéralisation et croissance. Les partisans d'une libéralisation rapide ont tenté un tour de passe-passe intellectuel, en espérant qu'une analyse très générale sur les bienfaits de la mondialisation suffirait à confirmer leurs thèses[22].

JUSTE ÉCHANGE CONTRE LIBRE-ÉCHANGE

Le thème central du débat entre économistes est l'impact de la libéralisation du commerce sur l'efficacité et sur la croissance. Mais le thème central du débat public est plutôt l'équité, la *justice*. Lorsque, dans le monde développé, on parle de « commerce injuste », on pense souvent à l'énorme avantage que leurs bas salaires confèrent aux pays en développement. Mais ces pays ont aussi bien des désavantages qui compensent cet atout : un coût élevé du capital, de mauvaises infrastructures, une main-d'œuvre moins qualifiée et une productivité globale plus faible. Dans le monde en développement, on se plaint tout aussi vivement de la difficulté de concurrencer les pays industriels avancés. Pour les économistes, ces forces et faiblesses différentes signifient que chaque pays a un avantage comparatif, des activités dans lesquelles il est relativement bon, et que cette situation doit déterminer ce qu'il exporte. Être pauvre, avoir de bas salaires n'est pas être injuste, mais infortuné.

Trop souvent, dans le discours politique aux États-Unis, une quasi-présomption de culpabilité pèse sur tout pays ou toute entreprise qui vend moins cher qu'une firme américaine : ils doivent sûrement tricher. Les entreprises américaines sont nécessairement plus efficaces que les autres. À la loyale, elles gagneraient. On peut presque dire que les lois antidumping (souvent appelées « lois du juste commerce »), sur lesquelles nous reviendrons en détail dans ce chapitre, reposent sur cette présomption : puisque les firmes américaines sont plus efficaces, leurs coûts doivent forcément être plus bas. Si des entreprises étrangères réussissent à les battre dans la concurrence, c'est à coup sûr parce qu'elles trichent : elles vendent au-dessous du prix de revient. Mais ce raisonnement oublie le principe de base du commerce : celui-ci n'est pas fondé sur les forces « absolues » d'un pays mais sur ses forces « relatives », sur son avantage *comparatif*. Même si les États-Unis étaient plus efficaces dans toutes les activités (ce qui n'est pas le cas), celles où leur efficacité relative est moindre perdraient face à la concurrence.

Que faut-il entendre, dans ces conditions, par juste échange, par commerce équitable ? Il y a un point de repère naturel : le régime commercial qui apparaîtrait si toutes les subventions et toutes les entraves au commerce étaient supprimées[23]. Le monde est évidemment très loin de ce régime-là. Les asymétries de la libéralisation peuvent profiter à certains aux dépens des autres. Par exemple, les accords de commerce interdisent actuellement la plupart des subventions, sauf pour les denrées agricoles. Cette situation réduit les revenus des agriculteurs du monde en développement, qui ne sont pas subventionnés, et, puisque 70 % des habitants de ces pays vivent, directement ou indirectement, de l'agriculture, elle réduit les revenus des pays en développement. Quel que soit le critère utilisé, d'ailleurs, le régime actuel du commerce international est injuste pour ces pays[24].

Même avec un système commercial injuste, certains d'entre eux – la Chine, l'Inde et quelques autres – ont eu une énorme croissance, et cette croissance a été très largement fondée sur le commerce. Mais les autres ont eu moins de chance. Tel est l'impact de l'injustice du cadre général : il y a davantage de pays perdants, et davantage de perdants même dans les pays gagnants. La Chine, qui, selon la plupart des estimations, est l'un des vrais vainqueurs de la concurrence commerciale internationale, est confrontée à un problème de hausse des inégalités. Ses agriculteurs souffrent des subventions agricoles américaines et européennes, qui font baisser les prix. La Chine et les autres pays en développement se trouvent ainsi face à un cruel dilemme : ils peuvent consacrer des ressources rares à subventionner leurs agriculteurs pour compenser les largesses que le monde développé dispense aux siens, mais il leur faudra alors réduire leurs dépenses de développement, et donc ralentir la croissance globale du pays.

Historique des accords de commerce

Les économistes plaident pour le libre-échange depuis deux siècles, mais, plus que leurs arguments abstraits, c'est la Grande Crise des années 1930 qui a déclenché la vague de libéralisation commencée il y a soixante ans. On s'était dit que les relèvements successifs des droits de douane à la fin des années 1920 et au début des années 1930 avaient dû beaucoup contribuer à aggraver la dépression. Voyant leur économie se contracter, certains pays avaient alors durci leurs entraves aux importations. Frappés par ces restrictions, les autres avaient réagi en durcissant les leurs. Un cercle vicieux s'était enclenché. Voilà pourquoi, après la Seconde Guerre mondiale, lorsque les dirigeants ont tenté de créer un nouvel ordre économique international plus prospère, ils n'ont pas seulement entrepris de renforcer la stabilité financière en créant le Fonds monétaire international, mais ont aussi eu l'intention de fonder une « Organisation internationale du commerce » (OIC) pour réglementer les échanges. Cela ne s'est pas fait. Les États-Unis ont rejeté le projet en 1950 : des conservateurs et certaines firmes craignaient d'éventuels empiétements sur la souveraineté nationale et une réglementation excessive. Ce n'est que quarante-cinq ans plus tard qu'a été créée l'Organisation mondiale du commerce (OMC).

Dans l'intervalle, des négociations commerciales menées par les pays industriels avancés sous les auspices du GATT (le General Agreement on Tariffs and Trade) ont considérablement réduit les droits de douane sur les produits manufacturés, et posé les bases du régime commercial moderne. Le système du GATT était fondé sur le principe selon lequel les pays ne feraient subir aucune discrimination aux autres membres du GATT. Autrement dit, chacun traiterait tous les autres de la même façon : ils seraient tous les plus favorisés, d'où le nom du « principe de la nation la plus favorisée », pilier du système multilatéral. Un autre principe l'accompagnait, celui du traitement national : les producteurs étrangers seraient traités de la même façon et soumis aux mêmes réglementations que les producteurs nationaux.

Les négociations commerciales prennent la forme d'une série de cycles, de *rounds*, pendant lesquels de nombreux problèmes sont mis sur la table et donnent lieu à un marchandage complexe entre les pays. Chacun d'eux accepte de diminuer ses droits de douane et d'ouvrir ses marchés si les autres en font autant. S'il y a suffisamment de questions sur la table, on espère que les négociateurs pourront trouver un ensemble de concessions commerciales qui donnera à chaque pays le sentiment d'avoir amélioré sa position. Le GATT s'est concentré sur la libéralisation du commerce des produits manufacturés, qui sont l'avantage comparatif des pays industriels avancés. Dans les domaines importants pour les pays en développement, comme l'agriculture et le textile, la libéralisation des échanges a été très limitée. Le textile est resté assujetti à des limites fortes (des quotas), fixées par pays et par produit[25]. De même, l'agriculture est restée très protégée et lourdement subventionnée.

L'Uruguay Round, cycle de négociations commerciales inauguré à Punta del Este (Uruguay) en septembre 1986, s'est conclu par un accord signé à Marrakech le 15 avril 1994. Dans le cadre de cet accord, le GATT, qui comprenait 128 membres, a été remplacé par l'Organisation mondiale du commerce, qui en a aujourd'hui 149. Les ministres de ces pays se réunissent au moins tous les deux ans. L'OMC a été créée pour que l'expansion des accords commerciaux, étendus à de nouveaux domaines comme les services et les droits de propriété intellectuelle, puisse aller plus vite qu'à l'époque du GATT.

L'existence d'un mécanisme efficace, malgré ses limites, pour faire respecter les règles était une première, et un fait extrêmement important. L'OMC ne sanctionnait pas elle-même les pays en infraction, mais elle autorisait ceux auxquels ils avaient porté préjudice à prendre contre eux des mesures de rétorsion, en restreignant leur commerce. L'Union européenne est devenue très habile à user de cet instrument contre les États-Unis. Elle dresse une longue liste de victimes potentielles de ses représailles, en ciblant soit les domaines où des droits de douane seraient particulièrement douloureux, soit les produits fabriqués dans les circonscriptions des parlementaires du Congrès qu'elle s'efforce d'influencer. Ses menaces ont été remarquablement efficaces.

Ce premier pas vers un état de droit dans le commerce international a été le grand succès de l'Uruguay Round. Sans état de droit, c'est la force brute qui gagne. Le droit international de l'OMC est un état de droit imparfait ; les règles sont fixées par marchandage, notamment entre pays pauvres et pays riches, et dans ce genre de marchandage ce sont généralement les riches et les puissants qui l'emportent. Le mécanisme imposant le respect des règles est asymétrique – si les États-Unis menacent un petit pays comme Antigua de mesures de rétorsion commerciales, ils obtiendront un résultat, mais si c'est Antigua qui menace les États-Unis, ceux-ci n'y prêteront pas grande attention. C'est seulement quand la pratique contestée touche un grand nombre de pays – comme dans le cas des subventions sur le coton versées par les États-Unis à leurs agriculteurs – que la menace de représailles acquiert un minimum de crédibilité[26]. Néanmoins, mieux vaut un état de droit imparfait que pas d'état de droit du tout.

DE SEATTLE À CANCÚN

Cinq ans après l'achèvement de l'Uruguay Round, le 30 novembre 1999, l'OMC s'est réunie à Seattle (dans l'État de Washington) pour ce qui aurait dû être le coup d'envoi d'un nouveau cycle de négociations commerciales – et le couronnement des efforts de l'administration Clinton pour libéraliser les échanges, dont les points forts avaient été la création de l'ALENA en 1994 et celle de l'OMC en 1995[27]. En fait, ce fut un désastre. Les négociations ont vite été éclipsées par des manifestations de rue massives. Le premier jour à cinq heures du matin, des centaines de militants ont commencé à prendre le contrôle des carrefours proches du lieu de la conférence. En fin de journée, le maire avait déclaré l'état d'urgence et imposé le couvre-feu, et le gouverneur avait appelé la garde nationale. L'échelle des manifestations était de loin supérieure à toutes les mobilisations antérieures sur la mondialisation.

Si les manifestants avaient un large éventail d'opinions et ne proposaient aucune politique de rechange cohérente, ils avaient de nombreuses raisons de se plaindre (même s'ils n'auraient pas dû diriger le gros de leur colère sur l'OMC, qui ne fait que fournir le cadre des négociations commerciales). L'Uruguay Round reposait sur ce qu'on avait baptisé le « grand marchandage » : les pays développés promettaient de libéraliser le commerce dans l'agriculture et le textile (produits à forte intensité de main-d'œuvre qui intéressent les exportateurs des pays en développement) et les pays en développement accepteraient, en échange, de réduire leurs droits de douane et de respecter une série de règles et d'obligations nouvelles sur les droits de propriété intellectuelle, les investissements et les services. Après coup, beaucoup de pays en développement ont eu le sentiment de s'être laissé duper en acceptant le grand marchandage : les pays développés n'avaient pas fait leur part du chemin. Les quotas sur le textile resteraient en place pour dix ans, et la fin des subventions agricoles n'était pas en vue.

Pendant quarante ans, la libéralisation du commerce s'était surtout proposé d'ouvrir les marchés aux biens manufacturés – qui étaient, à l'époque, l'avantage comparatif des États-Unis et de l'Europe. Mais j'ai déjà souligné la nature dynamique de l'avantage comparatif. Aujourd'hui, c'est la Chine et d'autres pays en développement qui ont un avantage comparatif dans de nombreux domaines de la production industrielle. Sans le savoir, pendant quatre décennies, les négociateurs occidentaux ont travaillé à ouvrir les marchés à la Chine ! Après quoi, avec la contraction de l'industrie dans le monde développé – elle ne représente aujourd'hui aux États-Unis que 11 % de l'emploi et de la production –, ils devaient pour satisfaire leurs mandants rapporter quelque chose sur les services (qui représentent à présent plus de 70 % de l'économie aux États-Unis et à peu près autant en Europe et au Japon) et sur les droits de propriété intellectuelle. Ils ont réussi.

La liste des récriminations contre les accords de l'Uruguay Round est longue :

• Ils ont été si déséquilibrés qu'ils ont en fait aggravé la situation des pays les plus pauvres. La région la plus défavorisée, l'Afrique subsaharienne, dont le revenu annuel moyen est à peine supérieur à 500 dollars par habitant, y a perdu près de 1,2 milliard de dollars par an[28].

• 70 % des gains sont allés aux pays développés – environ 350 milliards de dollars par an. Bien que le monde en développement représente 85 % de la population mondiale et près de la moitié du revenu mondial total, il n'a reçu que 30 % des bénéfices – qui sont allés essentiellement à des pays à revenu moyen comme le Brésil[29].

• L'Uruguay Round a rendu un système inégal encore plus inégal. Les pays développés imposent des droits de douane bien plus lourds – en moyenne, quatre fois supérieurs – aux pays en développement qu'aux autres pays développés. Un pays pauvre comme l'Angola paie aux États-Unis autant de droits de douane que la Belgique ; le Guatemala, autant que la Nouvelle-Zélande[30]. Et cette discrimination existe même après l'octroi de prétendues « préférences » aux pays en développement par les pays développés. Par ces restrictions au commerce, les pays riches privent les pays pauvres du triple de ce qu'ils leur donnent au titre de l'aide au développement[31].

• Les négociations se sont concentrées sur la libéralisation des flux de capitaux (souhaitée par les pays développés) et de l'investissement, pas sur celle des flux de main-d'œuvre (qui aurait bénéficié aux pays en développement), alors que cette libéralisation-là aurait accru bien davantage la production mondiale.

• De même, la libéralisation des services à main-d'œuvre non qualifiée aurait relevé l'efficacité mondiale bien davantage que celle des services à main-d'œuvre qualifiée (comme les services financiers), avantage comparatif des pays industriels avancés. Néanmoins, les négociateurs se sont concentrés sur la libéralisation des services à forte intensité en compétences.

• Le renforcement des droits de propriété intellectuelle a largement bénéficié aux pays développés, et c'est seulement par la suite que ses coûts pour les pays en développement sont devenus visibles, lorsque des médicaments génériques qui auraient pu sauver des vies ont été retirés du marché, et que des entreprises du monde développé ont commencé à breveter des savoirs indigènes et traditionnels (nous ferons une analyse plus complète de ces questions au chapitre 4).

Les États-Unis et l'Europe ont porté à sa perfection l'art de vanter le libre-échange tout en concevant des accords qui les protègent contre les importations des pays en développement. Le succès des pays industriels avancés est en grande partie lié à la fixation de l'ordre du jour : ils déterminent le programme des négociations de façon à ouvrir les marchés des biens et services où ils ont un avantage comparatif.

Il semble évident aux négociateurs occidentaux qu'ils peuvent contrôler l'objet de la discussion et déterminer ses résultats. Lorsque les États-Unis et l'Union européenne poussent à l'ouverture des marchés des services, ils ne se

disent pas (comme ils le devraient logiquement) : globalement, les services sont un secteur à forte intensité de main-
d'œuvre ; globalement, ce sont les pays en développement qui
ont une main-d'œuvre abondante ; donc, globalement, une
libéralisation juste du secteur des services devrait être particulièrement profitable aux pays en développement. Ils se disent :
nous pouvons libéraliser les services à forte intensité en compétences qui représentent actuellement notre avantage comparatif, et nous arranger d'une façon ou d'une autre pour ne pas
libéraliser les services à forte intensité en main-d'œuvre non
qualifiée. Dès le tout début de la discussion, ils ont en tête un
accord déséquilibré.

Les grands coupables sont les intérêts particuliers – pas les
intérêts particuliers des pays en développement qui résistent à
la libéralisation des échanges, comme s'en plaignent les partisans de celle-ci, mais les intérêts particuliers du monde développé qui déterminent à leur profit l'ordre du jour des
négociations en aggravant la situation de beaucoup de personnes, et même du citoyen moyen de leurs propres pays. En
représentant leurs « clients » immédiats – les grandes firmes
qui les soumettent à un lobbyisme massif et constant, en partie
de manière directe, en partie par leur action auprès du Congrès
et de l'administration –, les négociateurs perdent souvent de
vue le tableau général ; ils confondent les intérêts de ces compagnies avec les intérêts nationaux des États-Unis, ou pis
encore : avec ce qui est bon pour le système commercial mondial. Et il en va de même dans les autres pays industriels.
Dans chacun d'eux, les firmes exportatrices font pression sur
les négociateurs afin d'obtenir des accords élargissant l'accès
au marché pour leurs produits, tandis que les activités exposées à la concurrence des importations font pression pour être
protégées. Les négociateurs ne recherchent pas la cohérence
intellectuelle, ni un accord fondé sur des principes, mais seulement l'équilibre des intérêts rivaux.

Les manifestations de Seattle ont envoyé un vigoureux
message de mécontentement aux ministres du Commerce,
mais les pays industriels avancés n'étaient pas encore disposés

à renoncer à leur offensive pour pousser plus loin la libéralisation. Les ministres se sont ensuite réunis en novembre 2001 à Doha, au Qatar, un petit pays du golfe Persique : un site très éloigné, bien choisi pour ne pas être importuné par des manifestants venus contester ce qui se passait à huis clos. Les pays développés ont promis de faire de ces négociations un « cycle du développement » : autrement dit, ils se sont engagés à créer un régime commercial qui renforcerait activement les perspectives de développement et corrigerait les déséquilibres des cycles précédents[32]. Les pays en développement ont hésité à entrer dans le jeu. Ils avaient peur qu'on ne leur impose un accord qui, comme le dernier, aggraverait en réalité la situation de certains d'entre eux. Ils craignaient que, une fois les négociations commencées, on ne fasse pression sur eux, d'une façon ou d'une autre, pour les forcer à signer un nouvel accord contre leurs intérêts. Ils étaient sceptiques sur les promesses faites à Doha, et il semble que l'évolution des négociations dans les années suivantes leur ait donné raison.

Les négociations se sont retrouvées dans l'impasse en raison du refus du monde développé de réduire ses subventions agricoles. En fait, en 2002, les États-Unis ont adopté une nouvelle loi agricole qui doublait presque leurs subventions. En septembre 2003, les ministres du Commerce se sont retrouvés à Cancún, dont le nom, dans la langue maya locale, signifie « fosse à serpents » – et c'est bien ce qu'il a été pour les négociateurs. Les ministres étaient censés évaluer les progrès accomplis et donner des orientations à leurs négociateurs pour conclure le « cycle du développement ». Tout en persistant à refuser de faire des concessions sur l'agriculture ou tout autre grand problème intéressant le monde en développement – donc en reniant de fait leurs engagements –, les pays développés voulaient absolument imposer leur programme : réduction des droits de douane et ouverture des marchés aux biens et services que l'Union européenne et les États-Unis souhaitaient exporter. Ils entendaient même imposer de nouvelles exigences aux pays en développement. Si les pays industriels avancés parlaient toujours d'un « cycle du développement », c'était de façon purement rhétorique. Il y avait un risque réel de voir ce nouveau *round* aggraver les déséquilibres antérieurs au lieu de les corriger. Les discussions ont été rompues au quatrième jour de la conférence. Jamais des négociations commerciales ne s'étaient terminées dans un tel désarroi.

La conférence mondiale suivante des ministres du Commerce, tenue à Hong Kong en décembre 2005 – et initialement prévue pour conclure le « cycle du développement » –, ne s'est pas terminée en désastre, mais on ne saurait non plus la qualifier de succès : Pascal Lamy, le président de l'OMC, avait réussi à tellement faire baisser les attentes que tout accord, même si son effet sur le commerce mondial était minime, serait perçu comme le meilleur possible vu les circonstances. On a consacré plus d'efforts à gérer la presse qu'à faire des offres significatives. Les États-Unis, qui, en raison de leurs énormes subventions à leurs producteurs de coton, en sont le plus gros exportateur mondial, ont offert en fanfare d'ouvrir leur marché aux producteurs de coton africains – proposition sans grande valeur puisqu'ils en importent peu (avec leurs subventions massives, ils en sont plutôt un exportateur).

L'ère de la libéralisation multilatérale du commerce semble devoir prendre fin (du moins pour un temps), car une désillusion justifiée dans les pays en développement s'associe à la montée d'un sentiment protectionniste dans le monde développé. Tout ce qui sortira du soi-disant *round* du développement – s'il en sort quelque chose – ne méritera pas ce qualificatif. Cet accord fera très peu pour créer un régime commercial juste pour les pays du Sud ou capable de promouvoir leur développement. Les pays développés continueront à appliquer à ces pays des droits de douane beaucoup plus élevés que ceux qu'ils s'imposent entre eux. Ils continueront à subventionner massivement leurs agriculteurs, faisant ainsi un tort énorme aux pays en développement.

Le vrai danger aujourd'hui n'est pas de voir sortir d'un accord final du *round* du développement quelque chose d'extrêmement nocif pour ces pays : l'échelle des réformes est si faible qu'elles n'auront probablement pas grande importance. Tout accord final fera peu de dégâts et apportera peu d'avantages. Le vrai danger, c'est que le monde s'imagine avoir vraiment fait le travail annoncé à Doha, et en conclue qu'il n'est plus besoin, désormais, d'un « cycle du développement ». Les négociateurs commerciaux reprendront alors leurs activités habituelles : un nouveau cycle, où le marchandage musclé garantira la part du lion aux pays développés.

Faire fonctionner la mondialisation

Doha a échoué[33]. S'il est difficile de définir précisément ce qu'est un régime équitable de commerce mondial, il est clair que les dispositifs en vigueur ne sont pas justes, et il est clair aussi que le « cycle du développement » ne fera pas grand-chose pour rendre le régime commercial plus équitable ou plus favorable au développement[34]. Je crois cependant possible de concevoir un régime commercial mondial qui œuvrerait pour le bien-être des pays pauvres tout en étant globalement bon pour les pays industriels avancés – même si certains de leurs intérêts particuliers risqueraient évidemment d'y perdre. Telle était, bien sûr, la promesse de Doha. Les réformes coûteraient peu aux pays développés – la plupart du temps rien du tout, car la suppression des subventions ferait économiser des milliards aux contribuables, et la baisse des prix des milliards aux consommateurs – et rapporteraient énormément aux pays en développement.

Si Doha n'a pas tenu sa promesse, le défi est toujours là, pour l'avenir : comment créer un régime commercial juste – et qui permettra aux pays pauvres de se développer par le commerce ? Il existe un programme complet de réformes, dépassant de loin les questions agricoles qui ont tant dominé le débat : des réformes à la fois favorables aux pauvres et au développement. Ce sont elles qui constitueraient un *vrai* cycle du développement.

LES PAYS EN DÉVELOPPEMENT DOIVENT BÉNÉFICIER D'UN TRAITEMENT DIFFÉRENT

Les pays en développement sont différents des pays développés : certaines de ces différences expliquent pourquoi ils sont tellement pauvres. Ils doivent donc jouir d'un « traitement spécial et différencié » : l'idée est aujourd'hui largement admise et a été intégrée à de nombreux accords commerciaux[35]. Les pays développés sont autorisés, par exemple, à déroger au principe de la nation la plus favorisée en taxant moins les importations provenant des pays en développement – bien que, même avec ce traitement dit préférentiel, leurs droits de douane sur les importations des pays en développement soient, nous l'avons vu, quatre fois supérieurs à ceux qu'ils imposent aux produits des autres pays développés.

Mais, dans le système actuel, ce traitement préférentiel est entièrement volontaire : chaque pays industriel avancé l'accorde ou non à sa guise. Il peut le retirer si le pays en développement ne fait pas ce que veut le pays donateur. Le traitement préférentiel est devenu un instrument politique, un outil pour obliger les pays en développement à marcher droit.

• Libre-échange pour les pauvres :
une proposition d'extension de l'accès au marché

Il existe une réforme qui, à elle seule, pourrait à la fois simplifier les négociations, promouvoir le développement et s'attaquer aux injustices du régime actuel : il suffirait que les plus riches ouvrent simplement leurs marchés aux plus pauvres, sans réciprocité, sans conditions économiques ni politiques. Les pays à revenu moyen devraient ouvrir leurs marchés aux pays les moins avancés, et avoir le droit de s'accorder mutuellement des préférences sans les étendre aux pays riches : ainsi, ils n'auraient plus à craindre que les importations venues des pays développés ne tuent leurs industries naissantes. Même les pays industriels avancés y trouveraient un bénéfice, car ils pourraient aller plus vite dans la libéralisation de leurs échanges entre eux (et leurs économies sont capables de le supporter) sans avoir à répondre aux inquiétudes du monde en développement. Cette réforme remplace le principe de « réciprocité pour tous et entre tous, quelles que soient les situations », par le principe de « réciprocité entre égaux, mais différenciation entre ceux dont les situations sont nettement différentes[36] ».

L'Union européenne a admis le bien-fondé de cette démarche lorsque, en 2001, elle a ouvert unilatéralement ses marchés aux pays les plus pauvres en supprimant (presque) toutes ses restrictions, tarifaires et non tarifaires, sans exiger de concessions politiques ni économiques en retour[37]. Cela pour des raisons claires : les consommateurs européens bénéficieraient d'une baisse de prix et d'une plus grande diversité de produits ; l'initiative aurait un coût négligeable pour les producteurs européens, mais pourrait énormément profiter aux pays les plus pauvres ; et c'était un geste fort de bonne volonté. L'initiative européenne devrait être étendue à tous les pays industriels avancés, et les marchés devraient être ouverts non seulement aux plus pauvres mais à tous les pays en développement. (L'un des sommets de l'hypocrisie et du cynisme a été atteint en décembre 2005 à la conférence de Hong Kong, où les États-Unis ont offert de s'ouvrir à 97 % des produits des pays les moins avancés, chiffre soigneusement calibré pour exclure la plupart de ceux auxquels ils voulaient refuser l'accès, comme les tissus et les vêtements du Bangladesh. Le Bangladesh serait libre, bien sûr, d'exporter des moteurs d'avion, et toutes sortes d'autres marchandises qu'il est bien incapable de produire[38].)

• Élargir les programmes de développement nationaux

Le développement étant déjà difficile en soi, il ne faut pas limiter ce que les pays en développement peuvent faire pour le stimuler par eux-mêmes. Or c'est bien cela qu'a fait l'Uruguay Round : il a restreint leurs possibilités en leur ôtant le droit d'utiliser toute une gamme d'instruments pour encourager l'industrialisation.

Il y a une différence d'impact sur l'économie mondiale entre les subventions (autorisées) versées par les États-Unis et

l'Europe à leurs agriculteurs et les subventions (interdites)
que les pays en développement pourraient souhaiter accorder,
pour aider au lancement de nouvelles activités, ou même pour
protéger leurs industries et leur agriculture contre une concurrence subventionnée. Quand les États-Unis subventionnent le
coton, les prix mondiaux sont modifiés ; leur générosité vis-à-
vis de leurs agriculteurs porte un coup à ceux du monde en
développement (c'est ce que les économistes appellent une
« externalité »). Mais quand la Jamaïque protège ses producteurs de lait, les prix mondiaux ne sont pas touchés. De plus,
les pays en développement ont peu de moyens pour faire face
aux conséquences de la libéralisation. Les producteurs de lait
jamaïcains évincés par l'industrie laitière lourdement subventionnée des États-Unis n'ont guère d'alternatives viables. Il y
a peu d'emplois en ville, et passer à une autre culture moins
rentable appauvrirait encore plus ces paysans qui sont à la
limite de la survie. L'État est confronté à un choix très difficile : doit-il verser un complément de revenu à ces agriculteurs ou consacrer les fonds publics à des investissements
dont tout le pays a besoin ? Il n'a pas assez d'argent pour
faire les deux. Recourir au protectionnisme contre le lait subventionné des États-Unis est peut-être la seule solution raisonnable, du moins à court terme.

Si la proposition d'extension de l'accès au marché est retenue, les pays auront la marge nécessaire pour mettre en œuvre
à la fois leur stratégie de développement et des mesures de
protection en faveur de leurs citoyens très pauvres. Mais si
elle ne l'est pas, il faudra des exemptions qui laissent aux
pays en développement plus de marge de manœuvre, en particulier sur deux points : des droits de douane uniformes pour
lever les revenus (l'effet sur les importations ne serait guère différent de celui d'une modification du taux de change) et les
subventions temporaires pour leurs industries. Comme l'Europe
l'a justement souligné, les États-Unis utilisent souvent leurs
dépenses militaires pour subventionner une large gamme d'activités. Boeing en a bénéficié pour la conception de ses avions ;
l'industrie du logiciel a tiré un immense profit des multiples

dépenses publiques qui ont contribué à mettre au point Internet, et même le navigateur. Ces avantages commerciaux sont d'ailleurs l'une des justifications officielles du haut niveau des dépenses militaires. Les États-Unis sont assez riches pour se payer une politique industrielle inefficace dissimulée dans leurs forces armées. Les pays en développement ne le sont pas, et ils devraient être libres, s'ils le souhaitent, de mettre en œuvre une politique industrielle adaptée à leur situation.

L'AGRICULTURE

Dix ans après l'Uruguay Round, les subventions assurent plus des deux tiers du revenu agricole en Norvège et en Suisse, plus de la moitié au Japon, un tiers dans l'Union européenne. Pour certaines cultures comme le sucre et le riz, leur part monte jusqu'à 80 % du revenu[39]. La somme des subventions agricoles américaines, européennes et japonaises (dont les aides dissimulées, comme celles sur l'eau), sans être réellement supérieure au revenu total de l'Afrique subsaharienne, en représente au moins 75 %[40], ce qui rend presque impossible aux agriculteurs africains d'être concurrentiels sur les marchés mondiaux. La vache européenne moyenne reçoit une subvention de 2 dollars par jour (le seuil de pauvreté de la Banque mondiale). Plus de la moitié des habitants du monde en développement vivent avec moins. Mieux vaut, apparemment, être une vache en Europe qu'un pauvre dans un pays en développement.

Le planteur de coton du Burkina Faso vit dans un pays dont le revenu annuel moyen est à peine supérieur à 250 dollars[41]. Il gagne péniblement sa vie sur de petits arpents semi-arides. Il n'y a aucune irrigation et il est trop pauvre pour se payer des engrais, un tracteur, des semences de bonne qualité. Le planteur de coton californien, lui, cultive une immense exploitation de plusieurs centaines d'hectares à l'aide de toute la technologie agricole moderne : tracteurs, semences de haute qualité, engrais, herbicides, insecticides. La différence la plus frappante est dans l'irrigation, et l'eau qu'il utilise à cette fin est fortement subventionnée. Il la paie à bien meilleur prix qu'il ne le ferait sur un marché concurrentiel. Mais, malgré cette eau subventionnée, malgré tous ses autres avantages, l'agriculteur californien ne pourrait pas être concurrentiel sur un marché mondial juste ; il lui faut recevoir en plus des aides directes de l'État assurant la moitié de son revenu ou davantage. Sans elles, produire du coton aux États-Unis ne serait pas rentable ; avec elles, nous l'avons vu, les États-Unis en sont le premier exportateur mondial. Vingt-cinq mille planteurs de coton américains très riches se partagent 3 à 4 milliards de dollars de subventions qui les incitent à produire encore plus. La hausse de l'offre provoque naturellement une baisse des prix mondiaux, subie par 10 millions d'agriculteurs au Burkina Faso et dans d'autres pays d'Afrique[42].

Dans des marchés intégrés au niveau mondial, les prix internationaux influent sur les prix intérieurs. Lorsque les prix agricoles mondiaux sont tirés vers le bas par les énormes subventions américaines et européennes, les prix agricoles intérieurs baissent aussi, si bien que tous les agriculteurs sont touchés, même ceux qui n'exportent pas et vendent uniquement sur leur propre marché. Et la baisse des revenus des agriculteurs entraîne une baisse des revenus chez tous ceux qui vendent aux agriculteurs : les tailleurs et les bouchers, les boutiquiers et les coiffeurs. Tout le monde souffre dans le pays. Ces subventions n'avaient peut-être pas pour but de faire tant de mal à tant de gens, mais c'était leur conséquence *prévisible*.

La justification la plus courante du maintien des subventions agricoles aux États-Unis consiste à les présenter comme essentielles à la survie de la petite exploitation familiale et des modes de vie traditionnels. En réalité, elles vont pour l'essentiel aux grandes exploitations, qui souvent appartiennent à des sociétés anonymes. Ces subventions sont tout simplement devenues l'une des formes de l'« aide sociale aux entreprises ». Toutes cultures confondues, environ 30 000 exploitations (soit 1 % du total) reçoivent près de 25 % des sommes dépensées, avec une moyenne de plus d'un million de dollars par exploitation. 87 % des fonds vont aux 20 % des agriculteurs les plus aisés, et chacun reçoit en moyenne près de 200 000 dollars. En revanche, les 2 440 184 petits agriculteurs du bas de l'échelle – les vrais exploitants familiaux – reçoivent 13 % du total : moins de 7 000 dollars chacun[43]. Les subventions massives – y compris celles dont on prétend qu'elle n'opèrent aucune distorsion sur le commerce – contribuent en réalité à chasser de la terre le petit paysan. En rendant l'agriculture plus lucrative, elles stimulent la demande de terre, ce qui en fait monter le prix. Et quand la terre coûte si cher, l'agriculture doit devenir intensive en capital. Elle doit faire un usage massif des engrais et des herbicides, aussi néfastes pour l'environnement que la hausse de la production est nocive pour les paysans du monde en développement. Les petits exploitants, qui n'ont pas les moyens de pratiquer ce type d'agriculture intensive en capital, jugent intéressant de vendre leurs exploitations aux gros agriculteurs et de prendre leurs bénéfices sur leur capital. Puisque de plus en plus de terres passent aux grosses exploitations qui font un ample usage des engrais, des herbicides et de la technologie, la production augmente davantage et les populations du monde en développement sont encore frappées[44].

Si les pays développés estiment avoir besoin d'une période de transition pour abolir les subventions, qu'ils le fassent en supprimant toute subvention aux agriculteurs qui gagnent par exemple plus de 100 000 dollars, et en plafonnant les subventions versées à chaque agriculteur, disons, à 100 000 dollars.

Puisque l'immense majorité des habitants des pays en développement dépendent directement ou indirectement de l'agriculture, éliminer les subventions et ouvrir les marchés agricoles serait extrêmement bénéfique, car cela ferait monter les prix. Mais tous les pays en développement n'en profiteraient pas : ceux qui sont importateurs de produits agricoles souffriraient de la hausse des prix. Parmi les pays en développement comme au sein de leurs populations, il y aurait des perdants et des gagnants. Les agriculteurs verraient leur situation s'améliorer, mais les travailleurs des villes devraient payer plus cher leur alimentation. Pour résoudre ce problème de transition, les pays industriels pourraient fournir une aide aux pays en développement pendant la période d'ajustement : une petite fraction de ce qu'ils dépensent aujourd'hui en subventions agricoles suffirait.

Le coton est une exception. Si l'on supprime les subventions sur ce produit, l'effet sera important sur les producteurs mais négligeable sur les consommateurs. Le coût de la matière première représente un si petit pourcentage de la valeur d'un vêtement qu'une forte augmentation du prix du coton n'aurait pratiquement pas d'impact sur les prix de vente des produits finis. C'est l'une des raisons pour lesquelles les pays en développement réclament si énergiquement l'élimination des subventions sur le coton.

LES ESCALADES TARIFAIRES

La réduction des droits de douane et des subventions agricoles a énormément retenu l'attention, mais elle ne suffirait pas à instaurer un ordre juste. Ce sont les structures tarifaires elles-mêmes qui doivent être réorientées pour servir le développement. Une idée vient naturellement : les pays agricoles pourraient mettre en conserve les fruits et légumes qu'ils produisent, et gagner ainsi plus qu'en exportant le produit brut. Ce serait facile à faire et cela créerait des emplois. Mais ils ne le font pas parce que les pays développés ont conçu leurs droits de douane pour décourager ce type d'industrialisation : ils taxent davantage à l'entrée les produits manufacturés que les produits de base, si bien que, plus il y a intervention industrielle, plus le droit de douane est élevé. On appelle ce dispositif une escalade tarifaire.

Voici comment il fonctionne. Prenons l'exemple hypothétique d'un produit agricole comme les oranges, qu'un pays développé ne produit pas lui-même. L'Europe peut laisser entrer les oranges fraîches avec des droits à l'importation faibles – supposons-les nuls – parce qu'elle a relativement peu de producteurs d'oranges européens à protéger. Mais elle impose un droit de douane de 25 % sur diverses formes d'orange traitée, de la marmelade d'oranges au jus d'orange surgelé. Supposons que la valeur de la marmelade d'oranges vienne pour moitié du traitement, pour moitié de l'ingrédient orange : il est clair que le droit de douane n'est qu'un impôt sur la transformation dans le pays en développement. Il y a, de fait, un droit de douane de 50 % sur cette activité de transformation, si bien que les coûts du pays en développement devraient être considérablement inférieurs à ceux des conserveries du pays développé pour ne serait-ce qu'espérer les concurrencer. Grâce à cette escalade tarifaire, l'Europe reste approvisionnée en oranges bon marché tout en réduisant la menace concurrentielle que représenteraient des industries de transformation dans les pays en développement[45].

La proposition d'extension de l'accès au marché – qui prévoit le libre accès des pays en développement aux marchés des pays industriels avancés – résoudrait évidemment le problème des escalades tarifaires. Dans les négociations commerciales récentes, les pays développés ont surtout cherché à obtenir que les pays en développement réduisent leurs droits de douane élevés[46]. Il faut changer de cible : la priorité doit être l'élimination des escalades tarifaires. Ce qui compte en matière de droits de douane, ce ne sont pas seulement les taux nominaux mais aussi les taux effectifs : les droits sur la valeur ajoutée ; il faut réduire radicalement les droits effectifs très lourds sur la valeur ajoutée par l'industrie dans les pays en développement.

LES SERVICES À FORTE INTENSITÉ DE MAIN-D'ŒUVRE NON QUALIFIÉE ET LES MIGRATIONS

Les pays développés sont riches en capital et en technologie, tandis que les pays en développement ont une abondante main-d'œuvre non qualifiée. Ce que chaque pays produit reflète les ressources dont il est doté. Un pays qui a une main-d'œuvre qualifiée produit des biens et services à forte intensité en compétences. L'Uruguay Round a étendu les négociations commerciales aux services. Mais, ce qui n'a rien d'étonnant, il a libéralisé des services comme la banque, les assurances et les technologies de l'information – secteurs où les États-Unis ont un avantage –, sans même inscrire à l'ordre du jour les services non qualifiés comme le transport maritime et le bâtiment.

Une quarantaine de pays, dont les États-Unis, ont des lois n'autorisant le transport des marchandises sur le territoire national qu'à bord de navires nationaux. Aux États-Unis, le *Jones Act* de 1920 n'exige pas seulement que ces navires marchands appartiennent à des Américains, mais aussi qu'ils aient été construits dans des chantiers navals américains et que leurs marins soient américains. (L'histoire du protectionnisme remonte bien plus loin, à la première session du Congrès en 1789.) L'Amérique n'a pas d'avantage comparatif, ni absolu ni relatif, dans le transport maritime – dès 1986, on estimait que le *Jones Act* lui coûtait plus de 250 000 dollars par emploi sauvé[47]. Le transport maritime offre de merveilleuses possibilités pour un programme de réorientation du commerce en faveur des pauvres qui se concentrerait sur les services à forte intensité de main-d'œuvre non qualifiée.

Un argument semblable vaut pour la mobilité de la main-d'œuvre et des capitaux. Les pays développés sont riches en capitaux qui se déplacent dans le monde entier en quête de la rentabilité la plus élevée. Les pays en développement ont quantité de travailleurs non qualifiés prêts se déplacer dans le monde entier pour trouver de meilleurs emplois. Dans les deux dernières décennies, les États-Unis et l'Union européenne ont fait pression avec un immense succès pour la libéralisation des marchés de capitaux, qui permet aux investissements de circuler plus librement dans le monde, en soutenant qu'elle était bonne pour l'efficacité mondiale. Mais une modeste libéralisation des flux de main-d'œuvre augmenterait le PIB mondial dans des proportions bien supérieures aux estimations les plus optimistes des bénéfices de la libéralisation des marchés des capitaux. De plus, libéraliser les flux migratoires serait profitable aux pays en développement[48]. Les travailleurs employés dans le monde développé envoient de l'argent chez eux : cela représente déjà des milliards de dollars par an. En 2005, le Mexique a reçu des migrants une somme estimée à 19 milliards de dollars – sa deuxième source de devises étrangères après le pétrole. Pour l'ensemble de l'Amérique latine, les envois d'argent des migrants en 2005 ont atteint 42 milliards de dollars[49]. Mais envoyer ces sommes peut coûter très cher, donc les amputer d'un pourcentage important. Les pays développés doivent (comme le font déjà les États-Unis) faciliter ces transferts d'argent vers les pays en développement, afin que ceux-ci puissent toucher complètement les bénéfices de l'émigration[50].

Les pays développés autorisent, bien sûr, l'immigration d'une main-d'œuvre très qualifiée, car ils en voient clairement les avantages pour eux-mêmes. Mais, nous l'avons vu au chapitre précédent, cela revient à prendre aux pays en développement, sans compensation, leur capital intellectuel le plus précieux. Les pays du Sud ont investi leurs maigres dollars dans l'éducation, et voici que les pays développés, souvent sans même y penser, tentent de prélever la crème des étudiants, les meilleurs, les plus brillants.

L'asymétrie dans la libéralisation des flux de capital et de travail crée une injustice supplémentaire. Avec la libéralisation des marchés financiers, les pays doivent lutter pour garder les capitaux, en réduisant les impôts sur les sociétés. Puisque le travail – en particulier non qualifié – n'est pas aussi mobile, ils n'ont pas besoin de lutter aussi âprement pour le conserver. La libéralisation asymétrique les conduit donc à déplacer le fardeau fiscal vers les salariés – ce qui revient à rendre le système d'imposition moins progressif. L'évolution est la même dans les négociations salariales. On dit aux salariés que, s'ils n'acceptent pas d'être moins rémunérés et moins protégés, le capital (avec ses emplois) passera outre-mer.

LES OBSTACLES NON TARIFAIRES

La réduction ou la suppression des droits de douane ne font pas disparaître les sentiments et les politiques protectionnistes. Elles les obligent seulement à trouver de nouvelles façons de se manifester. Quand ils ont diminué leurs droits de douane, les pays industriels avancés ont été particulièrement habiles pour ériger des obstacles non tarifaires. Ceux-ci peuvent prendre plusieurs formes.

• Les mesures de sauvegarde

Les mesures de sauvegarde sont des droits de douane temporaires qui peuvent, en principe, jouer un rôle important pour aider un pays à s'ajuster quand il est confronté à une montée notable et imprévue des importations, un « déferlement ». Ces droits de douane ferment temporairement l'entrée aux importations étrangères, donnant ainsi à la branche concernée le temps nécessaire pour s'adapter – par exemple pour améliorer son efficacité, ou pour que ses salariés puissent trouver un autre emploi. Il est probable que les pays en développement n'ont pas utilisé les mesures de sauvegarde autant qu'ils l'auraient dû. Les États-Unis, en revanche, en ont usé et abusé, souvent pour protéger une industrie en déclin – comme la sidérurgie –, même lorsque le problème de fond n'était pas vraiment un déferlement d'importations[51].

On ne devrait pas pouvoir recourir aux mesures de sauvegarde en les justifiant seulement par des pertes d'emplois ou une baisse des ventes concomitantes à une hausse des importations de tel ou tel pays ; on devrait avoir à prouver qu'il existe un lien de cause à effet entre cette poussée d'importations et les problèmes de la branche. Une augmentation des importations de textiles chinois accompagnée d'une réduction de celles qui viennent du Bangladesh, par exemple, ne devrait pas constituer une situation qui nécessite de se protéger contre une invasion. Et l'on ne devrait pas laisser la justice administrative de chaque pays, qui peut être sensible aux pressions politiques, décider si une mesure de sauvegarde est justifiée.

Il faudrait des normes internationales, dont le respect serait assuré par des tribunaux constitués au niveau international. Ces tribunaux ne sympathiseraient probablement pas beaucoup avec les demandes américaines et européennes de mesures de sauvegarde face à la hausse des importations de textiles depuis la suppression des quotas en janvier 2005 : les pays développés ont déjà eu une période de transition de dix ans, qui était censée leur permettre de démanteler leur dispositif protectionniste progressivement, pour adoucir la transition – et pendant laquelle, en réalité, ils n'ont rien fait[52].

• Les droits antidumping

L'obstacle non tarifaire préféré des États-Unis, ce sont les droits antidumping. Ils sont conçus pour combattre une pratique commerciale injuste bien précise : la vente de produits au-dessous de leur prix de revient. Si les mesures de sauvegarde sont temporaires, les droits antidumping peuvent être permanents. Les États-Unis ont accusé le Mexique de dumping sur les tomates, la Colombie de dumping sur les fleurs, le Chili et la Norvège de dumping sur le saumon, la Chine de dumping sur le jus de pomme et le miel. Aujourd'hui, les viticulteurs chiliens s'inquiètent : s'ils continuent à bien vendre, leurs homologues californiens demanderont que les États-Unis leur imposent des droits antidumping. En décourageant l'entrée sur le marché, ces droits mettent l'ensemble du marché sous cloche. Toute entreprise peut redouter ce scénario : si elle réussit à entrer sur le marché américain avec un nouveau produit, elle risque de se voir imposer des droits antidumping qui lui ôteront toute compétitivité.

Dans les années 1990, le Vietnam s'est mis à exporter du poisson-chat aux États-Unis, lesquels sont vite devenus son plus gros marché d'exportation : il s'est rapidement emparé de 20 % du marché américain du poisson-chat. Les producteurs américains, furieux, ont obtenu du Congrès qu'il adopte une loi stipulant que seul le poisson-chat américain pouvait être vendu sous le nom « poisson-chat[53] ». Mais le Vietnam s'est montré plus malin que les États-Unis : il est revenu sur le marché américain sous un autre nom, *basa*, donnant ainsi à son poisson-chat un nom de marque et l'image d'un produit exotique haut de gamme. Désormais, non seulement il remplaçait le poisson-chat du Mississippi, mais son prix avait augmenté. Les États-Unis ont alors réagi encore plus agressivement. Puisqu'un obstacle non tarifaire n'avait pas fonctionné, ils en ont utilisé un autre : les droits antidumping. Ils ont accusé le Vietnam de vendre au-dessous du prix de revient.

Une entreprise rationnelle ne vend au-dessous du prix de revient que dans un seul cas : si elle estime que cela va lui permettre d'acquérir une position de monopole, qu'elle pourra conserver assez longtemps non seulement pour récupérer ce qu'elle aura perdu au départ, mais aussi pour obtenir un retour sur son investissement (les pertes qu'elle a subies en vendant au-dessous du prix de revient). La législation antitrust américaine le comprend très bien. Pour pouvoir porter dans le cadre des lois antitrust une accusation de prix d'éviction (terme qui signifie qu'une entreprise vend au-dessous du prix de revient pour évincer du marché un concurrent national), on doit prouver non seulement la possibilité d'établir un monopole, mais aussi celle de le maintenir assez longtemps pour récupérer les pertes. La prédation (le vrai dumping) existe, bien sûr, mais elle est rare, parce qu'il est difficile d'établir un monopole durable. Le droit américain sur la concurrence des firmes étrangères, lui, n'admet pas cette logique économique de base. Dans les actions antidumping, il est rare que la monopolisation – sans parler de la monopolisation durable – soit une perspective, même lointaine. Le Mexique ne peut pas obtenir le monopole des tomates, ni la Colombie celui des fleurs. Et pourtant, non seulement on les accuse de dumping, mais on leur impose des droits antidumping. On y parvient en mesurant les prix de revient d'une façon qui, souvent, n'a pas grand-chose à voir avec les réalités ou les principes économiques. Les lois antidumping ne sont pas faites pour déterminer si une entreprise vend vraiment au-dessous du coût (marginal), elles visent à obtenir une évaluation haute de ce coût pour pouvoir imposer des droits antidumping. Comment s'étonner, dans ces conditions, que l'on découvre si souvent que des firmes rationnelles vendent au-dessous de leurs coûts[54] ?

La procédure est encore pire quand l'économie accusée de dumping n'est pas une économie de marché (la Chine n'est toujours pas considérée comme telle, en dépit de ses progrès dans ce sens[55]). Dans ce cas, les coûts utilisés pour calculer s'il y a dumping ne sont pas les coûts réels, mais ce qu'ils auraient été dans un pays de remplacement. Ceux qui veulent donner une apparence de réalité à une accusation de dumping cherchent un pays où les coûts seront élevés : on pourra ainsi imposer des droits antidumping très lourds. Dans un cas classique, un peu avant la chute du mur de Berlin, les États-Unis ont imposé des droits antidumping aux caddies de golf polonais en prenant comme pays de remplacement le Canada. Les coûts y étaient si élevés que ce pays ne produisait aucun caddie. On a donc fixé les droits antidumping en calculant ce qu'aurait coûté au Canada, s'il en avait produit, la fabrication de ces petits chariots de golf. Dans de nombreuses régions, dont l'Union européenne, le pays de remplacement peut même être le pays accusateur – auquel cas, presque par définition, les coûts sont plus élevés, sinon il n'y aurait aucun problème de concurrence.

L'une des exportations récentes des pays industriels avancés est l'usage des obstacles non tarifaires comme dispositifs protectionnistes. Les pays en développement les utilisent de plus en plus les uns contre les autres. L'Inde, par exemple, s'est appuyée sur les prix de revient indiens pour accuser la Chine de dumping dans le cas d'un important produit chimique, l'isobutylbenzène. Dans le cas du ferrochrome russe à faible teneur en carbone, l'Inde a choisi comme pays de remplacement le Zimbabwe, probablement parce que l'électricité – déterminant essentiel du prix de revient de ce produit – y coûte très cher, et c'est sur cette base qu'elle a imposé des droits antidumping.

Il y a deux poids, deux mesures. Si la norme intérieure fixée par les États-Unis eux-mêmes pour vérifier l'existence de prix d'éviction était utilisée au niveau international (lorsqu'ils accusent une firme étrangère de vendre au-dessous du prix de revient), très peu de procès antidumping – aucun peut-être – aboutiraient à une condamnation. Si la norme qu'utilisent les États-Unis contre les étrangers était appliquée à la concurrence intérieure, la majorité des firmes américaines seraient convaincues de dumping. C'est une exception majeure à un principe dont les États-Unis clament l'importance : la non-discrimination. Il est clair que les producteurs étrangers sont traités différemment des producteurs nationaux[56].

Il devrait y avoir une seule et même norme pour les pratiques commerciales injustes, applicable sur le plan intérieur comme à l'international. Il devrait y avoir une seule et même loi pour le dumping et le prix d'éviction (comme dans l'accord de commerce entre l'Australie et la Nouvelle-Zélande). Il faudrait partir de l'hypothèse selon laquelle les entreprises ne cherchent pas à vendre à perte – sur leur territoire national comme à l'étranger. C'est sur l'accusateur que doit reposer la charge de la preuve : à lui de montrer que la firme pouvait raisonnablement espérer acquérir, par le dumping, un pouvoir de marché suffisant et assez durable pour récupérer l'argent perdu.

Le problème que posent droits antidumping et mesures de sauvegarde vient en partie des procédures par lesquelles on impose ces droits. Je l'ai vu à de multiples reprises quand je faisais partie de l'administration Clinton. Nous portions une accusation de dumping (bien que la vente à bas prix des produits concernés fût bénéfique aux consommateurs américains) : nous étions à la fois le procureur, le juge et le jury, et les règles de la preuve auraient fait rougir le « juge » d'un « tribunal » mafieux. Les preuves sur lesquelles nous nous appuyions étaient souvent celles que présentait le concurrent américain, qui voulait balayer ses rivaux du marché (en 2000, l'amendement Byrd a donné une incitation supplémentaire : tous les droits antidumping perçus seraient reversés aux victimes – c'est-à-dire à ceux qui avaient porté plainte[57]). Sur la base de ces informations, nous imposions à titre provisoire des droits très lourds, ce qui faisait perdre des ventes à l'exportateur et, en fait, l'expulsait du marché. Un ou deux ans plus tard, après enquête complète, nous annoncions des droits corrigés, souvent fortement revus à la baisse – mais à ce moment-là le mal était fait[58].

Là encore, il faut un tribunal international pour juger si un pays est coupable de dumping (ou d'autres pratiques commerciales injustes). Le système actuel, où chaque pays peut fixer ses propres normes et faire ses propres calculs de prix de revient d'une façon qui accroît la probabilité de conclure au dumping, devrait paraître inacceptable dans un monde où le commerce est régi par un état de droit.

• Les obstacles techniques

Le commerce international est complexe. Il est régi par des règles subtiles, et ces règles constituent souvent – et parfois délibérément – d'importantes entraves aux échanges.

Les conditions phytosanitaires sont des restrictions imposées pour protéger la vie humaine ou animale de risques venus, par exemple, de maladies ou d'additifs dans des produits agricoles importés. La difficulté consiste à déterminer si ces mesures sont inspirées par des inquiétudes légitimes ou constituent une entrave au commerce déguisée. Les États-Unis estiment que l'usage par les autres pays de ce type de restrictions contre certains de leurs produits (tels les aliments génétiquement modifiés) est une entrave au commerce, mais que leurs propres restrictions sont raisonnables (comme les moucherons invisibles qui ont justifié à une époque la fermeture de leur marché aux avocats mexicains). Le Brésil soutient que les restrictions à ses exportations de viande bovine fraîche vers les États-Unis à cause de la maladie de la vache folle sont injustifiées. Certaines régions de cet immense pays ont été certifiées « non touchées par la maladie » ; néanmoins, les États-Unis refusent l'entrée à toute viande de bœuf brésilienne. Le gouvernement chinois estime qu'environ 90 % de ses produits agricoles sont frappés par des obstacles techniques, et que cela lui coûte dans les 9 milliards de dollars en commerce perdu.

De tous les obstacles non tarifaires, c'est le plus difficile à traiter. Les États ont le droit – et le devoir – de protéger leurs citoyens, et il n'est pas simple de faire la distinction entre un usage protectionniste et un usage légitime. Certains ont préconisé le recours à des normes « scientifiques ». Mais même la définition du niveau acceptable de tolérance du risque n'est pas claire. Si le risque « scientifique » des aliments génétiquement modifiés *peut être* faible, quantité de gens dans le monde jugent que s'y exposer n'est ni nécessaire ni acceptable. Au strict minimum, les pays doivent avoir le droit d'exiger l'étiquetage. Les États-Unis sont contre, de crainte qu'il ne dissuade les achats – position étrange quand on connaît leur attachement, dans d'autres contextes, au principe de la souveraineté du consommateur, qui n'a de sens que si celui-ci sait ce qu'il achète.

Il n'y a pas de réponse facile, mais, comme pour le dumping et les mesures de sauvegarde, un système judiciaire international permettrait au moins de délibérer sur le sujet en dehors des environnements protectionnistes où l'on en discute aujourd'hui. Les juges pourraient évaluer le poids des preuves. Ils exigeraient peut-être que le bœuf brésilien soit étiqueté comme tel, mais, si les données scientifiques indiquent qu'il n'y a aucun risque sérieux de maladie de la vache folle quand il vient de zones certifiées « non touchées », ils autoriseraient son importation.

• Les règles d'origine

Quand les pays développés accordent des préférences à des pays en développement ou signent avec eux des accords de libre-échange, ils veulent être certains que les produits qu'ils vont laisser entrer sur leur territoire ont vraiment été fabriqués dans le pays en question. Ils ne veulent pas que, sur une chemise estampillée *Made in Mexico*, seule l'étiquette ait été faite au Mexique. Les règles qui définissent les conditions permettant de considérer qu'un produit est mexicain, marocain ou de toute autre nationalité sont appelées « règles d'origine ». Mais, dans notre économie mondiale complexe, tout le monde est interdépendant. Aucun pays ne fabrique l'ensemble des composants de ce qu'il vend. Un fabricant de vêtements peut importer le tissu, les teintures, les boutons. Les machines qu'il utilise ont peut-être aussi été importées – comme le carburant qui les fait fonctionner. Si trois petits pays voisins travaillent ensemble – l'un fabriquant l'emballage, l'autre assurant la coupe, le troisième la couture –, il est possible qu'aucun ne satisfasse aux critères des règles d'origine. Peut-être un industriel de la confection ne sera-t-il en mesure d'exporter ses vêtements que s'il utilise des tissus produits dans son pays ; et peut-être un industriel du textile ne pourra-t-il exporter ses tissus que s'ils sont à base de coton cultivé dans son pays.

Les règles d'origine peuvent annuler les bénéfices des préférences ou du libre-échange : le seuil est parfois fixé juste assez haut pour les réduire à néant. Si le pays exportateur importe le drap et que ce drap importé représente 50 % de la valeur de la chemise, le pays importateur fixe le seuil des règles d'origine à 55 %. (Même si c'était 50 %, les chemises chères, fabriquées avec du coton de bonne qualité, seraient exclues.) Les États-Unis ont même utilisé les règles d'origine pour promouvoir leurs propres exportations. Les pays qui produisent des chemises avec du coton américain ont droit à des préférences dont ne jouissent pas ceux qui se servent du coton le moins cher.

Les problèmes créés par les règles d'origine sont parfois mis au compte de défaillances techniques, mais leur fréquence suggère qu'ils sont délibérément utilisés à des fins protectionnistes. On a recours à des calculs compliqués, à des règles arbitraires. Ces accords obligent les exportateurs à choisir les intrants qui répondent aux critères des règles d'origine, et non les intrants de telle qualité au prix le plus bas. Certains producteurs renoncent au traitement préférentiel pour une raison simple : le coût des démarches administratives est supérieur au bénéfice qu'ils en attendent[59].

RESTREINDRE LES ACCORDS DE COMMERCE BILATÉRAUX

Après l'échec de Cancún, les États-Unis ont annoncé qu'ils allaient chercher à signer des accords de commerce bilatéraux.

Ces accords contrarient la marche vers un régime de libre-échange multilatéral. Le principe d'égalité de traitement entre tous les pays, on l'a vu, compte au nombre des préceptes les plus fondamentaux qui ont guidé l'expansion du commerce. Les accords de commerce bilatéraux conclus par les États-Unis disent clairement que certains pays seront traités mieux que d'autres. Souvent, il n'y a même pas augmentation du commerce, mais seulement détournement : il passe des pays moins favorisés aux pays plus favorisés. Les États-Unis justifient parfois ces traités en les présentant comme un premier pas vers des accords multilatéraux, mais, en réalité, les dispositions préférentielles des premiers compliquent la négociation des seconds, puisque les accords plus larges vont inévitablement supprimer les privilèges bilatéraux, donc se heurter à une résistance de leurs bénéficiaires.

Dans les négociations bilatérales, le rapport de force entre les États-Unis et le pays en développement est encore plus déséquilibré ; les accords signés à ce jour le montrent bien. Les États-Unis ont réussi à obtenir dans les accords bilatéraux certaines dispositions qu'ils n'avaient pas pu faire inscrire à l'ordre du jour du Doha Round, comme un nouveau renforcement des droits de propriété intellectuelle et la libéralisation des marchés des capitaux. Parfois, les pays en développement signent parce qu'ils s'imaginent qu'avec ce genre d'accord les investisseurs afflueront massivement : avec l'aval de Washington et l'accès libre de tous droits au territoire américain, ce sera le boom. Parfois, ils signent surtout par peur : ils craignent par exemple, s'ils ne le font pas, de perdre des « préférences » dont ils jouissent depuis longtemps, et ils savent que sans elles ils ne pourront plus résister à la marée d'importations en provenance de pays comme la Chine[60]. Un certain nombre d'accords ont ainsi été conclus, mais avec de petits pays : le Chili (18 millions d'habitants), Singapour (4,3 millions), le Maroc (30,8 millions), Oman (2,5 millions) et Bahrein (750 000) ; ils ne couvrent donc qu'une toute petite fraction du commerce mondial. La stratégie bilatérale a, jusqu'à présent, largement échoué. Pendant ce temps, les pays en développement réagissent de la même façon, par des accords, déjà conclus ou en gestation, entre pays latino-américains ou entre pays asiatiques. Le système multilatéral est en train de s'effilocher.

Les accords de commerce bilatéraux devraient être vivement découragés. Il faudrait, au minimum, qu'une commission internationale indépendante vérifie qu'un accord bilatéral ne détourne pas plus de commerce qu'il n'en crée. S'il le fait, il ne faut pas l'autoriser.

RÉFORMES INSTITUTIONNELLES

Au cœur des échecs de la mondialisation se trouve la façon dont les décisions sont prises au niveau international – les problèmes de « gouvernance » : comment on décide, comment on choisit ce qui figure à l'ordre du jour, comment on résout les désaccords, comment on fait respecter les règles. Toutes ces questions sont, à long terme, aussi importantes que les règles elles-mêmes pour déterminer le résultat – en l'occurrence, quel sera le régime commercial international et s'il sera juste pour les populations du monde en développement. Ce principe est aussi vrai dans le domaine du commerce que dans les autres.

L'injustice commence dès le départ, lorsque est fixé l'ordre du jour. Son centre d'intérêt principal, nous l'avons vu, s'est déplacé de l'industrie aux services à forte intensité en compétences, aux flux de capitaux et aux droits de propriété intellectuelle. L'ordre du jour de négociations commerciales conçues pour promouvoir le développement serait très différent. Premièrement, il se limiterait strictement aux domaines où un accord mondial est nécessaire pour faire fonctionner le système commercial international. C'est tout simple : les pays en développement n'ont pas les moyens de négocier efficacement sur une large gamme de sujets. Et, deuxièmement, il se concentrerait sur les domaines intéressants pour les pays en développement : les services à forte intensité en travail non qualifié et les flux migratoires. Certains thèmes nouveaux seraient ajoutés : comment limiter la corruption, les ventes d'armes, le secret bancaire et la concurrence qui vise à attirer les entreprises à coup de réductions d'impôts – autant de phénomènes nocifs pour les pays en développement et qui ne peuvent être combattus que par la coopération internationale[61].

Les problèmes de gouvernance sont particulièrement visibles dans la façon dont se passent les négociations. La question de la transparence en diplomatie internationale est depuis longtemps une préoccupation majeure. Des accords « au grand jour [...] *préparés au grand jour* » (c'est moi qui souligne) : tel était le premier point du programme de réforme de l'architecture politique internationale énoncé par le président Woodrow Wilson vers la fin de la Première Guerre mondiale. Et il précisait aussitôt : « La diplomatie devra toujours procéder franchement et *à la vue du public* » (c'est moi qui souligne)[62]. Mais cela n'a jamais été une réalité – ni même un objectif déclaré – dans les négociations commerciales. La plupart du temps, les États-Unis et l'Union européenne choisissent d'un commun accord un petit groupe de pays en développement avec lesquels ils négocient (en les soumettant souvent à d'intenses pressions pour qu'ils se dissocient des autres pays du Sud) dans la salle verte du siège de l'OMC. (Aujourd'hui, même quand ces négociations ont lieu à Cancún, Seattle ou Hong Kong, la salle dans laquelle se tient la réunion en petit comité est toujours appelée la « salle verte », avec toutes les connotations négatives.) Enfermer dans une pièce des ministres du Commerce, les séparer des experts qui les conseillent et les forcer à négocier toute la nuit peut être un bon test d'endurance, mais sûrement pas un bon moyen d'améliorer le régime commercial mondial. Pis encore : les intérêts particuliers sont probablement bien plus à même d'influencer les négociations internationales quand elles sont menées sous le sceau du secret.

Pour justifier ces négociations menées secrètement et sous pression, on allègue qu'il est impossible de négocier avec des dizaines de pays à la fois. C'est sûrement vrai, mais il existe des moyens de rendre le processus plus équitable, et les voix des pays en développement plus audibles[63].

Les problèmes créés par un ordre du jour injuste et par des négociations opaques et inéquitables sont aggravés par l'injustice du mécanisme prévu pour faire respecter les accords. Ce mécanisme est, nous l'avons vu, asymétrique. Antigua a eu gain de cause contre les États-Unis dans un différend très important sur le jeu en ligne, mais ne dispose concrètement d'aucun moyen pour faire respecter le jugement. Imposer des droits de douane sur les produits américains n'aurait fait qu'augmenter les prix pour la population d'Antigua, et aggravé sa situation. Mais il y a une solution simple, qui permettrait d'avancer vers l'instauration d'un mécanisme plus efficace et plus juste pour faire respecter les jugements : autoriser les pays en développement, au moins, à vendre leur droit de mise à exécution d'une décision[64]. L'Europe, par exemple, a peut-être certains griefs contre les États-Unis dans une affaire en cours. Au lieu d'attendre son issue, elle pourrait menacer d'agir pour faire respecter le jugement d'une affaire déjà tranchée, ce qui inciterait à résoudre plus vite le problème.

J'ai exposé un ensemble ambitieux de réformes du régime commercial international, qui pourrait faire une énorme différence pour les pays en développement. Au sommet du Millénaire à New York en septembre 2000, la communauté internationale s'est engagée à réduire la pauvreté ; à Monterrey (Mexique), en mars 2002, les pays industriels avancés se sont engagés à verser 0,7 % de leur PIB pour contribuer à atteindre cet objectif. Si le monde est sincèrement décidé à faire quelque chose contre la pauvreté mondiale et à donner autant d'argent pour aider les pauvres, il devrait être prêt aussi à leur offrir davantage d'occasions de s'enrichir, en particulier des opportunités commerciales. Le monde a besoin d'un vrai « cycle du développement », pas du reconditionnement de vieilles promesses que l'Occident a tenté de faire passer pour un programme de développement et qu'il n'a même pas été capable de tenir par la suite.

Tout accord commercial induit des coûts et des bénéfices. Les pays s'imposent des contraintes parce qu'ils pensent que l'acceptation de celles-ci par d'autres, dans une logique de réciprocité, va leur ouvrir de nouvelles occasions d'affaires, dont les bénéfices seront supérieurs aux coûts de leurs engagements. Pour trop de pays en développement, malheureusement, cela n'a pas été le cas. Si la direction dans laquelle se sont orientées les négociations ces dernières années ne change pas radicalement, de plus en plus de pays en développement vont probablement préférer ne conclure aucun accord plutôt qu'un mauvais accord.

Mais quelles sont les perspectives d'un régime commercial plus équitable ? La libéralisation des échanges n'a pas tenu ses promesses. Néanmoins, la logique fondamentale du commerce est toujours là : il reste potentiellement capable d'améliorer la situation de la grande majorité, sinon de tous. Le commerce n'est pas un jeu à somme nulle où les gains des uns sont les pertes des autres. Il est, ou du moins peut être, un jeu à somme positive où chacun peut être gagnant. Pour que ce potentiel se concrétise, il nous faut d'abord rejeter deux vieux postulats sur la libéralisation des échanges : qu'elle aura automatiquement pour effet de stimuler le commerce et la croissance, et que la croissance « ruissellera » automatiquement au profit de tous. Ces deux postulats ne sont compatibles ni avec la théorie économique, ni avec l'expérience historique.

Pour que la mondialisation du commerce trouve un soutien dans le monde développé, nous devons faire en sorte que ses coûts et ses bénéfices soient plus également partagés. Ce qui implique un impôt sur le revenu plus progressif. Nous devons être particulièrement attentifs à ceux dont les moyens de subsistance sont menacés : il faudra une meilleure assistance à l'ajustement, des dispositifs de sécurité plus forts et une meilleure gestion macroéconomique – pour que celui qui perd son emploi puisse en trouver un meilleur. Nous devons mettre en place des politiques capables d'amener une augmentation des salaires, en particulier les plus bas – qui aux États-Unis stagnent depuis des années. On ne « vendra » pas la mondialisation en promettant aux travailleurs que malgré tout, s'ils acceptent de réduire suffisamment leurs salaires, ils pourront avoir un emploi. Les salaires ne peuvent augmenter que si la productivité augmente, et cela exigera davantage d'investissements dans la technologie et l'éducation. Malheureusement, dans certains pays industriels avancés, et tout particulièrement aux États-Unis, c'est exactement le contraire qui se passe. Les impôts sont devenus plus régressifs, les dispositifs de sécurité sociale se sont affaiblis, et les investissements scientifiques et technologiques en pourcentage du PIB ont baissé (hors secteur militaire), de même que le nombre des diplômés en sciences et en technologie. Ces politiques signifient que les États-Unis eux-mêmes, comme les autres pays industriels avancés qui suivent leur voie – les grands vainqueurs potentiels de la mondialisation –, vont gagner moins qu'ils n'auraient pu ; et qu'un plus grand nombre de leurs citoyens vont se considérer comme des perdants de la mondialisation.

Ces réformes renforceront les perspectives d'une mondialisation bénéfique pour la grande majorité, donc le soutien à cette mondialisation plus équitable. La mondialisation nous a appris que nous ne pouvons pas nous fermer entièrement à ce qui se passe ailleurs. Les pays industriels avancés profitent depuis longtemps des matières premières venues du monde en développement. Plus récemment, leurs consommateurs ont énormément bénéficié de produits manufacturés à bas prix, de qualité toujours meilleure. Mais ils ont aussi subi l'immigration clandestine, le terrorisme, et même des maladies promptes à traverser les frontières. Aux yeux de beaucoup, aider les populations du monde en développement, qui sont plus pauvres, est un devoir moral. Mais les populations des pays industriels avancés comprennent peu à peu que cette aide est aussi dans leur propre intérêt. Avec la stagnation montera la menace de troubles causés par la désillusion virant au désespoir ; sans croissance, le flot de l'immigration sera difficile à endiguer ; s'ils prospèrent, les pays en développement offriront un marché solide aux biens et services des pays industriels avancés.

Je conserve l'espoir que le monde, tôt ou tard – j'espère que ce sera tôt –, entreprendra de créer un régime commercial plus juste et favorable au développement. Les populations du monde en développement vont le réclamer d'une voix toujours plus forte. La conscience et l'intérêt bien compris du monde développé finiront par répondre. Quand l'heure viendra, le programme exposé dans ce chapitre offrira un riche aperçu des décisions possibles et nécessaires.

4

Brevets : des profits et des hommes

Fin janvier 2004, à Rabat, la capitale du Maroc, et à Paris, des manifestants mobilisés par Act Up, le groupe militant antisida, sont descendus dans la rue pour protester contre un nouvel accord de commerce en discussion entre les États-Unis et le Maroc : ils craignaient qu'il n'interdise à des sociétés marocaines de fabriquer des médicaments contre le sida. Les manifestations sont encore rares dans la jeune démocratie marocaine, et le fait même que celle-ci ait eu lieu en dit long sur la profonde indignation des Marocains à ce sujet. Lorsque je suis arrivé à Rabat quelques semaines plus tard, les gens parlaient encore des arrestations qui avaient suivi. D'autres manifestations ont eu lieu quelques mois plus tard, en juillet. Cette fois, c'était en Thaïlande, lors de la XVe conférence internationale sur le sida. Les militants sont entrés en force dans le centre des exposants et ont obligé les grandes firmes pharmaceutiques – Bristol-Myers Squibb, Pfizer, Abbott Laboratories et le groupe Roche – à fermer leurs stands.

Du point de vue économique, le Maroc n'était pas le candidat le plus évident à un accord de libre-échange avec les États-Unis. Son principal produit exporté, le phosphate (ingrédient crucial des engrais), qui représente près d'un cinquième de ses exportations, entre déjà sur le marché américain sans droits de douane. Mais le Maroc espérait que cet accord stimulerait ses exportations de chaussures outre-Atlantique, et les États-Unis que le resserrement des liens économiques renforcerait l'amitié[1]. Le principal négociateur commercial américain, Robert Zoellick, l'a dit fièrement : « Cet accord de libre-échange [...] montre notre volonté de resserrer les liens des États-Unis avec le Moyen-Orient et l'Afrique du Nord[2]. » C'était particulièrement important au Moyen-Orient, où, à d'autres égards, la politique étrangère américaine – c'est le moins qu'on puisse dire – était controversée. En coopérant avec des régimes arabes modérés, les États-Unis espéraient améliorer progressivement leur image dans la région.

Mais charger le bureau du représentant au Commerce de forger des liens d'amitié au niveau international posait quelques problèmes, comme l'ont clairement révélé les manifestations qui ont suivi. Les Marocains qui ont participé aux discussions m'ont dit qu'il n'y avait pas vraiment eu de négociations. Ce qui intéressait essentiellement les Américains, c'était d'avoir ce qu'ils voulaient – et ils voulaient que le nouvel accord protège leurs compagnies pharmaceutiques. La vie contre les profits : c'était le fond de la question. Relayant les intérêts de ses firmes pharmaceutiques, le gouvernement des États-Unis a insisté pour que l'accord comprenne des dispositions retardant l'introduction des médicaments génériques, et il est parvenu à ses fins.

Comme aux États-Unis et dans le reste du monde, les génériques au Maroc ne coûtent qu'un petit pourcentage du prix des médicaments portant un nom de marque. Les compagnies pharmaceutiques américaines savent que, dès que les génériques arrivent, leurs profits plongent. Elles ont donc conçu plusieurs stratégies très habiles pour retarder leur introduction sur le marché : elles restreignent, par exemple, l'usage des données prouvant que le médicament est sûr et efficace – et elles interdisent aux fabricants de génériques ne serait-ce que de commencer à les produire tant que le brevet n'a pas expiré[3]. C'étaient ces manœuvres dilatoires que les manifestants redoutaient particulièrement : pendant cette prolongation de la période sans génériques antisida, la plupart des malades seraient incapables de s'offrir les médicaments qui auraient pu leur sauver la vie. Selon certaines ONG, les restrictions sur les génériques instaurées par cet accord pourraient porter à près de trente ans la durée effective de la protection des brevets (qui est aujourd'hui de vingt ans), et rendraient les génériques encore moins accessibles au Maroc qu'aux États-Unis[4]. Il est difficile de dire si c'est vraiment ce qui va se passer, et combien de gens pourraient en mourir[5]. Mais, vu l'énergie dépensée par Washington pour les imposer, il faut croire que ces mesures vont prolonger considérablement la vie effective d'un brevet – donc augmenter les profits et réduire l'accès aux médicaments vitaux.

Ce n'était pas le premier accord commercial sujet à controverse signé au Maroc : c'est à Marrakech, le 15 avril 1994, que les ministres du Commerce ont apposé leur signature définitive au bas des textes de l'Uruguay Round. Parmi eux figurait un accord sur les « aspects des droits de propriété intellectuelle touchant au commerce » (ADPIC), voulu de longue date par les États-Unis et certains pays industriels avancés pour forcer les autres pays à reconnaître leurs brevets et leurs copyrights[6]. Les brevets donnent aux inventeurs un droit de monopole sur leurs innovations. Les prix plus élevés qui en découlent sont censés stimuler l'innovation – nous verrons plus loin s'ils le font vraiment. Mais l'accord sur les ADPIC a été *conçu* pour faire monter le prix des médicaments dans le Sud. Malheureusement, ces nouveaux prix les ont rendus inabordables pour tous, sauf pour les plus riches. Quand ils ont signé l'accord sur les ADPIC, les ministres du Commerce étaient si heureux que les négociations aient enfin abouti qu'ils n'ont pas vu qu'ils signaient l'arrêt de mort de milliers d'habitants des pays les plus pauvres du monde.

Pour ceux qui contestent la mondialisation, le combat autour de la propriété intellectuelle est un combat pour les valeurs. L'accord sur les ADPIC a traduit le triomphe d'intérêts d'affaires américains et européens sur les intérêts généraux de milliards d'habitants du monde en développement. Il est apparu comme un nouveau cas dans lequel le profit a pesé plus lourd que les valeurs fondamentales – comme l'environnement ou la vie elle-même. Il est aussi devenu le symbole du « deux poids,

deux mesures », de la différence d'attitude envers ces valeurs
sur le territoire national et à l'étranger. Au niveau national, les
citoyens exigent souvent que leurs élus ne se limitent pas à
penser aux profits et prennent en considération les effets sur
d'autres aspects sociaux et environnementaux. Au moment
même où l'administration Clinton livrait une bataille grandiose
pour élargir l'accès des Américains aux soins médicaux, elle
réduisait, en soutenant l'accord sur les ADPIC, l'accès des
pauvres du monde entier à des médicaments à prix abordables.

Je suis persuadé que les adversaires de l'accord sur les
ADPIC ont raison[7]. Mais la critique de ce régime de propriété
intellectuelle va encore plus loin : il n'est peut-être même pas
dans l'intérêt général des pays industriels avancés. Comme je
l'ai dit au chapitre 1, l'une des objections à la mondialisation
telle qu'elle a été gérée est qu'elle a imposé au monde, pays
en développement compris, une version particulière de l'économie de marché – qui pourrait être inadaptée à leurs besoins,
à leurs valeurs et à leurs situations. L'accord sur les ADPIC
en est l'exemple par excellence. Il repose sur une idée fondamentale : renforcer les droits de propriété intellectuelle va
améliorer la performance économique. Tirant argument de ce
principe, des intérêts d'affaires américains et européens bien
précis ont entrepris d'utiliser les accords commerciaux pour
contraindre les pays en développement à promulguer des lois
de propriété intellectuelle à leur convenance.

L'innovation est importante : elle a changé la vie de tous
les habitants de la planète. Et les lois sur la propriété intellectuelle peuvent et doivent jouer un rôle pour la stimuler. Mais
la thèse selon laquelle des droits de propriété intellectuelle
plus forts stimulent toujours la performance économique est
en général erronée. C'est un exemple de la façon dont des
intérêts particuliers – ceux qui bénéficient du renforcement
des droits de propriété intellectuelle – utilisent une idéologie
simpliste pour promouvoir leur cause. Ce chapitre montre que
les régimes de propriété intellectuelle mal conçus réduisent
l'accès aux médicaments mais aussi l'efficacité de l'économie, et pourraient même ralentir le rythme de l'innovation.

Leurs effets débilitants sont particulièrement graves dans les pays en développement.

Il sera toujours nécessaire de fixer un équilibre entre, d'une part, le désir des inventeurs de protéger leurs découvertes et les incitations que crée cette protection, et, d'autre part, les besoins du public, qui bénéficie d'un accès plus large au savoir avec l'accélération du rythme des découvertes qui en résulte et la baisse des prix qu'apporte la concurrence. Dans ce chapitre, je vais montrer à quoi pourrait ressembler un régime de propriété intellectuelle équilibré – un régime qui ne s'intéresserait pas seulement aux entreprises mais aussi au monde académique et aux consommateurs. Les compagnies pharmaceutiques prétendent que, sans protection forte des droits intellectuels, elles n'auraient pas d'incitations à faire de la recherche. Et, sans recherche, les médicaments que les entreprises du monde en développement aimeraient imiter n'existeraient pas. Mais, en tenant ce raisonnement, elles agitent un épouvantail : en général, les critiques du régime actuel ne proposent pas l'abolition totale des droits de propriété intellectuelle ; ils disent simplement qu'il faut un régime de propriété intellectuelle plus équilibré.

Il est important de stimuler l'innovation, qui comprend la mise au point de médicaments vitaux contre les maladies accablant les pays en développement. J'exposerai d'autres solutions qui permettraient d'atteindre cet objectif plus efficacement que le système actuel, et à meilleur prix. Les réformes que je suggère feraient mieux fonctionner la mondialisation – et pas seulement, j'en suis persuadé, pour les pays en développement mais aussi pour le monde développé.

La propriété intellectuelle : ses forces et ses limites

Les droits de propriété intellectuelle donnent à ceux qui la possèdent le droit exclusif de l'utiliser. Ils créent un monopole. Le propriétaire peut évidemment permettre à d'autres d'user de son bien, généralement contre paiement d'une redevance.

La protection de la propriété intellectuelle vise à garantir que les inventeurs, les écrivains et tous ceux qui investissent leur argent et leur temps dans des activités créatrices recevront un retour sur leur investissement. Les dispositions précises de la loi sont différentes pour les divers types de propriété intellectuelle. Le brevet, par exemple, donne à un inventeur le droit exclusif de commercialiser son innovation pour une période limitée, en général vingt ans. Personne d'autre ne peut vendre le produit sans l'autorisation du détenteur du brevet, même si un second inventeur le découvre indépendamment. En échange du brevet, le demandeur doit révéler tous les détails de son invention. Le copyright donne à l'auteur d'un livre ou au compositeur d'une chanson le droit exclusif de vendre ce livre ou cette chanson sur une période bien plus longue – aux États-Unis, la durée de vie de l'auteur plus soixante-dix ans.

Mais les droits de propriété intellectuelle sont fondamentalement différents des autres types de droits de propriété. Quand on possède un terrain, on peut en faire ce que l'on veut tant que l'on reste dans le cadre de la loi : il faut respecter le plan d'occupation des sols, ne pas y ouvrir un bordel, ou – plus important pour notre propos – ne pas conspirer avec d'autres propriétaires de terrains du même type pour créer un monopole, qui, si l'on n'y met bon ordre, pourrait réduire l'efficacité économique et menacer le bien-être public. Les droits de propriété incitent à prendre soin de son bien et à en faire le meilleur usage, mais ils ne sont pas sans limites. Les modes d'utilisation qui entravent l'efficacité économique (comme la monopolisation) ou qui empiètent sur le bien-être des autres (comme l'installation d'un dépotoir de déchets toxiques sur son terrain en centre-ville) sont prohibés[8].

En revanche, les droits de propriété intellectuelle *créent* un monopole[9]. Le pouvoir de monopole engendre des rentes de monopole – des surprofits –, et ce sont ces surprofits qui sont censés inciter à s'engager dans la recherche. Les inefficacités liées au pouvoir de monopole dans l'usage du savoir sont particulièrement graves, car le savoir est ce que les économistes appellent un « bien public » : potentiellement, tout le monde peut en bénéficier. Il n'y a aucun coût d'usage[10]. Thomas Jefferson, troisième président des États-Unis, l'a dit de façon bien plus poétique en assimilant le savoir à une bougie : quand elle en allume une autre, sa lumière ne diminue pas. L'efficacité économique exige le libre accès au savoir, les droits de propriété intellectuelle sont *conçus* pour en restreindre l'usage. On espère que les inefficacités induites par le pouvoir de monopole seront compensées par une innovation plus forte, donc une croissance plus rapide.

Il existe une autre différence entre propriété intellectuelle et propriété ordinaire. Lorsqu'il s'agit d'un bien ordinaire, disons encore un bout de terrain, on n'a généralement aucune difficulté à définir ce que possède l'individu. Un acte de propriété l'énonce avec précision. Cet acte peut aussi comprendre certaines clauses restrictives (qui limitent son usage) ou droits de passage, qui fixent en détail le droit des autres à utiliser ce terrain. Délimiter la propriété intellectuelle est infiniment plus difficile. En fait, on a même du mal à définir ce qui est brevetable. L'un des critères est la nouveauté : l'invention doit être « nouvelle ». On ne peut pas breveter une idée que tout le monde connaît mais que personne ne s'est donné la peine de breveter. Cela pourrait enrichir les avocats spécialisés, mais pas stimuler l'innovation[11]. Qu'est-ce qui est original ? Presque toutes les idées reposent sur des idées antérieures. Est-ce qu'une petite fioriture sur une idée bien connue mérite un brevet ? ou même une grosse, si elle était évidente ? À la fin du XIXe siècle, George Baldwin Selden a demandé et obtenu un brevet pour le véhicule automobile à quatre roues[12]. C'était, peut-être, une idée évidente – il est certain qu'au niveau mondial beaucoup de gens semblent l'avoir eue en même temps. En Allemagne, c'est Gottlieb Daimler que l'on considère en général comme l'inventeur. Aurait-on dû accorder un brevet à Selden ? Et, si oui, son brevet devait-il couvrir *tous* les véhicules automobiles, ou seulement son dessin précis ?

Ces questions n'ont pas de réponse qui s'impose – mais tout pays, dans ses lois sur la propriété intellectuelle, doit y répondre, et la façon dont il le fait a d'énormes conséquences.

Plus on élargit le domaine de la propriété intellectuelle (tant la nature de ce qui est brevetable que l'envergure des brevets), plus les profits des détenteurs de brevets sont élevés et le champ du monopole étendu, avec tous les coûts qui lui sont liés. Si l'extension des brevets est maximale, comme le souhaitent ceux qui les sollicitent, il y a un risque réel de privatiser un élément du domaine public, puisqu'une composante (peut-être importante) du savoir que couvre alors le brevet n'est pas réellement « nouvelle ». Une partie au moins de ce qui est breveté, donc privatisé, est un savoir préexistant – qui faisait partie du savoir collectif, ou du moins du savoir commun aux spécialistes du domaine. Pourtant, une fois le brevet accordé, son propriétaire peut faire payer aux autres l'usage de ce savoir[13].

Certains opposants ont comparé le récent renforcement des droits de propriété intellectuelle au mouvement des *enclosures* survenu à la fin du Moyen Âge en Angleterre et en Écosse, c'est-à-dire la confiscation-privatisation des communaux (les terres publiques) par les seigneurs locaux. Mais il y a une importante différence avec ce qui se passe aujourd'hui. Si les populations privées de leurs terres ont terriblement souffert, il y a eu à l'époque un certain gain d'efficacité : la noblesse a mieux entretenu les terres et n'a pas pratiqué le surpâturage comme le faisaient les paysans. Les économistes verraient dans cette affaire un arbitrage classique entre équité et efficacité. Avec la clôture des communaux intellectuels, en revanche, il y a perte d'efficacité[14].

La monopolisation, en effet, pourrait avoir pour résultat non seulement une inefficacité statique, mais aussi une baisse de l'innovation. Un brevet couvrant l'ensemble des véhicules automobiles à quatre roues – qui aurait donné à Selden le monopole des voitures – n'aurait guère laissé d'espace à l'innovation de Henry Ford, qui a inventé la voiture à prix abordable. Les monopoles, isolés de la concurrence, ne sont pas soumis aux intenses pressions qui poussent à innover. Pis encore : ils peuvent utiliser leur pouvoir pour écraser des rivaux, ce qui réduit les incitations des autres à faire de la recherche. Le géant du logiciel américain Microsoft a usé du pouvoir de monopole

que lui ont conféré ses droits de propriété intellectuelle pour
abattre des innovateurs comme Netscape et RealNetworks[15].
Certains sont assez courageux, ou téméraires, pour se dire que,
s'ils ont la chance de trouver une innovation exceptionnelle, ils
pourront défier Microsoft ; d'autres se satisfont de la perspective de se faire racheter ; mais beaucoup, conscients du danger
évident, sont dissuadés d'élaborer des nouveautés assez pré-
cieuses pour attirer l'attention de Microsoft. Même quand les
tribunaux mettent le holà aux pratiques anticoncurrentielles, il
est difficile de recréer un marché concurrentiel, en particulier
quand il reste de puissants brevets. Dans ce genre de cas, la
propriété intellectuelle aboutit à une situation perdant-perdant.
L'économie perd à court terme, puisque les prix élevés du
monopole réduisent le bien-être, et à long terme aussi, puisque
l'innovation est également réduite.

Les universitaires qui étudient les droits de propriété intellectuelle comprennent les risques et les coûts de la monopolisation, parce qu'ils connaissent bien la façon dont ils se sont
manifestés dans notre histoire. J'ai déjà noté, par exemple,
qu'à la fin du XIXe siècle George Baldwin Selden a obtenu un
brevet sur l'ensemble des véhicules automobiles à quatre
roues. En 1903, un groupe de fabricants d'automobiles a
constitué un cartel autour de ce brevet : l'Association of
Licensed Automobile Manufacturers (ALAM) [Association
des constructeurs d'automobiles munis de licence]. Propriétaire du brevet, l'ALAM pouvait décider qui était autorisé ou
non à fabriquer des automobiles – et seuls l'étaient ceux qui
acceptaient de participer à la collusion pour maintenir des prix
élevés. Sans Henry Ford, ils auraient probablement réussi à
contrôler la production d'automobiles, et le développement de
l'industrie automobile moderne aurait été entièrement différent. L'idée de « voiture populaire » chère à Ford – un véhicule à la portée des masses, vendu bien au-dessous des prix
alors pratiqués – contrariait la stratégie de l'ALAM : maintenir les prix à haut niveau grâce au cartel. Heureusement, Ford
a eu les moyens financiers de contester victorieusement le
brevet de Selden[16].

Plus généralement, puisque les brevets entravent la dissémination et l'utilisation des connaissances, ils ralentissent la « recherche de suivi », qui vise à innover à partir des travaux des autres. Puisque presque toutes les innovations s'appuient sur des innovations antérieures, c'est l'ensemble du progrès technique qui est alors ralenti.

Lorsque plusieurs brevets couvrent diverses idées qui contribuent à une invention, le système peut devenir un obstacle encore plus sérieux à l'innovation. C'est ce qu'on appelle parfois un « fourré de brevets ». Les progrès de la mise au point de l'avion ont été entravés dans les premières années du XXe siècle par la difficulté de démêler les brevets des frères Wright et de Glenn H. Curtiss. Sans l'accord des deux, toute initiative risquait d'empiéter sur l'un des brevets. Avec le début de la Première Guerre mondiale, le coût de ces retards est devenu intolérable : les avions allaient avoir un impact décisif sur l'issue de la guerre. L'État a imposé une solution en constituant un « pool des brevets » : toute personne utilisant les idées paierait le pool ; ses administrateurs répartiraient ensuite les recettes entre les détenteurs des brevets pertinents, en fonction de leur jugement personnel sur le poids relatif des diverses idées dans le produit final[17].

Enfin, le système des brevets peut réduire l'innovation créatrice en détournant une grande partie des dépenses d'une entreprise vers d'autres fins : soit accroître son pouvoir de monopole, soit tenter de contourner les brevets des autres. Microsoft est incité à mettre au point des moyens de réduire l'interconnectivité – la possibilité donnée à d'autres firmes d'utiliser son système d'exploitation pour élaborer des applications concurrentes, par exemple, à sa suite Office, à son navigateur ou à son Media Player. Les firmes pharmaceutiques dépensent des sommes colossales pour trouver des médicaments semblables à ceux qui existent déjà, mais non couverts par les brevets existants. Même s'ils ne sont pas forcément meilleurs que les anciens, les profits peuvent être énormes[18]. C'est peut-être l'explication de l'apparente inefficacité des grandes compagnies pharmaceutiques, qui, en dépit de dépenses totales considérables, ont trouvé relativement peu de médicaments apportant plus que des améliorations mineures à des produits antérieurs[19].

Si nous avons soutenu que des droits de propriété intellectuelle trop forts peuvent ralentir l'innovation, les partisans du renforcement de ces droits suggèrent, au contraire, qu'ils peuvent stimuler la recherche. Quand ils reconnaissent le risque d'une réduction de la recherche (comme pour Microsoft), ils admettent que, dans certains cas abusifs, il faut restreindre les droits, comme l'État américain l'a fait avec AT&T, l'ancien monopole du téléphone aux États-Unis, quand il l'a forcé à concéder à d'autres la licence de tous ses brevets. Mais ils vont souvent plus loin : ils soutiennent que, sans protection de la propriété intellectuelle, il n'y aurait pas du tout de recherche. Sur ce point, ils ont manifestement tort. Des pays qui ignoraient les droits de propriété intellectuelle – la Suisse jusqu'en 1907, les Pays-Bas jusqu'en 1912 – ont été extrêmement innovants[20]. La propriété intellectuelle est une composante – mais une composante seulement – du « système d'innovation » d'un pays.

Aujourd'hui, le monde de l'innovation est bien différent de ce qu'il était il y a un siècle. Les jours de l'inventeur solitaire qui travaille par ses propres moyens sont pratiquement révolus, même s'il y a encore des histoires apocryphes comme celle de Hewlett et Packard dans leur garage. Pour simplifier, les idées fondamentales font surface dans les universités et les laboratoires financés par l'État : aussi bien les percées majeures, comme la compréhension de la structure génétique de la vie ou celle du laser, que les petites, comme les avancées en mathématiques, en physique des surfaces ou en chimie de base. Parfois, ces découvertes sont traduites en produits spécifiques et en innovations particulières par les chercheurs eux-mêmes ; mais, en général, ce sont des entreprises qui le font. Traditionnellement, la propriété intellectuelle ne joue aucun rôle dans les progrès de la science fondamentale. Le monde académique croit à l'« architecture ouverte » : le savoir produit par la recherche doit être rendu public pour encourager l'innovation. Ce qui

motive les grands savants, c'est un élan intérieur, le désir de
comprendre la nature de l'univers. Et la récompense extérieure
la plus précieuse à leurs yeux est d'être reconnus par leurs pairs.

L'une des raisons pour lesquelles la recherche fondamentale
progresse le plus *sans recourir* aux droits de propriété intellectuelle est que, si leurs bénéfices sont douteux, leurs coûts sont
parfaitement clairs[21]. Les universités prospèrent grâce à la libre
circulation de l'information ; chaque chercheur avance vite à
partir du travail des autres, en général avant même qu'il ne soit
publié. Si, chaque fois qu'il a une idée, il courait aussitôt au
Bureau des brevets, il passerait plus de temps là-bas, ou avec
ses avocats, que dans son laboratoire. Il est intéressant de noter
que, même dans le logiciel, ce système de collaboration ouverte
fonctionne bien. Nous avons aujourd'hui pour les ordinateurs le
système d'exploitation Linux, qui lui aussi repose sur le principe
de l'architecture ouverte. Tous ceux qui y participent doivent
accepter le fait que le code source est libre : c'est un programme
dynamique constamment amélioré par des milliers d'utilisateurs, une alternative gratuite et viable au système d'exploitation de Microsoft. Il progresse vite, notamment dans les pays en
développement. Un rejeton de Linux, le navigateur Mozilla
Firefox, a connu une croissance encore plus rapide. Non seulement il est gratuit, mais il semble être moins exposé aux problèmes de sécurité, qui ont été le fléau du navigateur Internet de
Microsoft[22]. L'inquiétant, c'est que Linux, inévitablement,
empiétera un jour sur l'un des brevets parmi les centaines de
milliers qui ont été accordés, et que le détenteur de ce brevet
tentera alors de rançonner l'ensemble du système Linux. Même
si l'on montre en définitive que le brevet n'est pas valide, les
coûts économiques peuvent être énormes, comme l'a découvert
Research In Motion (la compagnie qui a mis au point le Black-
Berry[*]) quand on l'a obligée à payer plus de 600 millions de
dollars, non à l'inventeur, mais à la firme qui avait acquis le

---

* Le BlackBerry est un petit terminal de poche muni d'un mini-clavier,
qui permet de recevoir ses e-mails en permanence et d'y répondre.

brevet à bas prix – un brevet déjà disqualifié à cette date en Allemagne et au Royaume-Uni.

CONCEVOIR UN RÉGIME ÉQUILIBRÉ DE PROPRIÉTÉ INTELLECTUELLE

Pour concevoir un régime de propriété intellectuelle, il faut répondre à des questions difficiles sur ce qui est brevetable, sur la durée souhaitable du brevet et sur son degré de généralité[23]. Les réponses déterminent à la fois l'ampleur de la concurrence dans l'économie et le degré d'innovation. La longue vie d'un copyright a un sens pour deux raisons : le monopole ne porte, disons, que sur un roman bien précis, et les lecteurs disposent d'une multitude de romans entre lesquels choisir ; et le copyright ne couvre que la forme particulière de l'expression : un autre auteur peut exprimer la même idée de façon légèrement différente sans le violer. La table des matières d'un livre n'est pas sous copyright, même si l'organisation du contenu d'un manuel scolaire peut représenter sa principale contribution intellectuelle. Normalement, les copyrights – qui portent essentiellement sur les livres, les œuvres d'art, la musique et les films – ne créent pas un pouvoir de monopole important. Ici, des droits de propriété intellectuelle forts sont donc adaptés. Ils créent des incitations sans effets négatifs lourds en termes de coûts de monopole.

Nous avons noté que bon nombre des idées les plus importantes de la science fondamentale et des mathématiques – les théorèmes, par exemple – ne sont pas brevetables, ce qui me paraît justifié. Si elles l'étaient, le bénéfice serait réduit et le coût énorme : l'effort pour innover à partir de ces idées serait découragé.

Ces dernières années, il y a eu des tentatives d'élargir le champ des droits de propriété intellectuelle en augmentant le nombre d'« objets » brevetables ou en formulant les brevets en termes plus larges. C'est ici que les controverses font rage. Les récents brevets déposés sur certaines positions de yoga ont beaucoup irrité en Inde. L'usage de la touche Q pour dire « quitter » dans un programme informatique constitue-t-il une percée intellectuelle suffisante pour justifier un copyright ou un brevet ? Amazon.com peut-il faire breveter l'idée qu'il est possible de passer commande par un simple clic ? Ce ne sont pas, à mon avis, des progrès intellectuels majeurs méritant d'être brevetés, et le coût d'un brevet serait lourd : il inhiberait le développement de normes qui renforcent l'efficacité et la concurrence.

Autre exemple : la controverse sur la possibilité de breveter les gènes, les instructions internes de chaque être vivant qui lui disent quelles protéines produire – des protéines qui vont, par exemple, déterminer sa croissance et sa vulnérabilité aux maladies. La connaissance du code génétique peut être un avantage considérable pour trouver des traitements et des vaccins. C'est l'une des raisons pour lesquelles on a accordé tant de prix au décodage de l'ensemble de la structure génétique, qui a été achevé en 2003 par un organisme international travaillant sur fonds publics : le projet Génome humain (PGH). Alors que le décodage systématique avançait, on a assisté à une course entre plusieurs firmes privées, dont Human Genome Sciences (HGS) et Celera Genomics (dirigée par Craig Venter, qui travaillait auparavant sur le projet dans le cadre des National Institutes of Health[*]). Ce fut une véritable ruée vers les brevets : des demandes ont été déposées sur 127 000 gènes humains ou séquences partielles du génome humain. Dans le monde entier, les bureaux des brevets se sont retrouvés face à une tâche impossible et ont pris un retard considérable dans leur travail. HGS a déposé 7 500 demandes de brevets, Celera, 6 500, et une firme française, Genset, 36 000[24]. Finalement, le Bureau des brevets et noms de marque des États-Unis a décidé qu'il accorderait des brevets pour les gènes, mais seulement pour des séquences entières et si l'utilité du gène était démontrée.

---

* National Institutes of Health est le nom de l'institution publique qui organise la recherche médicale aux États-Unis. Elle dépend du département de la Santé et des Services sociaux.

Beaucoup ont été horrifiés par l'idée même de breveter des gènes. Après tout, ce ne sont pas les chercheurs qui ont inventé le gène. Ils ont seulement identifié ce qui existait déjà. De plus, puisque le PGH, financé sur fonds publics, a réussi à décoder l'ensemble du génome humain, la course pour décoder une partie ou même la totalité du génome un peu plus vite a créé en fait fort peu de valeur ajoutée. Le verrouillage du savoir résultant de l'octroi d'un brevet risquait d'empêcher la poursuite de la recherche, voire ses applications. Certaines de ces craintes semblent s'être vérifiées. Par exemple, Myriad Genetics, qui a breveté deux mutations de gène humain modifiant la vulnérabilité au cancer du sein, a exigé que même les laboratoires à but non lucratif qui dépistent les mutations lui paient un droit de licence, ce qui a donc découragé le dépistage[25]. Le brevet de Myriad Genetics, et sa volonté de faire respecter les droits qu'il lui donne, ont peut-être dissuadé la recherche de meilleures technologies de dépistage, puisque leur éventuel inventeur était confronté à une incertitude : il ne pouvait pas savoir combien Myriad allait lui demander de payer[26].

Répondre à la question de la nature du brevetable ainsi qu'à celle de l'envergure et de la durée du brevet n'est pas facile, et il n'y a aucune raison pour que la bonne réponse soit la même pour tous les pays, toutes les branches et toutes les époques. Dernièrement, l'industrie du logiciel a commencé à revenir de son enthousiasme initial pour la propriété intellectuelle. Elle a constaté que les produits développés par une firme risquent d'empiéter sur le brevet déjà obtenu par une autre. Tout créateur de logiciel est susceptible de déborder par inadvertance sur les idées d'un autre – non en les volant mais en les redécouvrant. Avec plus de 120 000 dépôts de brevet par an, il est presque impossible à un chercheur de connaître la liste exhaustive des idées déjà brevetées ou pour lesquelles une demande de brevet est en cours[27]. Ajoutons les ambiguïtés inhérentes aux brevets – par exemple sur le champ qu'ils couvrent (pour reprendre le cas cité plus haut : le brevet de Selden portait-il ou non sur toutes les automobiles ?) –, et cette tâche déjà presque impossible le devient totalement. C'est pourquoi même le chercheur que l'on tient en général pour le principal inventeur du World Wide Web, Tim Berners-Lee, estime que, dans son domaine au moins, les brevets paralysent l'innovation. Ils représentent, explique-t-il, « une énorme entrave au développement d'Internet. Les développeurs interrompent leurs efforts dans une direction donnée dès qu'ils entendent dire qu'une firme a peut-être un brevet qui pourrait couvrir cette technologie[28] ».

Dans les cent dernières années, les lois ont énormément changé, et elles diffèrent selon les pays. Ces changements et différences reflètent ceux de l'économie, y compris ceux qui touchent aux arbitrages entre monopolisation et innovation. Un régime de propriété intellectuelle bien conçu doit équilibrer les coûts de la monopolisation et les bénéfices de l'innovation, par exemple en limitant la durée de vie du brevet, en exigeant la révélation de ses détails pour permettre à d'autres innovateurs de les développer, et en réduisant les possibilités de s'en servir dans le but d'exercer un pouvoir de monopole « abusif[29] ». C'est ce qu'a fait, nous l'avons vu, le gouvernement américain dans le cas d'AT&T. L'équilibre précis de ces arbitrages évolue avec le temps, et il n'est pas le même dans les pays en développement et dans les pays développés. Quand les législations sur les brevets répondent mal aux questions sur le brevetable et l'ampleur du champ couvert par un brevet, elles réduisent la concurrence et inhibent l'innovation. Si le brevet est trop large, il y aura moins d'incitations à poursuivre la recherche à partir des innovations existantes.

Les changements de régime de propriété intellectuelle intervenus ces dernières années ne reflètent pas seulement l'évolution de l'économie mais aussi celle de l'influence politique des milieux d'affaires. Les grandes firmes aiment le monopole : il est beaucoup plus facile de maintenir ses profits en jouissant d'un monopole puissant qu'en augmentant continuellement son efficacité ; de leur point de vue, la monopolisation est donc un pur bénéfice, et non un coût sociétal. On aurait pu espérer que les parlements et les tribunaux équi-

libreraient soigneusement les coûts et les avantages de chaque
article de loi, mais en pratique les législations sur la propriété
intellectuelle ont évolué de façon beaucoup plus aléatoire.
Avec une tendance majeure, néanmoins : les firmes sérieusement intéressées par la propriété intellectuelle ont progressivement réussi à obtenir ce qu'elles voulaient. Aux États-Unis,
beaucoup – dont je suis – estiment qu'on est allé trop loin[30].

L'ACCORD SUR LES ADPIC

L'influence qu'ont eue ces intérêts d'affaires dans la conclusion de l'accord sur les ADPIC à l'OMC illustre bien ce processus. Lorsqu'il a été négocié à Genève en 1993, nous,
responsables du Council of Economic Advisers et de l'Office
of Science and Technology Policy à la Maison-Blanche, avons
tenté de faire comprendre à nos négociateurs nos profondes
réserves. Les exigences américaines, selon nous, n'étaient
bonnes ni pour les États-Unis, ni pour le progrès de la science,
et encore moins pour les pays en développement. Mais les
négociateurs américains et européens se sont alignés sur les
positions des compagnies pharmaceutiques, de l'industrie cinématographique et d'autres intérêts qui voulaient simplement des
droits de propriété intellectuelle les plus forts possible. (Une
étude du Center for Public Integrity, une association qui sur-
veille les activités de l'État, révèle que, de tous les intérêts privés, c'est l'industrie pharmaceutique qui a exercé l'influence la
plus importante sur le bureau du représentant au Commerce[31].)
Les négociateurs occidentaux ont tenu, par exemple, à prolonger la durée de vie des brevets, sans mettre en balance les
coûts de cette extension de la période de monopolisation avec
les avantages qu'elle pouvait avoir[32].

Bien évidemment, vu la puissance respective des parties
présentes à la table des négociations, l'accord qui en est sorti
était proche des exigences des intérêts privés américains. Tout
ce qu'ont gagné les pays en développement, c'est du temps
– quelques années avant l'entrée en vigueur des dispositions
sur les droits de propriété intellectuelle –, et, apparemment,

une certaine flexibilité, par exemple, sur la licence obligatoire
des médicaments en cas de crise de la santé publique comme
celle du sida. (La licence obligatoire autorise le fabricant de
génériques à produire le médicament nécessaire sans le consentement du détenteur du brevet, bien qu'il doive, en général, lui
verser des royalties normales. Le fait que cela constitue une éro-
sion manifeste du pouvoir de monopole explique que le détenteur du brevet refuse d'accorder volontairement la licence.)

La propriété intellectuelle ne fait pas vraiment partie du
champ des accords de commerce. Ceux-ci visent à libéraliser
la circulation transfrontières des biens et services. L'accord
sur les ADPIC portait sur un problème entièrement différent :
il avait pour but, en un sens, de *restreindre* la circulation
transfrontières du savoir. Pour le faire entrer de force dans le
champ des accords commerciaux, les négociateurs ont donc
ajouté les mots : « touchant au commerce ». Mais, si ADPIC
signifie « Aspect des droits de propriété intellectuelle touchant
au commerce », ce nom est trompeur : fondamentalement, il
n'existe aucun aspect des droits de propriété intellectuelle qui,
de leur point de vue, ne touche pas au commerce.

En fait, il existait déjà une organisation internationale qui
s'occupait des droits de propriété intellectuelle : l'Organisation mondiale de la propriété intellectuelle (OMPI), l'une des
agences spécialisées des Nations unies. Si, sous sa forme
actuelle, elle a été créée en 1970, la coopération internationale
dans ce domaine remonte en fait à plus d'un siècle : 1893[33].
Mais l'OMPI a un inconvénient majeur : l'absence de tout
mécanisme pour faire exécuter ses décisions. Les États-Unis
ou l'Union européenne ne pouvaient donc pas grand-chose
contre un pays qui violait leurs droits de propriété intellectuelle.
Avec l'accord sur les ADPIC, les pays industriels avancés ont
enfin pu recourir à des sanctions commerciales pour les faire
respecter légalement : les industries pharmaceutique et média-
tique étaient aux anges.

Il existe, bien sûr, d'autres organisations internationales qui
ont conclu des accords internationaux difficiles à faire respecter en l'absence de sanctions commerciales. L'Organisa-

tion internationale du travail, par exemple, a élaboré un accord mondial sur les normes fondamentales des conditions de travail, qui, entre autres dispositions, interdit de recourir à des enfants ou à des détenus. Il est évident que le respect ou la violation de ces normes par un pays a un impact sur le commerce. Nous pourrions sûrement avoir un « accord sur les aspects des conditions de travail touchant au commerce ». Mais ces questions de main-d'œuvre étaient moins importantes que la propriété intellectuelle pour les intérêts économiques des grandes multinationales des pays développés. Bien au contraire, les multinationales américaines ont tout intérêt à ce que ces autres domaines *ne soient pas réglementés* par un accord commercial international[34].

L'accord sur les ADPIC a imposé au monde entier le régime de propriété intellectuelle dominant aux États-Unis et en Europe, tel qu'il existe aujourd'hui. Je suis convaincu que la façon dont ce régime a évolué n'est pas bonne pour les États-Unis et l'Union européenne ; mais je suis encore plus persuadé qu'elle n'est pas dans l'intérêt des pays en développement.

Faire fonctionner la mondialisation

PROMOUVOIR L'INNOVATION ET LA JUSTICE SOCIALE

Les droits de propriété intellectuelle ne sont pas une fin en soi mais un moyen pour atteindre un objectif : ils sont censés renforcer le bien-être de la société en stimulant l'innovation. Mais pouvons-nous avoir davantage d'innovation avec davantage de justice sociale ? Et à un moindre coût pour les pays en développement ? Je crois que oui. Mais nous devons d'abord nous faire une idée plus claire de ce que nous cherchons exactement. À Genève, en octobre 2004, l'assemblée générale de l'OMPI a voté une résolution, proposée par l'Argentine et le Brésil, en faveur d'un régime des droits de propriété intellectuelle favorable au développement – tout comme la communauté

internationale avait, trois ans plus tôt, adopté le principe d'un
régime commercial favorable au développement[35]. Les pays
membres ont reconnu qu'établir des incitations à l'innovation
était crucial, mais ils avaient aussi d'autres préoccupations.

L'un des problèmes les plus graves auxquels le monde est
aujourd'hui confronté est la pauvreté dans le Tiers Monde. Il
faut aux pays en développement plus de ressources – c'est-
à-dire plus d'aide – et plus de possibilités de s'enrichir (grâce
à la création d'un régime commercial plus équitable, axe du
chapitre précédent). Mais, je l'ai dit au chapitre 2, ce qui
sépare les pays développés des pays en développement n'est
pas un simple écart de moyens financiers mais aussi de connaissances, et le régime de la propriété intellectuelle peut rendre
plus facile ou plus difficile la réduction de cet écart du savoir.
Ce que le monde en développement demande à un régime de
propriété intellectuelle, c'est de lui donner davantage accès au
savoir. De plus, comme son budget de santé est limité – un dollar dépensé pour les médicaments est un dollar non dépensé
pour l'éducation ou le développement –, le coût des médicaments compte énormément. C'est pourquoi l'accès à un prix
abordable à des médicaments capables de sauver des vies est
si important.

Certes, de nouveaux médicaments et vaccins pourraient
beaucoup améliorer le bien-être des habitants du monde en
développement. Mais le système actuel ne fonctionne pas. Il
n'a pas investi dans la recherche sur les remèdes nécessaires
pour s'attaquer aux maladies qui accablent les pays en développement, et en a donc produit fort peu. Il nous faut réformer
le système mondial de l'innovation pour inciter au développement de médicaments qui traitent et qui préviennent ces
maladies.

Enfin, les ADPIC n'assurent pas une protection adéquate
aux savoirs traditionnels.

Le programme qui suit va dresser la liste des initiatives à
prendre pour répondre aux préoccupations des pays en développement.

ADAPTER LA PROPRIÉTÉ INTELLECTUELLE
AUX BESOINS DES PAYS EN DÉVELOPPEMENT

Le monde a fini par comprendre que les stratégies de développement à taille unique ne fonctionnent pas. Il en va de même des régimes de propriété intellectuelle. Uniformiser entraîne des avantages et des coûts. Aux États-Unis, de nombreux domaines du droit sont laissés à la discrétion des États : les avantages d'avoir un code pénal national sont jugés inférieurs aux coûts. L'accord sur les ADPIC se propose d'imposer une norme unique aux droits de propriété intellectuelle dans le monde entier. J'estime que les coûts de cette uniformisation dépassent de très loin ses avantages. Les droits de propriété intellectuelle reflètent toujours l'équilibre des bénéfices de l'innovation et des coûts de la monopolisation. Et, puisque les situations des pays développés et en développement sont différentes, cet équilibre s'établit différemment. Comme les risques de monopolisation sont plus élevés dans de petits pays en développement que dans de grands pays développés – puisque les marchés y sont plus réduits et plus souvent dominés, dans le meilleur des cas, par un petit nombre d'entreprises –, les coûts d'un régime de propriété intellectuelle y sont supérieurs et ses bénéfices inférieurs. Nous devons donc exiger des régimes séparés pour les pays les moins développés, les pays à revenu moyen et les pays industriels avancés. J'ai montré au chapitre précédent que l'on doit laisser aux pays en développement plus de marge pour décider du type de politique industrielle qui leur convient – c'est-à-dire plus d'options pour aider à créer des industries nouvelles. Il faut en faire autant dans le domaine des droits de propriété intellectuelle.

L'un des coûts de l'uniformisation d'une norme est le risque de mal la choisir. Lorsque chacun choisit la sienne, on peut considérer chaque juridiction comme un laboratoire qui teste des idées différentes. Celles qui fonctionnent le mieux seront imitées. Mais s'il ne doit y avoir qu'une seule norme – au moins minimale – imposée au monde entier, il faut faire en sorte qu'elle reflète davantage les intérêts et préoccupations des pays en développement. Ces pays ont exigé une révision des ADPIC, un « accord sur les ADPIC moins », et ils ont raison[36].

ASSURER L'ACCÈS AUX MÉDICAMENTS
QUI PEUVENT SAUVER DES VIES

Peu d'habitants du monde en développement peuvent s'offrir les médicaments au prix de monopole, souvent plusieurs fois supérieur aux coûts de production, que demandent les compagnies pharmaceutiques occidentales. Pour un économiste, cet écart entre prix de vente et prix de revient est une simple inefficacité économique. Pour celui qui a le sida ou une autre maladie mortelle, c'est une question de vie ou de mort. Trois réformes permettraient d'élargir l'accès aux médicaments vitaux existants. L'une d'elles sera présentée plus longuement par la suite : les pays industriels avancés pourraient envoyer les médicaments, tout simplement, ou du moins les subventionner – en payant eux-mêmes la « taxe », la différence entre le prix et le coût marginal.

• Des médicaments au prix de revient
 pour les pays en développement

L'un des moyens les plus simples qu'ont les pays développés pour aider les pays en développement consiste à « renoncer » à la taxe, en les autorisant à user de la propriété intellectuelle pour leurs citoyens, afin de leur fournir le médicament à prix coûtant. Certains diront peut-être : mais alors, les pays en développement seront des passagers clandestins, ils profiteront gratuitement de l'effort des pays industriels avancés. À quoi je réponds : oui, et c'est bien. Cette solution n'imposerait aucun coût supplémentaire aux pays développés[37] et les bénéfices pour les pays en développement seraient gigantesques. Une meilleure santé n'est pas seulement une valeur en soi, elle accroît aussi la productivité.

On a déjà commencé à s'orienter dans ce sens. Les étudiants de certaines universités scientifiques leur demandent, lorsqu'elles signent un accord de licence avec une compagnie pharmaceutique, d'imposer la fourniture des médicaments aux pays en développement à des prix radicalement réduits.

• Les licences obligatoires

Dans des situations particulières, les États peuvent accorder des licences obligatoires quand ils voient un besoin urgent d'élargir l'accès à une technologie ou à des médicaments. C'est un droit dont usent la quasi-totalité des gouvernements du monde. Lors de la grande peur de l'anthrax en 2001, le gouvernement américain a menacé de contraindre la firme pharmaceutique Bayer à laisser d'autres compagnies produire le Cipro, l'antibiotique le plus efficace contre l'anthrax à l'époque[38]. Les entreprises qui ont reçu une licence obligatoire peuvent produire un médicament et le vendre de façon rentable juste au-dessus du prix de revient. Puisque beaucoup de fabricants de génériques du monde en développement sont extrêmement efficaces, la licence permet souvent la commercialisation d'un médicament à un prix ne représentant qu'un petit pourcentage de celui auquel il se vendait précédemment. Farmanguinhos, la compagnie pharmaceutique publique du Brésil, s'estime capable, par exemple, de produire le médicament antisida Kaletra à une petite fraction du prix qu'en demande Abbott aux États-Unis. Avec plus de 600 000 séropositifs dans le pays, on a estimé à un moment qu'un Kaletra générique ferait économiser au Brésil 55 millions de dollars sur le prix, déjà bradé, auquel Abbott vendait alors ce médicament au Brésil.

Les grandes firmes pharmaceutiques espéraient que l'accord sur les ADPIC rendrait plus difficile de produire des versions génériques de leurs médicaments[39]. Quand, à la fin des années 1990, le Brésil et l'Afrique du Sud ont lancé l'idée d'accorder des licences obligatoires pour les médicaments antisida, les compagnies pharmaceutiques américaines ont crié au scandale, affirmant que l'accord sur les ADPIC ne le permettait pas, même pour les médicaments antisida, et ont porté plainte dans le cadre de l'OMC[40]. Lorsqu'une vague d'indignation publique les a forcées à accepter un compromis, elles ont proposé leurs médicaments à un prix réduit, qui restait toutefois très supérieur au prix de revient des génériques, comme le montre l'exemple du Kaletra. Mais, si le Brésil a réussi à négocier pour lui de meilleures conditions en menaçant d'accorder une licence obligatoire, d'autres pays en développement, moins rompus au marchandage et incapables de produire eux-mêmes des génériques, continuent à payer le prix fort.

Les compagnies pharmaceutiques ont aussi soutenu que l'accord sur les ADPIC n'autorisait pas le commerce des génériques produits sous licence obligatoire. Ce qui ôtait à l'article sur la licence toute utilité pour les pays en développement qui n'ont pas eux-mêmes de capacité de production, ou trop peu. Par exemple le Botswana, petit pays où le VIH-sida a infecté plus du tiers de la population : il voulait avoir le droit d'acheter les génériques antisida à sa voisine l'Afrique du Sud. Là encore, l'opinion publique s'est mobilisée autour de ces pays et de leurs souffrances, notamment des pays d'Afrique confrontés à la pandémie du sida[41]. Mais, même après que le reste du monde eut compris que ces politiques étaient exorbitantes, l'administration Bush a continué à défendre avec acharnement les intérêts des compagnies pharmaceutiques. Ce n'est qu'à la veille de la conférence de Cancún, en août 2003, qu'elle a fait des concessions, et même alors elle a tenu à imposer des procédures administratives qui ont été jugées extrêmement lourdes.

En fait, les États-Unis avaient voulu obtenir plus : la restriction des licences obligatoires aux seuls cas d'épidémies ou de catastrophes du même ordre. Celui qui va mourir parce qu'il ne peut avoir accès à un médicament qu'on pourrait lui remettre à un prix qu'il serait en mesure de payer ne se soucie évidemment pas de savoir s'il fait partie d'un groupe de 10 000 ou de 600 000 agonisants. Il sait seulement que sa mort n'est pas nécessaire. La distinction cruciale devrait passer entre les médicaments qui sauvent des vies et ceux qui sont d'ordre cosmétique ou sociétal, pour lesquels il n'y a pas d'impérieuse raison de recourir aux licences obligatoires. Mais ce qui importait à l'industrie pharmaceutique américaine, c'étaient ses profits : elle entendait tout faire pour maintenir hors du marché le plus de génériques possible le plus longtemps possible[42].

Afin de justifier leur position, les firmes pharmaceutiques américaines disent que toute tentative pour autoriser le commerce des génériques – par exemple permettre à l'Afrique du Sud d'en exporter au Botswana – finira par provoquer leur entrée aux États-Unis où ils ravageront le marché. Mais il existe déjà de très grandes disparités de prix (par exemple entre l'Europe et les États-Unis), et le problème, s'il existe, est fort limité. L'industrie pharmaceutique est l'une des plus réglementées du monde, et le coût des médicaments est essentiellement payé par des compagnies d'assurances et par des États : les Américains n'ont donc guère de raisons d'acheter leurs médicaments aux prix européens, ni d'ailleurs de moyens faciles de le faire. Il est encore plus improbable que les Américains ou les Européens aillent se fournir en Afrique du Sud ou au Botswana[43].

Si les pays développés ne vendent pas aux pays en développement les médicaments qui peuvent sauver des vies à leur prix de revient, il faut laisser ces pays recourir aux licences obligatoires pour les produire et pour les vendre.

• La recherche

Les prix élevés sont supposés stimuler la recherche pour les médicaments vitaux. Mais, en dépit de la rhétorique, les incitations que sont censés fournir les droits de propriété intellectuelle n'ont pas abouti à des actes. On affirme que le prix de monopole des médicaments accroît l'innovation, mais les réalités disent le contraire : la plupart des compagnies pharmaceutiques dépensent beaucoup plus en publicité qu'en recherche ; davantage en recherche liée au « style de vie » (les produits pour faire repousser les cheveux, par exemple, ou contre l'impuissance masculine) qu'en recherche consacrée aux maladies ; et pratiquement rien pour les travaux sur les maladies les plus répandues dans les pays très pauvres, comme la malaria ou la schistosomiase[44].

Le système actuel de financement de la recherche est injuste et inefficace. L'État finance la recherche fondamentale et le secteur privé apporte les médicaments sur le marché. Par la vente de ces médicaments, les firmes engrangent d'immenses profits. La différence entre le prix qu'elles en demandent et le coût de production (marginal) des médicaments peut être assimilée à un impôt qu'elles font payer à leurs clients. Mais c'est un impôt très régressif. Les États, en général, taxent les contribuables en proportion de leur capacité à payer, mais, pour les médicaments, c'est le même impôt qu'on exige des habitants les plus déshérités des pays en développement et des habitants les plus riches du monde développé. Le savoir, on l'a vu, est un bien public, et le restreindre est une source d'inefficacité – cela ralentit l'innovation. Ici, le coût est plus lourd : c'est la vie. Ce coût terrible et le peu d'avantages du dispositif actuel nous poussent à nous demander : pouvons-nous réformer notre façon de produire les médicaments essentiels et de financer leur recherche ?

Les firmes pharmaceutiques vont jusqu'à prétendre que donner aux pays en développement plus de possibilités d'obtenir à bas prix les médicaments indispensables sera nuisible pour eux à long terme. Si elles ne peuvent pas obtenir de retour sur leurs investissements, soutiennent-elles, elles feront moins de recherche, ce qui, en dernière analyse, sera mauvais pour tout le monde. Mais assurer à ces pays l'accès à des médicaments vitaux aura tout au plus un effet négligeable sur l'investissement que les compagnies pharmaceutiques consacrent aux maladies qui touchent le monde en développement. Celui-ci, de toute manière, ne pèse pas lourd dans leurs revenus – leurs ventes en Afrique représentent moins de 2 % du total –, car ces populations sont trop pauvres pour acheter des médicaments coûteux ; et, nous l'avons vu, les firmes dépensent peu pour les maladies les plus prégnantes dans les pays en développement.

Il faut évidemment accroître la recherche sur les maladies qui touchent les pays en développement, mais le meilleur moyen de le faire, et le moins coûteux, n'est pas de durcir les droits de propriété intellectuelle. Il est clair que les incitations du marché ne fonctionnent pas et, par elles-mêmes, ne fonctionneront probablement jamais. L'essentiel du financement de ces travaux devra venir des États et des fondations des pays développés. La question est de trouver la meilleure méthode pour fournir les fonds et organiser la recherche. Il en existe au moins deux[45].

– Une incitation fondée sur le marché : un fonds de garantie
On a proposé que les États du monde développé donnent une garantie d'achat. Ces États et certaines fondations pourraient s'engager à consacrer au moins 2 milliards de dollars à l'achat d'un vaccin contre le sida s'il est mis au point, ou, si l'on découvre un médicament plus efficace contre la malaria que ceux dont nous disposons actuellement, un minimum de 3 milliards de dollars à son achat.

La seule difficulté sérieuse dans cette idée, c'est qu'elle ne change rien au problème du monopole. Les compagnies pharmaceutiques resteraient incitées à augmenter leurs prix et à réduire leur production pour maximiser leurs revenus et non les bénéfices sociaux. De plus, puisque personne ne veut d'un médicament un peu moins efficace même s'il est moins cher, ce serait un système où le gagnant rafle la mise. La compagnie qui fabriquera un produit même légèrement meilleur aura toutes les ventes et tous les revenus.

– Un fonds d'innovation
Un fonds qui encouragerait directement les innovations bénéficiant aux pays en développement serait plus efficace. Un système de prix, où les lauréats seraient récompensés pour la valeur de leurs innovations, réorienterait dans le bon sens les incitations des chercheurs. Les auteurs de découvertes vraiment importantes – par exemple contre des maladies sans remède connu – seraient largement récompensés. Les chercheurs

qui travaillent sur des maladies très répandues et socialement coûteuses comme la tuberculose et la malaria le seraient aussi. Mais l'entreprise qui, conformément à la logique du « moi aussi », se contente d'améliorer à la marge un médicament déjà existant ne recevrait pas grand-chose[46]. Dans ce système, les médicaments pourraient être distribués aux malades *au prix de revient* (par l'intermédiaire des producteurs de génériques). Non seulement les pays en développement seraient gagnants, mais les pays développés aussi, puisque leurs citoyens bénéficieraient de ce progrès des connaissances[47]. Avantage supplémentaire : les gouvernements des pays développés pourraient aider le monde en développement sans s'inquiéter de savoir si l'argent sera ou non bien dépensé[48].

ARRÊTER LA BIOPIRATERIE
ET PROTÉGER LES SAVOIRS TRADITIONNELS

C'est dans le traitement des médicaments et des remèdes traditionnels fondés sur des produits chimiques extraits des plantes que l'injustice du régime des droits de propriété intellectuelle pour les pays en développement apparaît de la manière la plus flagrante. J'ai été initié au problème de la biopiraterie au plus haut des Andes équatoriennes, dans un village isolé, dont le chef m'a expliqué comment l'accord sur les ADPIC intervenait dans la vie des habitants. Pour les Américains et les Européens, cet accord est un sujet bien compliqué, qui intéresse surtout les avocats d'affaires et les spécialistes du commerce international. Dans les pays en développement, il est beaucoup plus concret. Ces pays voient l'accaparement des savoirs traditionnels indigènes et des plantes locales par des firmes étrangères sans aucune indemnité comme une forme de piraterie – d'où le terme de « biopiraterie ». Si les États-Unis se plaignent que la Chine viole l'accord sur les ADPIC parce qu'elle ne respecte pas ses dispositions sur la propriété intellectuelle, les habitants du monde en développement font valoir que cet accord ne fait rien pour protéger leur propre propriété intellectuelle. Il a plutôt donné aux intérêts d'affaires américains et européens le droit de la voler – puis de la leur faire payer.

Des remèdes traditionnels sont utilisés depuis longtemps dans le monde entier pour traiter les maladies les plus diverses. Au début, la science moderne se méfiait de cette médecine populaire, mais il est aujourd'hui clair que, si beaucoup de ces remèdes se sont perpétués, c'est parce qu'ils ont une certaine efficacité – même si ceux qui les utilisent et les guérisseurs qui les prescrivent ne savent pas pourquoi. L'un des axes de la recherche médicale actuelle consiste à isoler puis à commercialiser les matières actives de ces remèdes : on a compris que la flore mondiale, notamment celle des pays tropicaux, est riche en médicaments potentiels. Mesurant l'intérêt de cette démarche pour leurs profits, les compagnies pharmaceutiques ont suivi : elles « redécouvrent » ce qui a été découvert il y a bien longtemps par les cultures traditionnelles – parfois sans rien faire d'autre que d'y apposer un nom de marque. Voyant ces firmes tirer profit de la richesse de leur biodiversité, les pays en développement ont estimé qu'ils devaient être indemnisés – parce qu'ils entretiennent leurs forêts, par exemple. Mais les compagnies pharmaceutiques, si persuadées de l'importance des incitations pour elles-mêmes, ne voient aucun besoin d'inciter les autres. L'accord international sur la biodiversité signé en juin 1992 à Rio, lors de la Conférence des Nations unies sur l'environnement et le développement, a reconnu le droit des pays en développement à être indemnisés, mais, en partie sous l'influence de l'industrie pharmaceutique, les États-Unis ne l'ont pas ratifié[49]. Et ce n'est pas surprenant : près de la moitié des 4 000 brevets sur des plantes qu'ils ont accordés ces dernières années relèvent d'un savoir traditionnel acquis dans des pays en développement[50].

L'un des cas les plus notoires de biopiraterie a été la tentative de breveter le curcuma à des fins médicales. Le curcuma est une épice utilisée en Asie du Sud, et ses propriétés curatives sont connues depuis longtemps dans les pays où on le trouve. Néanmoins, les États-Unis ont octroyé un brevet pour

l'usage médical du curcuma en décembre 1993[51]. Il a finalement été annulé, mais non sans un procès coûteux.

Les médicaments ne sont pas les seuls produits concernés.
Le riz basmati est consommé en Inde depuis des centaines
d'années – des milliers, peut-être. Néanmoins, en 1997, une
firme américaine, RiceTec, Inc., a reçu des brevets sur le riz
basmati. Évidemment, l'Inde en a été indignée, et elle avait
les moyens financiers de se battre – et de gagner[52]. Mais ces
moyens, les pays plus petits et plus pauvres ne les ont pas, et
ils ne peuvent pas rendre les coups.

Le problème, disent ceux qui défendent l'octroi de ces brevets, c'est que les pays en développement n'ont jamais publié
leurs découvertes. S'ils l'avaient fait, les tribunaux se seraient
inclinés devant l'antériorité de leur savoir. Le critère d'« originalité » qui a parfois justifié l'octroi des brevets a été pris
dans ce sens-là : on ne s'est pas demandé si les propriétés
médicinales de telle plante étaient déjà connues, disons, des
indigènes de la cordillère des Andes, mais si elles étaient de
notoriété publique aux États-Unis. Donc, même si les indigènes avaient publié dans leur langue (en supposant que
quelqu'un se soit donné la peine de publier ce que tout le
monde savait déjà), cette plante était tout de même brevetable.
De toute manière, pourquoi le monde en développement
serait-il tenu de se conformer aux pratiques des pays industriels avancés ? Les États-Unis ont adopté sur ces questions
une position plus extrémiste que l'Union européenne. Considérons, par exemple, les brevets sur l'huile extraite du margousier, un arbre indien. Elle est depuis longtemps connue
pour ses propriétés cosmétiques, médicinales et insecticides.
Néanmoins, dans les années 1990, des brevets ont été accordés pour cette huile, aussi bien en Europe qu'aux États-Unis.
En 2000 on en était, uniquement pour l'Europe, à 90 brevets.
Enfin, en mai 2000, certains brevets européens ont été retirés,
non parce que l'on a admis que les propriétés de l'huile de
margousier relevaient d'un certain savoir traditionnel, mais
parce qu'un industriel indien a réussi à démontrer qu'il produisait un extrait d'huile de margousier en tant qu'insecticide

depuis un quart de siècle. Néanmoins, en 2003, une vingtaine de ces brevets restaient en vigueur, et, si l'Europe en avait retiré certains, les États-Unis s'y étaient refusés, au motif que ces idées n'avaient jamais été brevetées ou publiées jusque-là[53].

Il faut faire plus pour protéger l'« avantage comparatif » des pays en développement dans ce domaine. Ils ont un réservoir de savoirs disponibles, tel l'usage médicinal des plantes. Leurs forêts tropicales offrent une flore d'une richesse inouïe, et les compagnies pharmaceutiques occidentales en ont extrait des médicaments essentiels. Mais l'accord sur les ADPIC n'incite guère les pays en développement à préserver ces forêts.

Deux réformes contribueraient largement à répondre aux préoccupations des pays en développement :

1. Il faut qu'un accord international reconnaisse les savoirs traditionnels et interdise la biopiraterie.

2. Tous les pays du monde, États-Unis compris, doivent signer la Convention sur la biodiversité. À défaut, les garanties que donne cette convention au sujet des droits de propriété sur la biodiversité doivent être intégrées aux accords internationaux sur les droits de propriété intellectuelle, et notamment à l'accord sur les ADPIC.

Heureusement, certaines firmes ont eu un comportement plus responsable : elles se sont montrées plus respectueuses des droits des pays en développement. L'un des médicaments récents les plus efficaces contre la malaria, par exemple, est dérivé d'un arbre chinois, le qinghao, utilisé pour traiter cette maladie depuis plus de deux mille ans. Le qinghao est devenu particulièrement important depuis l'apparition de souches paludéennes résistant au traitement habituel. En l'occurrence, une compagnie pharmaceutique suisse consciente de ses responsabilités sociales, Novartis, ne s'est pas seulement inspirée d'un savoir traditionnel, mais, mesurant l'importance du libre accès à son médicament, l'a fourni gratuitement ou à prix coûtant aux pays en développement[54].

RÉFORMER LA GOUVERNANCE

Tout au long de ce livre, je ne cesse de souligner que la façon dont on prend les décisions sur la scène internationale – la gouvernance – a deux défauts : on entend trop peu les pays en développement, et trop les intérêts privés.

Le commerce, on l'a dit, est une chose trop sérieuse pour être laissée aux ministres du Commerce. La propriété intellectuelle aussi. On le voit clairement aujourd'hui : l'accord sur les ADPIC a été une erreur. Il est crucial de changer le cadre et la méthode de la prise de décision sur les droits de propriété intellectuelle. Les discussions sur les normes mondiales en la matière doivent quitter l'OMC et revenir dans une OMPI réformée, une Organisation mondiale de la propriété intellectuelle où toutes les parties pourront faire entendre leur voix : le monde académique autant que les entreprises, les consommateurs autant que les producteurs, les pays en développement autant que les pays développés. Mais ce n'est pas la seule réforme institutionnelle nécessaire. Parmi les valeurs chères aux populations du monde entier, il y a l'état de droit et l'équité. Le droit définit les règles du jeu, et le rôle des juristes est de garantir que chacun le joue honnêtement. Nous devons être sensibles à la position d'infériorité des pays en développement quand ils veulent faire respecter leurs droits devant un tribunal. Les démocraties occidentales assurent à leurs citoyens sans ressources une aide juridictionnelle financée par l'État. Si quelqu'un est trop pauvre pour se faire représenter par un avocat, il est très probable qu'il sera injustement traité, sauf si la cour lui en attribue un d'office. C'est encore plus vrai sur le plan international[55].

Que cela nous plaise ou non, la propriété intellectuelle restera probablement une composante du régime commercial mondial. Les pays pauvres sont nettement désavantagés quand ils doivent lutter pour leurs droits. La plupart d'entre eux ne peuvent pas faire jeu égal avec les puissantes équipes d'avocats chevronnés et très bien payés qu'emploient les firmes et les gouvernements d'Europe et des États-Unis. L'équité exige que les pays industriels avancés financent une aide juridictionnelle forte aux pays en développement, pour les aider à défendre leur cause dans des procès comme ceux qui touchent à la biopiraterie, et pour garantir qu'ils pourront bien obtenir des licences obligatoires pour les médicaments vitaux quand les circonstances l'exigent[56].

COMMERCE ET VALEURS

Les lois sur la propriété intellectuelle offrent l'illustration la plus spectaculaire du conflit entre les accords de commerce internationaux et les valeurs fondamentales. Mais il y a beaucoup d'autres cas. Nous en avons évoqué certains au chapitre précédent dans notre analyse sur les obstacles non tarifaires. Par exemple, les Européens sont extrêmement hostiles aux aliments génétiquement modifiés. Si ces produits peuvent représenter un risque, même léger, pour la santé, ils ne veulent pas les voir en vente dans leurs pays. Néanmoins, dans le cadre des règles de l'OMC, il ne sera peut-être pas possible de les empêcher d'entrer. On ne peut exclure des aliments que sur des bases scientifiques, et la science « dit » qu'il n'y a pas de risque grave. Les États-Unis estiment donc que l'exclusion de ces aliments relève d'un protectionnisme injustifié. Les Européens répondent avec raison : si nous estimons majoritairement qu'il y a un risque qui ne mérite pas d'être pris, pourquoi devrions-nous être forcés de le prendre à cause d'un accord de commerce international ?

Si l'on ne peut pas interdire l'entrée en Europe des aliments génétiquement modifiés, leurs adversaires exigent une révélation complète de leur contenu en OGM par l'étiquetage, qui permet aux consommateurs de choisir ce qu'ils veulent acheter. Mais les États-Unis, qui d'ordinaire croient dur comme fer au libre-échange et au choix du consommateur, affirment dans cette affaire que la révélation complète serait une entrave au commerce. Un gros pourcentage des exportations agro-alimentaires américaines contiennent un ingrédient génétiquement

modifié : les États-Unis craignent qu'avec cet étiquetage,
étant donné l'ampleur de l'inquiétude suscitée par les OGM,
les consommateurs européens ne cessent d'acheter de nombreux produits alimentaires américains – ce qui est probable.
Ils font passer leur droit d'exporter avant le droit des Européens à savoir ce qu'ils mangent.

De même, les intérêts économiques l'emportent souvent sur
l'identité culturelle. La plupart des peuples accordent une
immense valeur à leur héritage culturel, à leur langue, à leur
sentiment d'identité. L'importance du cinéma aux yeux de
beaucoup vient de là : il porte cette identité et l'enrichit. Mais
la reproduction d'un film crée de gros « revenus d'échelle » :
comparé à ses coûts de production initiaux, le coût du tirage
d'une copie de plus est négligeable. Cela confère un avantage
considérable aux films produits aux États-Unis et en Inde, car
ces deux pays ont un public très vaste. De nombreux États du
monde entier estiment nécessaire et important de subventionner des activités artistiques comme l'opéra et le théâtre, et
certains, comme la France et le Maroc, subventionnent aussi
la production cinématographique. Mais l'industrie du film des
États-Unis considère ces subventions comme une concurrence
déloyale, et, au cours de l'Uruguay Round, elle a tenté (sans
succès) d'imposer leur suppression[57]. Bel exemple, à mon avis,
de la tendance à donner le pas à l'économie sur les valeurs. Les
films de Hollywood, riches en sexe et en violence, ont peut-
être un certain attrait universel, mais il paraît raisonnable
qu'un État veuille promouvoir sa propre tradition artistique, et
soutenir le cinéma est une façon défendable de le faire. Ce qui
me paraît si frappant en l'occurrence, c'est l'analyse bénéfices
sociaux/coûts sociaux. Il est fort peu probable que des films
en français, subventionnés ou non, fassent de gros ravages
dans les profits de Hollywood. Que leur subvention soit ou non,
pour le gouvernement français, une bonne façon de dépenser
l'argent public, ce devrait être au peuple français d'en juger.
S'il le dépense à bon escient, ce ne sont pas seulement les
Français qui en bénéficieront, mais aussi les cinéphiles du
monde entier.

Et il y a la question de l'environnement, que je mentionne ici parce qu'elle touche à la question des valeurs. Au chapitre 2, j'ai souligné l'importance d'avoir une vision du développement qui aille au-delà du PIB. Pour certains, traiter l'environnement avec respect est une valeur fondamentale. Pour d'autres, c'est une question d'équité à l'égard des générations futures : piller l'environnement et gaspiller les ressources naturelles, c'est compromettre l'avenir ; si l'on veut que le développement soit durable, il est essentiel d'avoir une politique environnementale saine. Pour d'autres encore, c'est une question d'intérêt immédiat : les conditions de vie actuelles sont compromises si l'eau que nous buvons et l'air que nous respirons sont pollués. Mais, quel que soit leur point de vue, tous partagent une crainte justifiée : des accords de commerce internationaux mal conçus risquent d'ôter aux États la capacité de protéger l'environnement. Exemple : lorsqu'un village de l'État de San Luis Potosí, au centre-nord du Mexique, a voulu contraindre Metaclad, une firme américaine de déchetterie, à fermer une décharge de déchets toxiques qui contaminait l'alimentation locale en eau, le gouvernement mexicain a dû payer à cette entreprise 16,7 millions de dollars d'indemnités en vertu du chapitre 11 de l'ALENA. Des antienvironnementalistes ont réussi à faire insérer discrètement dans ce chapitre une disposition conçue pour empêcher la réglementation en la rendant trop coûteuse : elle impose d'indemniser les entreprises pour les pertes commerciales dues à une réglementation, même si celle-ci vise à protéger l'environnement et la santé publique. Le paradoxe, c'est que l'administration Clinton avait fait des efforts considérables pour empêcher le Congrès d'adopter une législation qui aurait eu exactement le même effet aux États-Unis – et qu'elle avait réussi. Clinton et le représentant au Commerce Mickey Kantor savaient peut-être que cette disposition figurait discrètement quelque part dans le texte de l'ALENA dont ils se faisaient simultanément les champions, mais, s'ils le savaient, ils n'en ont jamais parlé, ni publiquement, ni en privé dans les réunions sur l'ALENA à la Maison-Blanche[58].

• Les intérêts d'affaires

Ce chapitre a démontré que les intérêts d'affaires se sont efforcés de donner à la mondialisation une forme incompatible avec les valeurs fondamentales. Le fait même qu'un domaine ait été intégré au commerce (la propriété intellectuelle) et d'autres non (les conditions de travail) en dit long sur la façon dont on gère aujourd'hui la mondialisation. La tâche des négociateurs occidentaux est claire : obtenir le meilleur accord possible pour les industries de leur pays – par exemple élargir leur accès au marché et renforcer leurs droits de propriété intellectuelle – sans abandonner les subventions agricoles et les obstacles non tarifaires. Le mot « équité » ne fait pas partie de leur vocabulaire. Ils ne pensent pas aux contribuables américains ou européens, qui bénéficieraient énormément de l'élimination des subventions agricoles. Ils ne pensent pas aux consommateurs américains ou européens, qui bénéficieraient d'une baisse des prix. Ils ne pensent pas à l'environnement de la planète, qui bénéficierait considérablement d'une réduction des émissions de gaz à effet de serre. Ils ne pensent pas à trouver un moyen d'aider les pauvres à avoir des médicaments qui pourraient leur sauver la vie.

Ils n'y pensent pas : ils cherchent à aider les producteurs. Et leur travail, c'est d'obtenir le plus possible en donnant le moins possible. Les négociateurs des accords commerciaux ne sont guère incités à réfléchir à l'environnement, à la santé, ou même au progrès de la science. L'environnement est le problème du ministre de l'Environnement ; l'accès aux médicaments vitaux, celui du ministre de la Santé ; le rythme de l'innovation, celui des ministres de l'Éducation, de la Recherche et de la Technologie. Les accords de commerce touchent l'ensemble de ces domaines, mais les ministres qui les ont en charge ne sont pas autour de la table.

Les ministres du Commerce négocient en secret. Les accords sont longs et complexes, et les lobbyistes consacrent tous leurs efforts à y insérer discrètement des articles qui les servent, en espérant qu'ils passeront inaperçus. Mais les problèmes fondamentaux que j'ai analysés ici, comme l'arbitrage entre les profits des firmes pharmaceutiques et le droit à la vie, sont faciles à comprendre. Si la question de l'accès aux médicaments contre le sida était mise aux voix, dans les pays développés comme dans le monde en développement, l'écrasante majorité ne soutiendrait sûrement pas la position de l'industrie pharmaceutique et de l'administration Bush.

Les conflits sur les valeurs fondamentales sont au cœur du débat démocratique. La mondialisation, selon ceux qui la critiquent, a servi à retirer du débat public national des divers pays certains problèmes majeurs, pour les transférer dans des forums internationaux fermés qui sont loin d'être démocratiques au sens traditionnel du terme. Les intérêts d'affaires y parlent haut et clair, les butoirs et contrepoids de la démocratie ne sont plus là : comment s'étonner, dans ces conditions, que les résultats soient si choquants, si éloignés de ce qui serait sorti d'un processus démocratique ? Le défi le plus redoutable si l'on veut changer la mondialisation, c'est de la démocratiser ; et l'un des critères du succès sera de voir si, désormais, les valeurs de fond l'emportent plus souvent sur les simples intérêts d'affaires.

5

Lever la malédiction
des ressources

À l'aube du xxe siècle, l'Azerbaïdjan tsariste était le premier exportateur de pétrole du monde, et sa ville principale, Bakou, sur la Caspienne, avait un petit air de Far West. On y affluait de toutes les régions de Russie pour profiter de la ruée vers l'or noir. Juifs, Turkmènes, Kazakhs, Européens de diverses nationalités s'étaient joints à la mêlée. Avec ces nouveaux arrivants qui se disputaient l'espace disponible, les prix de l'immobilier montaient en flèche. Puits de pétrole et raffineries poussaient partout dans la ville. Alfred Nobel y a travaillé un moment, et le parc qu'il a aménagé existe encore. Au cours du siècle, le pétrole d'Azerbaïdjan a enrichi beaucoup de gens, mais, dans sa masse, la population est restée très pauvre. Aujourd'hui, Bakou est parsemée d'usines délabrées, d'équipements rouillés dans la « ville noire » – ainsi appelait-on sa sinistre zone industrielle, limitrophe de la « ville blanche » où les millionnaires du pétrole s'étaient autrefois fait construire d'immenses demeures et une promenade en bord de mer[1].

Après plusieurs décennies de régime soviétique et une baisse de la production pétrolière, de nouveaux gisements de pétrole et de gaz ont été découverts, dans les années 1990, sous les eaux de la Caspienne. Aujourd'hui, l'Azerbaïdjan connaît un nouveau boom pétrolier : on a commencé à construire de nouveaux pipelines au tout début du xxie siècle et des milliards de dollars devraient bientôt affluer dans le pays. Celui-ci réussira-

t-il à faire le meilleur usage de cette aubaine avant l'épuisement du pétrole, prévu pour 2030 ? Tel est le défi auquel il est
à présent confronté. S'il s'y prend bien, son revenu par habitant (qui se situait aux environs de 940 dollars en 2004)
devrait, en gros, doubler tous les dix ans. Dans un quart de
siècle, l'Azerbaïdjan atteindrait donc le niveau actuel des pays
d'Europe de l'Est les plus prospères, qui viennent d'entrer dans
l'Union européenne. Mais, s'il succombe à ce qu'on appelle le
« paradoxe de l'abondance » – et le danger est réel –, il rejoin-
dra les nombreux pays riches en ressources naturelles où la
croissance est plus faible et le taux de pauvreté plus élevé que
dans d'autres États moins favorisés par la nature[2].

Prenons le Nigeria. Pour ce pays d'Afrique occidentale, qui
a été gouverné par une junte militaire pendant une grande partie de son boom pétrolier, les revenus de l'or noir des trente
dernières années ont été de l'ordre de 250 milliards de dollars.
Or, pendant cette période, son économie a périclité et sa principale agglomération commerçante, Lagos, est devenue une
ville sale et dangereuse. Les rues sont embouteillées, le chômage massif, chacun reste chez soi la nuit : vu la criminalité,
sortir serait trop risqué. De 1975 à 2000, en dépit de tout ce
pétrole, le revenu par habitant a baissé de plus de 15 % et le
nombre de ceux qui vivent avec moins de 1 dollar par jour a
quadruplé : il est passé de 19 à 84 millions de personnes[3].
L'Arabie Saoudite et le Venezuela sont d'autres exemples de
pays où la richesse pétrolière n'a pas été largement partagée. Le
Venezuela en possède davantage que tout autre pays latino-
américain, mais les deux tiers de ses habitants sont pauvres[4].
Comment s'étonner que le charismatique Hugo Chávez y ait
remporté haut la main les élections de 1998 en présentant un
programme d'éradication de la pauvreté ?

Comprendre pourquoi les pays en développement riches en
ressources ont de si mauvais résultats – on est allé jusqu'à
parler d'une « malédiction des ressources naturelles » – est de
la plus haute importance[5]. D'abord en raison du nombre de
pays qui dépendent économiquement de leurs ressources :
plus d'un tiers des recettes d'exportation de l'Afrique en sont

issues ; l'essentiel du Moyen-Orient, ainsi que des régions de la Russie, du Kazakhstan, du Turkménistan, de l'Indonésie et de vastes zones de l'Amérique latine – dont le Venezuela, le Mexique, la Bolivie, le Pérou et l'Équateur –, doivent aux ressources naturelles une grande partie de leurs revenus ; la Papouasie-Nouvelle-Guinée vit de ses opulentes mines d'or et de ses immenses forêts. Ensuite, en raison du profil de ces pays abondamment dotés en ressources, ce sont souvent des pays riches au peuple pauvre, paradoxe qui éclaire les échecs généraux de la mondialisation – et les remèdes possibles. Et surtout en raison de leur potentiel : en réformant ces pays riches en ressources – et la façon dont les traitent les pays industriels avancés –, on réduira peut-être la pauvreté plus vite et plus facilement qu'en intervenant sur tout autre point du système économique mondial. Ce dont ces pays ont besoin, ce n'est pas un soutien financier extérieur plus important, c'est être aidés en vue d'obtenir la pleine valeur de leurs ressources et de bien dépenser l'argent reçu.

Le problème est simple : quand il y a un gros tas de diamants au milieu d'une pièce, tout le monde veut s'en emparer. Très probablement, les plus grands et les plus forts l'emporteront et ils n'auront aucune envie de partager, sauf nécessité absolue ; si, par exemple, un autre acteur, encore plus grand et plus fort, entreprend de leur arracher le butin, il leur faudra en dépenser une partie pour acheter les soutiens politiques ou les armes nécessaires au maintien de leur position. Les ressources sont à la fois l'enjeu du conflit et le moyen de trouver de l'argent pour le poursuivre. Mais, pendant que l'on se bat pour avoir le plus possible de diamants, le tas diminue : il y a destruction de richesse dans les combats. C'est particulièrement clair dans certaines régions d'Afrique. Pensons aux abominables affrontements pour les diamants entre gouvernementaux et rebelles dans la Sierra Leone des années 1990 : ils ont fait 75 000 morts, 20 000 mutilés, 2 millions de personnes déplacées et un grand nombre d'enfants psychologiquement traumatisés parce qu'on les avait forcés à participer aux combats, ou à pis encore.

Quand la violence commence, il est difficile de l'arrêter. Les pays sont pris dans un cercle vicieux : le Congo et l'Angola le montrent bien. Au Congo, les luttes intestines n'ont pratiquement jamais cessé depuis l'indépendance. En général, tous les camps prétendent incarner la volonté et les intérêts du peuple ; le conflit de la Sierra Leone a été une exception : il n'y a eu à peu près aucun effort pour feindre des motivations plus élevées. Rien d'autre que la cupidité.

De même que les luttes sont fréquentes entre possédants et non-possédants, des conflits peuvent éclater entre les régions dotées de ressources naturelles et celles qui ne le sont pas. C'est particulièrement vrai dans les pays en développement dont les frontières ont été tracées par les anciens colonisateurs et où l'identité nationale est faible. Les régions riches en ressources – comme les zones pétrolifères du delta du Niger peuplé par les Ogonis au Nigeria, du Sud chiite et du Nord kurde en Irak – ont des motifs évidents de faire sécession. Pourquoi devrions-nous partager nos richesses ? se disent-elles. Mais le reste du pays est tout à fait déterminé à les garder. La province congolaise du Katanga, riche en cobalt, en cuivre, en étain, en radium, en uranium et en diamants, s'est déclarée indépendante en juin 1960 et a été récupérée par le Congo en janvier 1963, au terme de combats acharnés. Le Biafra, riche en pétrole, a fait sécession avec le Nigeria le 30 mai 1967 et y a été réintégré le 15 janvier 1970. Au large de la Papouasie-Nouvelle-Guinée, une petite île qui repose sur des gisements d'or, d'argent et de cuivre, Bougainville, lutte pour son indépendance depuis 1989. Les mouvements indépendantistes se drapent évidemment dans les principes les plus purs, et, si les ressources naturelles apportent bien l'argent qui alimente le conflit, on ne peut pas toujours affirmer avec certitude qu'elles en constituent l'unique enjeu.

La violence qui a ravagé ces pays pétroliers et miniers représente la forme extrême de la malédiction des ressources. En général, on voit seulement l'instabilité politique, la corruption et des dictateurs sans scrupules qui volent les richesses de leur pays. Certes, les pays riches en ressources naturelles n'ont pas le monopole des dictateurs sans scrupules, mais ils en ont eu plus que leur part, de Mobutu Sese Seko au Congo à Saddam Hussein en Irak et Idriss Déby au Tchad. Même quand ces pays richement dotés ne sont pas d'implacables dictatures, les gouvernants y ont une sainte horreur du partage du pouvoir. Pas un seul pays pétrolier du Moyen-Orient n'a un régime qui se rapproche de la démocratie.

Ce n'est pas par hasard que tant de pays dotés en ressources sont loin d'être démocratiques. La richesse alimente la mauvaise gouvernance. Des gouvernements parvenus au pouvoir par la violence et la mainmise sur des matières premières n'ont pas du tout la même idée de leurs responsabilités à l'égard de la population et des ressources naturelles de leur pays que ceux qui procèdent de la volonté du peuple. Dans les démocraties, un dirigeant reste au pouvoir s'il accroît le bien-être du corps civique ; les autorités démocratiques rendent des comptes aux citoyens, sont responsables devant eux. Dans les pays non démocratiques et riches en ressources, les dictateurs gardent le pouvoir par la force et les armes. Des armes qu'ils peuvent acheter parce qu'ils disposent des revenus du pétrole et d'autres matières premières. C'est un cercle vicieux. Puisque, dans tant de pays riches en ressources, il n'y a pas de démocratie – donc aucun compte à rendre sur ce que font les gouvernants –, les citoyens n'ont aucune défense efficace contre le vol de l'argent public et l'abus de confiance. En général, ils ne savent pas combien le gouvernement reçoit ou devrait recevoir pour leurs ressources naturelles. Peut-être ne considèrent-ils même pas cet argent comme le leur, comme ils le feraient sûrement s'ils finançaient l'État par des impôts sur leurs revenus durement gagnés.

La dynamique politique des pays riches en ressources conduit souvent à une inégalité très prononcée. Tant dans les pays développés que dans le monde en développement, ceux qui contrôlent la richesse des ressources naturelles l'utilisent pour perpétuer leur puissance économique et politique – y compris en s'appropriant personnellement un gros pourcentage de la dotation du pays en ressources. À partir des années 1970, les élites du Moyen-Orient ont fait sentir leur présence à Londres et ailleurs. Elles ont acheté de coûteux appartements, séjourné dans des hôtels de luxe, consommé avec frénésie. Dans les années 1990, ce fut le tour des Russes très fortunés. Aujourd'hui, ils raflent l'immobilier et les produits de luxe dans le monde entier.

C'est un résultat tout à fait différent de celui qu'aurait suggéré la théorie économique admise. L'un des grands arguments contre l'instauration d'une société plus égalitaire est que l'impôt progressif affaiblit les motivations. Si l'on taxe davantage les riches, les gens risquent de ne plus être motivés pour travailler ou épargner autant. Dans ces conditions, si les richesses d'un pays ne viennent pas de l'effort ou de l'épargne, mais tout simplement de la chance d'avoir du pétrole ou d'autres minerais, ce pays peut se permettre de pousser beaucoup plus loin l'égalité. L'État peut opérer une juste répartition de la richesse sans craindre de dissuader ainsi ses citoyens de travailler dur et de faire des économies. Ces pays peuvent avoir à la fois plus d'égalité et plus d'efficacité économique.

Mais, alors que les pays riches en ressources naturelles pourraient (et à mon avis devraient) être plus égalitaires que ceux qui sont manifestement moins prospères, ce n'est pas du tout ce qui se passe. La répartition des richesses n'est pas déterminée par des arbitrages minutieux entre égalité et efficacité. Elle n'est pas définie en vertu des principes de la justice sociale ; elle résulte de la force brute. La richesse donne du pouvoir, et ce pouvoir permet à la classe dominante de garder la richesse.

Il y a aussi une différence frappante entre la richesse née de l'effort et de la créativité et celle dont on jouit parce qu'on a fait main basse, d'une manière ou d'une autre, sur les ressources naturelles d'un pays. La seconde est particulièrement délétère pour la cohésion nationale. Elle mine aussi la confiance dans l'économie de marché – notamment lorsqu'on soupçonne qu'elle a été acquise « illégitimement », par des tractations en sous-main avec le gouvernement en place ou ses prédécesseurs. Ne soyons donc pas surpris si le mécontentement bouillonne sourdement dans ces pays.

L'appropriation de la richesse publique

Le premier défi auquel est confronté tout pays richement doté par la nature est d'assurer à son Trésor public la part la plus élevée possible de la valeur des ressources de son sous-sol. C'est beaucoup plus difficile qu'on pourrait le croire. Même dans les pays qui ont des démocraties stables et mûres, les compagnies pétrolières, gazières et minières luttent en permanence pour s'emparer de la plus grosse part possible. Mais, dans ces cas-là, elles le font dans le cadre d'un état de droit, souvent par des contributions aux campagnes électorales. Une fois élus, les candidats reconnaissants font voter des réglementations qui permettent aux donateurs d'acquérir des ressources à très bas prix, de bénéficier, grâce à des avantages fiscaux spéciaux, d'un plus gros pourcentage des recettes et de prendre le moins possible à leur charge les coûts des dégâts qu'ils infligent à l'environnement.

Aux États-Unis, les ressources minières sont pour l'essentiel bradées aux compagnies d'extraction ; quand le président Clinton a tenté de les mettre aux enchères pour les vendre au plus offrant, son offensive a été repoussée par les lobbyistes des compagnies minières. Malgré le traitement fiscal déjà préférentiel dont jouissent les compagnies pétrolières, gazières et minières, malgré la hausse des prix du pétrole qui les a considérablement enrichies, le président Bush a fait voter à leur intention une loi sur l'énergie si lourde de subventions que le sénateur John McCain, membre de son propre parti, l'a qualifiée de loi « qui ne laisse tomber aucun lobbyiste ». Selon tous les calculs, les secteurs de l'énergie et des ressources naturelles, qui ont versé près de 5 millions de dollars pour la campagne électorale de Bush en 2004 et 3 millions pour celle de 2000, ont obtenu de gros retours sur leur investissement.

Quand ces entreprises opèrent outre-mer dans des pays en développement, la corruption directe entre en jeu. Dans le monde très concurrentiel du pétrole international, il est plus facile à une compagnie d'annoncer des profits élevés en versant des pots-de-vin aux dirigeants d'un État pour payer un prix réduit qu'en devenant plus efficace que toutes les autres tout en payant l'intégralité du prix du marché. Ce qui, pour une compagnie pétrolière, ne représente qu'une petite somme est une énorme tentation pour les hauts responsables visés : ce sont souvent des fonctionnaires dont le salaire ne se monte qu'à quelques milliers de dollars par an. Ces bakchichs minent à la fois le processus démocratique et le jeu du marché. Cela dit, le vrai problème n'est pas le pot-de-vin, si déplaisant que puisse être le procédé, mais son résultat : quand la compagnie gagne, le pays perd.

Depuis le *Foreign Corrupt Practices Act* de 1977, il est illégal pour les Américains de corrompre des gouvernements étrangers. Si certaines firmes cherchent encore à contourner la loi, beaucoup se sont efforcées de la respecter – tout en se plaignant de subir ainsi un désavantage compétitif par rapport à celles du reste du monde. Ces récriminations ont incité le gouvernement américain à tenter de persuader les autres pays d'imposer des règles semblables. À la conférence ministérielle de l'Organisation de coopération et de développement économiques (OCDE) tenue à Paris en 1996 (où je représentais les États-Unis), nous avons beaucoup progressé vers un accord – en dépit de la résistance acharnée de plusieurs pays où la corruption était acceptée comme pratique d'affaires. À l'époque, dans un grand nombre de pays (la France, la Suisse, le Luxembourg, l'Autriche, la Belgique, le Japon et les Pays-Bas), les pots-de-vin étaient non seulement légaux mais déductibles des impôts. En fait, c'était en grande partie l'État qui les payait. J'ai été scandalisé de voir des États se dresser pour défendre (avec force circonlocutions) le système de corruption en vigueur. Il existe aujourd'hui une convention de l'OCDE sur la corruption, mais sa mise en œuvre est difficile et incomplète. En décembre 2005, il n'y avait pas encore eu, en dehors des États-Unis, un seul cas de poursuites dans le cadre des législations nationales adoptées pour assurer le respect de cette convention[6].

Certes, les entreprises n'offrent pas nécessairement des pots-de-vin elles-mêmes. Elles embauchent un « facilitateur » qui reçoit assez d'argent pour « faciliter » la transaction. Que fait-il ? Comment facilite-t-il ? Elles ne le savent pas et ne veulent pas le savoir. Mais elles doivent bien se douter que, si elles paient ce facilitateur plusieurs millions de dollars, elles n'achètent pas seulement ses heures de travail de consultant. Ce qu'elles achètent en réalité, c'est bien sûr la possibilité de nier : elles pourront dire qu'elles ne savaient pas que cet argent a servi à des pots-de-vin. L'un des cas récents les plus célèbres est celui de James Giffen : alors qu'il travaillait pour Mobil au Kazakhstan dans les années 1990, il aurait servi d'intermédiaire pour remettre au gouvernement 78 millions de dollars, opération qui aurait valu à la compagnie 25 % du champ pétrolifère de Tengiz[7].

Et il y a les multinationales basées hors de l'OCDE, qui ne sont pas soumises aux règles imposées par cette organisation. Les compagnies pétrolières malaisiennes, russes, indiennes et chinoises, entre autres, sont devenues des acteurs mondiaux. Elles ne sont pas tenues de respecter les accords de l'OCDE qui interdisent la corruption, et, du moment que certaines compagnies versent des pots-de-vin, les autres doivent trouver le moyen de les concurrencer. L'ensemble du marché est donc contaminé.

Quel que soit le contrat signé, les entreprises sont tentées de tricher – de payer moins que ce qu'elles doivent : elles peuvent y gagner si gros ! Dans les années 1980, j'ai travaillé sur une affaire de fraude dans les grandes compagnies pétrolières en Alaska. Cet État, riche en pétrole, avait des contrats de bail qui lui garantissaient généralement au moins 12,5 % des recettes brutes, moins les coûts de transport du pétrole à partir de Prudhoe Bay – site très éloigné, situé sur le cercle polaire. En surestimant de quelques centimes par litre leurs coûts de transport – puis en multipliant ces centimes par des centaines de millions de litres –, les compagnies pétrolières pouvaient augmenter énormément leurs profits. Elles n'ont pas su résister à la tentation[8].

Souvent, l'exploitation des pays en développement par les compagnies minières et pétrolières est parfaitement légale. La plupart de ces pays sont mal préparés à mener les négociations compliquées dont les multinationales se sont fait une spécialité. Ils risquent de ne pas comprendre l'ensemble des implications de chaque article du contrat. On va leur dire que tel article est la norme, et c'est peut-être vrai : les compagnies savent faire bloc pour imposer des contrats qui les avantagent aux dépens des pays dont elles pompent le pétrole. Par exemple, les États ont décidé de changer leur façon de vendre le spectre électromagnétique (pour les téléphones portables, la télévision et la radio) : ils organisent désormais des ventes aux enchères, ce qui accroît considérablement leurs recettes ; mais, dans le secteur des ressources naturelles, les compagnies ont empêché toute réforme de ce genre, en particulier dans les pays en développement. L'avocat Jenik Radon, professeur associé à l'université Columbia, qui a représenté la Géorgie dans ses négociations avec un consortium de compagnies pétrolières dirigé par BP, se souvient d'avoir été effaré par leurs exigences. Elles voulaient, entre autres, que la Géorgie soit tenue de leur payer des milliards de dollars au moindre retard administratif. En même temps, elles veulent que le pays supporte à leur place tous les risques d'atteinte à l'environnement. Bien souvent, en matière de gaz naturel, elles exigent même des contrats de prise ferme[*], conçus pour transférer de l'entreprise à l'État le risque commercial ordinaire – l'importance de la demande de gaz. Le gouvernement du pays en développement est obligé de payer un volume convenu de gaz, qu'il y ait ou non des clients pour l'acheter.

---

[*] Dans ce type de contrat, dit en anglais « take or pay », l'État s'engage soit à « prendre » un volume important de la production d'une entreprise, soit à le « payer » s'il n'en prend pas livraison – par exemple faute de clients pour cette production : c'est bien lui qui supporte le risque d'une insuffisance de la demande, alors qu'elle est parfois due au prix prohibitif prévu par le contrat. Pour un exemple (la centrale électrique Dabhol II construite par Enron en Inde), voir Joseph Stiglitz, *Quand le capitalisme perd la tête*, Paris, Fayard, 2003, p. 319-321.

La corruption, la triche et les négociations déséquilibrées ont le même effet : elles réduisent la part qui, dans des transactions honnêtes, devrait revenir aux pays en développement. Ces pays reçoivent moins qu'ils ne devraient, les compagnies reçoivent plus. Sur un marché concurrentiel, les compagnies pétrolières et minières doivent simplement recevoir un retour normal sur leur capital. Tout ce qui vient en sus doit appartenir aux pays propriétaires des ressources. Les économistes appellent « rente des ressources naturelles » la différence entre la valeur de la ressource et le coût d'extraction. Sur un marché concurrentiel, les compagnies pétrolières devraient être payées pour leurs services d'extraction et de commercialisation, rien de plus. Toutes les « rentes des ressources naturelles » appartiennent aux pays. Ce qui veut dire que, si le prix du pétrole augmente, l'excédent qui apparaît doit revenir au pays, puisque le coût de l'extraction reste inchangé. C'est particulièrement important quand le prix du brut triple ou quadruple – comme il l'a fait dans les années 1970, et à nouveau en 2004 et 2005. Après la hausse astronomique des prix du pétrole des années 1970, les États-Unis ont instauré un impôt sur les profits imprévus des compagnies pétrolières. Si le contrat habituel autorise celles-ci à garder ces profits « tombés du ciel », c'est que quelque chose ne va pas dans la conception même de ces contrats[9].

La stratégie des compagnies pétrolières, gazières et minières est de faire en sorte que l'État reçoive le moins possible, tout en l'aidant à trouver des arguments expliquant pourquoi il est souhaitable, voire nécessaire, qu'il reçoive si peu. Elles peuvent dire que le développement de la région d'extraction aura des retombées sociales très bénéfiques, et qu'il faut donc l'encourager. Et c'est ce qu'on fait, prétendent-elles, en bradant les ressources. En fait, l'État qui brade ses ressources naturelles aura moins d'argent pour financer les infrastructures, écoles et autres équipements absolument nécessaires si l'on veut vraiment développer la région. Il est possible que la mise en place d'une mine coûte cher, mais cela ne doit avoir qu'un seul effet : dans des enchères concurrentielles, l'État recevra moins d'argent que si la mine était moins onéreuse. Trop souvent, le seul intérêt pour un pays d'avoir une mine, ce sont les quelques emplois qu'elle crée – encore que les dégâts environnementaux qu'elle provoque puissent simultanément en faire disparaître d'autres (par exemple dans la pêche, parce qu'en eau polluée les prises de poissons diminuent) et imposer plus tard d'énormes coûts au budget de l'État, car il faudra bien qu'il paie le nettoyage.

La lutte pour assurer au pays la pleine valeur de ses ressources est particulièrement dure lorsqu'il y a vente de ressources naturelles publiques au secteur privé. Chaque fois que l'État obtient moins que la valeur réelle de ce qu'il vend, le pays est volé. Il y a tout simplement un transfert de richesse – de l'ensemble des citoyens à celui qui obtient ces avoirs « en solde »[10]. Parfois, il s'agit d'individus à l'intérieur du pays, et non d'une firme multinationale. Néanmoins, une part de la valeur qui devrait appartenir à toute la nation lui échappe.

Avant la privatisation, quand les champs pétrolifères (ou autres ressources) appartiennent encore à l'État, il y a une limite à ce que les gouvernants peuvent voler : ils ne peuvent prendre plus que les recettes des ventes courantes de pétrole. Mais, avec la privatisation, c'est la valeur future du pétrole qui s'offre au pillage, et l'enjeu augmente énormément. En vendant toute une entreprise au-dessous de sa valeur de marché et en recevant un bakchich sur le cadeau ainsi fait à l'acheteur, les hauts responsables de l'État peuvent en fait obtenir une part de l'ensemble des ventes futures, au lieu de la laisser à la rapacité de leurs successeurs. C'est pourquoi, dans certaines régions du monde, la privatisation a été rebaptisée « bakchichisation ». Les États sont devenus très habiles à maintenir une façade de privatisation équitable en organisant une vente aux enchères. Mais ils peuvent présélectionner les enchérisseurs – et quiconque risquerait de perturber la vente prévue à prix bradé au copain des gouvernants est disqualifié. Ils diront que l'enchère indésirable a été soumise trop tard, que son auteur n'a pas donné de preuves suffisantes de ses moyens financiers, etc.

Même sans corruption avérée, la pression du FMI pour une privatisation rapide entraîne une baisse importante des recettes de l'État. (Les pays en développement tiennent absolument à satisfaire le FMI car, s'il est contrarié, non seulement il risque de mettre fin à ses propres prêts mais d'autres créanciers pourraient l'imiter.) Comme chacun des enchérisseurs pense que le prix ne montera pas beaucoup, ils sont tous moins agressifs et l'État finit par accepter une enchère lamentablement inadéquate. Le problème est évidemment encore pire dans les situations – pas si rares – où le nombre d'enchérisseurs est très limité (un, deux ou trois) : il peut alors y avoir collusion, tacite ou explicite[11].

L'argument en faveur de la privatisation est connu : le secteur privé est plus efficace que le secteur public. Cette opinion doit autant à l'idéologie qu'à l'analyse sérieuse : il y a de nombreux exemples de compagnies minières et pétrolières publiques extrêmement efficaces (et d'entreprises privées inefficaces). Certaines entreprises publiques sont inefficaces parce qu'elles ne peuvent pas investir, à cause de l'insistance du FMI à traiter la dette des entreprises d'État comme toutes les autres formes de dette publique ; une entreprise privée, en général, finance ses investissements par l'emprunt ; les entreprises publiques des pays en développement ont, de fait, interdiction d'en faire autant[12].

Mais l'efficacité ne fait pas tout. Même si le secteur privé était plus efficace, il serait tout aussi important de savoir combien le public reçoit pour ses ressources. En général, quand une privatisation a lieu, l'État reçoit un versement au comptant, puis des royalties quand la ressource naturelle est extraite et vendue. Dans les privatisations mal faites, l'État reçoit à la fois trop peu au départ et trop peu ensuite. La compagnie pétrolière publique de Malaisie, Petronas, est devenue un acteur mondial, et le docteur Mahathir Bin Mohamad, l'ex-Premier ministre malaisien, affirme que son pays reçoit un plus gros pourcentage de la valeur de ses ressources que ceux qui ont privatisé, et plus que ce qu'il aurait eu s'il avait privatisé[13]. Le Chili a privatisé environ la moitié de ses mines de cuivre, mais les mines publiques sont tout aussi efficaces – et, puisque l'essentiel des profits des mines privées part à l'étranger, ce sont les mines publiques qui fournissent le plus de revenus à la collectivité[14].

La Russie offre un cas spectaculaire de privatisation absolument délirante. Avec la fin du communisme et la déliquescence d'un État efficace, ce pays, naguère seconde superpuissance de la planète, est devenu de plus en plus dépendant de ses ressources naturelles – selon certaines estimations, environ 70 % de son PIB de ces dernières années sont issus des activités qui leur sont liées. Boris Eltsine avait besoin d'un soutien pour être réélu en 1996, et un petit groupe d'oligarques avait les moyens organisationnels (et financiers) de l'aider – en échange du contrôle des immenses ressources naturelles du pays. Les événements cruciaux se sont produits en 1995-1996, lors d'une vente que la rédactrice du *Financial Times* Chrystia Freeland a baptisée « la vente du siècle »[15]. Une vente aux enchères, mais truquée. C'est ainsi que les oligarques ont obtenu, légalement, les gigantesques ressources naturelles de la Russie pour une bouchée de pain. Certains hauts responsables russes estiment que le montant du « vol » dépasse 1 000 milliards de dollars.

Plus tard, quand Vladimir Poutine succéda à Eltsine, il comprit qu'une telle concentration de richesse était une menace, tant pour lui que pour la démocratie russe, telle qu'elle existait. Puisque, dans les premières années de la transition, rares étaient les oligarques qui avaient payé leurs impôts, Poutine n'a guère eu de mal à trouver comment faire jouer le pouvoir de l'État – sans sortir des règles du jeu – pour récupérer une partie importante des actifs. Dans le cas de Youkos, la plus grande compagnie pétrolière russe, il a réussi – bien que Mikhail Khodorkovsky, qui en avait pris le contrôle, ait utilisé son immense richesse pour lancer une campagne mondiale de protestation (à laquelle ont participé de nombreux gouvernements occidentaux, dont l'administration Bush) contre les poursuites judiciaires « sélectives » qui le visaient. Même s'il est difficile d'évaluer la part de l'opposition politique de Khodorkovsky dans les motivations de ce procès, ses partisans semblent dire qu'il était acceptable d'utiliser l'état de droit pour voler des actifs au public, mais pas de faire appel à la loi pour récupérer les sommes légalement dues.

Les privatisations russes ont mis au jour un problème endémique dans le monde entier. Dans leur cas, ce sont des Russes qui ont volé leur propre pays. Dans la plupart des autres, l'extraction des ressources est réalisée par des étrangers, ce qui exacerbe la tension. Des gouvernements ont été renversés à cause de ce problème, comme en Bolivie ; et l'indignation qu'il suscite a nourri la popularité de ceux qui, comme Chávez au Venezuela, ont promis d'améliorer les contrats. Dans ce pays, les citoyens ordinaires voient toutes leurs richesses aller aux Vénézuéliens riches et aux compagnies étrangères – et eux n'ont rien, pas même un petit filet. Lorsque Chávez réussit à renégocier les anciens contrats, à obtenir de meilleures conditions pour son pays, cela les convainc encore plus que, dans le passé, les Vénézuéliens ont été volés. Le Botswana offre un autre exemple frappant. Ce pays a réussi à renégocier son contrat avec le cartel des diamants De Beers pour obtenir la totalité – ou du moins une plus large part – de la valeur de sa ressource ; sa participation à l'entreprise est passée de 15 à 50 %. Sans cette renégociation, le Botswana n'aurait probablement jamais connu le remarquable succès économique qui a été le sien depuis l'indépendance.

En fin de compte, trop souvent, le pays est deux fois perdant – victime du contrat ou de la privatisation injuste, d'abord, puis du tumulte politique et de l'attention négative de la communauté financière internationale lorsqu'il entreprend de corriger l'injustice.

Bien utiliser l'argent

Obtenir une juste part de la valeur de leurs ressources naturelles est la première tâche des pays en développement. La seconde est de bien utiliser l'argent. Les Saoudiens qui, dans les années 1970, happaient les biens immobiliers coûteux à Londres et multipliaient les achats fastueux donnent l'un des plus brillants exemples de ce qu'il ne faut pas faire en cas de soudaine richesse. Il est certain que le peuple d'Arabie Saoudite s'en serait mieux trouvé si cet argent du pétrole avait été dépensé davantage pour son développement et moins en immeubles londoniens ou en armements – depuis 1988, les dépenses militaires saoudiennes n'ont été inférieures à 10 % du PIB que trois fois (les États-Unis, dont les dépenses militaires sont égales à celles du reste du monde réuni, n'y consacrent que 3 à 4 % de leur PIB). Et quand les pays pétroliers investissent, ils le font généralement mal. Les retours ont souvent été catastrophiques. Le Venezuela et l'Arabie Saoudite auraient gagné plus en plaçant leur argent à la Bourse de New York ou à celle de Londres.

Les États riches en ressources ont tendance à être prodigues. L'argent facile se dépense facilement. Certes, faire bon usage de l'argent est un problème pour tous les États. Les dépenses clientélistes – celles qui financent des projets sans autre intérêt que la satisfaction d'un électorat précis – sont bien établies dans beaucoup de démocraties, pour ne pas dire presque toutes. Les pesanteurs politiques sont aussi présentes dans les pays en développement que dans les pays développés – mais les premiers ne peuvent se permettre de tels gaspillages.

Au problème du bon usage des revenus s'ajoute celui de leur imprévisibilité. Les cours des ressources naturelles sont très instables. Les prix du pétrole, par exemple, sont passés de 18 dollars le baril fin 2001 à plus de 70 en 2006. De 2003 à 2005, le cours du cuivre est monté de 98 %, celui de l'étain de 55 %. Cela crée dans l'économie un modèle de boom suivi d'effondrement. Quand les prix de la ressource sont élevés, le pays dépense sans compter – et sans anticiper leur chute prochaine. Lorsqu'ils s'effondrent – comme ils l'ont fait tant de fois – arrivent les faillites et la récession économique. Le boom s'accompagne souvent d'un boom de l'immobilier, car les banques prêtent facilement dans ce secteur : elles sont sûres de la grande valeur du nantissement immobilier qu'elles exigent. Quand l'effondrement des prix des matières premières s'accompagne d'un écroulement des prix de l'immobilier, le système bancaire est fragilisé et les banques forcées de réduire leurs prêts, ce qui pousse encore davantage l'économie dans la récession. Gérer une économie de marché de façon stable est difficile même pour des pays ordinaires : les récessions et dépressions périodiques caractérisent le capitalisme depuis sa naissance. Gérer toute économie riche en ressources naturelles est difficile en raison de l'énorme variabilité des revenus d'exportation. Mais gérer de fragiles pays en développement riches en ressources est une tâche vraiment redoutable.

Les pays en développement n'ont pas les moyens de supporter les retournements de leurs recettes d'exportation comme les pays développés. Ils n'ont pas de stabilisateurs automatiques tels que l'impôt progressif sur le revenu, les systèmes d'indemnités de chômage et de prestations sociales qui injectent davantage d'argent dans l'économie au moment précis où elle s'affaiblit. Les particuliers n'ont pas d'épargne pouvant leur servir de ligne de repli. Les banques, souvent, sont moins bien capitalisées ou réglementées, donc risquent davantage de s'effondrer.

Pour aggraver encore les choses, les banquiers internationaux sont toujours disposés à prêter aux pays riches en matières premières quand le cours de leur ressource naturelle est élevé, et l'élite dirigeante a du mal à repousser leurs offres. Ce qui explique ce curieux phénomène : plusieurs pays très endettés qui ont les pires difficultés à s'acquitter de leurs obligations de débiteurs sont des pays pétroliers, comme l'Indonésie et le Nigeria. Même si les projets financés par les banques ne sont pas bons, ils créent toujours un boom du bâtiment, bienvenu pour les habitants du pays – notamment pour les entreprises du BTP. Le problème du remboursement est renvoyé à une date ultérieure[16]. Quand le prix de la ressource naturelle chute, les banquiers veulent évidemment récupérer leur argent – juste au moment où le pays en a le plus besoin. La séquence « boom-effondrement » du cycle du crédit exacerbe l'instabilité économique que provoque la séquence « boom-effondrement » du cycle des prix.

Plusieurs fois, des pays qui avaient compris ce qu'il fallait faire pour stabiliser leur économie – et qui avaient même les moyens financiers de le faire – ont dû, sous la pression du FMI, suivre des politiques qui en réalité ont aggravé les récessions économiques. J'en ai vu des exemples impressionnants en Équateur et en Bolivie, avec les récessions et dépressions qui ont marqué la fin des années 1990. Depuis soixante-quinze ans, la prescription normale pour une économie confrontée à une récession est bien connue : mener une politique budgétaire expansionniste – dépenser pour l'éducation, et surtout les infrastructures, dont on a de toute façon grand besoin pour la croissance. En général, les pays en développement ont du mal à financer le stimulant nécessaire. Mais l'Équateur et la Bolivie avaient de la chance : ils possédaient des ressources pétrolières et gazières massives qui allaient très prochainement arriver sur le marché, et qu'ils pouvaient utiliser comme nantissement pour emprunter. Boliviens et Équatoriens soutenaient – avec raison, selon moi – que, s'ils effectuaient des investissements pendant la récession, ils obtiendraient un retour de loin supérieur à ce qu'il serait s'ils attendaient la normalisation de la situation mondiale et le retour de leurs économies plus près du plein emploi. Outre le retour direct, il y aurait un effet multiplicateur : ces dépenses allaient stimuler toute l'économie, alors en état de sous-utilisation massive de ses capacités de production, et l'aider à se diriger vers le plein emploi. Dépenser grâce à des emprunts gagés sur les ressources naturelles était économiquement judicieux. Mais le FMI, qui craint toujours que l'État soit trop prodigue, a fait pression sur l'Équateur et la Bolivie afin de les orienter sur un tout autre chemin. Non seulement il ne voulait pas que ces pays stimulent leur économie en augmentant leurs dépenses, mais il leur a demandé de les réduire, afin de les aligner sur la baisse des recettes fiscales due à la récession. Ces pays andins ont eu le sentiment qu'ils n'avaient pas le choix. Ils ont cédé aux pressions du FMI – et cette politique a bel et bien aggravé leur récession.

Le FMI a même posé problème à l'une des économies les mieux gérées du monde, celle du Chili, quand elle est entrée en récession, avec toute l'Amérique latine, à la fin des années 1990. Le gouvernement avait eu à cœur de bien gérer ses ressources et avait créé un fonds de stabilisation en 1985. Dans les périodes fastes, quand le cours du cuivre était élevé, il mettait de l'argent dans ce fonds pour pouvoir s'en servir dans les phases difficiles. Mais, lorsque les Chiliens ont commencé à dépenser de l'argent pris sur leur fonds de stabilisation, le FMI leur a dit de ne pas le faire[17]. Le Chili voulait seulement dépenser de l'argent mis de côté pour les mauvais jours. Les mauvais jours étaient là, mais le FMI insistait pour qu'il traite les dépenses effectuées sur son fonds de stabilisation comme un déficit budgétaire. Le Chili lui a demandé, à juste titre : à quoi bon avoir un fonds de stabilisation si l'on ne peut pas s'en servir quand l'économie a besoin d'être stabilisée ? La question est tombée dans l'oreille d'un sourd. Mais le Chili avait peur d'ignorer purement et simplement le FMI. Même s'il n'empruntait pas au FMI, il craignait que les marchés financiers ne réagissent à ses critiques en relevant les taux d'intérêt des emprunts chiliens. Il a donc suivi une politique moins expansionniste qu'il ne l'aurait fait si le FMI l'avait encouragé à se servir de son fonds de stabilisation – par des dépenses qu'il aurait fort bien pu s'offrir –, et il a subi un ralentissement de croissance plus prononcé qu'il n'aurait dû.

LE MAL NÉERLANDAIS

Bien dépenser l'argent et dépenser l'argent au bon moment sont deux des plus grands défis auxquels sont confrontés les pays riches en ressources. Il y a un troisième problème, dont on a pris conscience dans les années 1970 et au début des années 1980, après la découverte du pétrole de la mer du Nord. Tout en jouissant de cette aubaine évidente, les Néerlandais ont remarqué que le reste de leur économie ralentissait.

Cette économie développée, qui jusque-là fonctionnait bien, était soudain confrontée à des problèmes d'emploi massifs, car ses entreprises n'étaient plus compétitives. La raison en était simple : l'afflux de dollars venus payer le pétrole et le gaz de la mer du Nord avait fait monter le taux de change. À ce nouveau taux plus élevé, les exportateurs néerlandais ne pouvaient pas vendre leurs produits à l'étranger et les entreprises nationales avaient du mal à résister aux importations.

Ce problème, baptisé « le mal néerlandais » en l'honneur du pays où il a été analysé pour la première fois, est le fléau des pays riches en matières premières dans le monde entier quand ils convertissent en monnaie locale les dollars gagnés en vendant leurs ressources naturelles. Leur devise s'apprécie et ils ont du mal à exporter d'autres produits. La croissance dans le secteur « hors ressource » ralentit. Le chômage augmente, puisque le secteur « ressource » emploie en général relativement peu de personnel. Il y a trente ou quarante ans, avant le boom pétrolier, le Nigeria était un grand exportateur de produits agricoles. Aujourd'hui, il en est un grand importateur. Avant de devenir gros exportateur de pétrole, le Venezuela était un gros exportateur de chocolat d'excellente qualité (il en produit encore un peu). Dans les deux cas, comme aux Pays-Bas, l'abondance des ressources naturelles a eu un effet pervers : elle a nui au reste de l'économie.

Il n'est peut-être pas possible d'éviter entièrement le mal néerlandais, mais on peut limiter son ampleur. Le problème, on l'a vu, vient de la conversion des devises étrangères en monnaie locale, qui fait monter la valeur de celle-ci. Si l'on change moins de devises étrangères, l'appréciation du taux de change de la devise nationale sera plus réduite. Ce qui veut dire qu'un pays doit consacrer une partie du produit de la vente de ses ressources naturelles à payer ses importations, et garder une partie du reste à l'étranger.

Le mal néerlandais constitue donc un nouvel argument en faveur des fonds de stabilisation, système dans lequel un pays met de l'argent quand le prix de sa ressource naturelle est élevé et son économie en expansion, pour le dépenser ensuite quand il entre en récession. L'Azerbaïdjan a commencé à investir dans ce type de fonds en 2001. Fin 2003, il y avait placé plus de 800 millions de dollars, pris sur ses revenus pétroliers[18]. Ces investissements à l'étranger produisent un double retour sur l'économie : leur retour direct et leur effet sur le degré d'appréciation de la devise nationale ; en le réduisant, ils contribuent à créer des emplois et de la croissance.

Mais, si ces politiques sont économiquement judicieuses, elles sont difficiles à mettre en œuvre dans des pays démocratiques pauvres. Les populations indigentes des pays en développement ne peuvent comprendre pourquoi leur gouvernement devrait investir leurs maigres ressources à l'étranger alors qu'on a tellement besoin d'argent dans le pays. Elles ne comprennent pas que l'on pourrait, certes, utiliser l'argent du pétrole pour construire une école locale, qui créerait des emplois, mais que cela détruirait davantage d'emplois dans le reste de l'économie à cause de l'appréciation de la devise – le mal néerlandais. La leçon à retenir est simple : les pays doivent financer leurs dépenses locales par des revenus locaux – par exemple payer les enseignants, ou les travailleurs employés à la construction des routes, en levant des impôts – et réserver les dollars gagnés par la vente des ressources naturelles pour l'achat des produits importés nécessaires et pour l'avenir. Ce qui nécessite, bien sûr, que l'État augmente les impôts pour financer ses dépenses intérieures. Le problème est qu'aucun gouvernement n'aime alourdir les impôts et que, dans un contexte de chômage élevé, il y a d'énormes pressions politiques pour que l'argent du pétrole soit dépensé sur le territoire national et immédiatement.

Faire fonctionner la mondialisation : la malédiction des ressources n'est pas inévitable

La malédiction des ressources naturelles n'est pas fatale ; c'est une question de choix. L'exploitation des ressources naturelles est aujourd'hui une importante composante de la mondialisation, et les échecs des pays en développement riches en ressources sont symboliques, en un sens, des échecs de la mondialisation. L'Occident est très dépendant des ressources naturelles qu'il reçoit des pays du Sud et ses incitations à court terme, ses intérêts immédiats – et en particulier ceux de ses compagnies pétrolières et minières –, ne coïncident pas toujours avec le bien-être du monde en développement. Or, pour que la mondialisation puisse fonctionner durablement, les pays en développement – et leurs citoyens – doivent être mieux traités. Heureusement, il existe aussi des succès qui donnent des raisons d'être optimistes sur notre capacité à réussir la mondialisation.

Parmi les pays développés, la Norvège est un modèle de bonnes pratiques. Le pétrole représente près de 20 % de son PIB et 45 % de ses exportations. Sa compagnie pétrolière publique (qui vient d'être en partie privatisée) est efficace. Plus important : la Norvège a bien compris que ses ressources sont limitées – son pétrole et son gaz devraient s'épuiser dans soixante-dix ans – et elle a épargné une grande partie des recettes de leur vente dans un fonds de stabilisation de 150 milliards de dollars, qui pèse aujourd'hui environ la moitié de son PIB[19].

Bien qu'il ait été récemment ravagé par le sida, le Botswana représente l'un des rares succès économiques du monde en développement, en particulier dans la façon dont il a géré ses ressources en diamants. Son taux de croissance moyen de 9 % pendant les trente dernières années rivalise avec ceux des tigres d'Asie orientale. Il l'a obtenu avec un gouvernement démocratique, qui s'est efforcé d'établir un consensus dans la population autour des politiques nécessaires pour réussir la croissance, dont le recours à un fonds de stabilisation permettant de faire face à la volatilité des prix des diamants. La Malaisie est un autre pays riche en ressources qui s'est servi de celles-ci comme tremplin pour rejoindre le club des nouveaux pays industrialisés.

C'est aux pays en développement eux-mêmes qu'incombe la responsabilité principale d'obtenir la plus grande part possible de la valeur de leurs ressources naturelles et de bien l'utiliser. Leur grande priorité doit être de créer des institutions capables de réduire le champ de la corruption et de garantir que l'argent tiré du pétrole et des autres ressources sera investi et bien investi. Il peut être souhaitable d'avoir des règles d'investissement strictes et rapides – tel pourcentage pour les dépenses de santé, tel autre pour l'éducation, tel autre pour les infrastructures. Il faut instaurer des procédures pour évaluer indépendamment les retours sur investissement. Les fonds de stabilisation sont essentiels, mais on doit laisser les États les utiliser dans les circonstances appropriées – notamment pour aider à stabiliser l'économie. Et, surtout, les pays en développement doivent concevoir leurs ressources naturelles comme une « dotation » dont l'actuel gouvernement et la génération présente sont les dépositaires pour les générations futures.

Mais je suis persuadé que la communauté internationale peut faire plus que disserter sur les mesures que les pays en développement pourraient et devraient prendre pour tirer davantage profit de leurs ressources et mieux utiliser l'argent. Les pays développés seraient plus efficaces s'ils donnaient l'exemple, s'ils prodiguaient des conseils et de l'aide sur la façon de changer les incitations et les opportunités, et s'ils faisaient tout ce qui leur est possible pour circonscrire les forces énormes qui poussent à la corruption, et qui viennent du monde développé.

CORRUPTION ET CONFLITS

Les pesanteurs politiques des pays en développement, qui perpétuent la corruption et le détournement des transactions sur les ressources naturelles pour l'enrichissement personnel d'élites bien établies, ne vont pas disparaître parce qu'on dit aux intéressés que ces pratiques sont nocives ou immorales. Ils entendent ces leçons venues d'Occident, mais ils voient aussi les compagnies pétrolières américaines envoyer chaque mois des chèques pour conforter des régimes répressifs – par exemple au Soudan et au Tchad – et les gouvernements occidentaux fournir les armes nécessaires à la répression. Ce qui, naturellement, révèle l'ordre des priorités occidentales : il est clair que la première est l'argent. L'engagement pour la démocratie paraît faible, ce que confirment des réalités comme le viol des droits humains fondamentaux à Guantánamo et à Abou Ghraib. Lorsqu'on a demandé au Premier ministre pas très démocratique d'un pays en développement quelles leçons il tirait du 11 septembre, il a immédiatement répondu : l'importance du droit de détenir des individus sans procès.

Ce n'est pas seulement dans ces scandales particuliers et bien connus que les États occidentaux donnent le mauvais exemple. La politique des ressources naturelles des États-Unis est un modèle de ce qu'il ne faut pas faire : elle brade les droits d'accès aux minerais et elle est sous la coupe des intérêts privés. Le secret qui a entouré la conception de la politique énergétique de l'administration Bush est aussi un exemple désastreux : elle a refusé de révéler jusqu'aux noms des représentants de la branche qui y ont pris part. L'argumentation de George W. Bush sur les privilèges de l'exécutif a ravi tous ceux qui s'efforcent de maintenir le secret sur ce qu'ils font – que ce soit pour s'enrichir eux-mêmes, pour combler leurs meilleurs copains ou pour satisfaire le cercle plus large d'amis qui les a aidés à rester au pouvoir.

On le sait depuis longtemps : la transparence est l'un des meilleurs antidotes à la corruption. « Le soleil est l'antiseptique le plus puissant », dit-on. Pour que les citoyens puissent faire échec à la corruption, il faut qu'ils sachent ce qui se passe. Des lois qui leur donnent le droit de le savoir (comme le *Freedom of Information Act* aux États-Unis et en Grande-Bretagne) sont nécessaires pour que la démocratie et la responsabilité des dirigeants aient un sens. L'un des objectifs majeurs de l'Initiative for Policy Dialogue, que j'ai fondée à l'université Columbia pour promouvoir une meilleure compréhension des politiques de développement, est le vote de ce type de législation dans les pays en développement. Ses efforts ont eu un succès considérable puisqu'ils ont abouti à une conférence mondiale coparrainée par le gouvernement mexicain – il a lui-même promulgué récemment ce type de loi, et la majorité des États du Mexique en ont fait autant. La Thaïlande a entériné dans sa Constitution le « droit de savoir » de ses citoyens. Dans tous les pays, s'il y a révélation complète du volume des ventes du pays et de ce qu'il reçoit pour ses ressources naturelles, les citoyens sont mieux à même d'estimer s'il obtient la pleine valeur de ses ressources ou si, d'une façon ou d'une autre, on le vole.

Parfois, les États prétendent qu'ils ne peuvent pas révéler ces informations parce que cela violerait la confidentialité des affaires. En général, ces déclarations ne sont qu'un prétexte, un rideau de fumée derrière lequel gouvernants et compagnies peuvent poursuivre leurs odieuses pratiques. Mais l'État *peut* fixer des règles, et il existe suffisamment de compagnies honnêtes qui acceptent d'opérer en toute transparence. Le droit des citoyens à savoir doit l'emporter sur l'argument de la confidentialité des affaires.

Tout en faisant la leçon aux pays en développement sur l'ampleur de leur corruption, les pays industriels avancés ne comprennent pas le rôle que leurs propres conseils – et même les politiques qu'ils imposent à ces pays – jouent parfois, involontairement, dans l'affaiblissement des forces qui travaillent à la création d'un état de droit. La politique économique peut modeler, ou du moins influencer, les processus politiques. Par exemple, la probabilité de l'instauration d'un état de droit dépend en partie de la demande de la société, du soutien politique pour ce projet, en particulier dans l'élite prospère. Mais, en Russie, ceux qui doivent leur fortune à des privatisations illégitimes n'ont pas intérêt à l'instauration d'un état de droit favorisant l'investissement (au lieu d'un système qui favorise le démembrement des entreprises)[20].

Ceux qui ont conseillé à la Russie de privatiser rapidement, en donnant priorité à la vitesse sur toute autre considération, ont donc contribué à ses problèmes actuels. D'autres politiques économiques ont également fragilisé la « demande d'état de droit ». La libéralisation des marchés des capitaux, nous l'avons dit, a permis aux oligarques de faire sortir facilement leur argent du pays : ils ont pu ainsi jouir des bienfaits de l'état de droit à l'étranger tout en pillant chez eux des entreprises qu'ils démembraient pour en vendre les meilleurs morceaux. De même, lorsque le FMI a encouragé – voire exigé comme condition de son aide – des taux d'intérêt très élevés en Russie, cela aussi a pu avoir des conséquences politiques : à de tels taux, investir n'était pas rentable, et ceux qui avaient obtenu le contrôle des richesses de la Russie ont donc eu une incitation supplémentaire à les démanteler et à les piller. L'intérêt politique des oligarques était d'avoir un ordre juridique qui le leur permettait, et non une légalité conçue pour stimuler la création de richesse au bénéfice de tous les Russes ; et cette conjonction toxique a miné le soutien à l'état de droit dans l'ensemble du pays.

Les actes du FMI ont pesé plus lourd que ses mots : il a fragilisé la réforme politique en ignorant les effets de ses stratégies sur les comportements économiques et politiques.

Si les conseils de l'Occident se sont parfois révélés contre-productifs, il y a des domaines où le conseil peut être utile : lorsqu'il s'agit d'aider les pays en développement à renforcer la transparence (nous venons de le voir) et à mener une réflexion de fond rigoureuse sur la meilleure stratégie de gestion de leurs ressources pour atteindre la stabilité à court terme et la croissance à long terme. Il faut, par exemple, réformer les normes comptables d'usage courant pour qu'elles cessent de donner une fausse impression de croissance quand des pays vivent de la dilapidation du patrimoine que constituent leurs ressources. Tout comme – je l'ai souligné au chapitre 2 – les mesures de la production doivent se concentrer sur la durabilité.

Pensons au pétrole du sous-sol comme à un avoir ; les ressources naturelles d'un pays sont sa fortune, située sous son territoire ; comme tout avoir, il faut les gérer. Quand on les retire du sous-sol, l'avoir disparaît. S'il n'investit pas ce qu'il a gagné en les extrayant, le pays s'appauvrit. Tout comme les livres de comptes d'une entreprise indiquent la dépréciation de ses avoirs, la comptabilité nationale d'un pays devrait indiquer l'épuisement de ses ressources rares. Mais la mesure de la production la plus courante, le produit intérieur brut, ne le fait pas. Le PIB indique seulement que, plus le pays extrait de pétrole, plus ses revenus augmentent – sans prendre en considération la façon dont il les dépense, ni le fait que les dépenser *sans investir* n'est pas viable. Par conséquent, un pays dont le PIB augmente peut en réalité s'appauvrir de plus en plus – car son apparente prospérité n'est pas durable. La situation peut même être pire : l'extraction de certaines ressources naturelles induit une dégradation de l'environnement, donc une dette. Réparer les dégâts peut coûter des milliards – comme l'a découvert la Papouasie-Nouvelle-Guinée quand elle a fermé la mine d'or d'Ok Tedi. Le produit national net vert (PNN vert) est une mesure qui soustrait non seulement la dépréciation du capital mais aussi l'épuisement des ressources naturelles et la dégradation de l'environnement. Il est centré sur le revenu de la population du pays : il n'intègre pas les profits d'une mine qui vont à ses propriétaires étrangers. Dans des cas extrêmes, les coûts du nettoyage peuvent être égaux ou supérieurs au retour sur les ressources extraites ; le PIB augmente peut-être, mais le PNN vert diminue.

La comptabilité est importante parce qu'elle influence les décisions. Si elle était centrée sur le PNN vert, les pays dépenseraient davantage pour conserver les ressources. Ce système comptable pourrait garantir que les contrats sur les ressources naturelles soient bons pour les citoyens du pays – peu importe ce qu'il ajoute au PIB, tout contrat qui diminue le PNN vert doit être refusé. Quand j'étais président du Council of Economic Advisers, j'ai cherché à obtenir la création de ce type de comptabilité pour les États-Unis, en supplément des mesures habituelles du PIB, mais l'industrie charbonnière, comprenant que ce système risquait d'influer sur la pensée – et sur l'action –, a inspiré une loi supprimant tout financement pour sa mise au point.

Modifier la comptabilité des déficits est aussi une nécessité absolue. Tous les pays s'inquiètent des déficits. Mais les systèmes comptables qui ne voient que les déficits, que les dettes – sans regarder l'autre côté du bilan –, sont particulièrement dangereux. Les pays doivent créer des comptes de capital qui

indiquent à la fois les avoirs et les dettes, et qui soulignent
tout particulièrement les situations où des ventes d'avoirs
(dont les ventes de ressources naturelles et les privatisations)
servent fallacieusement à faire paraître le déficit plus faible
qu'il n'est. Un pays peut réduire son déficit en rasant des
forêts, en vendant une précieuse entreprise nationale, en bradant ses ressources naturelles pour un petit pourcentage de leur
valeur. Dans la comptabilité du FMI, il reçoit alors une bonne
note ; et la comptabilité du FMI, c'est important, pas seulement parce qu'en cas de mauvaise note le FMI et d'autres
donateurs sont susceptibles de réduire leur aide financière,
mais aussi parce que les marchés de capitaux risquent de ne
pas reconduire leurs prêts. Néanmoins, ce pays ne s'est pas
enrichi ; en réalité, il s'est appauvri. De même, les investissements qui pourraient permettre d'extraire efficacement davantage de ressources naturelles – disons, d'un champ pétrolifère –
sont bel et bien découragés : puisque le pays doit emprunter
pour les financer, on lui reprochera d'avoir aggravé son déficit, même si le retour qu'il en attend est élevé. Pour échapper
au carcan des normes comptables, de nombreux pays priva-
tisent à des conditions désavantageuses, donc s'appauvrissent
et compromettent inutilement leur avenir.

Ces réformes comptables aideraient aussi d'une autre
façon. Les pays seraient incités à créer des fonds de stabilisation – des amortisseurs sur lesquels ils pourraient s'appuyer
dans les périodes difficiles, et qui contribueraient à les protéger de la volatilité des prix des ressources naturelles. Mais,
comme nous l'avons vu dans le cas du Chili, le système de
comptabilité du FMI les dissuade de créer ce type de fonds,
puisqu'il traite les dépenses qui en sont issues exactement de
la même façon que si elles étaient financées par un déficit
budgétaire. Les fonds de stabilisation sont un outil important
pour aider les pays en développement à assurer la macrostabilité. Sans eux, les turbulences économiques, omniprésentes
dans les pays riches en ressources, continueront, et elles ne
laisseront pas à l'économie de marché une chance réelle de
faire ses preuves.

Un plan d'action
pour la communauté internationale

Pour aider les pays en développement riches en ressources, les pays développés peuvent faire plus que donner de meilleurs conseils et être de meilleurs exemples : ils peuvent prendre des initiatives concrètes. Trois d'entre elles sont présentées dans d'autres chapitres de ce livre. Les chapitres 2 et 7 démontrent que promulguer des lois anticorruption et limiter le secret bancaire réduirait les possibilités de corruption. Le chapitre 6 explique que les pays en développement rendent d'immenses services environnementaux dont le monde entier bénéficie mais pour lesquels ils ne sont pas indemnisés – les forêts tropicales aident à préserver la biodiversité et réduisent les concentrations de gaz à effet de serre. Le chapitre 7 énumère une série de réformes juridiques qui empêcheraient les firmes multinationales de ravager l'environnement des pays en développement quand elles en extraient les ressources naturelles – ou les forceraient, si elles le font, à en payer les conséquences. J'indique ici sept mesures supplémentaires.

1. L'INITIATIVE POUR LA TRANSPARENCE DES INDUSTRIES EXTRACTIVES[21]

Comme je l'ai montré plus haut, accroître la transparence découragerait la corruption, ce qui augmenterait les chances des pays en développement de recevoir la pleine valeur de leurs ressources. Les pays industriels avancés peuvent aider à garantir la transparence par une mesure simple : n'autoriser les déductions fiscales pour les royalties et autres paiements aux gouvernements étrangers que si la compagnie révèle pleinement ce qu'elle a payé et quel volume de la ressource en question elle a extrait. Sans ce type d'accord général, la surenchère des pratiques néfastes continuera, et les compagnies et pays les plus disposés à la corruption et les moins enclins à la transparence auront un avantage sur les autres.

2. LA RÉDUCTION DES VENTES D'ARMES

Il y a pire que la corruption : le conflit armé financé par les ressources pétrolières et minières. Là encore, la communauté internationale pourrait faire davantage pour qu'il soit plus difficile et plus coûteux d'acquérir des armes. C'est à nous d'étouffer l'offre à la source – les fabricants d'armes qui profitent de ce sale commerce –, ou du moins de taxer lourdement leurs ventes d'armes et de vérifier la provenance de l'argent qui les paie[22].

3. LA CERTIFICATION

Le 5 juillet 2000, le Conseil de sécurité des Nations unies a imposé un embargo sur l'importation (directe ou indirecte) de diamants bruts de la Sierra Leone non accompagnés d'un certificat d'origine émanant du gouvernement de ce pays. Les diamants de la Sierra Leone non certifiés sont aujourd'hui appelés « les diamants du conflit » ; cette reconnaissance publique du rôle des ressources naturelles dans le financement d'une guerre, et de la nécessité de le restreindre, est un pas dans la bonne direction. Amnesty International, Partenariat Afrique-Canada et Global Witness, avec d'autres ONG, sont à la tête de l'effort pour faire respecter l'embargo[23].

Il faudrait instaurer un système de certification du même ordre pour les bois exotiques. Le problème ici n'est pas tant le financement des guerres civiles (bien que des exploitations forestières clandestines y contribuent parfois aussi). C'est plutôt que le bûcheronnage illégal provoque une déforestation rapide – et qui ne rapporte pas grand-chose au pays[24]. La Papouasie-Nouvelle-Guinée reçoit en général moins de 5 % de la valeur de son bois d'œuvre utilisé dans le monde développé. Le bois certifié serait récolté sur un mode environnementalement durable, pour que les forêts ne profitent pas seulement aux générations actuelles mais aussi aux générations futures – et pour que le monde, globalement, échappe au déboisement accéléré (j'analyserai plus longuement la question au chapitre suivant). Une fois le système de certification en place, le bois coupé dans le cadre d'un accord de complaisance, disons, entre un chef de Papouasie-Nouvelle-Guinée et un baron malaisien du bois de charpente, ne trouvera plus de marché. Les bons prix du bois certifié – et les bas prix du bois non certifié, puisque les débouchés sont coupés – inciteront naturellement les pays à lancer des programmes de certification. D'ailleurs, ceux-ci ont déjà débuté en Indonésie et au Brésil ; l'accueil chaleureux que leur ont fait les consommateurs et certains détaillants suggère que la réaction serait positive dans les pays développés, en particulier de la part d'entreprises conscientes de leurs responsabilités sociales, comme Home Depot.

4. LE CIBLAGE DE L'AIDE FINANCIÈRE

Les gouvernements des pays développés peuvent instaurer de nouvelles incitations en limitant leur aide – tant celle qui transite par la Banque mondiale que leur propre programme d'assistance – lorsque les pays en développement n'obtiennent pas la pleine valeur de leurs ressources. Si l'efficacité de la conditionnalité (l'obligation de satisfaire des conditions préalables pour recevoir l'aide) est extrêmement controversée, dans le cas des pays riches en ressources naturelles une question fondamentale se pose : pourquoi les contribuables du monde développé subventionneraient-ils un État qui est lui-même en train de brader ses ressources ? Le débat a été particulièrement vif dans la première phase de la transition russe vers l'économie de marché. Certains soutenaient que l'Occident devait donner davantage d'argent à la Russie[25]. Mais en même temps un flux massif de capitaux quittait le pays. Si l'État avait pu endiguer ces sorties d'argent – facilitées par sa privatisation corrompue –, il n'aurait eu aucun besoin d'aide financière extérieure. Et s'il était trop corrompu et incompétent pour obtenir, en vendant ses ressources naturelles, de quoi gérer sa transition vers l'économie de marché, qu'est-ce qui permettait de penser que quelques milliards de dollars de plus venus d'Occident seraient bien dépensés, ou même feraient une différence sensible[26] ? Si les bonnes politiques ne s'achètent pas (l'aide donnée à condition que les pays remplissent une longue liste de conditions n'aboutit pas au résultat voulu), la sélectivité, quant à elle – l'aide aux pays qui ont prouvé leur aptitude à suivre des politiques adaptées –, crée des incitations, et il y a au moins l'espoir qu'elles aideront les États à s'orienter dans la bonne direction.

5. LA MISE AU POINT DE NORMES

Ce que reçoivent les pays en développement est très loin de représenter la pleine valeur de leurs ressources : c'est l'un des problèmes cruciaux que nous avons repérés. Un organisme international – peut-être la Banque mondiale – pourrait ici jouer un rôle : aider à obtenir que les pays en développement soient traités correctement par les compagnies pétrolières et minières ; développer les procédures d'enchères qui donnent à ces pays de meilleures chances d'obtenir un plus gros pourcentage de la valeur de leurs ressources ; concevoir des contrats modèles leur assurant un traitement équitable (par exemple une meilleure part des profits en cas de hausse des prix du pétrole) ; et évaluer la proportion de la valeur de la ressource reçue par les pays en développement. En comparant les pourcentages de la valeur nette que reçoivent vraiment les différents pays en développement, cet organisme pourrait tenter d'impulser entre eux une « course vers le haut »[27].

6. LA LIMITATION DES ATTEINTES À L'ENVIRONNEMENT

Les multinationales ont besoin d'être mieux incitées à ne pas ravager l'environnement. Et tant qu'on ne les contraindra pas à payer les dégâts environnementaux que provoquent leurs activités, les incitations iront en sens inverse. Aujourd'hui, les accords d'investissement internationaux sont unilatéraux. Ils visent à garantir que les pays en développement n'exproprieront pas les investisseurs, mais ils s'intéressent peu à la réciproque, qui a été le fléau de tant de pays en développement :

les compagnies qui dévastent l'environnement et puis s'en vont. Il faut une administration internationale pour surveiller les atteintes à l'environnement. De même que les pays en développement garantissent qu'ils n'exproprieront pas les investisseurs, de même les pays développés où sont enregistrées les compagnies pétrolières doivent garantir que tout dommage à l'environnement sera intégralement réparé, en fixant des normes claires et rigoureuses pour définir le sens de cette formule.

7. LA MISE EN PLACE DE MOYENS POUR FAIRE RESPECTER LES RÈGLES

Nous avons présenté toute une série de bonnes pratiques, de moyens dont disposent les pays développés pour aider le monde en développement à assurer à ses citoyens les bénéfices des ressources de leur territoire – en renforçant la transparence, en décourageant la corruption, les pots-de-vin, en protégeant l'environnement. Mais ces mesures ne peuvent pas et ne doivent pas être laissées au bon vouloir de chacun : les sommes en jeu sont trop importantes, les incitations à la surenchère dans le mauvais sens aussi. Il faut un moyen efficace de les faire respecter. On peut utiliser les accords commerciaux pour imposer la « bonne conduite ». On peut infliger des sanctions commerciales à des entreprises et à des pays qui recourent à des pratiques commerciales injustes – et le fait de ne pas souscrire à l'Initiative pour la transparence des industries extractives et aux autres mesures anticorruption doit être considéré comme une pratique commerciale injuste.

Nous pouvons réussir la mondialisation, ou du moins la faire mieux fonctionner, pour les habitants des pays riches en ressources naturelles. Si elle ne marche pas pour eux, comment pourrions-nous espérer qu'elle fonctionne pour les populations des nombreux pays bien plus pauvres que compte le monde en développement ? La communauté internationale doit non seulement faire en sorte que les pays riches en ressources reçoivent la pleine valeur de celles-ci, mais aussi les aider à gérer leurs économies d'une façon qui assure la stabilité et la croissance – et garantisse que les fruits de cette croissance seront largement partagés.

Nous pouvons lever la malédiction des ressources naturelles, et faire de leur abondance ce qu'elle devrait être : une bénédiction.

Un problème domine tout : les pays en développement riches en ressources seront prospères s'ils reçoivent des versements importants lors de leur vente ; les puissantes compagnies des pays industriels avancés seront prospères si elles paient peu. Tel est le conflit naturel et inévitable que nous avons identifié au cœur du paradoxe de l'abondance. Quel parti prendront les peuples des pays développés et leurs gouvernements ? Soutiendront-ils les quelques individus de leurs pays qui possèdent et gèrent ces riches entreprises, ou les milliards d'habitants des pays en développement dont le bien-être et parfois la survie sont en jeu ?

6

Sauver la planète

Le monde est actuellement engagé dans une expérience gigantesque : il étudie ce qui se passe quand on libère du dioxyde
de carbone et certains autres gaz dans l'atmosphère en quantités toujours plus grandes. La communauté scientifique est à
peu près certaine du résultat, et il n'est pas joli. Les gaz fonctionnent comme une serre qui retient l'énergie solaire dans
l'atmosphère – c'est pourquoi on les appelle « gaz à effet de
serre » – et, peu à peu, la Terre se réchauffe. Les glaciers et
les calottes polaires fondent, les courants océaniques se modi-
fient, le niveau des mers et des océans monte. On n'est pas
encore sûr du temps que cela va prendre, mais il semble que la
calotte glaciaire du pôle Nord disparaîtra dans soixante-dix ans,
et que le célèbre Glacier National Park des États-Unis – une
réserve naturelle de 4 000 kilomètres carrés dans le Montana –
aura perdu ses glaciers bien avant.

Si nous avions accès à un millier de planètes, cela pourrait
avoir un sens d'en utiliser une pour ce genre d'expérience. Si
celle-ci tournait mal – ce qui à mon avis sera le cas –, nous
passerions sur sa voisine. Mais nous n'avons pas cette option.
Nous n'avons aucune autre planète où aller. Nous sommes
bloqués ici, sur terre.

À la différence des autres problèmes de la mondialisation,
les problèmes environnementaux planétaires touchent tous les
pays, développés et en développement. Et, à de rares exceptions près, la mondialisation telle qu'elle a été gérée jusqu'à

présent ne les a pas traités correctement. Dans ce chapitre, j'explique pourquoi cela s'est révélé si difficile et ce que l'on pourrait faire : mettre en œuvre les forces économiques de la mondialisation, qui ont été jusqu'ici si néfastes pour l'environnement, afin de le protéger.

Le problème fondamental : la tragédie des communaux

Au chapitre 4, nous avons parlé de la clôture des communaux, de ce qui se passe quand quelque chose qui devrait appartenir collectivement à tous est mis sous cloche comme propriété privée. Mais la propriété commune pose aussi un problème : celui que l'on appelle parfois la « tragédie des communaux[1] ». Lorsqu'il existe une ressource commune que tout le monde peut utiliser gratuitement et librement, aucun usager ne pense aux possibles effets négatifs de ses actes sur les autres ; chacun perd de vue le bien commun.

L'expression est d'abord apparue à propos des « communaux » sur lesquels les paysans d'Angleterre et d'Écosse faisaient paître leurs moutons à la fin du Moyen Âge. Comme ils y envoyaient tous de plus en plus de moutons, la quantité d'herbe disponible diminuait. Mais chaque paysan ne voyait que son propre profit, pas les coûts infligés aux autres, donc la situation s'aggravait.

Aujourd'hui, c'est dans l'industrie mondiale de la pêche que ce problème est le plus facile à voir. Chaque pays est incité à développer sa flotte de pêche pour prendre davantage de poissons – puisqu'ils sont à qui pourra les pêcher. Mais, avec des bateaux de plus en plus nombreux, le stock de poissons s'épuise et le coût de la pêche augmente pour tous. De fait, il est maintenant prouvé que, dans la pêche industrielle moderne, les bateaux prennent le poisson beaucoup plus vite qu'il ne peut se reproduire.

Les principes économiques sous-jacents sont à la fois simples et clairs. Quand un individu ou un pays se livre à une activité qui nuit à un autre sans avoir rien à payer pour cela, il y a une externalité négative[2]. En règle générale, les marchés produisent trop de choses qui créent des externalités négatives. Laissés à eux-mêmes, ils finissent par surpolluer l'air et l'eau. Sans intervention de l'État, il y aura toujours surpâturage sur les communaux.

Le problème des communaux est facile à comprendre, donc, en un sens, sa solution l'est aussi : il faut, d'une façon ou d'une autre, poser des limites aux individus dans leur usage des communaux. Il y a deux méthodes. La première, qui a été utilisée en Écosse aux XVIe et XVIIe siècles, consiste à les privatiser. Les lords écossais ont simplement confisqué les communaux à leur propre usage. En tant que propriétaire, chacun avait une incitation à ne pas surexploiter ses terres. La privatisation a eu, bien sûr, un impact énorme sur la répartition des revenus : s'il y a eu quelques gains d'efficacité, la situation des paysans, évincés des communaux, s'est gravement détériorée, et les lords écossais ont gardé pour eux tous les gains d'efficacité – et davantage.

Toutefois, il ne serait pas réaliste d'appliquer cette méthode au problème de la pêche au niveau mondial ou à celui du réchauffement de la planète. Il était relativement simple d'imposer la privatisation des pâturages, en les entourant de clôtures. Mais même si l'on pouvait, d'une façon ou d'une autre, privatiser les zones de pêche, même si l'on pouvait résoudre les problèmes considérables de répartition que crée la privatisation, il serait pratiquement impossible à un propriétaire privé de faire respecter ses droits de propriété. Quand se posent des problèmes de respect des droits, il est inévitable que l'État s'engage énergiquement dans la gestion des ressources. La question ne porte donc que sur la forme de son intervention. Dans la seconde méthode – la seule praticable pour les ressources naturelles planétaires –, c'est l'État lui-même qui gère le bien commun, en limitant quantitativement le pâturage ou la pêche. Historiquement, c'est souvent de cette façon-là qu'ont été gérées les ressources communes. Les collectivités imposent des contrôles sociaux et juridiques qui empêchent des externalités négatives comme la surpêche et le surpâturage.

En théorie, les deux voies – privatisation ou contrôle social – peuvent mener à un résultat efficace et équitable. La collectivité aurait pu calculer aussi bien qu'un propriétaire privé le nombre « efficient » de moutons que l'on peut autoriser à paître sans danger pour la terre commune. Ou alors, on aurait pu privatiser les communaux en les vendant au plus offrant, puis répartir à égalité le produit de la vente. Mais, en pratique, les privatisations ont toujours été marquées par de graves inégalités. Dans le mouvement des *enclosures*, c'était l'une des raisons de l'initiative : les riches et les puissants ont vu là une belle occasion de redistribuer les richesses en leur faveur.

La privatisation n'aboutit pas toujours à l'efficacité. Souvent, la propriété privée s'accompagne elle-même d'externalités négatives pour l'environnement, par exemple quand une surutilisation des engrais pollue la nappe phréatique. Lorsque les privatisations ne jouissent pas d'une légitimité politique totale, les propriétaires ont une incitation supplémentaire à surutiliser leur bien puisqu'ils risquent de ne pas le garder longtemps. C'est ce qui s'est passé, nous l'avons vu, dans la plupart des privatisations russes. Au Brésil, les privatisations de forêts ont conduit à un déboisement rapide, car les propriétaires se sont dit, peut-être à juste titre, que l'État comprendrait certainement dans quelque temps l'importance du trésor national que constituent les forêts, et imposerait des restrictions sur la coupe. Mais, avec la gestion publique, les hauts fonctionnaires peuvent permettre à leurs parents et amis de mettre sur les communaux plus de moutons que les autres, et les dirigeants politiques autoriser le surpâturage pour gagner des voix, estimant que les conséquences ne se verront que dans plusieurs années. C'est le dilemme fondamental de la gestion des communaux : historiquement, ni la solution privée ni la solution publique n'ont été des moyens fiables d'assurer à la fois l'efficacité et l'équité.

La plupart des ressources environnementales ne sont pas de nature mondiale. La qualité du sol, de l'eau, des lacs ou de l'air n'affecte en général que ceux qui vivent à proximité. S'il y a trop de pollution aérienne à Los Angeles ou à Mexico, ce sont les habitants de ces villes qui en souffrent. Certes, les effets passent parfois d'une zone à une autre : lorsque je brûle des feuilles, mon voisin est incommodé par la fumée. Ainsi, le Canada est touché par les pluies acides dues aux centrales électriques américaines du Midwest. Certains accords bilatéraux et régionaux tentent de faire face à ces externalités écologiques transfrontalières (comme l'accord États-Unis-Canada de 1991 sur la qualité de l'air), mais ils ne peuvent pas maîtriser les problèmes environnementaux vraiment planétaires.

Aussi imparfaite que puisse être notre aptitude à gérer des ressources naturelles rares et à réduire les externalités négatives à l'échelle d'un pays, notre capacité à gérer les ressources naturelles mondiales et à réduire les externalités négatives mondiales est encore plus limitée. Les principaux moyens utilisables sur le plan national font ici défaut. Quand, sur le territoire d'un pays, une personne nuit à une autre, la partie lésée peut porter plainte. Obliger chacun à payer les conséquences de ses actes est nécessaire à l'efficacité économique. Sur le plan international, aucun recours de ce type n'est possible ; même quand les actes d'un pays nuisent au bien-être d'un autre, la partie lésée ne peut pas faire grand-chose. La pollution venue de Chine touche le Japon ; il est pratiquement certain que les Maldives et le Bangladesh vont gravement souffrir de la hausse du niveau des océans provoquée par le réchauffement de la planète, auquel la pollution venue des États-Unis contribue éminemment. Le Japon ne peut pas porter plainte contre la Chine ; les Maldives et le Bangladesh ne peuvent pas poursuivre en justice les États-Unis et les autres pays dont les émissions de gaz à effet de serre font monter le niveau de la mer.

À l'échelle d'un pays, le problème des communaux peut parfois être traité, fût-ce imparfaitement, par la privatisation. Mais, pour régler le problème des communaux planétaires, personne ne propose sérieusement la privatisation. Le seul remède raisonnable et praticable est une forme de gestion publique mondiale des ressources naturelles mondiales, un ensemble de réglementations planétaires sur les usages et les actes qui provoquent des externalités planétaires. C'est d'ailleurs par la réglementation publique que nous traitons de nombreux problèmes d'externalité négative au niveau national – les cas où les actes d'un individu nuisent à un autre. On n'a pas le droit de brûler des feuilles dans les banlieues américaines parce que les maisons sous le vent devraient subir la fumée. On ne peut pas installer une décharge dans son jardin parce que l'odeur rendrait la vie insupportable au voisin. Des règles strictes restreignent la pollution de l'air et de l'eau, ainsi que les déchets toxiques.

Dans la vie politique des démocraties, on a vu la nécessité d'une action collective. Il y a des perdants et des gagnants : les profits des pollueurs diminuent, mais ceux qui auraient pu avoir un cancer à cause de la pollution s'en trouvent mieux. Malgré l'opposition de ceux qui voient leurs profits se réduire, la plupart des démocraties ont réussi à faire adopter certaines réglementations pour limiter la pollution, car elles ont compris que les bénéfices sociaux qui en résultent dépassent de très loin leurs coûts.

Ceux qui polluent le plus tentent toujours de minimiser le problème. Il n'est pas surprenant que les États-Unis, les pires pollueurs de la planète, qui ajoutent chaque année près de six milliards de tonnes de CO_2 à l'atmosphère, feignent de ne pas croire aux preuves démontrant la nécessité de réduire leurs émissions de gaz à effet de serre. Si ces gaz restaient uniquement au-dessus des États-Unis, ceux-ci pourraient mener leur expérience personnelle ; malheureusement, les molécules de dioxyde de carbone ne respectent pas les frontières[3]. Or, bien que les émissions américaines dégradent l'atmosphère de toute la planète, les États-Unis (ou la Chine, ou tout autre pays) ne sont pas tenus de payer les conséquences hors de leur territoire. Ils n'ont donc pas suffisamment de motivations pour réduire leurs émissions – en diminuant, par exemple, leur consommation de pétrole – et, bien évidemment, ils ne l'ont pas fait.

Si les politiques de réduction de la pollution menées dans les autres pays industriels avancés sont honorables et remarquables, il est difficile d'obtenir des résultats vraiment sérieux sans la participation de l'ensemble des grands pays, y compris les États-Unis et la Chine. La question centrale, que nous allons examiner dans la section suivante, est donc : comment pouvons-nous obtenir la coopération de tous pour résoudre notre problème planétaire le plus urgent ? Je vais montrer que nous pourrions utiliser les forces économiques de la mondialisation pour améliorer l'environnement mondial.

Le réchauffement de la planète

Aucun problème n'est plus mondial que le réchauffement de la planète. Tous les habitants de la Terre partagent la même atmosphère. Sur le réchauffement du climat, sept faits sont pratiquement incontestés :

1. La Terre se réchauffe – elle a gagné environ 0,6 °C au XXe siècle.

2. Même de petits changements de température peuvent avoir de gros effets.

3. Ce taux de réchauffement est sans précédent, même si l'on remonte à plusieurs millions d'années en arrière.

4. Les niveaux des mers et des océans montent – ils l'ont fait de 10 à 20 centimètres au XXe siècle.

5. Même de petits changements dans ces niveaux peuvent avoir de gros effets – une hausse d'un mètre, par exemple, inonderait des basses terres dans le monde entier, de la Floride au Bangladesh.

6. Il y a eu une énorme augmentation des gaz à effet de serre dans notre atmosphère : ils ont atteint un niveau que l'on estime être le plus haut depuis au moins 20 millions d'années et qui augmente au rythme le plus rapide des 20 000 dernières années au moins.

7. Il est possible que la vitesse de variation de la température s'accélère et que de petits accroissements de la concentration

des gaz à effet de serre induisent des changements de climat encore plus prononcés que dans le passé récent[4].

La quasi-totalité des scientifiques s'accordent à dire que les gaz à effet de serre ont contribué au réchauffement de la planète et à la montée des niveaux marins, et ils sont persuadés que ces gaz résultent essentiellement de l'activité humaine (80 % de la combustion des énergies fossiles et 20 % du déboisement). La plupart pensent aussi que le climat va beaucoup se réchauffer – de 1,4 à 5,8 °C à la fin du siècle, avec une nouvelle hausse du niveau de la mer de 80 cm à 1 m. Selon les experts, nous pouvons nous attendre à davantage de sécheresses et d'inondations, de cyclones et d'ouragans, et le climat de l'Europe pourrait changer radicalement en raison d'une altération du Gulf Stream – le courant qui suit la côte est de l'Amérique du Nord et aujourd'hui la réchauffe.

J'ai évoqué au chapitre 2 les grands succès qu'obtient le Bangladesh avec certains de ses programmes de développement. Or une grande partie de ce pays est un delta de très faible altitude, excellent pour la riziculture mais vulnérable même à de petits changements du niveau de l'océan, et souvent dévasté par des tempêtes mortelles et destructrices. Si, à cause du réchauffement de la planète, ces tempêtes s'intensifient, le nombre de morts augmentera considérablement. La montée du niveau de l'océan laissera un tiers du pays – et la moitié des rizières – sous les eaux, et les 145 millions d'habitants du Bangladesh seront encore plus à l'étroit qu'aujourd'hui. Leurs revenus, qui sont déjà à peine supérieurs au seuil de subsistance, tomberont encore plus bas.

Et le Bangladesh ne sera probablement pas le pays le plus durement frappé par le réchauffement de la planète. Les Maldives – petite nation de 330 000 habitants composée de 1 200 îles de l'océan Indien, un paradis tropical – seront, selon des prédictions fiables, entièrement submergées dans cinquante ans à peine, comme beaucoup d'autres îles à faible relief du Pacifique et d'ailleurs. Elles vont simplement disparaître : ce sera notre Atlantide du XXIe siècle.

Le Bangladesh et les Maldives sont aujourd'hui confrontés à un destin infiniment plus dramatique que celui qu'inflige même la pire des guerres. Des forces sur lesquelles ils n'ont aucun contrôle, déchaînées par les actes polluants d'autres pays – actes qui n'étaient pas intentionnellement dirigés contre eux mais dont les effets sont planétaires et destructeurs –, les menacent d'anéantissement.

Si un large consensus scientifique est apparu autour du réchauffement de la planète, il reste encore quelques incertitudes. Il est vrai que les choses ne seront peut-être pas aussi tragiques que le disent les prophètes de malheur d'aujourd'hui. Mais elles pourraient aussi être bien pires. Ce n'est pas différent de la situation où nous nous trouvons presque constamment dans la vie : il nous faut toujours prendre des décisions sur la base d'une information imparfaite. Si, dans cinquante à soixante-dix ans, les calottes glaciaires fondent et si des quartiers de New York et de Londres sont submergés, en même temps que certains pays insulaires dans leur totalité, il sera trop tard pour changer de cap. Même si nous réduisions alors à vive allure nos émissions, la concentration atmosphérique de gaz à effet de serre ne se réduirait que très, très lentement. C'est pourquoi il faut commencer à élaborer une stratégie et à agir immédiatement. Il vaut bien mieux penser ce plan en fonction du pire scénario que de constater plus tard que nous n'en avons pas fait assez.

Lorsque nous nous demandons si le monde est capable de rassembler les énergies et les ressources nécessaires pour faire face à la menace du réchauffement, il faut noter que des mobilisations de ce genre ont déjà réussi. En 1946, en raison d'inquiétudes sur un risque d'extinction des baleines, a été signée la Convention internationale pour la réglementation de la chasse à la baleine. L'accord a tenu en dépit des protestations, et les populations de baleines se sont largement rétablies. Un autre accord a été conclu sur les chlorofluorocarbures (CFC), gaz communément utilisés comme réfrigérants pour les réfrigérateurs et les appareils à air conditionné. On a en effet constaté qu'ils détruisaient la couche d'ozone et permettaient à un rayonnement ultraviolet cancérigène de pénétrer dans l'atmosphère. La réaction de la communauté internationale a été rapide. Moins d'une décennie s'est écoulée entre la découverte du problème et la signature en 1987 du protocole de Montréal. Il a été un succès et l'élimination des CFC a eu lieu plus vite que prévu.

Ces exemples montrent que la communauté internationale a déjà été capable de réagir à certaines menaces contre l'environnement planétaire. Peut-elle riposter au danger gigantesque que constitue le réchauffement de la planète ?

LA CONFÉRENCE DE RIO

Il y a une vingtaine d'années, quand les scientifiques se sont aperçus des changements qui se produisaient dans le climat de la planète, le monde a compris qu'il y avait là un problème potentiel et il a décidé de l'étudier. En 1988, les Nations unies ont créé le Groupe intergouvernemental sur l'évolution du climat (GIEC), en demandant aux principaux experts du monde entier d'évaluer l'échelle du changement climatique et son impact probable[5]. Le GIEC a publié entre 1990 et 2001 trois grands rapports qui concluaient tous qu'effectivement il y avait de plus en plus de preuves des dangers induits par le réchauffement de la planète. Ces preuves ont aussi été analysées dans d'innombrables études par les académies des sciences de tous les pays – dont une effectuée aux États-Unis, après les déclarations dans lesquelles le président George W. Bush avait paru mettre en doute le sérieux de la menace. L'analyse que nous donnons ici reflète ce large consensus sur les conclusions fondamentales.

Les preuves scientifiques s'accumulant, la pression montait sur les politiques. En 1992, plus de 100 chefs d'État se sont réunis à Rio de Janeiro et ont résolu de faire quelque chose pour ce problème. Dans la convention-cadre des Nations unies sur les changements climatiques, ils ont fixé une procédure en vue d'élaborer un traité qui restreindrait les émissions. Ils ne se sont pas mis d'accord sur un objectif de réduction précis, mais se sont engagés à « stabiliser [...] les concentrations de gaz à effet de serre dans l'atmosphère à un niveau qui empêche toute perturbation anthropique dangereuse du système climatique [...] dans un délai suffisant pour que les écosystèmes puissent s'adapter naturellement ». Les États-Unis et 152 autres pays ont signé cet accord, qui est devenu la pierre angulaire de l'effort de la communauté internationale pour répondre à l'une des menaces les plus graves contre notre planète. Il s'en est suivi une série de réunions techniques qui ont abouti à la grande conférence mondiale suivante sur le réchauffement de la planète : celle de Kyoto.

LE PROTOCOLE DE KYOTO

En 1997, plus de 1 500 délégués, lobbyistes et chefs d'État venus d'au moins 150 pays se sont réunis à Kyoto, capitale historique du Japon, en vue de conclure un traité pour réduire les émissions de gaz à effet de serre au niveau mondial. Leur tâche était de concevoir une façon juste et efficace de le faire – en limitant au minimum le coût économique de la réduction des émissions et en le partageant équitablement entre les pays du monde. Le texte qui sortit de cette conférence, le protocole de Kyoto, n'imposait aucune obligation immédiate aux pays en développement, mais appelait chaque pays développé à réduire ses émissions d'un pourcentage précis par rapport à leur niveau de 1990 – l'Europe devait les réduire globalement de 8 %, les États-Unis de 7 %, le Japon de 6 % – à l'horizon 2012[6].

Les pays qui se sont réunis à Kyoto savaient bien que cet accord n'était pas parfaitement juste, mais ils estimaient qu'une justice approximative valait mieux que l'inertie, dont le monde entier souffrirait. Le protocole se montrait parfois sensible à des différences de situation (la Norvège, par exemple, qui produit presque toute son énergie électrique par hydro-électricité, n'a guère de marge pour réduire la pollution : on l'a autorisée à accroître ses émissions de 1 %), mais il demandait à certains pays qui avaient déjà fait des efforts pour se dégager des combustibles fossiles polluants en passant à l'énergie nucléaire, comme la France, de réduire leurs émissions exactement du même pourcentage que ceux qui n'avaient strictement rien fait.

Les pays en développement, dont l'Inde, la Chine et le Brésil, ont adopté la position suivante : la forte accumulation de gaz à effet de serre dans l'atmosphère de la Terre est essentiellement due à l'inconduite passée des pays développés, dont les usines, les voitures et les centrales électriques ont brûlé pendant des décennies des combustibles fossiles. La consommation débridée des pays industriels avancés est largement responsable de l'augmentation d'un tiers des gaz à effet de serre dans l'atmosphère au cours des deux cent cinquante dernières années. Non seulement, soutenaient-ils, il serait injuste de faire payer aux pays en développement les péchés passés du monde développé, mais, puisqu'ils étaient engagés dans une lutte pour se développer et sortir leurs citoyens de la pauvreté, ils devaient être dispensés de toute participation aux coûts économiques de la réduction de la pollution.

Pour renforcer l'efficacité de l'ensemble du système de réduction des émissions, on a introduit un mécanisme commercial. Ce type d'instrument avait déjà été mis en œuvre avec succès aux États-Unis pour réduire les émissions de dioxyde de soufre. Si réduire la pollution revient plus cher à un pays qu'à un autre, celui où le coût est élevé peut acheter à celui où il est faible des crédits de réduction de la pollution. Avec ce « commerce du carbone », l'« excédent de réduction des émissions » de l'un compenserait le déficit de l'autre. Que la pollution puisse s'acheter et se vendre comme toute autre marchandise ne plaisait guère à certains écologistes, mais les économistes soutenaient que c'était nécessaire pour réussir à la réduire efficacement, et ils ont fini par l'emporter. Les économies engendrées par le commerce du carbone sur les coûts potentiels sont énormes – les États-Unis, par exemple, pourraient réduire ainsi de 60 % le prix à payer pour s'acquitter de leurs obligations[7]. Aujourd'hui, ce commerce du carbone fonctionne.

• Les États-Unis et le protocole de Kyoto

Puisque les États-Unis sont la plus grande économie du monde, il n'est pas surprenant qu'ils soient le plus grand pollueur du monde. Plus les économies produisent, plus elles polluent. Mais certaines économies polluent davantage par dollar de PIB – autrement dit, leur façon de produire est plus néfaste à l'environnement que celle des autres pays. Il est fréquent que les pays en développement polluent beaucoup par dollar de PIB, parce qu'ils ont des voitures et des machines anciennes et inefficaces. Parmi les pays développés, les États-Unis sont l'un des pires. En 2003, pour l'efficacité énergétique, ils se situaient à peu près au niveau de l'Uruguay et de Madagascar. La Grande-Bretagne, l'Irlande, le Danemark et la Suisse n'utilisent par dollar de PIB que les deux tiers de l'énergie américaine, et le Japon la moitié[8]. Étant donné le niveau relativement élevé de consommation d'énergie par dollar de PIB aux États-Unis et leur haute compétence technologique, il aurait dû être assez facile pour eux de tenir leurs engagements de Kyoto. Un simple alignement sur le niveau d'efficacité énergétique du Japon aurait réduit les émissions américaines de plus de moitié[9].

Mais les États-Unis ont refusé de jouer le jeu. Avant même qu'ils ne signent le protocole de Kyoto, le Sénat a adopté (sans opposition) la résolution Byrd-Hagel : le Sénat estimait, disait-elle, que les États-Unis ne devaient signer aucun protocole qui ne fixerait pas des objectifs et des calendriers contraignants aux pays en développement comme aux pays industrialisés, ou qui « aurait pour effet de nuire gravement à l'économie des États-Unis ». Devant la ferme opposition du Sénat, l'administration Clinton n'a pas engagé le processus de ratification du protocole de Kyoto et, le 13 mars 2001 – deux mois seulement après son entrée en fonctions –, le président Bush a publié une lettre adressée à quatre sénateurs républicains, dans laquelle il les assurait de son opposition au protocole et revenait sur sa promesse de campagne de réglementer les émissions de CO_2. Néanmoins, le reste du monde est allé de l'avant, et, avec la ratification du protocole par la Russie le 22 octobre 2004, le traité a pu entrer en vigueur. À la date où il a pris effet, le 16 février 2005, 141 pays représentant 55 % des émissions de gaz à effet de serre avaient ratifié le texte.

Mais l'absence des États-Unis va limiter considérablement les progrès de la réduction des gaz à effet de serre. Ils émettent près de 25 % de l'ensemble de ces gaz, et leur État le moins peuplé, le Wyoming, qui n'a que 495 700 habitants, émet plus de CO_2 que 74 pays en développement réunis ayant une population cumulée d'environ 396 millions d'habitants. Les émissions de CO_2 du Texas, avec ses 22 millions d'habitants, excèdent celles de 120 pays en développement réunis dont la population totale dépasse 1,1 milliard d'habitants[10]. L'une des raisons du refus des États-Unis de se conformer au protocole de Kyoto est claire : la lutte contre le réchauffement du climat impose des coûts à des industries influentes – l'automobile, le pétrole et le charbon. De plus, ils auront moins à souffrir du réchauffement de la planète. Des économistes et des hommes d'affaires ont relevé que certaines régions du pays s'en trouveront peut-être mieux, car les périodes de végétation dans les États du Nord seront plus longues. À la réunion de Davos en 2006, les représentants de l'industrie pétrolière ont parlé des nouvelles opportunités qu'est en train d'apporter le réchauffement de la planète. La fonte de la calotte polaire pourrait rendre plus accessible le pétrole qui se trouve sous l'océan Arctique. Certes, le niveau de l'océan va peut-être monter sur la côte est et submerger certaines zones, mais c'est sans comparaison avec les effets dévastateurs qu'aura le réchauffement de la planète sur des pays comme le Bangladesh et les Maldives. L'ouragan Katrina a cependant révélé un vice majeur dans ce calcul égoïste : en raison de l'immense richesse des États-Unis, la valeur des dégâts potentiels, même s'ils sont moins étendus, sera énorme.

L'administration Bush a soutenu que les coûts de la réduction des émissions étaient trop élevés par rapport aux bénéfices. Ce raisonnement a indigné l'opinion presque partout sur la planète : le pays le plus riche du monde prétend ne pas

avoir les moyens de mettre en œuvre une politique environnementale saine, alors que d'autres pays développés parviennent
à réduire leur niveau de pollution à une fraction seulement de
celui des États-Unis, même par dollar de PIB. Le Japon,
l'Allemagne, la France et la Suède émettent leurs gaz à effet
de serre à un rythme inférieur de moitié au moins à celui des
États-Unis, et pourtant leur population mène une existence
confortable et satisfaisante : elle jouit de conditions de vie à
certains égards meilleures qu'aux États-Unis[11].

Que les entreprises refusent de dépenser pour réduire les
émissions est compréhensible, mais qu'on les laisse saboter
les efforts du monde entier pour conjurer le réchauffement de
la planète est inacceptable[12]. Les firmes américaines feraient
mieux de se mettre à l'école de leurs rivales japonaises. Pendant le choc pétrolier des années 1970, où le prix du pétrole a
plus que quadruplé, les Américains se sont mis à acheter des
voitures japonaises parce qu'elles étaient plus économes en
carburant. Detroit, qui continuait à produire des grosses cylin-
drées gloutonnes, ne pouvait pas résister à leur concurrence.
Au lieu de demander à leurs ingénieurs de concevoir une voiture moins vorace en essence, les firmes ont demandé à leurs
avocats et à leurs lobbyistes de faire en sorte que l'État ne les
oblige pas à le faire. Avec la hausse considérable du prix de
l'essence qu'a provoquée la guerre d'Irak (il a augmenté de
114 % de 2002 à 2006), on voit clairement aujourd'hui que
Detroit a parié la maison et a perdu. Ses pertes ont été si énormes
que les obligations des prestigieux bastions du capitalisme américain que sont Ford et General Motors ont été rétrogradées au
rang d'obligations pourries. Ces compagnies ont ignoré le
réchauffement de la planète pour augmenter leurs profits en
vendant davantage de voitures assoiffées d'essence. On savait
que leur stratégie n'était pas morale. Il est apparu – ironie ! –
qu'elle n'était pas non plus rentable.

Même si réduire les émissions impose des coûts importants,
il est évident que le pays le plus riche du monde est le plus à
même de les payer. Au lieu de consentir cet effort, les États-
Unis (à la différence de l'Europe et du Japon) ont trouvé dans

l'exemption pour les pays en développement des contraintes posées à Kyoto un prétexte supplémentaire pour ne rien faire. Les pays en développement font valoir que les émissions de gaz à effet de serre effectuées par les États-Unis au XXᵉ siècle dépassent de 50 % celles de l'ensemble des pays en développement de la planète réunis[13]. Je ne dis pas que les pays du Sud ne doivent pas travailler à réduire leurs émissions de gaz à effet de serre. C'est dans leur intérêt économique : beaucoup font un usage trop dispendieux de l'énergie et, s'ils s'efforçaient de le modérer, leur économie en bénéficierait autant que l'environnement ; beaucoup, dont la Chine, subventionnent massivement l'énergie, ce qui n'a pas de sens dans le monde d'aujourd'hui. Il existe de meilleurs moyens d'encourager l'industrialisation[14]. Mais, si je crois qu'il est dans leur intérêt de le faire – et que chacun a l'obligation morale de protéger ce bien précieux, irremplaçable qu'est notre atmosphère –, je ne pense pas qu'il soit injuste de faire peser le gros du coût de l'ajustement sur le pays le plus riche et le plus pollueur du monde.

Dans cette situation où les États-Unis refusent d'assumer leurs responsabilités morales mondiales, beaucoup d'Américains, dont les membres de l'administration Bush, estiment – ou peut-être simplement espèrent – que, d'une façon ou d'une autre, la technologie les sauvera. L'innovation trouvera moyen d'accroître si massivement l'efficacité énergétique que les émissions diminueront toutes seules ; ou mieux encore : quelqu'un découvrira une nouvelle forme d'énergie, supérieure à celles du charbon, du pétrole ou du gaz. C'est possible ; mais nous ne pouvons pas confier la survie de notre planète à la chance. De plus, la probabilité de ces percées technologiques dépend en partie des incitations. En imposant des limites strictes sur les émissions, le protocole de Kyoto crée les motivations appropriées.

Nous avons vu au chapitre 4 que l'administration Bush, quand elle plaide pour des droits de propriété intellectuelle forts, souligne l'importance des incitations. Lorsqu'il s'agit du réchauffement de la planète, il semble qu'elle les ignore. Elle préconise des réductions volontaires de la consommation d'énergie : chacun doit mieux se conduire, tout simplement. En général, ce n'est pas sur la bonne volonté que nous comptons pour un bon usage des ressources. Quand le gel fait baisser l'offre d'oranges, nous ne disons pas : « S'il vous plaît, réduisez volontairement votre consommation d'oranges », nous comptons sur le mécanisme des prix. Les acheteurs limitent leur usage des ressources parce qu'ils sont incités à le faire à travers ce qu'ils doivent payer pour les consommer. Une atmosphère propre est une ressource comme les autres : polluer a un coût social, et les gens devraient avoir à le payer.

Finalement, en 2006, l'administration Bush a semblé reconnaître que la production du savoir est un bien public, justifiant un soutien de l'État. Elle a consacré un peu d'argent à la recherche d'énergies alternatives pour remplacer les combustibles fossiles, mais son soutien a été très limité. Et il faut que la recherche privée vienne compléter la recherche publique – c'est pourquoi il est si important de « corriger les prix », c'est-à-dire de faire payer aux ménages et aux entreprises les coûts sociaux des émissions.

Faire fonctionner la mondialisation : affronter le réchauffement de la planète

Le réchauffement de la planète est un problème mondial, et pourtant personne ne veut payer pour le résoudre ; chacun veut bénéficier gratuitement des efforts des autres. Mais il est dans l'intérêt de tous que le monde unisse ses forces pour faire quelque chose.

Si nous restons dans le cadre du protocole de Kyoto, il faudra régler trois problèmes pour qu'il fonctionne. D'abord, pour faire entrer les États-Unis dans le jeu, il est clair que l'on devra y intégrer aussi les pays en développement, mais il sera nécessaire de trouver une méthode équitable pour leur fixer des objectifs. Ensuite, si l'on se met d'accord sur un ensemble de cibles, il faudra un moyen de les faire respecter ; sinon, tant que la réduction des émissions aura un coût, on sera tenté de ne pas s'acquitter de ses obligations. Enfin, respecter ses engagements sera beaucoup plus facile si ce coût est faible ; il nous faut donc trouver comment le diminuer.

DES OBJECTIFS D'ÉMISSIONS POUR LES PAYS EN DÉVELOPPEMENT

Les pays en développement n'ont aucune obligation dans le cadre du protocole de Kyoto, mais il est clair que, si le monde veut agir sérieusement contre le réchauffement de la planète, eux aussi devront réduire leurs émissions. C'est tout simple : le principe « *business as usual* » ne fonctionne plus. Un monde où tous les pays pollueraient au rythme actuel des États-Unis – sans parler de celui qu'ils auront dans vingt ans si l'on ne fait rien – est un monde qui écrit le scénario de son propre jugement dernier. Déjà en 2005, les pays en développement ont représenté près de 40 % des émissions mondiales de gaz à effet de serre et, vers 2025, selon les projections actuelles, ils enverront dans l'atmosphère plus de gaz à effet de serre que le monde développé[15]. Bien que leurs émissions par habitant soient très inférieures, leurs revenus et leurs populations augmentent, donc leurs émissions cumulées aussi[16].

Dans le cadre du protocole de Kyoto, chaque pays développé est contraint de réduire ses émissions d'un certain pourcentage, donc il doit y avoir un accord sur l'objectif de chaque pays. Le système actuel est centré sur la réduction des émissions par rapport à l'année 1990. Plus un pays polluait en 1990, plus il a le droit de polluer à l'avenir : les États-Unis polluaient alors davantage, donc, selon ce système, ils devraient avoir le droit de continuer à polluer davantage.

Le principe fondamental du protocole de Kyoto – des objectifs de réduction par rapport aux niveaux de 1990 – n'a aucun sens pour les pays en développement. Selon cette logique, les pays pauvres, qui polluaient peu en 1990, devraient polluer encore moins à l'avenir. Naturellement, ils demandent : « De quel droit les pays développés sont-ils autorisés à polluer plus

que nous, pour la seule raison qu'ils polluaient plus autrefois ? »
Ils raisonnent en sens inverse : puisque les États-Unis ont pollué
davantage dans le passé, c'est à eux de polluer moins à l'avenir.
Au strict minimum, disent-ils, les pays du Sud devraient avoir
le droit d'émettre le même volume par habitant que les États-
Unis. Mais, comme actuellement les émissions par habitant de
ces derniers représentent près de sept fois celles de la Chine
– douze fois celles du monde en développement en général –,
ce type d'accord reviendrait à retarder de nombreuses décennies le moment où les restrictions d'émissions feront peser
une contrainte sur les pays en développement[17]. Même si les
États-Unis maintenaient leurs émissions par habitant au
niveau de 1990 (ce que jusqu'à présent ils n'ont pas fait), la
Chine, à son taux de croissance actuel, mettrait plus de deux
cents ans à les rattraper sur ce plan[18].

Les États-Unis n'ont avancé aucun argument cohérent
capable d'expliquer pourquoi ils auraient le droit de polluer
plus que les autres. Personne n'a vraiment tenté une défense
raisonnée des postulats implicites du protocole de Kyoto. Les
États-Unis pourraient dire que le niveau de pollution autorisé
est à mettre en lien avec la production et que, puisqu'ils produisent davantage, on doit les autoriser à polluer davantage.
Pour que l'approche de Kyoto fonctionne, il faudra trouver un
compromis entre deux types d'objectifs : ceux qui se fondent
sur les émissions par dollar de PIB et ceux qui portent sur les
émissions par habitant. Si la norme est fondée, même en partie, sur les émissions par habitant, les États-Unis devront augmenter leur efficacité énergétique à un rythme infiniment plus
rapide qu'ils ne l'ont fait jusqu'ici. Actuellement, il semble
très peu probable que les États-Unis le fassent volontairement,
donc la méthode des objectifs, à mon avis, devrait vite mener à
une impasse. Les États-Unis restent intransigeants et les pays
en développement ne voient aucune raison valable de sacrifier
leurs revenus et leur croissance pour aider les Américains.
Nous sommes dans une situation bloquée – et pendant ce temps
la pollution planétaire progresse rapidement.

CAROTTES ET BÂTONS : AMÉLIORER LE RESPECT DES RÈGLES

Quels que soient les objectifs fixés, il faudra des incitations – des carottes et des bâtons – pour assurer d'abord l'adhésion au protocole, puis son respect. La dénonciation du protocole de Kyoto par les États-Unis montre que nous avons besoin d'un moyen de pression pour amener les pays à participer. Si la persuasion morale ne fonctionne pas (et elle n'a pas fonctionné), et que nous ne parvenions pas à trouver assez de carottes, il existe quelques bâtons efficaces – et leur efficacité même implique qu'il ne sera peut-être jamais nécessaire de les utiliser. Le cadre existe déjà : ce sont les sanctions commerciales internationales. Le protocole de Montréal relatif à des substances qui appauvrissent la couche d'ozone faisait planer la menace de sanctions commerciales – mais il ne fut jamais besoin d'y avoir recours. Malheureusement, aucune sanction commerciale n'a été prévue par le protocole de Kyoto.

Néanmoins, dans le cadre de l'Organisation mondiale du commerce, nous avons les précédents qu'il nous faut. Lorsque les États-Unis ont entrepris d'obliger la Thaïlande à pêcher les crevettes avec des filets inoffensifs pour les tortues, en menaçant d'interdire l'entrée sur leur territoire des crevettes prises dans les filets de l'ancien modèle (qui tuaient certaines espèces de tortues en péril), l'OMC leur a donné raison. Elle a donc posé le principe selon lequel maintenir l'équilibre environnemental de la planète est assez important pour qu'il soit possible, quand les industries d'exportation d'un pays le compromettent, de suspendre l'accès aux marchés garanti en temps normal par l'OMC à ses membres. Lorsque les États-Unis ont porté plainte dans cette affaire, il semble qu'ils n'en aient pas vu les conséquences à long terme, mais certains membres de l'organe d'appel de l'OMC ont parfaitement mesuré la très grande portée de leur décision. Le précédent qu'ils ont établi dans ce litige pourrait s'appliquer aux entreprises américaines qui polluent l'atmosphère par de fortes émissions de gaz à effet de serre au cours de leur processus de production industrielle.

L'Europe, le Japon et les autres pays qui adhèrent au protocole de Kyoto devraient limiter ou taxer l'importation des marchandises américaines produites d'une façon qui pollue inutilement l'atmosphère. Préserver les tortues en péril est louable, mais préserver l'atmosphère de notre planète est infiniment plus important. Si, comme le soutiennent les États-Unis, la demande de sanctions commerciales est justifiée dans le premier cas, elle l'est *a fortiori* dans le second.

On peut envisager le laisser-aller énergétique des États-Unis sous un autre angle : en étant dispensées de payer les dégâts qu'elles infligent à l'environnement, les entreprises américaines reçoivent en fait une subvention. Or l'un des principaux objectifs de l'OMC consiste à égaliser les conditions du commerce ; les subventions introduisent des distorsions, c'est pourquoi les pays sont autorisés à y réagir par des droits compensateurs ; et ils devraient pouvoir le faire aussi bien pour les subventions cachées (comme ne pas obliger ses entreprises à réparer les dommages qu'elles causent à l'environnement) que pour celles qui sont versées ouvertement.

Il y a plusieurs façons de procéder. Dans le régime actuel de l'OMC, les pays d'Europe et d'ailleurs pourraient imposer des droits compensateurs pour annuler les subventions reçues implicitement par les producteurs américains quand, avec des technologies grandes consommatrices d'énergie, ils dégradent l'environnement mondial sans en payer les coûts. Supposons, par exemple, que l'acier produit par les États-Unis se vende à 500 dollars la tonne, et que le processus de production de sept tonnes d'acier libère dans l'atmosphère deux tonnes de carbone. Une tonne de carbone coûte, disons, 30 dollars (c'est son prix dans le système européen de « commerce du carbone » au début de l'année 2006). Puisque les États-Unis ont rejeté le protocole de Kyoto et que leurs entreprises n'ont aucune obligation de réduire leurs émissions de carbone, elles sont de fait subventionnées à hauteur de 60 dollars la tonne d'acier. Donc, les pays européens et d'autres pays signataires du protocole pourraient lever sur l'acier américain une taxe de 60 dollars la tonne (soit un peu plus de 10 % de son prix). Les produits à forte intensité d'énergie comme l'aluminium subiraient des droits compensateurs plus élevés. Cela inciterait fortement les États-Unis à se rallier au protocole de Kyoto et à réduire leurs émissions. Un large débat sur la possibilité d'imposer ces droits de douane suffirait d'ailleurs peut-être à pousser les États-Unis à l'action[19].

J'ai discuté de cette idée avec de hauts responsables de nombreux pays industriels avancés, bien décidés à faire quelque chose contre le réchauffement de la planète. À la quasi-unanimité, ils ont été d'accord sur l'analyse, mais, à la quasi-unanimité aussi, ils se sont montrés plutôt timorés : certains ont perçu ma proposition comme l'équivalent commercial du déclenchement d'une guerre nucléaire. Ce n'est pas vrai. Cette initiative aurait, bien sûr, de gros effets sur les États-Unis, mais le réchauffement du climat aura un impact encore supérieur sur le globe. Il est juste de demander à chaque pays de payer l'ensemble des coûts sociaux de ses activités de production. Si l'on se conforme à la pratique habituelle, la pression des sanctions commerciales pourrait être progressivement durcie, et il est à peu près certain que, lorsque les États-Unis auront compris les conséquences, ils changeront de politique – comme ils l'ont fait en d'autres occasions où ils se sont trouvés en infraction avec les règles de l'OMC.

L'enjeu est capital. Les États-Unis et les autres pays occidentaux se sont montrés prêts à risquer gros pour empêcher la prolifération des armes nucléaires – dans le cas de la Corée du Nord, ils ont même envisagé la possibilité d'une guerre. La menace que fait peser sur le monde le réchauffement du climat est manifestement assez grave pour justifier que l'on risque le déplaisir d'un État voyou qui paraît prêt à compromettre le bien-être de toute la planète à seule fin de maintenir son mode de vie prodigue en émissions.

L'INITIATIVE DES FORÊTS TROPICALES : AMÉLIORER L'EFFICACITÉ

L'efficacité exige que les concentrations de gaz à effet de serre dans l'atmosphère soient réduites de la façon la moins coûteuse possible. L'attention s'est essentiellement concentrée sur la réduction des émissions. Mais il y a un autre moyen : retirer le gaz carbonique de l'atmosphère et le stocker. C'est ce que font les arbres : dans la photosynthèse, les plantes prélèvent le dioxyde de carbone de l'atmosphère, libèrent l'oxygène et stockent le carbone. Planter des forêts réduit donc la concentration des gaz à effet de serre, et déboiser l'aggrave. La déforestation nuit à l'atmosphère pour deux raisons : premièrement, il y a moins d'arbres pour convertir le CO_2 en oxygène ; deuxièmement, le carbone stocké est libéré dans l'atmosphère quand on brûle le bois. Ces dernières années, environ 20 % de la hausse de concentration des gaz à effet de serre dans l'atmosphère est venue du déboisement. Autrement dit, ses dégâts sont comparables à ceux du plus gros pollueur du monde, les États-Unis.

Mais les 2,7 milliards d'habitants des plus de soixante pays en développement où se trouvent ces forêts tropicales ne sont pas indemnisés pour leurs précieux services environnementaux. Non seulement les forêts tropicales réduisent le niveau de carbone dans l'atmosphère, mais elles contribuent à préserver la biodiversité. Comme nous l'avons vu au chapitre 4, de nombreux médicaments sont issus de cette précieuse ressource. Une indemnisation serait juste, elle aiderait les économies des pays qui ont des forêts tropicales, et de plus elle les inciterait à préserver leurs forêts, ce qui constituerait un énorme bénéfice environnemental pour tout le monde.

Nous pouvons calculer approximativement ce que l'on gagnerait au niveau du carbone en réduisant d'un modeste pourcentage, disons 20 %, le taux annuel de déboisement. Au prix de 30 dollars la tonne de carbone, la valeur annuelle de la déforestation évitée – soit la valeur de l'augmentation du carbone dans l'atmosphère qui aurait été l'effet direct de la coupe de ces arbres – se situe entre 30 et 40 milliards de dollars par an. (Pour donner un point de comparaison, l'ensemble de l'aide étrangère aux pays en développement représente environ 60 milliards de dollars.) De plus, nous l'avons dit, les forêts « nettoient » l'atmosphère du CO_2. Ces « émissions négatives » annuelles des pays à forêts tropicales sont estimées (toujours au prix de 30 dollars la tonne) à environ 100 milliards de dollars par an[20].

Si le protocole de Kyoto a compris le rôle que pouvait jouer la plantation de forêts – les pays reçoivent un « crédit » pour planter des arbres –, il n'a rien prévu contre le déboisement. Grosse erreur, car des pays comme la Papouasie-Nouvelle-Guinée sont doublement gagnants s'ils abattent leurs antiques forêts puis replantent. Ils reçoivent de l'argent à la fois en vendant les arbres coupés et en replantant. Mais cela n'a aucun sens : on devrait inciter les pays à conserver leurs forêts[21].

En principe, il serait relativement simple de le faire dans le cadre du système du « commerce du carbone ». En Europe, les compagnies du secteur de l'énergie sont autorisées à acheter des « compensations de carbone » (qui leur permettent d'émettre davantage de ce gaz qu'elles n'en auraient le droit sans cela) en finançant la plantation d'une forêt (la « séquestration de carbone ») dans un pays en développement. Conduit par la Papouasie-Nouvelle-Guinée et le Costa Rica, un groupe de pays en développement, la Coalition Forêts tropicales, a avancé en janvier 2005 une proposition innovante : ils offrent de respecter des limites sur les gaz à effet de serre, mais demandent en échange le droit de vendre des « compensations de carbone » non seulement pour les plantations de forêts nouvelles mais aussi pour les déboisements évités[22]. Dans le cadre de cette proposition, les pays seraient payés pour ne pas abattre leurs forêts. Si elle est adoptée, elle garantirait le meilleur usage de ces ressources du point de vue de la planète : les garder en tant que forêts et non les couper pour en faire du bois d'œuvre.

Si on ne les indemnise pas pour maintenir en place leurs forêts, les pays en développement n'auront malheureusement ni les moyens ni la motivation pour continuer à conserver ces ressources. Couper les arbres – même s'ils ne reçoivent en réalité qu'un petit pourcentage de la somme finale que la vente de ce bois rapporte, disons, à New York – est la seule façon qu'ont les peuples déshérités de ces pays de joindre les deux bouts. Une bonne partie du bûcheronnage en Indonésie, en Papouasie-Nouvelle-Guinée et dans d'autres pays tropicaux est en fait illégale, ou résulte de contrats obtenus par corruption. Actuellement, ces pays n'ont pas les moyens d'arrêter ces coupes clandestines ; le paiement de « compensations de carbone » leur donnerait une incitation et des ressources financières pour y mettre un terme, et c'est ce que les pays de la Coalition Forêts tropicales se sont engagés à faire.

Certains ont suggéré de reporter cette question à 2012, date à laquelle doit entrer en vigueur une version révisée du protocole. Mais pouvons-nous attendre ? Au rythme actuel du déboisement, la contribution cumulée de la destruction des forêts au Brésil et en Indonésie à la concentration de gaz à effet de serre dans l'atmosphère va annuler, à elle seule, près de 80 % des réductions d'émissions réalisées dans le cadre du protocole de Kyoto. (De plus, certains effets secondaires – la perte de vénérables forêts luxuriantes et de leur biodiversité – risquent d'être irréversibles si nous n'agissons pas vite.) Il est urgent de résoudre le problème immédiatement, de ne plus céder à notre tendance à remettre à plus tard.

Le plus impressionnant dans cette nouvelle initiative sur les forêts tropicales, c'est qu'elle vient des pays en développement eux-mêmes, qui prouvent ainsi leur créativité et leur souci de l'intérêt général. Pour la première fois, des pays en développement semblent disposés à prendre le type d'engagements contractés par l'Europe, le Japon et d'autres pays industriels avancés – mais pas les États-Unis – pour éviter un désastre planétaire.

UN AUTRE CADRE POSSIBLE

Le protocole de Kyoto était l'approche naturelle du réchauffement de la planète. Problème : trop d'émissions ; solution : réduire les émissions. Mais la vie n'est jamais aussi simple et facile. La principale difficulté que pose ce protocole, on l'a vu, c'est qu'il exige de se mettre d'accord sur le volume de réduction des émissions dans chaque pays. Le protocole de Kyoto a été fondé sur deux grands principes : on demanderait à tous les pays développés de faire à peu près les mêmes réductions, et les pays en développement seraient traités différemment (mais la discussion sur le sens exact de cette formule a été remise à plus tard).

Ce fut un succès que le monde ait mis ses querelles de côté pour parvenir à un accord. Ce fut une déception de voir les États-Unis s'en écarter. La dynamique qu'a créée le protocole de Kyoto nous donne une bonne raison de rester dans le cadre de ce système, mais je doute que nous puissions trouver un accord acceptable à la fois pour les États-Unis et pour les pays en développement avec la méthode de Kyoto. Il n'existe aucun ensemble de principes universellement admis pour l'attribution des droits d'usage. Ceux qui ont pollué plus hier doivent-ils avoir le droit de polluer plus demain ? Ou faut-il leur imposer des réductions d'émissions plus sévères pour indemniser le monde de leurs dégâts passés ? Les autorisations seront-elles fixées par habitant ou par dollar de PIB ? Ce problème de répartition est au cœur de l'incapacité de la communauté internationale à faire face au réchauffement de la planète.

Il existe un cadre alternatif pour traiter la réduction des émissions : il recourt plus directement au mécanisme du marché et a donc, peut-être, de meilleures chances de séduire les États-Unis. Toute activité produisant des gaz à effet de serre s'accompagne d'un coût social, que ceux qui mènent cette activité ne paient pas. C'est pourquoi, bien sûr, ils en émettent trop. Solution simple : faisons-leur payer pleinement le coût de ce qu'ils font ; autrement dit, faisons-leur payer leur pollution.

Le moyen serait de faire lever par tous les pays du monde une taxe commune sur les émissions de carbone (c'est-à-dire que l'on taxerait l'externalité des émissions), ou, ce qui revient au même, des taxes sur le pétrole, le charbon et le gaz à des taux proportionnels aux émissions que génère leur combustion. Les entreprises et les ménages réagiraient à cet impôt en réduisant leur consommation, donc leurs émissions. L'impôt serait fixé à un niveau assez élevé pour réussir à réduire les émissions mondiales d'un volume équivalant à celui qui était visé dans la méthode par « objectifs communs » du protocole de Kyoto. Mais le niveau des émissions pourrait très bien être différent d'un pays à l'autre, en fonction de leur situation. Un pays extrêmement chaud, par exemple, utilisera peut-être plus d'énergie pour l'air conditionné qu'un autre où les températures sont plus modérées.

Mais alors, quel est l'avantage de ce système ? Il évite d'avoir à fixer des objectifs nationaux. S'il est si difficile de les fixer, c'est parce que la situation de chaque pays est différente. Les États-Unis peuvent faire valoir qu'avec les plus longues distances à parcourir sur leur territoire et leur PIB plus élevé, on doit les autoriser à polluer davantage. La France peut souligner qu'avec un taux de pollution par habitant qui n'est déjà que le tiers de celui des États-Unis, il n'est pas raisonnable de lui demander de réduire encore plus ses émissions. Les pays en développement peuvent dire qu'avec leur pauvreté et leur course de fond pour rattraper le niveau de vie des pays développés, il leur est difficile de réduire leurs émissions.

Si la mise au point des objectifs de réduction est aussi conflictuelle, c'est parce que autoriser un pays à émettre beaucoup de gaz revient à lui donner de l'argent. L'instauration d'un commerce du carbone a rendu cette réalité plus palpable. Les pays qui ont dépassé l'objectif fixé pour leur réduction d'émissions, je l'ai dit, peuvent vendre leur excédent (le volume de pollution qu'ils n'ont pas créé alors qu'ils avaient le droit de le faire) à ceux qui n'ont pas réussi à atteindre leurs objectifs. Plus l'objectif se situe à un niveau d'émissions élevé (c'est-à-dire plus la réduction demandée est faible), plus le pays aura de droits d'émission à vendre, ou moins il aura à en acheter à d'autres pays s'il doit compenser une insuffisance.

Avec la proposition de taxe commune, tous ces problèmes seraient évités. Chaque pays garderait les recettes de cette taxe, au lieu de devoir donner de l'argent à un autre pays. Réduire la pollution aurait donc un coût relativement faible. Dans son ensemble, le pays pourrait s'en trouver mieux. Il pourrait utiliser les recettes de la taxe sur le carbone pour réduire d'autres impôts, comme ceux qui pèsent sur l'épargne et l'investissement ou sur le travail. Ces réductions d'impôts stimuleraient l'économie, ce qui aurait des avantages bien supérieurs aux coûts de la taxe sur le carbone. Ce serait conforme au principe économique de base selon lequel mieux vaut taxer ce qui est mauvais (comme la pollution) que ce qui est bon (comme l'épargne ou le travail)[23].

Certes, dans presque tous les pays, cette idée ne plaira pas aux industries de l'énergie. Toutes les entreprises préfèrent recevoir une subvention, et leur laisser le droit de polluer sans restriction revient à leur en donner une. Je ne veux surtout pas suggérer qu'il sera facile de l'emporter sur les puissants lobbies des producteurs et consommateurs d'énergie. Peut-être n'y parviendra-t-on que sous la menace de sanctions commerciales telles que celles évoquées plus haut.

UN MOYEN D'AVANCER

Du point de vue économique, la méthode de la taxe commune et celle des objectifs sont toutes deux capables de réaliser les réductions d'émissions nécessaires, et elles peuvent toutes deux le faire efficacement du moment qu'il y a commerce du carbone. Le monde a tant investi dans la concrétisation de l'approche par objectifs qu'il sera évidemment réticent à l'abandonner. Pourtant, il n'y a aujourd'hui pas l'ombre d'une idée sur la façon dont on pourrait fixer des objectifs qui seraient acceptables à la fois pour les États-Unis et pour les pays en développement. Le réchauffement de la planète menace trop gravement le bien-être de l'humanité : nous ne pouvons nous contenter d'ignorer cette crise et de prier pour qu'une solution finisse par surgir.

Il y a une troisième possibilité, qui fait la synthèse des avantages de la taxe commune en matière de répartition et de la vigueur de l'approche par objectifs. Le grand intérêt de la méthode de la taxe commune, c'est qu'elle évite l'épineux problème de la détermination de volumes nationaux pour la réduction des émissions. Ici, chaque pays accepte de mettre en place les incitations fiscales appropriées contre celles-ci, mais garde pour lui les recettes de la taxe. Nous pouvons facilement estimer les réductions d'émissions de CO_2 qui en résulteraient pour chaque pays et, sur la base de ces estimations, lui fixer des objectifs appropriés. Le pays peut, s'il le décide, recourir à l'impôt pour les atteindre. Mais il peut aussi prendre d'autres mesures, comme une intervention directe sur la technologie, en imposant, par exemple, des normes plus exigeantes sur le nombre de litres d'essence aux cent kilomètres.

Tout système – objectifs, taxe ou combinaison des deux – nécessitera une révision périodique. Un jour, la technologie nous permettra peut-être de réduire les émissions plus vite et à meilleur coût que nous ne pouvons le prévoir aujourd'hui ; dans ce cas, nous devrons durcir les objectifs. Une taxe imposée en commun sur les émissions pourrait provoquer plus (ou moins) de réductions que prévu, auquel cas nous pourrions souhaiter diminuer (ou accroître) le taux d'imposition[24]. Le poids de l'ajustement sera probablement limité pour la plupart des pays non producteurs de pétrole ou de gaz, mais il sera peut-être plus lourd dans certains que dans d'autres. Une révision périodique pourrait permettre de déterminer dans quelles conditions certains pays auraient droit à de plus longs délais d'ajustement (de même que certains pays en développement, je l'ai dit au chapitre 3, ont besoin de plus de temps pour s'ajuster à l'ouverture commerciale).

Enfin, quel que soit le système retenu, les objectifs ou la taxe, il faudra des moyens de le faire respecter – y compris des actions judiciaires contre les pays qui ne veulent pas coopérer. Le réchauffement de la planète est trop grave pour que nous comptions sur la bonne volonté des uns et des autres. Si les États-Unis persistent à refuser de réduire leurs émissions, on doit leur imposer des sanctions commerciales. Si on le fait, j'ai bon espoir qu'ils répondront aux incitations économiques ainsi créées. J'espère que ce n'est pas seulement par déformation professionnelle d'économiste.

Faire fonctionner la mondialisation économique ne servira pas à grand-chose si nous ne pouvons résoudre les problèmes de l'environnement planétaire. Notre atmosphère, nos océans sont des ressources mondiales. La mondialisation et ce qu'il est convenu d'appeler le « progrès économique » nous ont permis de les exploiter plus impitoyablement et plus vite, sans développer aussi vivement notre aptitude à les gérer.

Dans son best-seller *Collapse*, Jared Diamond l'explique on ne peut plus clairement. Après avoir rappelé que bien des civilisations ont disparu pour avoir ignoré l'environnement, il poursuit :

> Notre société mondiale est actuellement lancée sur une trajectoire insoutenable. [...] Comme nous allons très vite sur cette trajectoire insoutenable, les problèmes de l'environnement mondial *seront*, d'une façon ou d'une autre, résolus du vivant des enfants et des jeunes adultes d'aujourd'hui. Une seule question se pose : le seront-ils d'une façon agréable que nous aurons choisie ou d'une façon désagréable que nous n'aurons pas choisie, comme la guerre, le génocide, la famine, les épidémies et le naufrage des sociétés ? Si ces sinistres phénomènes ont toujours été endémiques dans l'histoire de l'humanité, leur fréquence augmente avec la dégradation de l'environnement, la pression démographique et leurs effets : la pauvreté et l'instabilité politique[25].

Dans ce chapitre, je lance trois appels. Aux pays en développement, je dis qu'il est dans leur propre intérêt d'agir contre le réchauffement de la planète : c'est parmi eux que se trouvent les pays qui seront le plus durement touchés. Limiter leur consommation d'énergie peut être bon à la fois pour l'environnement et pour leur économie.

Aux États-Unis, je dis qu'ils ont le devoir moral de se joindre au reste du monde pour affronter le problème des gaz à effet de serre. La dévastation que les États-Unis risquent d'infliger à d'autres pays est aussi terrible que n'importe quelle guerre qu'ils pourraient leur faire. Peut-être n'ont-ils pas l'intention de nuire – comme ils ne l'ont pas quand ils subventionnent le coton –, mais leurs actes ont un coût, dont ils doivent accepter la responsabilité. Si, dans leur position de leader mondial, ils esquivent leurs responsabilités, ils ne peuvent pas attendre des autres qu'ils assument les leurs ; et si nous y manquons tous, nous souffrons tous – États-Unis compris. S'ils décident de s'attaquer vigoureusement au réchauffement du climat, certains intérêts américains seront lésés, mais je suis persuadé que le pays dans son ensemble s'en trouvera mieux. Et même si l'opération a un coût pour les États-Unis, ils peuvent le payer. Mieux vaut consentir de petites dépenses aujourd'hui, pour réduire le risque de dépenses d'une tout autre ampleur plus tard.

Enfin, tout en félicitant l'Europe et le Japon d'avoir pris spontanément des engagements pour réduire leurs émissions et de faire de gros efforts pour les respecter (même s'il leur faudra peiner encore plus), je leur dis que ces engagements resteront de simples gestes si l'on ne peut pas amener le reste du monde à les rejoindre. Cela peut impliquer une aide importante aux pays en développement. Cela nécessite aussi d'être dur avec les États-Unis[26]. J'ai soutenu que, pour une simple question d'équité au niveau des échanges commerciaux, il est intolérable qu'un pays subventionne *de facto* les émissions de ses entreprises. La mondialisation a créé une interdépendance croissante entre les pays du monde ; retirer, par des sanctions commerciales, les bénéfices de la mondialisation peut être un moyen efficace de faire assumer leurs responsabilités à ceux qui ravagent l'environnement planétaire. Nous avons créé un droit commercial international conçu pour garantir que le commerce soit juste. Si certains craignaient fort que l'OMC ne fît passer les intérêts du commerce avant ceux de l'environnement, cette organisation a montré qu'elle peut être utilisée pour imposer un meilleur comportement environnemental. Mais l'OMC n'agit pas de son propre chef. Il faut que l'Europe utilise les fondements du droit commercial international que nous avons créé pour obliger tout pays récalcitrant, tout État voyou – États-Unis compris –, à se comporter de façon responsable.

L'Europe doit décider de faire jouer l'énorme puissance que représente la mondialisation économique pour régler les problèmes les plus graves de l'environnement mondial.

Au lendemain du tsunami de Noël 2004, on a beaucoup discuté de l'importance d'avoir un système d'alerte avancée qui permettrait aux gens d'agir pour échapper à la prochaine catastrophe. Nous recevons des signaux d'alerte avancée sur le réchauffement de la planète, très forts, très clairs. Mais il nous reste à réagir.

7

Les multinationales

La gauche (et la gauche pas si à gauche) fustige souvent les grandes entreprises. Des documentaires comme *The Corporation* [L'Entreprise]* et *Wal-Mart : The High Cost of Low Prices* [Wal-Mart : le coût élevé des bas prix]** les présentent comme des entités cupides, sans cœur, qui placent le profit au-dessus de tout. Nombre de leurs méfaits sont tristement célèbres – il y a de quoi – et sont entrés dans la légende : la campagne de Nestlé pour persuader les mères du Tiers Monde d'utiliser son lait en poudre au lieu d'allaiter leurs enfants*** ; la tentative de Bechtel de privatiser l'eau en Bolivie (voir le film *Thirst* [Soif]****) ; le demi-siècle de conspiration des

---

* Documentaire qui se propose d'étudier le comportement psychologique de l'entreprise comme on le fait pour un individu, *The Corporation*, de Jennifer Abbott et Mark Achbar (2004), montre qu'il ressemble parfaitement à celui d'un psychopathe. Michael Moore et Noam Chomsky ont collaboré à ce film.
** Documentaire de Robert Greenwald (2005).
*** C'est en 1974 que ce scandale a été révélé par une ONG britannique, dans une brochure intitulée *The Baby Killer*. L'usage du lait en poudre nécessite de l'eau, qui est souvent polluée. L'adoption d'un code de l'OMS « sur la commercialisation des substituts du lait maternel » en 1981 n'a pas suffi à régler le problème.
**** En avril 2000, la population de Cochabamba s'est révoltée contre de terribles hausses de prix de l'eau, imposées par Bechtel qui venait d'acheter le réseau. Bechtel a dû quitter la Bolivie. *Thirst*, d'Alan Snitow et Deborah Kaufman (2004), évoque cette lutte contre la privatisation de l'eau, ainsi que deux autres, qui se sont déroulées en Californie et en Inde.

fabricants américains de cigarettes pour persuader la population qu'il n'existait aucune preuve scientifique que fumer
nuise à la santé, alors que leurs propres recherches confir-
maient le danger (ce que raconte merveilleusement le film
*Révélations**) ; la mise au point par Monsanto de semences
qui donnent des plantes dont les propres semences sont
impossibles à replanter, ce qui oblige les agriculteurs à en
acheter chaque année de nouvelles** ; la gigantesque marée
noire du *Valdez* et les manœuvres de la compagnie pétrolière
Exxon pour ne pas payer d'indemnités***.

Aux yeux de beaucoup, les multinationales symbolisent ce
qui ne va pas dans la mondialisation ; bien des gens diraient
qu'elles sont une cause première de ses problèmes. Ces
compagnies sont plus riches que la plupart des pays en développement. En 2004, la firme automobile américaine General Motors a engrangé des revenus de 191,4 milliards de
dollars : c'est plus que le PIB de 148 pays, voire davantage.
Dans l'année fiscale qui s'est terminée courant 2005, ceux
du détaillant américain Wal-Mart ont été de 285,2 milliards
de dollars : plus que le PIB de toute l'Afrique subsaharienne. Ces compagnies ne sont pas seulement riches, elles
sont politiquement puissantes. Si les États décident de les
taxer ou de les réglementer d'une façon qui ne leur plaît pas,
elles menacent de s'en aller. Il y aura toujours un autre pays

---

* Le film de Michael Mann *Révélations* [titre original *The Insider*], qui
raconte comment un cadre d'une compagnie de cigarettes révèle le résultat
des recherches internes, est inspiré de l'histoire de Jeffrey Wigand, ex-vice-
président de la recherche-développement du fabricant de cigarettes américain Brown et Williamson. Voir, sur l'ensemble du contexte, le livre très
instructif du professeur Gérard Dubois, *Le Rideau de fumée. Les méthodes
secrètes de l'industrie du tabac*, Paris, Seuil, 2003.
** Il s'agit des célèbres semences stériles surnommées « Termina-
tor ». Une campagne internationale exige leur interdiction.
*** Le 24 mars 1989, l'*Exxon Valdez* s'échoue sur un récif dans le détroit
du Prince-William (Alaska), ce qui endommage onze de ses treize citernes :
38 500 tonnes de pétrole brut sont déversées dans l'océan, constituant des
nappes sur 7 000 kilomètres carrés et polluant 800 kilomètres de côte.

qui accueillera à bras ouverts leurs impôts, leurs emplois et leurs investissements.

L'objectif des entreprises est le profit : gagner de l'argent est leur grande priorité. La clé de leur survie, c'est de réduire les coûts par tous les moyens possibles dans les limites de la légalité. Quand elles le peuvent, elles évitent de payer des impôts ; certaines lésinent sur l'assurance maladie de leur personnel ; beaucoup tentent de limiter les dépenses de nettoyage pour la pollution qu'elles créent. Souvent, dans les pays où elles opèrent, c'est l'État qui paie la facture.

Néanmoins, les entreprises ont été au cœur de l'effort pour apporter aux pays en développement les bénéfices de la mondialisation, en contribuant à relever le niveau de vie sur une grande partie de la planète. Ce sont elles qui ont permis aux produits des pays en développement d'arriver sur les marchés des pays industriels avancés ; l'aptitude des entreprises modernes à informer presque instantanément les producteurs de ce que veulent les consommateurs internationaux a rendu un immense service aux premiers comme aux seconds. Elles ont été les agents des transferts de technologies des pays industriels avancés aux pays en développement, elles les ont aidés à combler l'écart du savoir. Les 200 milliards de dollars annuels d'investissement direct étranger qu'elles ont canalisés vers ces pays ont réduit l'écart des moyens financiers[1]. Elles ont apporté au monde en développement des emplois et de la croissance, et au monde développé des produits bon marché de qualité toujours meilleure, ce qui, en réduisant le coût de la vie, a contribué à une ère d'inflation faible et de taux d'intérêt peu élevés.

Puisque les entreprises sont au cœur de la mondialisation, on peut, globalement, les blâmer de ses maux comme les féliciter de ses succès. Or nous ne nous demandons pas si la mondialisation est bonne ou mauvaise en soi, nous cherchons comment la restructurer pour qu'elle fonctionne mieux. Le problème des entreprises se pose donc dans les mêmes termes : que pouvons-nous faire pour minimiser leurs dégâts et maximiser leur contribution nette à la société ?

Avant de répondre à cette question, je voudrais écarter une accusation qui, sans être totalement injuste, l'est tout de même en grande partie : on reproche souvent aux entreprises un matérialisme qui est en fait endémique dans les sociétés développées. Pour l'essentiel, les firmes ne font que répondre à ce que demandent les gens. Par exemple, ils ont besoin de se déplacer, et c'est plus facile en voiture ou à moto. Si les voitures et les motos sont plus grandes ou plus luxueuses que nécessaire, c'est essentiellement parce que les consommateurs préfèrent les plus grandes ou les plus luxueuses et les achètent. Cela dit, il faut aussi reconnaître que les entreprises œuvrent souvent à orienter les désirs dans le sens le plus favorable à leurs profits, et que certains au moins de ces excès matérialistes peuvent s'expliquer par leurs efforts. Si la publicité ne stimulait pas les désirs, elles ne lui consacreraient pas des milliards de dollars par an[2]. Les firmes de l'alimentaire apprennent aux enfants à vouloir des céréales sucrées qui sont mauvaises pour leurs dents. Celles de l'automobile mènent campagne contre le transport public – et parfois réussissent réellement à l'éliminer –, sans se soucier des effets sur l'environnement. Los Angeles avait le plus grand réseau de tramways du monde (1 700 kilomètres de rails) jusqu'au jour où un groupe dirigé par General Motors l'a racheté pour le démanteler et le remplacer par ses propres autobus[3].

Un ou deux cas d'entreprises qui se conduisent mal, cela pourrait passer, mais il est clair que les problèmes sont systémiques. Et, chaque fois qu'il y a des problèmes systémiques, les économistes leur cherchent des causes systémiques. La première est évidente : les entreprises ont pour objectif de gagner de l'argent et non de faire la charité. C'est ce qui fait leur force et leur faiblesse. L'argent est une motivation puissante et le désir d'en gagner peut apporter de gros avantages à chacun. Quand tout se passe bien, les firmes internationales peuvent mobiliser d'énormes ressources, diffuser les technologies les plus avancées et accroître les marchés de façon exponentielle. Mais, trop souvent, elles sont encouragées à faire les mauvais choix. Il faut réorienter les incitations des entreprises. Ce sera absolument nécessaire pour que la mondialisation fonctionne.

Là encore, l'éminent économiste du XVIIIᵉ siècle Adam Smith a souvent été mal compris. Il a soutenu qu'en œuvrant pour leurs intérêts personnels les particuliers serviraient les intérêts généraux de la société ; que les incitations les poussant à surpasser leurs rivaux les conduiraient à baisser les prix et à produire ce que souhaitaient les consommateurs, deux évolutions bénéfiques pour ceux-ci et pour la société en général. Dans la science économique smithienne, la morale ne jouait aucun rôle (même si Smith se souciait lui-même intensément des problèmes moraux, comme le prouve *Théorie des sentiments moraux*, le livre qu'il a écrit avant *La Richesse des nations*). Les particuliers n'avaient pas besoin de penser au bien et au mal, ils devaient seulement voir leur intérêt. Ce faisant, ils allaient promouvoir le bien-être général : c'était le miracle de l'économie de marché. En vertu de cette logique, de nombreux économistes estiment que la responsabilité première des entreprises (certains disent : la seule) est de servir leurs actionnaires. Elles doivent tout faire pour maximiser le cours de l'action ou les profits. Dans cette extension de l'économie smithienne, la morale, si elle intervient, prend la forme d'une injonction aux entreprises de donner le pas aux intérêts des actionnaires sur toute autre considération – en fait, de ne penser *qu'*aux actionnaires.

Parfois, les marchés fonctionnent effectivement comme l'avait prévu Adam Smith : la montée des niveaux de vie depuis deux siècles atteste, en partie, la valeur de ses analyses. Mais même Adam Smith comprenait que, dans une économie de marché totalement libre, les incitations privées, souvent, ne sont pas alignées sur les coûts et bénéfices sociaux – et que, dans ce cas de figure, la recherche de l'intérêt personnel n'aura pas pour résultat le bien-être de la société. Les économistes modernes appellent ces alignements défectueux des « échecs du marché ». Il y a échec du marché chaque fois qu'il y a des externalités, des effets de l'action d'un individu ou d'une firme dont ceux-ci ne paient pas les coûts ou ne reçoivent pas les bénéfices. Laissés à eux-mêmes, les marchés sous-produisent certaines choses, comme la recherche, et en surproduisent d'autres, comme la pollution[4].

La pratique des pouvoirs publics et la théorie économique des cent dernières années se sont en grande partie donné pour but de repérer les principaux échecs du marché et de trouver les moyens les plus efficaces et les moins coûteux de les corriger, par exemple par des réglementations, des taxes, des dépenses publiques. La science économique moderne a montré, dans le même esprit, que, si les entreprises optimisent de manière obsessionnelle leurs profits, le bien-être social n'en est pas maximisé pour autant. Pour que l'économie soit efficace, elles doivent impérativement prendre en compte l'impact de leurs actes sur leurs salariés, sur l'environnement et sur les collectivités où elles opèrent.

L'environnement est un cas évident où les coûts privés et sociaux peuvent diverger, avec des conséquences épouvantables. Cela revient plus cher de raffiner le pétrole ou de produire l'électricité par des méthodes qui ne polluent pas l'air. Cela revient plus cher de se débarrasser des déchets ou de faire fonctionner une mine par des méthodes qui ne polluent pas l'eau. Ces pollutions sont des coûts environnementaux réels pour la société, mais – du moins avant l'instauration de réglementations publiques fortes – elles n'étaient pas des coûts pour les entreprises concernées. Sans réglementation publique et sans pressions de la société civile, les entreprises n'ont aucune incitation à protéger suffisamment l'environnement. Elles sont plutôt incitées à le ravager, si cela leur fait faire des économies.

Les pots-de-vin, la corruption représentent un autre domaine où intérêts sociaux et privés sont en conflit. Les compagnies minières et pétrolières peuvent souvent réduire le coût d'acquisition des ressources naturelles en achetant des responsables publics pour obtenir des concessions. Il est bien moins coûteux de donner une grosse somme à une haute personnalité que de payer au prix du marché le pétrole ou une autre ressource naturelle. En pratique, dans de nombreuses branches, des entreprises paient des pots-de-vin pour obtenir toutes sortes de faveurs : par exemple qu'on les protège de la concurrence extérieure, ce qui leur permet d'augmenter leurs prix, ou qu'on ferme les yeux quand elles violent les normes de sécurité ou de protection de l'environnement. Du point de vue amoral de l'entreprise moderne, si elles peuvent s'en tirer ainsi sans problème – si le retour attendu est supérieur au risque et au coût d'être découvertes –, alors elles auraient pratiquement le devoir de corrompre, si ce n'était pas illégal, puisque cela augmenterait leurs profits et le retour aux actionnaires.

Dans des économies complexes comme celle des États-Unis, la corruption directe a été largement remplacée par les contributions aux campagnes politiques, et le retour risque de ne pas être un simple contrat surfacturé pour la construction d'une route, mais un changement de politique qui, par ses ramifications, coûtera infiniment plus à la société[5]. Quarante et une compagnies (dont General Electric, Microsoft et Disney), qui ont investi – « donné en contributions » – 150 millions de dollars dans les partis politiques et les campagnes électorales de niveau fédéral aux États-Unis entre 1991 et 2001, ont profité de 55 milliards de dollars de réductions d'impôts en trois années fiscales seulement[6]. Les firmes pharmaceutiques ont dépensé 759 millions de dollars pour influencer 1 400 lois du Congrès entre 1998 et 2004 ; elles sont les championnes du lobbyisme, tant pour l'effort financier que pour le nombre de lobbyistes employés (3 000). Leurs succès sont à la hauteur de leurs investissements : le gouvernement américain, nous l'avons vu au chapitre 4, a accordé la plus haute priorité à leurs intérêts dans les négociations commerciales internationales, et, dans le cadre de la nouvelle prestation « médicaments » de Medicare*, l'État a interdiction de

---

* L'une des lacunes de Medicare, l'assurance maladie publique qui couvre tous les Américains de plus de 65 ans sans distinction de revenus, était qu'elle ne remboursait pas les médicaments. Ce n'est plus le cas : une nouvelle prestation à cet effet est entrée en vigueur à l'automne 2005. Mais, contrairement à la pratique courante dans de nombreux pays, l'État ne pourra pas négocier des prix plus raisonnables avec les compagnies.

négocier une baisse de prix – cet article de loi vaut à lui seul des milliards de dollars[7]. Les « Cinq Grandes » de la comptabilité américaine ont contribué à hauteur de 29 millions de dollars aux campagnes de candidats et partis au niveau fédéral entre 1989 et 2001, entre autres pour se mettre à l'abri de toute menace de réglementation. Cela a marché – du moins jusqu'au jour où le scandale Enron-Arthur Andersen a montré pourquoi il est si nécessaire de les réglementer[*].

Pour donner un dernier exemple de l'impact social des entreprises d'envergure mondiale sur les pays en développement, considérons leur influence sur les collectivités locales. Des géants comme Wal-Mart n'ont pas pour intention de fragiliser les villes où ils ouvrent leurs points de vente. Ils veulent seulement y apporter des produits à meilleur prix – et ce sont ces prix qui leur ont valu un tel succès. Mais quand ils acculent les petits commerces à la fermeture, ils peuvent vider la ville de sa substance : les petits commerçants constituent souvent la colonne vertébrale d'une localité et c'est cette colonne vertébrale que Wal-Mart casse en écrasant ses concurrents. Quelques dons à des organisations charitables locales ne sauraient compenser cette perte. Le chapitre 2 a souligné l'importance du rôle des collectivités dans le succès du développement. En les affaiblissant, les entreprises peuvent, à long terme, affaiblir aussi le développement[8].

Une partie du succès de Wal-Mart repose sur une efficacité supérieure (une meilleure gestion des stocks et une meilleure logistique), mais l'essentiel se fonde sur son pouvoir de marché, c'est-à-dire sa capacité à pressurer ses fournisseurs et ses salariés. À cause de son refus absolu de tout syndicalisme, son personnel est souvent mal payé. Cette situation oblige les concurrents de Wal-Mart à maintenir eux aussi les salaires à bas niveau : ses salariés ne sont donc pas les seuls touchés. La moitié seulement de ses 1,4 million d'employés sont couverts

---

[*] Sur le scandale Enron-Arthur Andersen, voir par exemple May Piaget et Claude Baumann, *La Chute de l'empire Andersen*, Paris, Dunod, 2003.

par un programme d'assurance maladie. La caisse publique de l'État de Géorgie qui couvre les enfants non assurés a constaté que, sur les 166 000 enfants dont elle s'occupe, plus de 10 000 ont un parent qui travaille pour Wal-Mart : aucun autre employeur n'atteint ce chiffre. Le programme d'assurance maladie de l'entreprise ne couvre pas les soins préventifs – les vaccinations des enfants, le vaccin antigrippal, les examens de la vue. Les contribuables paient donc des coûts qui, ailleurs, sont à la charge des employeurs[9].

Des stratégies d'affaires imposant à la société des coûts qui ne sont pas supportés par la firme, on en trouve dans des entreprises de toutes les catégories : multinationales et nationales, grandes et petites. Mais, pour plusieurs raisons, les grandes multinationales posent des problèmes plus graves – des problèmes qu'Adam Smith, qui écrivait il y a plus de deux cents ans, ne pouvait pleinement prévoir. De son temps, les entreprises étaient relativement petites, et ordinairement gérées par des individus pouvant être tenus pour responsables de tous les dégâts qu'elles causaient. Celles d'aujourd'hui sont de vastes firmes qui emploient parfois des dizaines de milliers de personnes. Ce sont des individus en leur sein qui décident de ce qu'elles font, mais souvent il n'est pas facile de leur faire porter la responsabilité des conséquences de leurs décisions. Certes, quand elles sont bonnes, ils reçoivent rarement la valeur totale des profits supplémentaires, mais il est encore plus rare que, lorsqu'elles sont mauvaises, ils paient l'ensemble des coûts sociaux[10].

Il n'est que trop facile à des dirigeants d'entreprise de se cacher sous le voile de la société anonyme. Même en ayant admis qu'il avait bu avant de monter à bord du navire, Joseph Hazelwood, le capitaine de l'*Exxon Valdez*, le bâtiment responsable de la marée noire de 1989 – dont les dégâts sur l'environnement se chiffrent en milliards –, n'a reçu qu'une tape sur les doigts : une amende de 51 000 dollars et 1 000 heures à ramasser les détritus le long des autoroutes de la région d'Anchorage. Le gouvernement indien a tenté de poursuivre les cadres d'Union Carbide pour les milliers de morts de Bhopal, où une usine chimique a laissé échapper du gaz toxique en 1984[*]. Mais Union Carbide était une firme américaine et les États-Unis ont refusé de coopérer. Les plaintes déposées contre ses responsables, dont son P-DG Warren Anderson, ont été examinées par un tribunal indien en 1991. Comme les intéressés ne se sont pas présentés pour répondre de leurs actes, l'Inde a exigé leur extradition. Finalement, en septembre 2004, le département d'État a rejeté les demandes d'extradition sans explication.

Il y a des exceptions, mais elles sont rares. L'ex-P-DG de WorldCom, Bernard Ebbers, a été déclaré responsable de l'escroquerie de 11 milliards de dollars qui a déclenché la plus grande banqueroute de l'histoire des États-Unis[**] – trop d'Américains y avaient trop perdu pour qu'on le laisse sortir libre du tribunal. Il a été condamné à vingt-cinq ans de prison, la peine la plus longue jamais infligée à un P-DG jugé pour criminalité d'affaires alors qu'il dirigeait l'une des 500 premières compagnies américaines listées par *Fortune*.

Pour aggraver les choses, il y a la responsabilité limitée, qui est une caractéristique essentielle des entreprises. C'est une innovation juridique importante : sans elle, il est pratiquement certain que le capitalisme moderne n'aurait pas pu se développer. Ceux qui investissent dans des sociétés à responsabilité limitée ne risquent que le montant de leur investissement et pas plus. C'est tout à fait différent des partenariats, où tous les partenaires sont conjointement responsables des actes de chacun. Si l'un d'eux commet une erreur très grave – disons, dans le cas d'un cabinet d'experts-comptables, s'il certifie les

---

[*] La catastrophe de Bhopal, capitale de l'État indien du Madhya Pradesh, a eu lieu dans la nuit du 2 au 3 décembre 1984. Un nuage de gaz extrêmement toxique, l'isocyanate de méthyle, s'est échappé d'un réservoir de l'usine d'Union Carbide India Limited : de l'eau a pénétré dans un réservoir et provoqué une réaction chimique ; les systèmes de sécurité n'ont pas fonctionné.

[**] Sur les différents aspects du scandale Ebbers-WorldCom, voir J. E. Stiglitz, *Quand le capitalisme perd la tête*, Paris, Fayard, 2003, p. 215 *sq.*

livres de comptes d'une société alors qu'il n'aurait pas dû (ce qu'a fait Arthur Andersen dans le cas Enron) –, tous, en principe, peuvent être poursuivis et perdre non seulement leur investissement dans le partenariat mais aussi leur maison, leur voiture et leurs économies, ce qui pourra les contraindre à se déclarer en faillite personnelle. L'avantage théorique du partenariat à responsabilité illimitée est que chaque partenaire a une incitation puissante à surveiller les autres, et que les clients, qui le savent, ont plus confiance. Mais, quand il y a des centaines de partenaires, ils ne sont plus capables de se surveiller mutuellement et les inconvénients du partenariat l'emportent sur ses avantages. D'ailleurs, de nombreux cabinets comptables traditionnellement organisés sous cette forme se sont restructurés : ils ont opté pour le « partenariat à responsabilité limitée », afin d'associer les avantages fiscaux que donne le premier à la protection qu'assure la seconde.

La responsabilité limitée a un avantage majeur : elle permet d'emprunter des capitaux en quantité gigantesque, puisque chaque investisseur sait qu'au pire il ne perdra pas plus que son investissement. Mais elle peut avoir un coût très lourd pour la société. Une compagnie minière peut extraire de l'or, rapporter d'énormes profits à ses actionnaires, et laisser derrière elle des résidus toxiques de déchets gorgés d'arsenic. Tant du point de vue social que financier, le coût du nettoyage de ce chaos peut dépasser la valeur de l'or extrait de la mine, mais, quand le problème est constaté et que l'État exige une remise en état, la compagnie minière se déclare en faillite et laisse le problème aux pouvoirs publics. La population souffre alors doublement : de la dégradation de l'environnement et du coût du nettoyage.

Elle est longue, la liste des compagnies qui ont infligé – en particulier aux pays en développement – de coûteux dégâts pour lesquels elles n'ont rien payé, ou seulement une petite partie de ce qu'elles auraient dû. Le désastre de l'usine Union Carbide à Bhopal est probablement l'exemple le plus spectaculaire : plus de 20 000 morts, et près de 100 000 personnes atteintes à vie dans leur santé, par des affections respiratoires,

oculaires, neurologiques, neuromusculaires, et l'affaiblissement de leur système immunitaire[11]. Le nombre total de victimes a été encore plus élevé. Ceux qui recevront finalement
des indemnités, en comptant les personnes à charge, devraient
être environ 600 000. L'écart entre ces terribles dommages et
la somme que la compagnie a été forcée de payer – on
l'estime à 500 dollars par personne – est également immense,
quel que soit le mode de calcul. Depuis, Dow Chemical a
racheté l'usine de Bhopal, en reprenant tous les actifs d'Union
Carbide mais en n'assumant aucune de ses dettes.

En Papouasie-Nouvelle-Guinée, une grande mine d'or et de
cuivre, Ok Tedi, a déversé 80 000 tonnes de matériaux conta-
minés dans les fleuves Ok Tedi et Fly : elle l'a fait jour après
jour pendant une douzaine d'années, en extrayant 6 milliards de
dollars de minerai. Une fois la mine épuisée, ses propriétaires,
en majorité australiens, ont reconnu qu'ils avaient considérablement sous-estimé son impact sur l'environnement, sur quoi ils
sont partis, en remettant leurs actions à l'État – qui, déjà étran-
glé financièrement, doit donc payer le nettoyage. Si son coût
définitif reste difficile à évaluer, il est clair qu'il sera gigantesque, et que c'est la population de Papouasie-Nouvelle-
Guinée qui devra le supporter.

Les incitations sont mal alignées quand une firme ne supporte pas ces coûts « d'aval » ; et c'est l'effet de la responsabilité limitée. Ajoutons l'envergure des multinationales par
rapport aux pays en développement où elles opèrent, ainsi que la
pauvreté de ces pays, et nous voyons se dessiner un ensemble de
scénarios possibles où ce mauvais alignement peut conduire
– et a déjà conduit – à quantité de problèmes graves. Les pays
en développement ont besoin des emplois qu'apportent les
entreprises, même si l'environnement, ou la santé des salariés,
en pâtit. Les compagnies minières et pétrolières exploitent ce
déséquilibre des forces.

En Thaïlande et au Pérou, des firmes ont menacé de partir
si on leur imposait des réglementations environnementales. Au
Pérou, une compagnie minière est allée jusqu'à faire pression
sur l'État pour que les enfants qui vivaient près des mines ne

soient soumis à aucun examen médical visant à déterminer s'ils avaient été exposés à des risques sanitaires. À un moment, la Papouasie-Nouvelle-Guinée a promulgué une loi déclarant illégale toute poursuite judiciaire contre les compagnies minières internationales hors du pays, même pour faire respecter des droits touchant à la santé, à l'environnement ou d'ordre judiciaire : on craignait que ces procès ne découragent l'investissement dans le pays. Sur un marché parfaitement concurrentiel, la menace de se retirer d'un pays ne poserait aucun problème : si une firme minière partait, d'autres arriveraient. Mais il y a d'importantes barrières à l'entrée : créer une mine peut coûter plus d'un milliard de dollars et les risques sont nombreux. Si une compagnie s'en va, il n'est pas sûr qu'une autre viendra la remplacer – ou, s'il y en a une, elle pourrait exiger des conditions encore plus défavorables au pays.

La mondialisation a aggravé les problèmes créés par le mauvais alignement des incitations dans les entreprises modernes. La concurrence entre pays en développement pour attirer les investissements peut provoquer une surenchère vers le bas, puisque les firmes cherchent le territoire qui aura la législation sur le travail et l'environnement la moins rigoureuse.

Comme l'illustre l'exemple de Bhopal, avec la possibilité d'aller se cacher derrière ses frontières, il est encore plus difficile de demander des comptes aux entreprises et à leurs dirigeants. De plus, les actifs passent si rapidement d'un pays à l'autre que, même si une sanction pécuniaire était prononcée contre une firme dans un pays, il serait peut-être impossible de lui faire payer l'amende.

Dans leur pays, où les entreprises font partie intégrante du tissu social, les individus qui les dirigent assument souvent une certaine responsabilité morale de leurs actes. Ils font ce qu'il faut même s'ils n'y sont pas obligés par des lois, des réglementations ou la menace d'un procès, et même si cela réduit un peu leurs profits immédiats. Mais quand les multinationales opèrent à l'étranger, cette responsabilité morale faiblit. De nombreux directeurs d'entreprise n'envisageraient pas une minute de traiter leur personnel ou l'environnement dans leur pays comme ils le font quotidiennement ailleurs. Peut-être se disent-ils qu'à l'étranger les réglementations sont laxistes, que les salariés ont déjà de la chance d'avoir un emploi, ou que, globalement, le pays bénéficie de leur investissement. Ravager l'environnement ou ignorer les normes fondamentales en matière de conditions de travail est plus simple à des milliers de kilomètres du siège social, et, comme la population locale est pauvre, il est facile de considérer que la vie et la terre valent moins là-bas que dans son propre pays. Les cadres de Dow Chemical et d'Union Carbide ont peut-être vraiment l'impression que 500 dollars suffisent amplement à indemniser un décès ou une vie mutilée à Bhopal. Après tout, avec tant de pauvreté et de mort dans les pays en développement, des observateurs extérieurs peuvent penser que la vie n'y a guère de valeur ; et les comptables relèvent que l'espérance de vie est plus courte en Inde qu'aux États-Unis, et que les revenus ne représentent qu'une petite fraction des revenus américains.

Les entreprises affirment souvent que ce n'est pas à elles mais à l'État qu'incombe la responsabilité d'aligner intérêts privés et intérêts publics – par exemple en instaurant des réglementations limitant la pollution. Mais elles se dédouanent ainsi à bon compte, puisqu'elles oublient de dire qu'elles consacrent constamment de l'argent à obtenir des lois et réglementations qui leur garantissent la liberté de polluer à volonté – ce qui assure un mauvais alignement des intérêts sociaux et privés[12]. La politique est une composante des stratégies d'entreprise. Les grandes firmes mènent une campagne vigoureuse contre les normes environnementales qui réduisent leurs profits, et, souvent, ces investissements politiques leur rapportent davantage que tous les autres.

Si l'argent parle haut dans tous les pays, c'est particulièrement vrai dans les pays en développement. Puisque beaucoup de grandes firmes ont plus de moyens financiers que l'État, il n'est pas surprenant que leurs efforts pour s'assurer un environnement réglementaire favorable soient, dans ces pays, souvent couronnés de succès. Il est malheureusement trop facile à des pays désespérément pauvres – en particulier quand les gouvernements n'ont pas à rendre de comptes démocratiquement – de succomber aux séductions des entreprises.

Pis encore : les multinationales ont appris qu'elles peuvent exercer une influence plus forte sur la conception des accords internationaux que sur celle des politiques nationales. Dans les démocraties occidentales, un effort a été mené pour tempérer les pires abus de l'économie de marché, et, de plus en plus, les firmes ont été soumises à des réglementations environnementales. Mais le secret qui entoure les négociations commerciales offre aux entreprises qui le souhaitent un moyen efficace de contourner le processus démocratique pour obtenir des lois et des règlements à leur goût. Par exemple, dissimulé dans le chapitre 11 de l'accord de l'ALENA – chapitre visant à protéger les investisseurs américains d'une éventuelle expropriation –, un article stipule que les investisseurs américains au Mexique peuvent se faire indemniser de toute dévalorisation de leur avoir résultant d'une réglementation. On leur donne même le droit de porter plainte devant des tribunaux spéciaux, et les dommages et intérêts sont prélevés directement sur le Trésor mexicain, même quand les pertes subies sont l'effet de réglementations locales légitimes. À cette date, les demandes de dommages et intérêts liées aux plaintes en cours dépassent 13 milliards de dollars. L'article s'applique aussi aux investisseurs étrangers aux États-Unis – il leur assure une protection que les tribunaux et le Congrès ont plusieurs fois expressément refusée aux investisseurs américains[13]. Ainsi, par le biais des accords de commerce, les incitations sociales et privées sont désormais encore plus discordantes.

Faire fonctionner la mondialisation

Il est facile de comprendre pourquoi les multinationales ont joué un rôle aussi crucial dans la mondialisation. Seules des organisations géantes peuvent s'étendre sur toute la planète et réaliser la jonction entre les marchés, la technologie, les capitaux du monde développé et les capacités de production des pays en développement. Mais comment faire pour que ces pays reçoivent une plus large part des bénéfices – et paient une moindre part des coûts ? C'est toute la question. Je vais exposer ici une stratégie fondée sur cinq angles d'attaque : si elle n'élimine pas toute possibilité d'abus de la part des entreprises, elle pourra à mon avis les réduire. La plupart de ces réformes visent, au fond, un objectif simple : aligner les incitations privées sur les coûts et les bénéfices sociaux.

LA RESPONSABILITÉ SOCIALE DES ENTREPRISES

Si de nombreuses entreprises, notamment aux États-Unis, soutiennent toujours que leur seul devoir est de servir leurs actionnaires, beaucoup d'autres admettent que leurs responsabilités ne s'arrêtent pas là. En partie dans leur propre intérêt : une bonne conduite peut favoriser les affaires, une mauvaise entraîner des procès coûteux. Nuire à l'image de l'entreprise, aussi : la publicité négative qui a entouré Nike, la firme américaine de la chaussure, quand on a appris comment ses fournisseurs au Vietnam traitaient les salariés locaux[*], ou la fureur, après le meurtre de Ken Saro-Wiwa au Nigeria[**], contre la compagnie pétrolière anglo-néerlandaise Shell, accusée de soutenir la junte militaire qui l'avait assassiné, ont été des sonnettes d'alarme. Les chefs d'entreprise ont compris qu'ils pouvaient être tenus pour responsables de problèmes survenus à des milliers de kilomètres de leur siège social. Ce

---

[*] Des fournisseurs coréens de Nike installés au Vietnam ont exposé leur personnel à des produits cancérigènes, lui ont imposé de très longs horaires de travail, etc. Un rapport interne réalisé par la firme Ernst & Young à l'usage exclusif de Nike révélant ces faits est parvenu par une fuite au *New York Times* qui a rendu l'affaire publique en novembre 1997.

[**] L'écrivain nigérian Ken Saro-Wiwa, fondateur du Mouvement pour la survie du peuple Ogoni, luttait contre les multinationales du pétrole et notamment Shell, principal responsable à ses yeux de la destruction écologique du pays Ogoni. Il a été pendu à Port Harcourt le 10 novembre 1995, à la suite d'un procès injuste où il était faussement accusé de meurtre.

type d'événements a inspiré à un certain nombre de firmes des initiatives volontaires pour améliorer le sort de leurs salariés et des collectivités où elles opèrent.

Si de plus en plus d'entreprises considèrent la RSE (responsabilité sociale des entreprises) comme une composante des bonnes pratiques d'affaires (et certaines études suggèrent que les firmes socialement responsables ont eu de meilleurs résultats boursiers que les autres), les dirigeants et les salariés de nombre d'entre elles la voient sous un angle tout autant moral qu'économique. On peut percevoir les entreprises comme des collectifs, dont les membres coopèrent en vue d'un objectif commun – par exemple, fabriquer un produit, ou fournir un service. Et, puisqu'ils travaillent ensemble, chacun d'eux se soucie des autres, des collectivités humaines où ils font leur travail commun, et de la grande communauté, le monde, où nous vivons tous. C'est pour cela qu'une entreprise ne licenciera peut-être pas un salarié à l'instant même où elle n'aura plus besoin de lui, ou dépensera peut-être plus qu'elle n'y est légalement tenue pour réduire la pollution. Ces entreprises-là peuvent y gagner, évidemment, en évitant la publicité négative évoquée plus haut, mais sur d'autres plans également. Elles attireront une main-d'œuvre de meilleure qualité, et qui aura meilleur moral : les salariés se sentent mieux quand ils travaillent pour une firme socialement responsable[14].

Dans de nombreuses entreprises, le mouvement de la RSE a contribué à changer les mentalités, de la firme comme des personnes qui y travaillent. Il a aussi beaucoup aidé à mettre au point des outils garantissant une pratique conforme à l'idéal : de nouveaux systèmes de comptabilité font apparaître les contributions aux collectivités locales et l'impact sur l'environnement, ce qui aide les firmes à mieux penser toutes les conséquences de leurs actes.

Malheureusement, dans un monde de concurrence impitoyable, les incitations entraînent souvent en sens contraire même les entreprises les mieux intentionnées. La compagnie minière prête à lésiner sur la sécurité et sur la sauvegarde de l'environnement sera moins chère que celle qui, à niveau d'efficacité

comparable, suit une politique environnementale saine. La
compagnie pétrolière prête à corrompre pour obtenir du pétrole
à meilleur prix aura des profits plus élevés que son homologue
qui ne le fait pas. La banque prête à aider ses clients à esquiver l'impôt ou à pratiquer l'évasion fiscale sera plus prospère
– si elle ne se fait pas prendre – que celle qui les en dissuade.

Il y a un autre problème. Aujourd'hui, toutes les entreprises, même les pires pollueuses et les plus odieuses avec
leur personnel, ont chargé des firmes de relations publiques
de glorifier leur sens de la responsabilité sociale, leur souci
de l'environnement et leur attachement aux droits des travailleurs. Elles sont devenues habiles à manipuler leur image
et ont appris à se vanter de leur responsabilité sociale tout en
continuant à l'esquiver.

Par conséquent, le mouvement de la RSE, en dépit de son
importance, ne suffit pas. Il faut le compléter par des réglementations plus strictes. Les firmes qui souhaitent sincèrement des normes plus exigeantes devraient leur faire bon
accueil : ces réglementations confortent les codes de conduite
qu'elles se sont publiquement donnés, puisqu'elles vont les
protéger de la concurrence déloyale de ceux qui n'adhéraient
pas aux mêmes normes. Réglementer contribue à prévenir la
course vers le bas.

LIMITER LE POUVOIR DES ENTREPRISES

Les entreprises travaillent pour le profit, et l'un des moyens
les plus sûrs d'engranger des profits durables consiste à restreindre la concurrence – en rachetant ses concurrents, en les
écrasant pour qu'ils quittent la branche ou en s'entendant avec
eux sur une augmentation des prix. Le problème du comportement anticoncurrentiel est très clair depuis la naissance de la
science économique : comme l'écrit Adam Smith, « il est rare
que des gens du même métier se trouvent réunis, fût-ce pour
quelque partie de plaisir ou pour se distraire, sans que la
conversation finisse par quelque conspiration contre le public,
ou par quelque machination pour faire hausser les prix[15] ». Et,

quand il n'y a pas de concurrence, les risques potentiels d'abus de la part des multinationales s'aggravent considérablement.

Depuis plus d'un siècle, les pays industriels avancés ont compris les dangers des monopoles et des pratiques anti-concurrentielles : ils ont promulgué des lois pour briser les premiers et sanctionner les secondes. Dans la plupart des pays industriels avancés, collaborer avec de soi-disant concurrents pour fixer les prix est un crime, durement puni au pénal comme au civil. Aux États-Unis, les coupables condamnés au pénal peuvent aller en prison, et les victimes qui parviennent à prouver qu'elles ont payé plus cher à cause de la monopolisation reçoivent le triple en dommages et intérêts (trois fois le surcoût extorqué par les monopolistes).

Avec l'avènement de la mondialisation et de la vente mondiale de produits, les monopoles et les cartels – et les problèmes qu'ils engendrent – ont souvent pris une envergure mondiale[16]. La mondialisation a créé les conditions de possibilité d'un nouveau comportement anticoncurrentiel, qui pourrait être plus difficile à détecter aussi bien qu'à combattre.

La nature des monopoles mondiaux a été révélée par la découverte, au début des années 1990, de toute une série d'ententes pour fixer des prix au niveau mondial, dont deux impliquant une firme géante américaine, Archer Daniels Midland (ADM). Une affaire portait sur des vitamines ; une autre sur la lysine (acide aminé essentiel que l'on ajoute à l'alimentation des porcs) ; une troisième sur le fructose de maïs. Dans le cas de la lysine, le cartel fixait les prix, attribuait les parts de marché et fixait des quotas : il avait réussi à faire monter les prix de 70 % en trois mois. ADM a été condamné à une amende de 100 millions de dollars. Michael Andreas, le fils du P-DG, et un autre cadre supérieur ont été jetés en prison. Dans l'affaire du fructose de maïs, ADM s'est vu demander plus de 2 milliards de dollars de dommages et intérêts et a accepté d'en payer 400 millions. Dans le procès des vitamines, les sanctions pénales imposées aux conspirateurs par les États-Unis et l'Union européenne se sont montées à plus de

1,7 milliard de dollars. Tous les litiges au civil ne sont pas encore réglés, mais près de 600 millions de dollars ont été versés et d'autres demandes d'indemnités dépassent le milliard de dollars. Mais les plaignants extérieurs aux États-Unis et à l'Union européenne ont peu de chances de recevoir une indemnisation sérieuse.

Cette situation révèle un problème général : si les bénéfices captés par les monopolistes sont mondiaux, les procédures judiciaires restent fragmentées, et chaque juridiction protège ses propres citoyens. Ce qui signifie, en pratique, que nul ne protège les consommateurs des petits pays en développement. Pis encore : les pays d'origine des firmes prennent souvent fait et cause pour leurs monopoles mondiaux. C'est naturel : le tort fait aux consommateurs et aux entreprises des pays étrangers n'est pas leur problème. Quand, en juillet 2001, l'Union européenne a constaté qu'un projet de fusion entre deux géants américains, General Electric et Honeywell, allait considérablement réduire la concurrence, le gouvernement des États-Unis a poussé les hauts cris. Mais l'Union européenne avait raison, et il a fallu du courage à son commissaire à la Concurrence, Mario Monti, pour résister aux États-Unis et faire respecter, comme il en avait le devoir, les lois européennes sur la concurrence. Sa décision a, de fait, empêché la fusion.

On a vu peut-être pis : des États ont parfois *contribué* à la création de cartels mondiaux pour servir les intérêts de leurs compagnies nationales. Le cas s'est produit lorsque je servais à la Maison-Blanche. Confronté à une baisse des prix de l'aluminium, Paul O'Neill, qui deviendrait plus tard secrétaire au Trésor du président George W. Bush mais qui était à l'époque président d'Alcoa, premier producteur mondial d'aluminium, a préconisé la constitution d'un cartel mondial de l'aluminium pour stabiliser le marché et protéger l'Amérique de la concurrence « destructrice » de la Russie, alors engagée dans sa transition vers l'économie de marché. Dans une réunion dramatique, au cours de laquelle le Council of Economic Advisers et le ministère de la Justice se sont tous deux opposés à ce projet avec la dernière énergie, l'administration Clinton a décidé de prendre l'initiative de créer un cartel mondial – bafouant si ouvertement les principes du marché concurrentiel qu'Anne Bingaman, adjointe au ministre de la Justice, a déclaré à la fin de la discussion qu'elle pourrait avoir à engager des poursuites contre les personnes présentes à la réunion pour violation des lois antitrust. Le cartel a apporté, comme O'Neill l'avait espéré, une hausse des prix et des profits à ALCOA – mais aussi des prix plus élevés aux consommateurs[17]. En fait, il avait si bien fonctionné du point de vue d'O'Neill que, devenu secrétaire au Trésor, il en a proposé un autre pour l'acier, afin d'augmenter les prix et de restaurer les profits de la sidérurgie américaine. Mais, comme les pays et les entreprises concernés ici étaient beaucoup plus nombreux que dans l'aluminium, créer et maintenir un cartel mondial de l'acier était bien plus compliqué, et cette tentative a échoué.

Le monopole mondial le plus réussi est peut-être Microsoft, qui est parvenu à dominer le marché mondial des systèmes d'exploitation des PC, mais aussi celui d'applications cruciales comme les navigateurs. On dit qu'une firme monopolise un marché quand elle en détient un pourcentage écrasant. En août 2005, les systèmes d'exploitation Microsoft représentaient 87 % de l'ensemble des marchés des PC et 89,6 % du marché des PC à processeur Intel. L'ordinateur personnel, Internet, le traitement de texte et les tableurs définissent presque l'économie moderne – et une seule compagnie a obtenu la domination de ces domaines clés ! Quand Microsoft intègre un programme comme Media Player à son système d'exploitation, il le vend en fait au prix zéro. Dans ces conditions, aucune concurrence n'est possible. Aux États-Unis comme en Europe, les tribunaux ont conclu que Microsoft exerçait un pouvoir de monopole, mais aussi qu'il en avait abusé. La controverse portait seulement sur le remède approprié. Microsoft a dû payer des milliards en règlement de procès antitrust. Un jugement de 2004 en Europe lui impose de présenter dans cette région une version de son système d'exploitation qui n'inclue pas Media Player. Mais le monopole de Microsoft est si solidement ancré qu'on ne rétablira probablement pas la

concurrence sans prendre des mesures beaucoup plus énergiques.

Le pouvoir de monopole de Microsoft ne signifie pas seulement des prix plus hauts : il signifie aussi moins d'innovation. Les inventeurs ont vu ce qui est arrivé à Netscape, le
premier grand navigateur d'Internet, quand il a été écrasé par
Microsoft – terrible avertissement à quiconque découvrirait
une innovation majeure, susceptible de concurrencer son système d'exploitation ou de s'y intégrer. Une solution possible
pourrait être de limiter la protection de la propriété intellectuelle de Microsoft sur son système d'exploitation à, disons,
trois ans. Il aurait ainsi des incitations fortes à mettre sur le
marché des innovations qui intéressent les utilisateurs et pour
lesquelles ils seraient prêts à payer. S'il n'y parvenait pas,
d'autres pourraient innover sur la base de son *ancien* système
d'exploitation – devenu alors une plate-forme libre sur laquelle
on pourrait construire des applications innovantes.

L'incapacité à élaborer une réponse mondiale aux cartels et
aux monopoles mondiaux en est un exemple de plus : la mondialisation économique va plus vite que la mondialisation
politique. L'approche fragmentaire actuelle, où chaque pays
veille sur ses propres citoyens, est coûteuse et inefficace – et
particulièrement pour protéger les populations des pays en
développement, dont les ressources, nous l'avons dit, ne sont
pas du tout au niveau de celles des multinationales. Même
s'ils osaient s'en prendre à Microsoft, les moyens mobilisés
pour un conflit judiciaire seraient vraiment déséquilibrés.
Finalement, Microsoft pourrait les menacer de quitter leur territoire (c'est ce qu'il a dit à la Corée du Sud) : sans son système d'exploitation, ils perdraient l'interconnectivité avec le
reste du monde.

La mondialisation des monopoles rend nécessaires un droit
mondial de la concurrence et une autorité mondiale pour le
faire respecter, en prenant en compte les plaintes, au pénal
comme au civil, chaque fois que les effets d'un comportement
anticoncurrentiel s'étendent à plus d'une juridiction. Ce qui
n'impose nullement de démanteler les autorités de la concur-

rence nationales. Les risques et les coûts de la monopolisation sont assez lourds, le danger de voir les grandes firmes user partout où elles le peuvent de leur influence politique pour faire arrêter les poursuites est assez important pour qu'il soit besoin d'une surveillance multiple. Tant les États-Unis que l'Union européenne ont d'ailleurs fait ce choix, les premiers en exerçant cette surveillance à la fois au niveau des États et au niveau fédéral, la seconde en la confiant à la fois à l'Union elle-même et aux États nationaux.

AMÉLIORER LA GOUVERNANCE DE L'ENTREPRISE

Un troisième ensemble de réformes porte sur les lois qui régissent l'entreprise. Comment amener les firmes et leurs responsables à agir de façon compatible avec l'intérêt public ? Quelles réformes du cadre juridique pourraient contribuer à aligner les motivations privées sur les coûts et les bénéfices sociaux ?

Un pas dans la bonne direction consisterait à imposer aux entreprises de tenir compte de toutes les parties prenantes : les salariés et les collectivités où elles opèrent, en plus de leurs actionnaires. Suivre une politique environnementale saine, par exemple, ne devrait pas constituer une trahison de la confiance de leurs actionnaires, même si les profits en souffrent[18].

La loi sur la responsabilité limitée visait à plafonner les risques financiers des investisseurs, pas à absoudre des salariés, même haut placés, de toute responsabilité. Mais, on l'a vu, elle a parfois ce résultat. Les cadres supérieurs doivent être plus souvent tenus pour personnellement responsables de leurs actes, afin qu'il leur soit plus difficile de se cacher sous le voile de leur entreprise. Quelques initiatives récentes vont dans ce sens : le conseil d'administration de WorldCom, par exemple, a accepté d'indemniser partiellement les investisseurs qui ont subi des pertes en raison de la présentation fallacieuse qui leur avait été faite de WorldCom. Dans les entreprises dont les actions sont largement distribuées dans le public, les sanctions financières n'ont généralement guère

d'effet sur les incitations des directeurs. Si la firme doit payer
de très fortes indemnités, cela n'aura pas d'impact direct sur
leur situation. De plus, les directeurs et les membres du
conseil d'administration sont protégés par des assurances :
même lorsqu'on leur inflige directement des amendes, les
coûts sont supportés par d'autres.

Il est apparu que, pour imposer efficacement une politique
de la concurrence, il fallait des sanctions pénales : la prison.
C'est tout aussi nécessaire dans d'autres domaines. En 2002,
à la suite des scandales de la comptabilité aux États-Unis, le
Congrès a adopté le *Sarbanes-Oxley Act*, qui rend le P-DG
responsable des comptes de l'entreprise. On a reproché au
Sarbanes-Oxley Act d'être exagérément rigoureux, et coûteux
à respecter ; quand on réagit à un événement, on risque souvent d'en faire trop, et l'expérience permettra de mieux adapter cette législation. Mais les coûts des abus eux-mêmes – la
mauvaise allocation des ressources, la perte de confiance dans
l'économie de marché – ont aussi été lourds, et sûrement d'un
ordre de grandeur bien supérieur à ceux de la réglementation.
De plus, ces derniers sont surtout des coûts initiaux : quand
les firmes se seront adaptées au nouveau système, le coût
annuel sera plus faible.

S'il est défendable d'instaurer la responsabilité personnelle
des chefs d'entreprise en matière comptable à l'égard des
actionnaires et des autres parties concernées, il est encore plus
justifié de le faire dans d'autres domaines. Dévaster l'environnement (dérober son patrimoine à toute une collectivité) n'est
pas un crime moins grave que voler les investisseurs en mani-
pulant les livres de comptes. Les dommages infligés à l'environnement par les entreprises sont plus durables, et les
victimes sont des innocents qui se trouvaient là, sans être parties à un accord ni intéressés à un investissement. Quand il est
de notoriété publique qu'une compagnie a violé les lois environnementales d'un pays, son P-DG et ceux qui ont pris les
décisions et commis les actes doivent être pénalement responsables.

Une autre mesure importante pour réconcilier intérêt privé et intérêt social consiste à faciliter l'obtention d'une indemnisation quand il y a eu dommage. Faire payer aux entreprises les dégâts qu'elles causent – blessures du travailleur ou de l'environnement – les incitera à agir de façon plus responsable, et à vérifier que leurs salariés le font aussi. Certes, les systèmes juridiques sont imparfaits. Les grandes firmes peuvent avoir les meilleurs avocats, et, contre eux, ceux que les victimes (souvent pauvres) ont les moyens d'engager ne feront pas le poids. Il est fréquent que, grâce à des tactiques juridiques raffinées, des firmes américaines manifestement coupables soient acquittées ; jusqu'à une date récente, rares sont les compagnies de cigarettes responsables de millions de morts qui ont dû verser des indemnités. Mais, nous l'avons vu, faire payer à une compagnie américaine les conséquences de ses actes dans un pays en développement est encore plus problématique. Même si l'entreprise est déclarée coupable, il risque d'être difficile de faire respecter le jugement : elle aura fort bien pu se mettre à l'abri en limitant ses actifs dans le pays, et saisir ses avoirs extérieurs pourrait se révéler quasiment impossible.

Plusieurs changements feraient beaucoup pour corriger le système. Le premier serait de permettre aux habitants des autres pays de porter plainte dans le pays d'origine de l'entreprise en faute. Les États-Unis autorisent de tels procès depuis 1789 dans le cadre de l'*Alien Tort Claims Act*, qui permet aux personnes lésées à l'étranger de porter plainte aux États-Unis pour tout dommage « infligé en violation du droit des gens ou d'un traité des États-Unis ». Il y a eu ces dernières années des tentatives pour poursuivre des multinationales devant des tribunaux américains, avec quelques petits succès. Certes, les entreprises aimeraient restreindre ce type de procès, mais, pour que la mondialisation fonctionne, il faut élargir au niveau mondial ces dispositions. C'est le seul moyen pour qu'il y ait exécution effective des jugements, notamment quand l'entreprise en faute a peu d'actifs dans le pays où s'est produit le dommage. Avantage supplémentaire de ces procès : une firme américaine ou européenne ne pourra plus se plaindre d'avoir perdu parce que le plaignant s'adressait à un tribunal de son propre pays.

Une réforme complémentaire consisterait à permettre que les jugements prononcés par des cours étrangères puissent être exécutés par les tribunaux des pays industriels avancés. Si un tribunal brésilien établit qu'une compagnie minière américaine a fait un milliard de dollars de dégâts, mais que cette compagnie ne possède pas un milliard de dollars d'actifs au Brésil, ce pays pourrait saisir la justice des États-Unis pour qu'elle l'aide à se faire payer ses dommages et intérêts. C'est ce qui se passe aujourd'hui dans la plupart des litiges commerciaux internationaux – mais là, il s'agit de protéger les investisseurs. Une fois de plus, il y a asymétrie : on se préoccupe moins de protéger un pays contre les ravages de firmes internationales au pied léger, qui limitent leurs actifs sur son territoire afin de réduire le montant des amendes auxquelles elles s'exposent.

Certaines entreprises répugnent à se soumettre au jugement de tribunaux étrangers : elles prétendent qu'ils sont montés contre elles. C'est simplement l'un des prix à payer, et que l'on devrait accepter de payer, si l'on veut faire des affaires dans un pays – en particulier pour extraire ses ressources naturelles. Autre solution : toute firme qui, pour s'opposer à l'exécution d'un jugement défavorable, alléguerait que le procès tenu à l'étranger a été injuste pourrait être automatiquement rejugée par les tribunaux de son propre pays, en fonction des normes réglementaires, environnementales et autres, les plus strictes des deux pays. Ce n'est pas une double peine au sens habituel du terme : la firme aurait pu accepter le premier jugement, et elle n'encourt la sanction d'un second tribunal que parce qu'elle a refusé les conclusions du premier. La disposition voulant que l'entreprise soit jugée en fonction des critères environnementaux de son pays d'origine reflète un postulat de plus en plus admis par le mouvement de la responsabilité sociale des entreprises : il ne doit pas y avoir « deux poids, deux mesures », avec des normes environnementales plus laxistes dans les pays en développement qu'aux États-Unis et dans l'Union européenne.

Dans le folklore du Far West américain, les bandits franchissaient la frontière d'un État pour se mettre à l'abri. Pour les bandits internationaux qui ravagent l'environnement, il doit être impossible de se mettre à l'abri. Tout pays où l'entreprise (ou ses propriétaires réels) a des avoirs doit mettre à disposition une instance judiciaire que l'on peut saisir pour porter plainte ou pour faire exécuter des jugements et assurer le paiement de dommages et intérêts. L'entreprise peut s'immatriculer où elle veut, mais n'en est pas moins tenue de rendre compte de ses actes dans d'autres juridictions.

Pour que cela fonctionne, il peut être nécessaire de percer le voile d'opacité des entreprises. Les compagnies minières, par exemple, créent souvent une filiale pour gérer une mine : quand la mine est épuisée – et qu'il ne reste plus que les coûts du nettoyage –, la filiale fait faillite et la société mère est intouchable. Il suffirait d'établir une règle simple : pour certaines catégories de responsabilités financières, comme celles qui touchent aux ravages environnementaux, toute entité possédant, disons, plus de 20 % des actions d'une entreprise doit être tenue pour responsable même si l'entreprise fait faillite. La responsabilité limitée ne saurait être sacro-sainte. Comme les droits de propriété – dont les droits de propriété intellectuelle –, c'est une création humaine, conçue pour fournir des incitations appropriées. Quand ce type d'artefact ne remplit plus sa fonction sociale, il faut le modifier.

DES LOIS MONDIALES POUR UNE ÉCONOMIE MONDIALE

Enfin, nous devons créer des cadres juridiques internationaux et des tribunaux internationaux. Ils sont indispensables au fonctionnement en douceur de l'économie mondiale, comme les lois et les tribunaux nationaux sont nécessaires aux économies nationales.

Aux États-Unis et dans certains autres pays, quand des consommateurs sont victimes d'une entente fixant les prix, ils

peuvent se regrouper et porter plainte en « nom collectif » ;
s'ils ont gain de cause, ils recevront une somme égale à trois
fois le dommage subi. Pour les entreprises, c'est une incitation forte qui les dissuade de s'entendre pour fixer les prix.
Puisque cette pratique a lieu désormais à l'échelle mondiale,
les dommages se sont aussi mondialisés : il faut donc que des
consommateurs du monde entier puissent se regrouper et porter
plainte, disons, devant la justice américaine. Mais une décision
récente de la Cour suprême offre aux entreprises coupables un
moyen simple de se tirer d'affaire. Une fois qu'elles ont payé
les Américains lésés, ce qui ne représente peut-être qu'un
petit pourcentage de la responsabilité qu'elles encourent au
niveau mondial, les autres plaignants doivent s'adresser à une
autre juridiction[19]. Dans le même ordre d'idées, un individu
lésé – disons, à Bhopal – ne peut pas toujours se permettre de
porter plainte personnellement. La somme maximale qu'il ou
elle pourrait réunir serait trop faible pour payer un avocat, ou
alors le plus misérable. En revanche, en agissant collectivement, les victimes peuvent espérer obtenir une certaine réparation. Celles de Bhopal ont reçu vraiment trop peu, mais
elles doivent le peu qu'elles ont eu à une plainte en nom collectif.

Bien évidemment, les avocats de la défense s'efforcent d'arrêter les plaintes en nom collectif, en faisant valoir que les parties lésées sont trop différentes pour que l'on puisse joindre
leurs cas. Exiger un grand nombre de procès distincts contre
la même entreprise pour le même dommage, c'est manifestement imposer au système judiciaire un fardeau énorme – et
très souvent insoutenable.

Quand de nombreux particuliers ont subi les mêmes nui-
sances, ils doivent pouvoir faire bloc pour porter une seule et
même plainte. Nous devons faciliter les procès mondiaux en
nom collectif, soit devant de nouveaux tribunaux mondiaux,
soit devant les systèmes judiciaires nationaux. La justice sera
bien mieux servie si l'on cerne l'élément commun pour établir
la culpabilité et une indemnité de base, à compléter si nécessaire par des procès séparés s'il y a demande d'ajustements

pour des cas inhabituels. Par exemple, une entente pour fixer un prix accroît les coûts de tous les acheteurs du produit. Un procès en nom collectif établirait qu'il y a eu fixation de prix et calculerait le montant du surcoût qu'elle a induit. Certes, l'ampleur du dommage subi par un gros producteur d'un pays développé et par un petit consommateur d'un pays en développement sera très différente. Mais, si l'on a établi la responsabilité financière du cartel pour la fixation de prix et le montant de l'augmentation du prix, il sera relativement simple de déterminer combien chacun doit recevoir (ce qui pourrait nécessiter une série de miniprocès)[20].

Et, puisque nous avons bien compris que l'État doit financer une aide juridictionnelle pour que les déshérités aient accès à la justice, il faudrait qu'elle existe aussi au niveau international : les pays industriels avancés doivent fournir une aide juridictionnelle aux habitants des pays en développement.

RÉDUIRE LE CHAMP DE LA CORRUPTION

Les pays industriels avancés pourraient prendre plusieurs autres initiatives qui rendraient plus difficile aux entreprises de commettre impunément les pires méfaits. Les effets corrosifs de la corruption, on l'a dit, sont aujourd'hui largement perçus, et l'on a compris qu'il fallait l'attaquer simultanément côté offre et côté demande. Le vote du *Foreign Corrupt Practices Act* en 1997 a été un grand pas dans la bonne direction. Tous les États doivent se doter d'une loi sur les pratiques de corruption à l'étranger, et il faut imposer des sanctions à ceux qui ne le font pas, ou promulguent une loi sans la faire respecter. C'est le type de « nouvelle question » que l'on aurait dû inscrire à l'ordre du jour du « Round du développement » (voir chapitre 3). Elle n'a même pas été évoquée. Il faut considérer les pots-de-vin comme une pratique de concurrence déloyale et les traiter comme toute autre pratique de concurrence déloyale en les déclarant illégaux et passibles de sanctions dans le cadre de l'OMC.

Le secret bancaire aggrave les problèmes de corruption en offrant un refuge sûr à de l'argent mal gagné. Au lendemain de la crise asiatique, le FMI et le département du Trésor des États-Unis ont appelé à plus de transparence sur les marchés financiers asiatiques. Lorsque les pays en développement ont fait remarquer que l'un des problèmes qui empêchaient de déterminer l'origine des flux de capitaux était le secret bancaire dans les banques occidentales *offshore*, le ton a changé de manière radicale. Si l'argent se trouve dans ces comptes dits *offshore*, ce n'est pas parce que le climat des îles Caïmans convient mieux à la profession de banquier : c'est justement à cause des possibilités qui lui sont offertes d'échapper aux impôts, aux lois et aux réglementations. L'existence de ces opportunités n'est pas une faille accidentelle. Le secret bancaire des centres *offshore* existe parce qu'il sert certains intérêts dans les pays industriels avancés.

Un accord a été conclu entre ces pays pour agir contre ce phénomène, mais, en août 2001, l'administration Bush y a opposé son veto. Puis, quand ils ont découvert que le secret bancaire avait servi à financer les terroristes impliqués dans les attentats du 11 septembre, les États-Unis se sont ravisés – mais seulement pour ce qui touchait à la lutte antiterroriste. Les autres formes de secret bancaire, aussi corrosifs qu'ils puissent être pour les sociétés du monde entier, aussi désastreux qu'ils soient pour le développement, sont manifestement toujours licites ; après tout, pour une entreprise, c'est une façon comme une autre d'accroître les profits après impôt dont jouissent ses propriétaires. La communauté internationale doit rapidement étendre les règles prohibant le secret bancaire à d'autres domaines que le terrorisme. Le G-8 pourrait lui-même le faire très simplement : il suffirait que ses membres interdisent à l'ensemble de leurs banques d'avoir des rapports d'affaires avec les banques de toute juridiction qui ne se plie pas aux règles. Les États-Unis ont montré que l'action collective peut fonctionner : elle a été efficace pour arrêter le financement du terrorisme par l'intermédiaire des banques. Il faut faire preuve de la même détermination contre la corruption, les ventes d'armes, la drogue et l'évasion fiscale.

Tout au long de ce livre, j'ai montré que la politique et l'économie sont étroitement liées : les entreprises ont utilisé leur puissance financière pour éviter d'avoir à supporter toutes les conséquences sociales de leurs actes. Pourquoi s'attendre à les voir témoigner plus d'enthousiasme pour ces réformes que pour une quelconque tentative plus modeste de tempérer leurs abus ?

Un élément qui m'inspire un certain espoir est le mouvement de la responsabilité sociale des entreprises. Elles sont de plus en plus nombreuses à ne pas vouloir d'une course à l'infamie. Ce sont des firmes de ce genre qui ont soutenu le *Foreign Corrupt Practices Act* aux États-Unis ou la même démarche dans d'autres pays. La société civile joue aussi un rôle plus actif, en surveillant ce que font les grandes compagnies minières et les groupes industriels qui exploitent leur personnel. Les technologies nouvelles qui ont contribué à instaurer la mondialisation ont été utilisées aussi pour porter ces abus à l'attention du monde entier, si bien que même ceux qui n'ont guère de scrupules moraux se sont vus forcés de rendre des comptes.

Telles sont les réalités, et il ne sera pas facile de les changer : nous ne devons voir dans les entreprises ni les « méchants » souvent présentés, ni les généreux bienfaiteurs des pays en développement. La responsabilité limitée a soutenu la croissance du capitalisme moderne ; mais, avec la mondialisation, les abus de la responsabilité limitée ont pris une ampleur planétaire ; sans les réformes que je viens de suggérer, ils risquent de s'aggraver encore. Ici comme dans l'essentiel du reste du livre, la leçon est simple : les incitations ont de l'importance ; les États et la communauté internationale doivent faire plus d'efforts pour que celles auxquelles sont confrontées les entreprises soient plus conformes aux intérêts de ceux qu'elles touchent, en particulier les plus faibles dans le monde en développement.

8

Le fardeau de la dette

En août 2002, j'ai visité la Moldavie, petit pays enclavé, essentiellement agricole : 4,5 millions d'habitants, pris en tenaille entre la Roumanie et l'Ukraine. C'était autrefois l'une des républiques les plus riches de l'Union soviétique. Depuis qu'elle a entamé sa transition pour sortir du communisme, en 1991, son PIB a chuté d'environ 70 %. Mais, si la situation y était déjà terrible depuis l'effondrement de l'Union soviétique, elle est devenue encore pire en 1998, quand le rouble a été dévalué – ramené au quart de sa valeur d'avant la crise[1]. La devise moldave a aussi été dévaluée, et le coût du service de sa dette extérieure est monté en flèche : il a atteint 75 % du budget de l'État. Ce qui ne laissait pas grand-chose pour le social et les infrastructures. J'ai vu des routes totalement à l'abandon, des villages brisés. Même dans la capitale, Chisinau, les rues étaient criblées de nids-de-poule et, faute d'argent pour l'éclairage public, la ville était dans le noir absolu pendant la nuit. Ce que j'ai vu m'a profondément affligé, mais j'ai été d'autant plus horrifié lorsque, au cours de notre visite, la fille d'un de mes collègues a été hospitalisée. Elle est morte quand l'hôpital a été à court d'oxygène. Si les populations occidentales considèrent qu'une réserve d'oxygène prête à servir va de soi, en Moldavie c'était un luxe hors d'atteinte.

À la même époque, l'Argentine subissait les conséquences de l'annonce de janvier 2002 par laquelle elle s'était déclarée en défaut de paiement sur sa dette, l'une des plus grandes défaillances de l'histoire, comparable à celle de la Russie trois ans et demi plus tôt[2]. Avant l'annonce, cette dette extérieure de près de 150 milliards de dollars (dont une partie était due au FMI et à la Banque mondiale) écrasait l'économie : à lui seul, le service des emprunts publics et garantis par l'État s'était monté à 16 milliards de dollars en 2001, soit 44 % des exportations et 10 % du PIB.

De l'Argentine à la Moldavie, de l'Afrique à l'Indonésie, la dette accable les pays en développement du monde entier. Ses effets sont parfois spectaculaires, comme dans les « crises de la dette », mais son vrai visage, celui qu'il a la plupart du temps, le fardeau de la dette le montre quand les pays luttent pour éviter la cessation de paiements. Pour rembourser leurs dettes, ils doivent souvent sacrifier l'éducation, la santé, la croissance économique, le bien-être de leurs citoyens. L'argent devrait couler des pays riches vers les pays pauvres, mais, certaines années, il coule dans l'autre sens, en partie à cause du caractère massif qu'ont pris les remboursements de dettes. Avec cette hémorragie de capitaux, il est évidemment encore plus difficile pour les pays en développement de connaître la croissance et de réduire la pauvreté.

Le problème est facile à formuler. Les pays en développement empruntent trop – ou on leur prête trop –, et selon des modalités les obligeant à supporter l'essentiel ou la totalité des risques qui peuvent survenir ensuite : la hausse des taux d'intérêt, les fluctuations du taux de change ou la baisse de leurs revenus. Dans ces conditions – comment s'en étonner ? –, ils sont souvent dans l'incapacité de rembourser. Même un pays qui a emprunté modérément et dont la politique économique est saine se retrouve parfois dans une situation extrêmement dure : un tsunami ou une autre catastrophe nationale, l'effondrement de ses marchés d'exportation, une montée soudaine des taux d'intérêt.

Souvent, on reproche au pays débiteur d'avoir trop emprunté. En fait, les créanciers sont tout autant à blâmer : ils ont trop prêté, sans vérifier soigneusement que le pays emprunteur serait bien capable de les rembourser. Les pays en développement sont pauvres ; ce sont des cibles faciles pour tout placeur de prêts. Le déséquilibre entre le prêteur rompu aux finesses du métier et l'emprunteur moins informé ne saurait être plus net. Puisqu'ils aboutissent si souvent à une lutte désespérée pour rembourser, les prêts internationaux deviennent la grande porte par où entre la puissance du FMI et des autres institutions mondiales : c'est là que le pays en développement vient se heurter. Il sera souvent déchiré entre deux options fort désagréables : se déclarer défaillant, au risque de provoquer l'effondrement de son économie, ou accepter leur aide et ainsi perdre sa souveraineté économique.

La partialité à l'encontre des pays en développement se manifeste non seulement par cette tendance à tout mettre sur le compte de leurs « emprunts excessifs » (plutôt que des « prêts excessifs » des pays créanciers), mais aussi par l'absence d'un cadre juridique solide qui déterminerait ce qui se passe quand un pays ne peut raisonnablement s'acquitter de ses obligations de débiteur. Si tous les pays industriels avancés ont compris l'importance des codes de faillite pour aider les particuliers et les entreprises à restructurer un endettement écrasant, nous n'avons aucune législation parallèle pour régir la restructuration des dettes souveraines de façon à la réaliser équitablement, efficacement et rapidement.

Ce chapitre propose un ensemble de réformes : un processus rapide de restructuration des dettes privées – l'argent dû par des entreprises privées à des créanciers étrangers – et une approche nouvelle, plus équilibrée, du problème des dettes publiques. Mais une grande crainte subsiste : même si on efface les dettes, de nouvelles seront contractées – et tous les problèmes réapparaîtront en quelques années. Nous devons donc poser aussi cette question plus fondamentale : que faire pour garantir que le fardeau de la dette ne remontera pas au-delà de la capacité des pays pauvres à rembourser ? Je pense que les pays en développement doivent emprunter moins – beaucoup moins – que par le passé, mais aussi que, quand ils empruntent, ils doivent pouvoir le faire à des conditions dans lesquelles une plus grande partie des risques – dont celui de fluctuation du taux de change et des taux d'intérêt – pèse sur les pays développés.

Nous avons fait du chemin depuis le XIXᵉ siècle. À l'époque, lorsque des pays ne respectaient pas leurs obligations financières, les États occidentaux employaient une méthode simple : la force brute, l'invasion, l'occupation et le changement de régime.

Il y a un peu plus de cent ans, la Grande-Bretagne, l'Allemagne et l'Italie ont monté une expédition navale commune sur la côte vénézuélienne : elles ont bloqué et bombardé les ports. Cela avec le consentement explicite des États-Unis. Il s'agissait d'obliger le Venezuela à rembourser ses dettes internationales. Le Dr Luis María Drago, ministre argentin des Affaires étrangères, a pris la défense de son voisin en énonçant, en réponse à cette agression, ce qu'on appelle aujourd'hui la « doctrine Drago ». Dans ce type de « situation financière malheureuse », a-t-il écrit dans une lettre à Martín García Merou, ambassadeur d'Argentine aux États-Unis, « la dette publique ne peut pas provoquer une intervention militaire ou justifier l'occupation physique du territoire des nations américaines par une puissance européenne ».

Ce qu'il dit ensuite reste aussi vrai aujourd'hui qu'en 1902 :

> Le prêteur sait dès le départ qu'il conclut un contrat avec une entité souveraine, et qu'une des caractéristiques inhérentes à toute souveraineté est que l'on ne peut instituer ou mettre en œuvre contre elle aucune procédure d'exécution d'un jugement, puisque ce type de recouvrement compromettra son existence même et fera disparaître l'indépendance et la liberté d'action de l'État en question. [...] Le recouvrement expéditif et immédiat, par la force, des sommes dues à une date donnée ne provoquerait rien de moins que la ruine des nations les plus faibles, et l'absorption de leurs États, avec toutes les fonctions qui leur sont propres, par les grandes puissances[3].

Ce n'était pas la première fois que les États puissants usaient de moyens militaires pour imposer le remboursement d'une dette, et le Venezuela n'était pas leur première victime. Quand la France a envahi le Mexique en 1862 pour y proclamer empereur l'archiduc Maximilien d'Autriche, parent de Napoléon III, elle a pris prétexte de la dette impayée que ce pays avait accumulée depuis son indépendance en 1821[4]. En 1876, la France et la Grande-Bretagne ont pris conjointement le contrôle des finances de l'Égypte ; six ans plus tard, la Grande-Bretagne occupait le pays[5]. Le non-remboursement des dettes a été l'une des justifications avancées par les États-Unis pour leurs interventions dans les Caraïbes. En 1904, par exemple, quand la République dominicaine s'est déclarée défaillante, le président Theodore Roosevelt l'a obligée à céder aux États-Unis la supervision de ses revenus douaniers, afin qu'ils puissent servir à rembourser les créanciers étrangers. En 1934 encore, Terre-Neuve, qui à cette date ne faisait pas partie du Canada, a dû renoncer à son Parlement et passer au statut de *receivership*[6*]. Dans l'exaltation des années 1920, Terre-Neuve avait emprunté massivement, et, avec la Grande Crise – qui avait envoyé le quart de sa population à l'assistance publique et réduit d'un tiers les recettes de l'État –, elle ne pouvait plus s'acquitter du service de sa dette. Elle n'a jamais vraiment repris le contrôle de son destin avant son intégration au Canada le 31 mars 1949.

En un siècle, le regard porté sur la défaillance financière a considérablement changé. Concernant les dettes personnelles, nous avons fait de gros progrès : la législation des faillites a remplacé la prison pour dettes si puissamment évoquée par Charles Dickens. En prison, il n'était guère possible au débiteur de gagner de l'argent pour rembourser ce qu'il devait (quoique les conditions inhumaines d'incarcération aient

---

* Au sens strict, le mot signifie « mise sous séquestre », perte de la libre disposition de ses biens. Terre-Neuve a perdu son statut de dominion et a été gouvernée par des fonctionnaires nommés par le gouvernement de Londres.

souvent incité les membres de sa famille à l'aider à s'en acquitter). Mais l'inconvénient de ce système paraissait à l'époque plus que compensé par sa force de dissuasion contre le non-remboursement. De même, les idées ont changé sur la façon de réagir à l'incapacité ou à la mauvaise volonté d'un pays souverain à rembourser ses dettes. Aujourd'hui, la doctrine Drago est universellement admise. Mais, s'il y a consensus sur ce qu'il ne faut pas faire – aller se faire payer de force par des moyens militaires –, il y a moins d'unanimité quant à ce qu'il convient de faire à la place.

Quand les pays ne peuvent pas rembourser ce qu'ils doivent, il y a trois possibilités : l'effacement de la dette, sa restructuration (la dette n'est pas réduite, mais les versements sont différés dans l'espoir d'une amélioration future de la situation) et la cessation de paiements (l'emprunteur ne paie plus, tout simplement). L'Argentine a choisi cette dernière solution. Elle a annoncé qu'elle ne rembourserait qu'une fraction de ce qu'elle devait, puis a négocié avec ses créanciers afin de tenter de les persuader qu'un peu valait mieux que rien du tout. Et elle a fini par l'emporter. En mars 2005, 76 % de ses créanciers ont accepté un règlement sur la base d'environ 34 cents pour un dollar. Certains y ont vu la preuve que le système actuel fonctionne, mais ce n'est pas mon avis. Il a fallu des années pour parvenir à cet accord, et le retard peut coûter cher, car les investisseurs répugnent à prendre des décisions tant que l'économie est dans les limbes. L'Argentine a fait preuve d'une exceptionnelle habileté dans les négociations et d'une immense détermination. La plupart des pays n'ont ni l'une ni l'autre, et ils vont probablement plier sous la pression des marchés financiers mondiaux et du FMI, en acceptant une réduction insuffisante de leur dette qui leur laissera un fardeau encore trop lourd. Et la peur de la défaillance pousse les gouvernements à la retarder, ce qui impose d'énormes sacrifices à leur peuple. Ils ne se déclarent en défaut de paiement que lorsqu'ils ne peuvent vraiment plus rien faire d'autre. À mon sens, le cas argentin ne fait que confirmer la nécessité d'une procédure régulière de restructuration et de réduction des dettes.

Ce qui mène à la crise

Les crises de la dette, en Argentine comme dans les autres marchés émergents, ont une raison simple : trop de dettes. Mais pourquoi des marchés qui fonctionnent bien conduisent-ils si souvent à ce genre de situation ?

TROP D'EMPRUNTS, OU TROP DE PRÊTS ?

Dans chaque prêt, il y a un prêteur et un emprunteur. Les deux s'engagent volontairement dans la transaction[7]. Si elle tourne mal, on peut penser, à première vue au moins, que le prêteur est aussi coupable que l'emprunteur. En fait il l'est peut-être plus, puisqu'il est censé savoir analyser plus finement les risques, et mieux évaluer le niveau raisonnable d'endettement.

Cela change-t-il quelque chose de parler de « surfinancement » au lieu de « surendettement » ? Si le lieu où nous situons le problème est différent, celui où nous cherchons la solution le sera aussi. Le problème est-il *davantage* du côté des prêteurs, parce qu'ils n'ont pas fait preuve de la diligence[*] requise pour juger qui était solvable ? ou du côté des emprunteurs, parce qu'ils se sont montrés dépensiers et irresponsables ? Si nous pensons « surendettement », nous allons naturellement chercher à rendre plus difficile aux emprunteurs de se décharger de leurs dettes ; au contraire, si le problème est pour nous le « surfinancement » – trop de prêts –, notre objectif premier sera d'inciter les prêteurs à faire davantage « diligence ».

L'économie politique du surendettement est facile à comprendre : le gouvernement qui emprunte profite de l'argent et

---

[*] L'« obligation de diligence » des banques leur enjoint, entre autres, de procéder à une évaluation détaillée de leurs cocontractants.

ses successeurs devront faire face aux conséquences. Mais pourquoi des prêteurs sophistiqués, attentifs à maximiser leurs profits, prêtent-ils si souvent trop ? Les prêteurs encouragent l'endettement parce qu'il est rentable[8]. On fait même parfois pression sur les gouvernements des pays en développement pour qu'ils se surendettent. Il peut y avoir des pots-de-vin dans les prêts, et encore plus fréquemment dans les projets qu'ils financent. Même sans corruption, il est facile de se laisser influencer par les hommes d'affaires et les financiers occidentaux. Ils offrent aux responsables concernés de somptueux dîners bien arrosés où ils leur vendent leur projet de prêt, leur disent pourquoi c'est le bon moment pour emprunter, pourquoi leur proposition est particulièrement attrayante, pourquoi c'est l'instant propice pour restructurer la dette[9]. Aux pays qui ne sont pas sûrs que le risque mérite d'être pris, ils expliquent combien il est important d'établir la qualité de sa signature : empruntez, même si vous n'avez pas vraiment besoin de l'argent. Je l'ai vu de mes yeux au Vietnam : le pays avait beaucoup emprunté à la Banque mondiale, à la Banque asiatique de développement et à d'autres établissements institutionnels, mais il n'avait pas envie de s'endetter auprès de banques privées. Pendant des années, les banquiers étrangers lui ont conseillé d'émettre un bon d'État en euros pour se donner une cote de solvabilité, et pendant des années les Vietnamiens n'ont pas voulu ; finalement, ils ont cédé[10].

Trop emprunter accroît les risques de crise, et les coûts d'une crise ne sont pas seulement supportés par les prêteurs mais aussi par toute la société (c'est une externalité négative). Ces dernières années, les plans du FMI ont pu induire d'autres distorsions importantes dans les incitations des prêteurs. Quand il y avait crise, le FMI prêtait de l'argent pour une opération dite couramment de « renflouement » – mais cet argent ne renflouait pas vraiment le pays : il renflouait les banques occidentales. Tant en Asie orientale qu'en Amérique latine, cette pratique apportait l'argent nécessaire pour rembourser les créanciers étrangers, qui n'avaient donc pas à payer le prix de l'erreur qu'ils avaient commise en prêtant.

Dans certains cas, les États ont même assumé les dettes privées – ils ont « socialisé » le risque privé. Les créanciers étaient donc tirés d'affaire, mais l'argent du FMI n'était pas un cadeau, c'était un nouveau prêt : le pays en développement devait payer la facture. Concrètement, les contribuables du pays pauvre payaient les bévues des banquiers des pays riches.

Les renflouements engendrent le problème bien connu de l'« aléa moral ». Il y a aléa moral lorsqu'une partie n'assume pas pleinement les risques associés à ses actes et ne fait donc pas tout ce qu'elle pourrait faire pour les éviter. Ce terme vient de la littérature professionnelle des assurances : elle jugeait immoral qu'un particulier prenne moins de précautions pour prévenir un incendie parce qu'il était assuré. C'est une simple question d'incitations, bien sûr. Les assurés ne mettront pas délibérément le feu à leur maison, mais, malgré tout, leur incitation à éviter un incendie s'est affaiblie. Dans le cas des prêts, le risque est celui de la défaillance, avec toutes ses conséquences. Les prêteurs peuvent le réduire simplement en prêtant moins. S'ils estiment qu'il y a une forte probabilité de renflouement, ils vont prêter davantage qu'ils ne l'auraient fait autrement.

Les marchés du crédit se caractérisent aussi, pour reprendre la célèbre formule de l'ancien président de la Federal Reserve Alan Greenspan, par l'« exubérance irrationnelle », ainsi que par le pessimisme irrationnel. Les prêteurs se ruent sur un marché par optimisme et le quittent précipitamment quand ils changent d'humeur. Les marchés fonctionnent par engouements, par modes, et il est difficile de résister à l'envie de se joindre à la dernière toquade, notamment quand les institutions financières internationales et le Trésor des États-Unis donnent leur imprimatur, comme ils l'ont fait pour l'Argentine. Si une seule firme agissait sur un coup de tête optimiste, elle devrait payer le prix de son erreur ; mais lorsque l'engouement irrationnel est largement partagé, il y a des conséquences macroéconomiques qui touchent potentiellement tous les habitants du pays – on l'a vu pendant la crise asiatique.

ÉCHECS SUR LES MARCHÉS DU RISQUE

Le surendettement, ou le surfinancement (selon le point de vue de chacun), a joué un certain rôle dans nombre des crises qui ont marqué les trois dernières décennies. Mais les problèmes sont plus profonds. Quand un contrat de prêt stipule que le pays emprunteur doit rembourser une certaine somme en dollars ou en euros, et que les taux d'intérêt s'ajusteront aux conditions du marché (c'est le cas le plus courant pour les prêts à court terme), il met carrément à la charge du pays en développement le risque de volatilité des taux d'intérêt et des taux de change. Le FMI et la Banque mondiale ont fait pis : ils ont incité de nombreux pays à signer des contrats de construction de centrales électriques qui transféraient à ces pays l'ensemble du risque de la volatilité de la demande. Dans ces contrats « de prise ferme* », le gouvernement garantit qu'il achètera toute l'électricité produite, qu'il y ait ou non une demande pour cette électricité.

Supposons qu'un pays doive près de 2 milliards de dollars dans le cadre d'un prêt libellé en dollars, et que le taux de change de sa devise s'effondre, disons de moitié : dans sa propre monnaie, le montant de sa dette a doublé. Un ratio « dette sur PIB » de 75 % – élevé mais encore gérable selon les normes internationales – passe soudain à 150 %, donc au-delà des capacités de paiement de ce pays. Comment la Moldavie est-elle tombée dans la situation désespérée évoquée en début de chapitre, alors que, quelques années plus tôt seulement, elle n'avait aucune dette ? La responsabilité repose en partie sur ceux qui lui ont consenti des prêts pour faciliter sa transition à l'économie de marché. Mais le fardeau s'est considérablement accru quand la devise moldave, le leu, s'est énormément dépréciée à la suite de la dévaluation du rouble russe en 1998, ce qui a plus que doublé le ratio « dette sur PIB » de la Moldavie. Ce pays a été en partie une innocente

---

* Voir *supra*, note * p. 202.

victime de la crise russe, elle-même précipitée par l'incapacité où se trouvait la Russie de s'acquitter de ses obligations de débitrice.

De même, si les taux d'intérêt passent de 7 % à 14 %, les remboursements d'un pays vont doubler. Peut-être, avant l'augmentation, consacrait-il au service de sa dette 25 % de ses revenus d'exportation, mais après ce sera 50 %, ce qui signifie qu'il lui restera une somme insuffisante pour payer des importations essentielles. C'est ce qui s'est passé pour l'Argentine. C'est essentiellement en raison des hausses de taux d'intérêt pour les marchés émergents que le service de la dette argentine a plus que doublé entre 1996 et 2000.

Dans ces cas-là, le facteur principal qui a porté l'endettement à un niveau rendant le remboursement impossible est venu de l'extérieur du pays. Telle est la conséquence d'une situation dans laquelle les pays en développement doivent supporter tant de risques – et dans laquelle les marchés mondiaux sont si instables : même un endettement modéré peut se muer, nous l'avons vu, en fardeau insupportable, et cela se produit souvent. Pour aggraver encore les choses, les prêts sont essentiellement à court terme (parfois remboursables sur simple demande), ce qui veut dire que les banques étrangères peuvent retirer leur argent des pays en développement au moindre signe de difficulté – et elles le font. Un système financier mondial efficace, au contraire, pourrait *donner* de l'argent aux pays quand ils sont dans le besoin, ce qui contribuerait à la stabilité économique mondiale, au lieu de leur en *demander* justement dans ces périodes-là.

Certains aspects techniques des réglementations bancaires occidentales encouragent, en fait, le prêt à court terme. Si les banques recourent à ce type de prêt, c'est en partie parce qu'il leur est ainsi plus facile de respecter ce qu'on appelle les exigences d'« adéquation des fonds propres ». Soucieux de la bonne santé des banques dont ils ont la charge, les régulateurs les obligent à détenir un certain montant de fonds propres proportionnel à leurs prêts en cours, et les prêts à court terme nécessitent un montant moins important que les prêts à long terme. Selon leur raisonnement, lorsqu'une banque prête à court terme, elle peut rapidement retirer son argent si la situation change. En réalité, cette position « plus sûre » est en grande partie un mirage. Cela est peut-être valable pour une banque isolée, mais pas pour le système bancaire dans son ensemble. Quand les prêteurs prêtent tous à court terme, puis décident tous de retirer leur argent simultanément, ils ne le peuvent pas. Ces règles, en fait, favorisent la panique : chaque banque sait que, si elle va plus vite que les autres, elle parviendra peut-être à récupérer sa mise avant que le problème ne soit largement connu et l'argent bloqué. Donc, au moindre soupçon de difficulté, c'est la course pour être dehors le premier – une course dont pratiquement tout le monde, et en particulier le pays en développement, sortira grand perdant.

Les agences de notation paniquent aussi ; elles ne veulent pas être prises de court par la défaillance soudaine d'un pays. En Asie orientale, elles partageaient l'optimisme du marché dans les jours qui ont précédé la crise thaïlandaise du 2 juillet 1997. Mais, à ce moment-là, elles ont déclassé la dette de l'Asie orientale au-dessous de la catégorie « investissement »[*]. Puisque beaucoup de fonds mutuels et de fonds de pension n'ont pas le droit de détenir des fonds au-dessous de la catégorie « investissement », ils se sont aussi rués vers la sortie, ce qui a exacerbé la crise.

Au lieu d'œuvrer à réduire ces problèmes dans le mode de fonctionnement des marchés – c'est-à-dire d'aider les marchés à élaborer des contrats de prêt où le riche supporte une plus grande part des risques liés aux fluctuations des taux de change et des taux d'intérêt – ou d'en contrebalancer les conséquences, le FMI et les gouvernements des pays créanciers ont tout fait pour que ceux qui avaient signé ces contrats injustes les respectent, quoi qu'il dût en coûter à leur peuple. Parmi les politiques qu'ils ont préconisées, il y a eu la hausse des taux

---

[*] Les agences de notation ont deux grandes catégories de notes : la catégorie « investissement », qui regroupe les notes élevées, et la catégorie « spéculatif » ou « risqué », qui regroupe les notes faibles.

d'intérêt, qui visait à stabiliser le taux de change. On s'était dit qu'avec un taux de change plus élevé il serait plus facile aux débiteurs de rembourser une dette libellée en devises étrangères. On n'a pas toujours clairement vu si la hausse des taux d'intérêt a vraiment stabilisé le taux de change, mais il est certain qu'elle a précipité ces pays dans la récession ou la dépression[11].

LE CAS DE L'ARGENTINE

Le capital est au centre du capitalisme. Si nous voulons une économie de marché mondiale, nous devons avoir des marchés mondiaux de capitaux qui fonctionnent bien. Or il paraît évident qu'une composante cruciale de ces marchés de capitaux – le marché du crédit – ne fonctionne pas bien, du moins du point de vue des économies de marché émergentes[12]. À maintes reprises, elles se sont retrouvées avec des niveaux d'endettement écrasants, ce qui a provoqué des crises entraînant des récessions ou des dépressions économiques et une montée de la pauvreté. La crise argentine montre bien le coût d'une mauvaise gestion de la dette – et la nécessité de réformer le système.

L'Argentine a subi sa crise de la dette un siècle après que le Dr Luis Drago eut pris la défense du Venezuela. Ce n'était pas sa première crise. Comme d'autres pays d'Amérique latine, elle avait été persuadée, dans les années 1970, d'emprunter des sommes énormes à une époque où les taux d'intérêt réels étaient bas, et parfois même négatifs (les taux d'intérêt réels tiennent compte de l'inflation ; le taux d'intérêt réel est le taux nominal moins le taux d'inflation). Quand, à la fin des années 1970 et au début des années 1980, les États-Unis, pour étrangler de manière radicale leur inflation persistante, ont relevé les taux d'intérêt à près de 20 %, l'Argentine s'est trouvée dans l'impossibilité de respecter ses engagements. Les dettes ont été restructurées, mais il n'y a pas eu d'effacement suffisant, et, pendant presque toutes les années 1980, l'argent a coulé de l'Amérique latine vers les États-Unis et les autres pays industriels avancés. L'Amérique latine a stagné. Ce n'est qu'à la fin de la décennie qu'il y a eu un effacement de dette conséquent – et c'est alors seulement que la croissance a repris[13].

L'Argentine a connu à la fin des années 1980 un épisode de très forte inflation : le taux annuel est monté jusqu'à 3 080 % en 1989. Pour lutter contre ce fléau, le pays a adopté un taux de change fixe avec le dollar. Cette stratégie a fonctionné : l'inflation est retombée. Mais c'était une stratégie risquée. L'instabilité de l'économie internationale exige de fréquents ajustements des taux de change, ce que le nouveau régime économique de l'Argentine ne permettait pas. Les conséquences allaient se manifester au cours de la décennie suivante.

Débarrassée du fardeau de la dette – pour peu de temps – au début des années 1990, l'Argentine a connu un boom. Ce regain de confiance dans l'économie poussait les banques et autres prêteurs à prêter, même pour financer la consommation. Ce boom de la consommation était ainsi alimenté au moment même où le pays privatisait les entreprises d'État, en les vendant à des étrangers. Si quelqu'un avait pris la peine de regarder le « bilan comptable » du pays, il aurait compris que sa situation s'aggravait, puisqu'il vendait ses actifs et accumulait des dettes. Mais le FMI ne regardait que le déficit, et l'adoption de ses politiques conformes au Consensus de Washington le réjouissait tant qu'il fermait les yeux sur les problèmes. Les étrangers ont été encouragés à prêter à l'Argentine, que le FMI ne cessait de distinguer des autres pays, la couvrant d'éloges pour son faible taux d'inflation, pour ses autres politiques suivant les conseils qu'il lui avait donnés, allant même jusqu'à faire parader son président, Carlos Menem – qui, peu après, serait accusé de toutes parts de corruption –, à son assemblée générale annuelle de 1999 à Washington en qualité de parangon de la vertu économique.

Mais, soudain, la fortune de l'Argentine a basculé. L'événement qui a tout précipité a été la crise asiatique de 1997, qui, en 1998, s'est muée en crise financière mondiale. Les taux d'intérêt mondiaux pour les marchés émergents sont montés en flèche, et c'est essentiellement pour cela que le service de la dette argentine est passé de 13 milliards de dollars en 1996 à 27 milliards de dollars en 2000. Ces problèmes ont été accentués par le dollar fort ; puisque le peso argentin était lié au dollar, il était de plus en plus surévalué. Cette erreur dans la détermination du taux de change s'est encore aggravée quand le Brésil, son premier partenaire commercial, a dévalué sa monnaie en raison de sa propre crise. L'Argentine a été submergée par une marée d'importations et, au nouveau taux de change très élevé, elle a constaté qu'elle avait du mal à vendre ses propres produits à l'étranger. Avec des exportations en baisse et des importations en hausse, sa balance des paiements s'est détériorée et elle a dû emprunter davantage à l'étranger.

Alors s'est enclenché un cercle vicieux dans lequel le FMI a joué un rôle crucial. Puisque les taux d'intérêt mondiaux montaient, les dépenses de l'Argentine pour le service de sa dette augmentaient, donc son déficit budgétaire aussi. Concentrant toute son attention sur ce déficit, le FMI a exigé des politiques budgétaire et monétaire d'austérité : augmenter les impôts, réduire les dépenses publiques et relever les taux d'intérêt intérieurs. Ces politiques ont eu l'effet prévisible : elles ont réduit la production de l'Argentine – et les recettes fiscales.

Le FMI était aussi responsable de l'émergence de la crise pour d'autres raisons. Il avait encouragé l'Argentine à privatiser sa caisse de retraite – ce qui s'était traduit pour l'État par une baisse des recettes (les impôts qui finançaient les retraites) plus rapide que la baisse des dépenses (les pensions à verser aux retraités). Si l'Argentine n'avait pas privatisé sa caisse de retraite, même au moment de la crise son déficit aurait été proche de zéro[14]. Le FMI avait non seulement exigé la privatisation de services publics comme l'eau et l'électricité, mais insisté pour que leurs tarifs après privatisation soient indexés sur ceux des États-Unis ; comme ils augmentaient aux États-Unis, les Argentins devaient payer toujours plus cher ces produits de première nécessité ; le pays devenait donc de moins en moins compétitif et de plus en plus agité.

Ce qui est insoutenable ne dure pas, et le taux de change élevé de l'Argentine, sa dette toujours plus lourde étaient insoutenables. Fin 2001-début 2002, sa crise économique est finalement arrivée au point d'étranglement. L'Argentine s'est déclarée défaillante – elle a tout simplement cessé de rembourser sa dette – et elle a laissé son taux de change flotter. Le peso a vite perdu un tiers de sa valeur. Dans le chaos économique qui a suivi, le taux de chômage officiel est monté à plus de 20 % et le PIB a chuté de 12 %.

À cette date, l'Argentine devait une somme énorme au FMI. Le FMI est censé aider les pays quand ils sont dans le besoin, et c'était vraiment un moment où l'Argentine était dans le besoin. Les créanciers privés, en général, exigent d'être remboursés dès que l'économie entre en récession – au moment précis où l'État a particulièrement besoin d'argent. Le FMI a été créé en raison de cet échec du marché, entre autres, mais, au lieu de proposer à l'Argentine de lui prêter davantage, lui aussi a exigé qu'elle lui rembourse ce qu'elle lui devait : si elle voulait qu'il reconduise ses prêts (en pratique, qu'il en retarde l'échéance), elle devrait accepter ses conditions : une nouvelle dose de ces mêmes mesures qui avaient contribué à provoquer la crise. Il y a eu de très âpres négociations à huis clos entre l'Argentine et le FMI, et l'Argentine n'a pas cédé. Elle a adopté une position ferme, parce qu'elle avait compris que, si le FMI lui consentait un nouveau prêt, cet argent n'arriverait jamais à Buenos Aires ; il resterait à Washington pour rembourser sa dette au FMI. (Celui-ci s'était même vanté d'avoir réussi un coup de ce genre avec un prêt à la Russie après sa défaillance.) L'Argentine savait aussi que, si elle cédait aux conditions du FMI, sa récession allait s'aggraver. Enfin, elle avait compris que le FMI et les autres créanciers internationaux avaient autant à perdre qu'elle à ne pas reconduire leurs prêts. Elle s'était déclarée défaillante sur ses emprunts privés, et elle était prête à faire de même sur sa dette au FMI et aux autres créanciers institutionnels : cela dépendait de la reconduction ou non des prêts du FMI. S'il ne les reconduisait pas, il n'aurait plus qu'à déclarer l'Argentine défaillante, et ce seraient alors les livres de comptes du FMI lui-même qui deviendraient désastreux. L'Argentine avait raison également là-dessus ; bien qu'elle n'eût payé qu'un petit pourcentage de ce qu'elle devait et qu'elle eût refusé les conditions exigées par le FMI, celui-ci ne l'a pas déclarée défaillante.

Le FMI aussi avait adopté une position dure. Un ancien membre de cette institution a expliqué qu'elle défendait simplement les intérêts collectifs des créanciers, dont elle était l'un des principaux, et ceux-ci voulaient inspirer une peur panique de la faillite. Ils voulaient que tout État souverain envisageant de ne plus rembourser ses dettes réfléchisse longtemps et douloureusement avant de le faire. Ils savaient qu'aucun tribunal ne pouvait imposer à un pays souverain de rembourser ce qu'il devait. Il n'y avait en général aucun avoir à saisir, ou fort peu (à la différence des faillites privées, où les créanciers peuvent s'emparer de l'entreprise, ou des actifs prévus en nantissement). Seule la peur pouvait pousser à payer ; sans elle, les prêts ne seraient pas remboursés et le marché de la dette souveraine allait simplement s'assécher. Le FMI « a refusé de prendre un oui pour une réponse ». Si l'Argentine acceptait l'une de ses exigences, il en avançait de nouvelles, car il voulait prolonger l'agonie de ce pays et lui faire payer sa défaillance aussi cher que possible.

Privée de plan du FMI, l'Argentine a fait alors quelque chose que personne n'avait prévu. Elle est entrée en croissance. Sans politiques d'austérité style FMI, sans flux sortants de capitaux pour rembourser les créanciers, et soutenue par la dévaluation massive de sa monnaie, l'Argentine a enchaîné trois années de croissance à 8 % ou plus. Avec le retour de la croissance, elle a même réussi à supprimer son déficit budgétaire – ce à quoi n'avaient jamais abouti les plans du FMI. Si l'Argentine avait continué à envoyer de l'argent à Washington et à accepter les diktats du FMI, il est à peu près certain qu'elle se serait trouvée dans une situation infiniment plus difficile.

Si l'Argentine a réussi une reprise en dépit de – ou plus exactement grâce à – l'absence d'un plan du FMI, la non-restructuration de sa dette a vite rendu cette reprise plus difficile que nécessaire. Les créanciers, dont beaucoup de petits épargnants italiens qui avaient été poussés à acheter des bons argentins sans vraiment mesurer le risque, ont aussi souffert de ce long retard. Beaucoup n'ont pas pu tenir et ont dû accepter des pertes massives : ils ont vendu leurs titres à des spéculateurs qui pariaient sur un scénario où l'Argentine finirait par faire une meilleure offre.

L'Argentine l'a dit clairement dès le début : elle voulait un nouveau plan du FMI, elle ne rejetait pas purement et simplement ses obligations, mais elle avait aussi des devoirs à l'égard de ses citoyens et elle préférait se passer de plan du FMI plutôt que d'en avoir un qui étoufferait la reprise ou utiliserait ses maigres ressources pour renflouer les banques occidentales.

L'histoire de l'Argentine donne aux pays et à la communauté internationale (notamment au FMI) de nombreuses leçons sur ce qu'il faut et ne faut pas faire. Elle montre, une fois de plus, que même des pays qui semblent s'être bien comportés et avoir emprunté modérément peuvent se retrouver, finalement, écrasés sous une dette gigantesque, à la suite de l'entrée en action de forces qui se situent hors de leur contrôle et de leurs frontières ; elle montre avec quelle facilité une crise de la dette peut être suivie par une autre ; elle montre que l'aide extérieure se paie parfois extrêmement cher – et que suivre les conseils du FMI, être son meilleur élève, ne protège pas un pays de la crise et ne lui épargne pas ensuite les critiques de son conseiller. Mais voici le plus important : la reprise qu'a réussie l'Argentine sans l'aide du FMI a soulevé des interrogations ailleurs. Tel ou tel pays va-t-il lui emboîter le pas ? Le Brésil s'en serait-il mieux trouvé s'il s'était déclaré défaillant, au lieu de suivre les politiques d'austérité et de contraction budgétaires qui ont valu au premier mandat du président Luiz Inácio Lula da Silva une croissance si faible, malgré des exportations extrêmement fortes ?

L'Argentine a également prouvé qu'il y a une vie après la défaillance : la croissance peut même être plus rapide. Mais peu de pays ont le courage de l'Argentine. C'est la peur de ce qui les attend s'ils ne paient pas qui les pousse à rembourser, en imposant de terribles épreuves à leurs citoyens.

La force de cette peur, j'en ai pris toute la mesure pendant ma visite en Moldavie. Alors que le service de la dette leur prenait les trois quarts de leur maigre budget, les dirigeants de ce pays persistaient à dire que, s'ils ne payaient plus, ils perdraient l'accès à l'argent. Je leur ai fait remarquer qu'ils ne recevaient pas d'argent. Le flux financier coulait de chez eux vers l'Europe et les États-Unis, pas dans l'autre sens. De plus, dans le meilleur des cas, il leur faudrait longtemps, très longtemps, avant de pouvoir obtenir le moindre prêt de la part du secteur privé. Avec un service de la dette aussi écrasant, ils étaient bien incapables, comme tous les pays très endettés, de faire les investissements nécessaires à la croissance, et sans croissance il n'est guère possible de se faire prêter des fonds. En se déclarant défaillante, la Moldavie arrêterait au moins l'hémorragie de ceux qui quittaient le pays.

C'est vrai pour la plupart des pays accablés de dettes. Tant que leur économie restera stagnante – et elle le restera aussi longtemps qu'ils seront entravés par les dettes –, ils ne pourront pas avoir accès aux marchés des capitaux, quelle que soit leur ponctualité à payer le service de leurs emprunts. Mais quand ils seront entrés en croissance, ils auront à nouveau accès aux marchés internationaux des capitaux, même s'ils se sont déclarés défaillants. La Russie y a été réadmise moins de deux ans après sa cessation de paiements de 1998. Les marchés financiers sont tournés vers l'avenir. La question qu'ils se posent est : quelles possibilités a ce pays de rembourser ? Mieux vaut pour eux parier sur une économie en situation de plein emploi, plus forte parce qu'elle s'est débarrassée de l'énorme fardeau de la dette[15]. Autrement dit, la défaillance peut rapporter, en un temps relativement bref, un vigoureux flux entrant net de capitaux.

Faire fonctionner la mondialisation : que faire à propos de la dette des pays en développement ?

Les débats sur l'allégement des dettes sont confus et décon-certants, en partie parce qu'il existe quatre catégories de pays largement (mais pas entièrement) distinctes. D'abord les pays très pauvres « normaux », qui ont essentiellement emprunté à d'autres États et à des institutions multilatérales comme le FMI. Puis des pays ayant subi des régimes corrompus et répressifs, qui, entre autres legs désastreux, ont laissé la dette. Troisièmement, des marchés émergents où des prêteurs essen-tiellement privés ont accordé trop de prêts à des emprunteurs privés – si bien que le problème a des conséquences natio-nales ; les cas de la Corée du Sud, de la Thaïlande et de l'Indo-nésie, où les dettes privées ont précipité une crise régionale, en offrent une illustration spectaculaire. Enfin, des pays à revenus moyens comme l'Argentine auxquels on a trop prêté (ou, selon le point de vue de chacun, qui ont trop emprunté), qui ont surtout pour créanciers des prêteurs privés, mais aussi le FMI, la Banque mondiale et des banques régionales de développement, et qui ne peuvent rembourser ce qu'ils doivent qu'au prix d'ajustements dévastateurs.

L'ALLÉGEMENT DES DETTES DES TRÈS PAUVRES

Les pays très pauvres sont si désespérément pauvres qu'ils prennent l'argent sous toutes les formes qui leur sont acces-sibles. En général, le secteur privé ne leur prête rien. Mais, à une époque, la Banque mondiale, le FMI et des pays indus-triels avancés leur consentaient fréquemment des prêts à faibles taux d'intérêt. Ces prêteurs espéraient que les projets et programmes ainsi financés stimuleraient la croissance – suf-fisamment pour que ces pays puissent les rembourser sans problème. Mais, souvent, ce n'est pas ce qui s'est passé. Même quand il y a eu croissance, elle a été si faible qu'elle n'a pas compensé la croissance démographique. Vingt ans après l'octroi du prêt, le pays est encore plus pauvre et bien incapable de rembourser.

En 1996, la communauté internationale a fini par admettre qu'il fallait alléger les dettes des « pays pauvres très endettés ». Mais l'histoire de ce programme (qu'on désigne par le sigle PPTE) a été très laborieuse. Pendant les quatre années qui ont suivi, trois pays seulement ont obtenu un allégement. La définition des conditions avait été confiée au FMI, et il avait mis la barre si haut que peu de pays étaient qualifiés. Ils devaient se conformer étroitement aux recommandations du FMI ; on leur laissait une très faible marge de liberté. Ce qui, disent les esprits critiques, n'avait rien d'un accident : l'offre d'allégement de la dette était pour le FMI un puissant outil pour obliger ces pays à accepter tout ce qu'il leur demanderait ou presque, mais, une fois l'allégement accordé, son emprise sur eux diminuerait considérablement. Cela dit, le FMI n'était pas la seule source du problème ; certains prêts étaient bilatéraux, et l'allégement devait être accepté par tous les grands créanciers.

Face à cette situation, en 2000, un mouvement baptisé Jubilé 2000 (par allusion au jubilé biblique, qui effaçait les dettes tous les cinquante ans) a mobilisé l'opinion publique sur le problème de l'allégement des dettes, et il y a eu un accord pour élargir le programme PPTE. En juillet 2005, plus de 56 milliards de dollars d'effacement de dettes avaient été consentis à 28 pays, ce qui avait réduit à peu près des deux tiers la dette extérieure de ce petit groupe. Sur ces 28 pays, 19 s'étaient vu accorder des allégements du service de la dette à hauteur de 37 milliards de dollars ; les autres, pour obtenir l'allégement complet, devaient encore remplir certaines conditions, moins coûteuses que celles d'autrefois et concentrées sur la réduction de la pauvreté. On a pressé le mouvement mais pas encore assez. De nombreux pays attendent toujours un allégement : beaucoup, comme l'Indonésie, ne font pas partie du programme PPTE parce que, même s'ils sont très pauvres, on les juge trop riches pour bénéficier d'un effacement ; la

Moldavie n'est pas éligible pour l'unique raison que l'allégement n'a pas été étendu aux pays de l'ex-Union soviétique. Et, pendant que l'allégement prend du retard, la magie des intérêts composés* fait son office, si bien que les dettes continuent à augmenter[16].

Il fallait faire plus et, nous l'avons dit au chapitre 1, une initiative a été prise. Lors de leur sommet de juin 2005 à Gleneagles, en Écosse, les dirigeants des pays industriels avancés, le G-8, ont accepté d'opérer des effacements de dette pouvant aller jusqu'à 100 % pour les 18 pays les plus pauvres du monde, dont 14 sont en Afrique[17].

La situation en Moldavie le montre assez : sans allégement de la dette, les pays pauvres très endettés ne pourront pas satisfaire les besoins fondamentaux de leurs citoyens, sans parler des investissements nécessaires à une croissance qui les sortirait de leur pauvreté. Pour les pays les plus pauvres du monde, il doit y avoir une procédure accélérée d'allégement de la dette, une extension à davantage de pays de l'actuelle initiative PPTE élargie, et, comme le G-8 l'a reconnu à Gleneagles, l'allégement doit être massif. Tout dollar envoyé à Washington, à Londres ou à Bonn est un dollar non disponible pour la guerre contre la pauvreté dans le pays. Si l'allégement est faible, le pays continue à se débattre dans les difficultés, et une nouvelle crise de la dette le menace dans un avenir pas si lointain.

Ces allégements doivent être opérés sous des formes qui n'enlèvent rien à d'autres types d'aide. Il ne faut pas donner aux très pauvres en prenant aux pauvres. Déjà, on a critiqué l'allégement des dettes au motif qu'il n'aidait pas seulement les malchanceux mais aussi les irresponsables. Il ne faudrait pas que les pays qui ont fait de gros efforts pour maintenir

---

* Les intérêts simples sont calculés sur le capital uniquement. Les intérêts composés sont calculés sur la somme du capital et des intérêts précédents, qu'on lui ajoute à la fin de chaque période (ils sont « capitalisés »). Donc, la base du calcul ne cesse de croître et son résultat aussi : le service de la dette s'alourdit constamment.

leur endettement à un niveau gérable soient de fait punis en recevant moins d'aide que les plus dépensiers. Aujourd'hui, les pays en développement qui ont remboursé ce qu'ils devaient, suffisamment du moins pour ne plus être éligibles aux bénéfices du programme PPTE, craignent que cet allégement n'aspire des ressources financières qui auraient pu leur revenir – notamment à la Banque mondiale, où les remboursements sont une source majeure de fonds à prêter. Seul le temps dira si les pays industriels avancés compenseront ce manque à gagner pour que la Banque mondiale puisse maintenir ses programmes de prêts. C'est d'autant plus important que l'effort d'allégement de la dette est souvent moins prononcé qu'il n'en a l'air. Il s'agit en grande partie d'une simple question d'écritures comptables – on ne fait qu'admettre la réalité : le pays ne pourra de toute façon jamais rembourser les sommes dues[18]. Donc, si des fonds qui seraient allés à d'autres formes d'assistance sont comptés comme allégement de la dette, le montant total de l'aide, en pratique, sera réduit.

Beaucoup craignent que ces pays en développement pauvres ne redeviennent vite très endettés. En un sens, ce devrait être aux prêteurs de l'éviter. La plupart de ces pays sont si terriblement pauvres qu'on ne peut raisonnablement s'attendre à ce qu'ils refusent un prêt[19]. C'est aux prêteurs à faire en sorte de limiter leurs prêts aux capacités de remboursement du pays. Concrètement, cela signifie qu'on doit accorder assez peu de prêts. Ce n'est pas seulement maintenant que la plupart de ces pays sont très pauvres ; ils le seront encore quand il faudra rembourser. Même si l'argent prêté rapporte gros, les États auront du mal à réunir les fonds nécessaires au remboursement, et, inévitablement, ceux-ci seront pris en partie sur les budgets de l'éducation, de la santé et sur d'autres postes cruciaux pour le bien-être social et la croissance.

Avec davantage d'aide sous forme de dons et plus de diligence chez les prêteurs, on risquera moins de revoir, à l'avenir, tant de pays très pauvres écrasés par un endettement excessif[20].

LA DETTE ODIEUSE

Pour une certaine catégorie de prêts, les raisons morales d'effacer la dette sont particulièrement fortes. On les appelle les « dettes odieuses » ; elles ont été contractées par des régimes brutaux, qui n'étaient pas démocratiquement élus, et l'argent emprunté a pu les aider à rester au pouvoir. Quelles qu'aient été les motivations des créanciers – politiques (acheter des alliés dans la guerre froide) ou économiques (accéder à de riches ressources minières) –, il est immoral d'obliger la population du pays débiteur à rembourser.

La dette de l'Irak contractée sous Saddam Hussein relève de cette catégorie, comme celle de l'Éthiopie qui, jusqu'à l'année 2006, remboursait encore les emprunts du régime exécré de Mengistu, dont la Terreur rouge a brutalisé le pays depuis la chute de Hailé Sélassié en 1974 jusqu'à son propre renversement en 1991. Mengistu Hailé Mariam utilisait l'argent pour acheter des armes afin de réprimer les adversaires de sa dictature. Le gouvernement actuel rembourse donc les armes qui ont servi à tuer ses camarades de combat pendant leur lutte pour instaurer un nouveau régime.

En 2005, le Nigeria avait une dette d'environ 27 milliards de dollars – essentiellement composée des intérêts cumulés d'emprunts contractés par des dictateurs militaires corrompus de 1964 à 1979 et de 1983 à 1999, époques où les richesses du pays ont été pillées, sur fond d'extraction de près de 250 milliards de dollars de pétrole. Pendant la guerre froide, les puissances occidentales et les institutions financières internationales ont accordé des prêts au Congo. Mobutu Sese Seko, son dictateur, a déposé ces fonds dans des comptes bancaires secrets, en Suisse et ailleurs. Les prêteurs savaient, ou auraient dû savoir, que l'argent ne servait pas au développement. Mais ce n'était pas le but : ils voulaient acheter au Congo son amitié dans la guerre froide, ou du moins le dissuader de la vendre à la Russie, et garantir l'accès des compagnies occidentales aux riches ressources naturelles du pays. À la fin du régime de Mobutu, le pays avait accumulé 8 milliards de dollars de dettes extérieures, et le dictateur une fortune personnelle qui, selon les estimations, se situait entre 5 et 10 milliards de dollars. Et maintenant ? Si l'on n'annule pas cette dette-là, ce ne seront pas les citoyens des puissances occidentales qui paieront le soutien qu'elles ont donné à Mobutu, mais les citoyens du Congo, auxquels on laisse le soin de rembourser ses dettes.

Aujourd'hui, les Chiliens remboursent les dettes contractées sous le régime Pinochet, les Sud-Africains celles contractées sous l'apartheid. Si l'Argentine ne s'était pas déclarée défaillante, les Argentins rembourseraient encore les prêts qui ont financé la « guerre sale » de 1976-1983, pendant laquelle 10 000 à 30 000 d'entre eux ont disparu.

Il y a une solution simple au problème de la dette odieuse : il doit être admis d'avance que ces pays n'ont pas à rembourser les prêts. Non seulement cette solution simple résout le problème du surendettement actuel, mais elle prévient son retour. Une fois les prêteurs dûment avertis que, s'ils prêtent à ce type de régime, ils risquent de ne pas être remboursés, il est probable qu'ils ne prêteront pas. Ces « sanctions financières » seront probablement beaucoup plus efficaces que les sanctions commerciales (par lesquelles la communauté internationale tente d'amener ces régimes à « bien » se comporter en les menaçant de couper leurs flux commerciaux). En effet, comme l'a souligné il y a un siècle le ministre argentin des Affaires étrangères Luis Drago, il n'existe pas de cour de justice qui puisse obliger un pays à rembourser, et, si un large consensus de la communauté internationale tient une dette particulière pour odieuse et estime que le pays n'a nulle obligation de payer, il est peu probable que s'en abstenir aura pour lui des conséquences négatives ; dans ces conditions, il n'aura aucune raison de rembourser. S'ils suivent ce raisonnement, les prêteurs ne voudront pas prêter. En revanche, les sanctions commerciales sont souvent inefficaces, parce que commercer avec les pays sanctionnés est lucratif : les entreprises essaient donc toujours de contourner les sanctions[21].

Prenant l'initiative, les Nations unies pourraient tenir à jour une liste des pays concernés. Les entreprises et les prêteurs seraient dûment avertis : leurs contrats et leurs titres de créance seront réexaminés quand le régime ne sera plus au pouvoir. Les États et les banques qui prêtent à des régimes oppresseurs sauraient ainsi qu'ils risquent de ne pas être remboursés. On pourrait fixer des principes de base pour distinguer les contrats et dettes acceptables : pour construire une école, oui ; pour acheter des armes, non. (Certains soutiennent qu'en raison de la fongibilité – l'argent prêté pour construire l'école libère des fonds qui permettent d'acheter les armes – tout prêt à un régime répressif doit être considéré comme odieux, mais il est prouvé que, lorsqu'on prête pour l'éducation, il y a bel et bien augmentation des dépenses d'éducation par rapport à ce qui se serait passé si l'on n'avait pas prêté.) On pourrait créer une Cour du crédit international, qui trancherait si nécessaire. Pour les prêts existants, elle demanderait : le prêteur a-t-il compris, quand les prêts ont été conclus, qu'il s'agissait d'une dette odieuse ? Il est clair que les nombreuses banques privées qui ont prêté à l'Afrique du Sud pendant l'apartheid, en particulier après l'entrée en vigueur des sanctions imposées par les Nations unies, ont bien dû comprendre que ces dettes étaient odieuses ; tout comme aujourd'hui celui qui prête au régime soudanais, accusé de génocide tant par les États-Unis que par les Nations unies, doit avoir conscience que le prêt est odieux.

Des problèmes analogues se posent pour les contrats. Faut-il forcer des gouvernements à indemniser des entreprises privées de travaux publics s'ils rompent un contrat qui avait été conclu avec un régime dictatorial et corrompu ? Ces contrats doivent-ils être traités comme une dette odieuse – en particulier quand ils ont pu contribuer à maintenir le régime au pouvoir ? Et le fait qu'il y ait souvent de la corruption lors de leur négociation change-t-il quelque chose ? En Irak, les États-Unis ont soutenu qu'honorer les contrats conclus avec Saddam Hussein revenait à récompenser la corruption. En Indonésie, après le renversement de Suharto, l'ambassadeur des

États-Unis a soutenu que l'inviolabilité des contrats était sacro-sainte. (Cet ambassadeur a été dûment récompensé après son départ en retraite : il est entré au conseil d'administration d'une compagnie minière américaine active en Indonésie, qui avait été accusée à la fois de corruption et de ravages sur l'environnement.)

Pour beaucoup, le problème ne se limite pas à déterminer si les dettes doivent être remboursées et les contrats honorés : il s'agit aussi de décider si les institutions occidentales doivent indemniser certains des dommages provoqués par le maintien au pouvoir de régimes qu'elles ont aidés à durer.

LA DETTE TRANSFRONTALIÈRE PRIVÉE

Jusqu'à la crise asiatique de 1997, beaucoup étaient persuadés que seul l'emprunt public pouvait poser problème. Les parties privées, expliquaient-ils, n'empruntent que si elles peuvent rembourser, et les créanciers ne leur prêtent que s'ils ont confiance dans leur capacité de remboursement. Et d'ailleurs, ajoutaient-ils, s'il y avait un problème, seul le prêteur en subirait les conséquences. La crise asiatique a prouvé que ce raisonnement était faux : l'origine de cette crise a été l'endettement excessif des entreprises privées. Quand les créanciers ont refusé de reconduire leurs prêts libellés en dollars, toute la région a été plongée dans la catastrophe.

Il s'est passé ensuite ce qui s'était passé dans tant d'autres lieux : les dettes privées ont été de fait nationalisées. Le FMI a procuré aux États les dollars nécessaires au remboursement des créanciers occidentaux. Les prêteurs ont été protégés, les emprunteurs ont échappé à leurs responsabilités – et les contribuables de ces pays en développement ont assumé la charge de rembourser le FMI.

Il existait une autre solution : les emprunteurs privés auraient pu simplement ne plus rembourser – faire faillite. Le problème, c'est que ces pays n'avaient généralement pas de cadre juridique bien conçu pour gérer la suite. Il est presque universellement admis que les pays en développement ont besoin de meilleures législations sur la faillite, et le FMI avait essayé d'imposer aux pays qui sollicitaient son aide financière ou ses conseils un ensemble précis de lois sur la question – des lois favorables aux créanciers. Les macroéconomistes du FMI, n'en soyons pas surpris, n'ont pas vraiment compris la microéconomie de la faillite. Ils n'ont pas vu, notamment, qu'il n'y a pas une seule et unique « bonne » approche du problème. La conception d'une loi sur les faillites a d'ailleurs été l'un des sujets les plus conflictuels de la vie politique américaine. Imaginer de s'en remettre à des technocrates internationaux pour résoudre un problème par essence politique n'est pas seulement absurde mais dangereux, car ces soi-disant technocrates pourraient bien représenter des intérêts particuliers. Or le droit de la faillite ne se résume pas à un simple équilibre entre les intérêts des créanciers et ceux des débiteurs : il reflète en partie l'idée qu'une société se fait de la justice sociale.

Quantité de considérations entrent en jeu dans la conception d'une loi sur les faillites. Il est bien sûr nécessaire de trouver le juste équilibre entre les intérêts des créanciers et ceux des débiteurs. Une législation des faillites trop favorable aux débiteurs leur donnera trop peu d'incitations à rembourser ; et, sans elles, les marchés du crédit ne peuvent plus fonctionner. Mais des dispositions trop favorables aux créanciers ne les inciteront pas suffisamment à respecter leur obligation de diligence – à vérifier que l'emprunteur pourra rembourser. Une banque américaine vante ses cartes de crédit sous le slogan « qualifié de naissance » – ce qui suggère qu'elle ne fait guère d'efforts pour distinguer les bons emprunteurs des mauvais.

Si les procédures de faillite traînent en longueur, une entreprise pourra rester dans les limbes sur une longue période, car on ne saura pas clairement qui sont ses propriétaires. Il lui sera difficile d'emprunter, et ses directeurs pourront se sentir incités à la dépouiller de ses meilleurs actifs, à les vendre rapidement pour toucher l'argent. Mais une législation « dure » peut imposer la liquidation, donc supprimer des emplois et détruire un capital organisationnel. (La survaleur d'une firme – ce qui dans sa valeur dépasse celle de ses actifs matériels, et comprend la valeur de sa réputation – est souvent de loin supérieure à celle de ses avoirs physiques.) Toutes ces préoccupations jouent un rôle important dans le droit moderne de la faillite. Aux États-Unis, le chapitre 11 du code des faillites assure une réorganisation de l'entreprise assez rapide : elle est libérée de ses dettes, qui sont converties en actions, et les actionnaires existants sont largement ou totalement évincés, car les créanciers deviennent les nouveaux propriétaires. Les entreprises continuent à fonctionner tout au long de la procédure. Si certains reprochent à ce système d'être trop favorable aux débiteurs, il n'empêche pas les firmes d'accéder au crédit – même quand, à l'instar de plusieurs compagnies aériennes toujours en activité (Continental et US Airways), elles se sont déclarées en faillite plusieurs fois.

Pendant la crise asiatique, en tant qu'économiste en chef de la Banque mondiale, j'ai préconisé la création d'un « superchapitre 11 », d'un mécanisme de faillite spécial pour les pays où elle est due à une calamité macroéconomique majeure – l'effondrement du taux de change, une grande récession ou dépression, ou une ascension imprévue des taux d'intérêt des marchés émergents. Dans ce type de situation, il est encore plus impératif d'avoir un dénouement rapide. De plus, la présomption que les problèmes de la firme ne résultent pas d'une mauvaise gestion mais de forces échappant à son contrôle serait plus forte que dans une faillite normale – personnelle ou d'entreprise. Le « superchapitre 11 » serait donc plus favorable aux débiteurs et permettrait une restructuration plus accélérée que le chapitre 11 classique.

Mais un règlement rapide du problème des entreprises qui ne sont plus dans la capacité de rembourser ce qu'elles doivent ne remplace pas des mesures préventives pour éviter que ce problème ne se pose. Là encore, cela veut dire éviter d'emprunter – et réduire l'exposition au risque et à la volatilité, afin qu'une dette « raisonnable » ne devienne pas subitement ingérable. Puisque tant les emprunteurs que les prêteurs

ignorent les conséquences macroéconomiques du surendettement, il n'est pas surprenant que la dette extérieure soit
souvent trop élevée ; c'est pourquoi l'État doit intervenir[22].
L'emprunt à court terme à l'étranger, notamment, exposant les
pays à un risque de crise, les gouvernements doivent le décourager, par exemple en taxant et en restreignant les flux de
capitaux à court terme.

LA FAILLITE SOUVERAINE

Les pays très pauvres et ceux qui se relèvent après avoir
subi des régimes corrompus ne sont pas les seuls à connaître
des problèmes de dette écrasante. Le Mexique, le Brésil,
l'Argentine, la Russie et la Turquie figurent au nombre des
pays – dont la liste est longue – qui, ces dernières années, ont
non seulement eu des problèmes, mais ont connu une crise
économique à cause de leurs difficultés à s'acquitter de leurs
obligations de débiteurs. Pour ces pays, personne ne parle
d'effacer les dettes, en partie parce qu'ils sont en fait capables,
à un certain niveau, de rembourser : ils pourraient probablement augmenter les impôts et réduire suffisamment les dépenses
pour réunir les fonds nécessaires. Et la valeur de leurs actifs
dépasse de très loin ce qu'ils doivent. Mais le prix que le pays
aurait à payer serait extrêmement lourd, et ses citoyens ne
veulent pas aller jusque-là. Même si les créanciers refusent
d'effacer la dette de leur propre initiative – et en général ils
refusent –, il existe une autre solution : défaillance et renégociation. C'est, nous l'avons vu, la voie qu'a suivie l'Argentine. Mais nous avons vu aussi combien la restructuration de
sa dette a été pénible – inutilement.
Cinq réformes cruciales s'imposent.

• Ne pas être nuisible
La première, c'est que les pays développés ne doivent pas
nuire. Ils ne doivent pas profiter de l'allégement de la dette
pour rançonner des pays ou miner leurs institutions démocratiques. L'objectif de cet allégement est de permettre un nouveau départ. Le Club de Paris est un groupe informel de dix-

neuf pays créanciers, dont les États-Unis, le Japon, la Russie et de nombreux États européens ; ils décident collectivement qui bénéficiera d'un allégement, de quelle ampleur et à quelles conditions. Quand le Club de Paris exige de l'Irak, comme condition pour le soulager de ses dettes, qu'il souscrive à la thérapie de choc et suive une politique économique conforme au Consensus de Washington, il retire à Bagdad sa souveraineté économique[23]. En novembre 2004, ses membres ont accepté d'effacer immédiatement 30 % de la dette irakienne, qui se monte à 40 milliards de dollars, et encore 30 % trois ans plus tard si l'Irak appliquait un plan du FMI qui comprenait tout le programme de privatisation et de libéralisation que l'administration Bush veut depuis le début lui faire adopter. À l'époque, les chances de succès de la thérapie de choc en Irak semblaient encore plus faibles qu'en Russie, où le FMI avait imposé la même recette et obtenu une chute de 40 % du PIB. L'économie irakienne n'a pas été brillante non plus, même si d'autres facteurs en sont en partie responsables : l'insurrection, et l'insuffisance des efforts américains pour reconstruire les infrastructures.

De même, au cours des négociations sur l'allégement de sa dette, on a exigé du Nigeria, comme condition d'un effacement, qu'il mette en œuvre un plan du FMI. Les esprits critiques se demandent pourquoi, puisqu'il avait déjà prouvé son aptitude à bien gérer son économie lui-même : il avait éliminé l'inflation, ordonné son budget et accru la transparence.

Quelles que soient les conditions imposées par le FMI, elles seront mal accueillies pour la simple raison qu'elles sont imposées – elles viennent de l'extérieur. Mais celles qu'il exige effectivement appellent particulièrement le rejet parce qu'elles sont, en général, tout à fait inadaptées au pays. L'inflation obsède tant le FMI qu'il semble souvent oublier la croissance et la stabilité réelle : la volatilité de la production et de l'emploi ne retient guère son attention. C'est pourquoi, au lieu de remédier aux insuffisances des marchés de capitaux privés ou de contrebalancer leurs effets, il les a souvent aggravés. Au lieu de leur fournir des fonds pour financer des politiques contracycliques, il a régulièrement imposé aux pays en

récession des politiques de contraction. L'un des plus importants progrès de la science économique au cours du dernier
siècle a été la grande intuition de John Maynard Keynes :
l'État, en augmentant ses dépenses et en réduisant les impôts
et les taux d'intérêt, peut aider le pays à sortir d'une récession. Le FMI a rejeté ces politiques keynésiennes pour revenir
aux politiques prékeynésiennes, centrées sur les déficits
publics, et qui appellent à relever les impôts et à réduire les
dépenses pendant les récessions, soit exactement le contraire
de la prescription de Keynes. Dans pratiquement tous les cas
où elles ont été essayées, les mesures du FMI ont aggravé la
récession. Les économistes, finalement, n'auront pas à réé-
crire leurs manuels – mais cette bonne nouvelle pour les pro-
fesseurs d'économie a été une catastrophe pour des millions
d'habitants de ces pays.

Une mesure a été particulièrement problématique : la hausse
des taux d'intérêt imposée par le FMI pour stabiliser le taux de
change. Elle ne l'a pas stabilisé, mais elle a vite abouti à une
explosion du fardeau de la dette : les États ont dû emprunter de
plus en plus à seule fin de pouvoir payer les intérêts de leur
dette antérieure.

Les « conditions » que le FMI a posées pour ses prêts ont
été nuisibles aux pays emprunteurs sur d'autres plans. J'ai dit
et répété que même des pays qui empruntent modérément
peuvent se retrouver en situation périlleuse à cause de l'ampleur
de l'instabilité économique, dont celle des taux de change et
des taux d'intérêt. La libéralisation des marchés des capitaux,
que le FMI a vivement conseillée, ou imposée, aux pays en
développement, a exposé ceux-ci à davantage de risque et
d'instabilité tout en limitant leur capacité de réagir (s'ils bais-
saient les taux d'intérêt pendant une récession, par exemple,
ils risquaient de provoquer une hémorragie financière, une
fuite des capitaux hors de leur territoire).

• Revenir au prêt contracyclique

Le modèle du prêt privé procyclique – qui exige le remboursement au moment précis où le pays a le plus besoin de

fonds – va sûrement continuer. Les banques ont pour métier de gagner de l'argent, et le vieil adage qui dit qu'elles ne prêtent qu'aux riches repose sur une dure expérience. Mais ce genre d'échecs du marché a été l'une des grandes justifications de la création du FMI et de la Banque mondiale. Ces institutions ont été en partie fondées, on l'a dit, pour aider à prévenir un nouveau désastre planétaire comme la Grande Crise. Le prêt contracyclique (celui où l'on prête davantage quand l'économie va mal) faisait partie de leur mission initiale. En contrebalançant le modèle procyclique du prêt privé, le prêt contracyclique peut apporter une contribution considérable à la stabilité. Il peut aider les pays en développement à financer des dépenses pendant les récessions, et fournir ainsi le stimulant budgétaire nécessaire. Le FMI, la Banque mondiale et les banques régionales de développement en Afrique, en Asie, en Europe de l'Est et dans l'ex-Union soviétique, en Amérique latine enfin, doivent absolument revenir au prêt contracyclique.

• Réduire le risque

Troisièmement, il faut réduire le risque pour l'emprunteur. J'ai déjà souligné que les problèmes de la dette viennent souvent de là : les pays en développement sont contraints de supporter le risque de la volatilité des taux de change et des taux d'intérêt. Wall Street s'enorgueillit de son aptitude à diviser le risque à l'infini, afin de le transférer des moins capables d'y faire face aux plus aptes à le supporter[*]. Mais, dans le cas de la dette des pays en développement, son échec est patent.

Tant que les marchés financiers privés n'auront rien proposé, n'auront pas montré qu'ils peuvent et qu'ils veulent absorber une plus grosse partie des risques de taux d'intérêt et

---

[*] Allusion aux « produits dérivés » chers à Wall Street (contrats à terme, options d'achat et de vente, etc.), dont la justification première est de partager et de transférer le risque, qui se trouve morcelé dans un enchaînement de transactions, car celui qui accepte d'en décharger un autre cherche lui-même à se couvrir.

de change que subissent les pays en développement, les institutions financières internationales devront jouer un rôle plus
actif dans cette absorption. C'est vrai, en particulier, pour
leurs propres prêts : les contrats doivent être conçus pour protéger les pays en développement des ravages que provoquent
les fluctuations des taux d'intérêt et des taux de change[24].
Mais elles peuvent aussi apporter leur aide pour les prêts
conclus avec d'autres. La Banque mondiale fournit déjà une
assurance contre le risque de nationalisation. Elle pourrait
l'étendre aux risques de changement de taux d'intérêt et de taux
de change, et même de défaillance. Avec la prime, l'emprunt
coûterait plus cher, ce qui pourrait dissuader d'emprunter (j'ai
déjà laissé entendre que ce ne serait pas un mal), mais le coût
de cette prime serait bien inférieur à celui de l'instabilité à
laquelle les emprunteurs sont aujourd'hui confrontés.

Le risque lié à l'emprunt est plus faible si les pays le font
dans leurs propres devises ; c'est pourquoi il est important de
développer des marchés du crédit dans la monnaie locale. La
Banque mondiale et d'autres banques multilatérales de développement peuvent contribuer à renforcer ces marchés en y
empruntant quand elles réunissent des fonds[25]. Plusieurs pays
asiatiques, menés par la Thaïlande, s'efforcent actuellement
de créer un marché obligataire asiatique, où l'emprunt a lieu
dans un panier de monnaies locales. Les politiques macroéconomiques saines de ces pays, que reflètent la faiblesse de
leurs taux d'inflation et (à l'exception de la crise de 1997) la
relative stabilité de leurs taux de change, offrent un environnement propice à ce type de marché ; et l'importance de l'épargne
issue de l'Asie elle-même devrait aussi aider sa création.

Les pays industriels avancés doivent être sensibles à une
réalité : des mesures conçues pour accroître la stabilité de
leurs économies, telle la décision de traiter le prêt à l'étranger
à court terme comme plus sûr qu'à long terme, ont peut-être
exporté l'instabilité dans le monde en développement. Il faut
changer ces réglementations, et les cadres institutionnels dans
lesquels elles sont formulées. Les réglementations et les normes
bancaires, par exemple, sont fixées par la Banque des règle-

ments internationaux (BRI), institution encore moins démocratique et transparente que le FMI. Et quand elle a élaboré ces normes, du moins jusqu'à présent, elle n'a pas prêté grande attention à leur impact sur les pays en développement.

• Emprunter prudemment

La quatrième réforme porte sur les mesures à prendre dans le cas des pays pauvres très endettés : ces pays doivent emprunter prudemment, et, quand ils empruntent, le faire dans leur propre monnaie. Si les marchés et les États ne peuvent – ou ne veulent – rien faire pour transférer le poids du risque, les pays en développement doivent être particulièrement prudents avec les emprunts.

L'emprunt apporte plus de problèmes que de richesse. Historiquement, il est clair que, pour de nombreux pays en développement, le coût de la dette a dépassé ses bénéfices. L'Amérique latine a connu au début des années 1990 une croissance rapide financée par l'endettement, mais ce qu'elle a perdu à la fin de la décennie est très probablement supérieur aux bénéfices de cette croissance initiale ; une bonne partie de la dette a financé une consommation effrénée, et si l'essentiel des profits est allé à des milieux déjà extrêmement prospères, l'essentiel des coûts de la crise qui a suivi a été supporté par les travailleurs et les petits entrepreneurs. Les coûts et les bénéfices de l'endettement sont injustement répartis. La dette et ses lendemains nourrissent la pauvreté et l'inégalité.

C'est la dure leçon des cinquante dernières années : même lorsque des investissements rapportent des retours sociaux élevés – dans l'éducation, la santé, les routes –, l'État a du mal à trouver de l'argent pour rembourser les prêts. Les pays devront donc compter davantage sur leur propre épargne pour financer leur accumulation de capital – ce qui souligne à nouveau l'importance d'un taux d'épargne nationale élevé. L'Asie orientale a réussi bien des choses. L'une d'elles a été d'épargner énormément et d'emprunter peu. Ce n'est que lorsqu'elles ont commencé à emprunter à l'étranger, à la fin des années 1980 et au début des années 1990, que la Corée du Sud et la

Thaïlande ont eu des problèmes. Pour ces pays, la crise de la dette n'était vraiment pas nécessaire, étant donné le taux d'épargne qu'ils avaient. Tout calcul raisonnable situerait les coûts bien au-dessus des bénéfices.

• Mettre en place une législation internationale des faillites

Même en dehors de la responsabilité de l'emprunteur, les problèmes, cela arrive : les prix des produits exportés peuvent s'effondrer, les mauvaises récoltes se succéder, les taux d'intérêt internationaux s'envoler, une récession mondiale faire disparaître les marchés d'exportation. Dans l'une ou l'autre de ces situations d'urgence, un pays risque de ne pas pouvoir rembourser ses emprunts, ou seulement au prix de lourds sacrifices pour ses citoyens. Dans ces conditions, il doit y avoir une façon systématique de restructurer – et d'effacer – les dettes, une forme de faillite internationale. C'est la dernière réforme majeure.

Aujourd'hui, nous avons un système informel où les pays négocient et sollicitent l'effacement de leur dette. Le succès repose sur l'habileté des négociateurs et sur la politique. Les États-Unis ont plaidé énergiquement en faveur de l'Irak (mais sa dette à l'égard des États-Unis eux-mêmes était réduite : environ 4,5 milliards de dollars). Sous le patronage américain, l'Irak a fini par obtenir un allégement. De nombreux autres pays qui, à presque tous les points de vue, le méritaient autant ou davantage n'ont rien eu. De même, l'Argentine savait mener des négociations musclées et avait des dirigeants politiques et économiques sûrs d'eux et bien informés ; elle a donc obtenu beaucoup plus de ses créanciers.

Les entreprises et les individus confrontés à une dette écrasante doivent pouvoir prendre un nouveau départ : cette idée est aujourd'hui universellement admise. Mais il est encore plus important que les pays accablés de dettes aient cette possibilité. Keynes l'a bien vu dans son livre *Les Conséquences économiques de la paix*, rédigé juste après la décision, à la fin de la Première Guerre mondiale, d'imposer à l'Allemagne par le traité de Versailles d'énormes réparations – en fait, un fardeau de dettes ; il a prédit, avec raison, que cela conduirait à la récession et à la dépression en Allemagne, ainsi qu'à des troubles sociaux et politiques[26]. Quand une seule entreprise ou un seul individu a un problème, les conséquences sociales et politiques sont limitées. Quand un pays ploie sous un fardeau de dettes insupportable, tout le monde est touché dans la société. La défaillance de l'Argentine en 2002 et les négociations prolongées qui ont suivi ont prouvé la nécessité d'un meilleur mécanisme pour traiter l'arrêt du remboursement des dettes souveraines.

Malheureusement, les États-Unis ne se sont pas joints à ce consensus sur le besoin d'un meilleur mécanisme, et ils ont réussi, jusqu'à présent, à bloquer toute action. Ils prétendent qu'une procédure de faillite internationale n'est pas nécessaire : il suffit de modifier légèrement les contrats de prêt[27]. En y intégrant, entre autres, une clause d'action collective – ce qui veut dire que si, par exemple, 80 % des créanciers d'un pays sont d'accord sur une proposition de restructuration de la dette, elle est adoptée. (Actuellement, tous les créanciers doivent donner leur accord, ce qui crée le problème des « preneurs d'otage » : les créanciers minoritaires qui opposent leur veto à toute restructuration sauf s'ils sont eux-mêmes intégralement remboursés.) Tous les pays industriels avancés ont jugé nécessaire d'avoir une législation des faillites, et cette réalité confirme les conclusions de la théorie économique : les clauses d'action collective ne suffiront pas. Un processus judiciaire est indispensable.

Systématiser l'opération de restructuration/effacement de la dette la rendrait plus équitable et plus rapide. Il faudrait le faire en s'inspirant de plusieurs principes directeurs. Premièrement, il faut que l'effacement de dette soit assez important pour qu'il n'y ait pas de forte probabilité de nouvelle défaillance, disons cinq ans plus tard. Le FMI a souvent utilisé des scénarios de croissance très optimistes, afin d'avoir à effacer moins de dettes, et les pays qui ont suivi ses directives dans les restructurations se sont souvent retrouvés en difficulté quelques années plus tard. Si l'on restructure sans réduire suffisamment la dette, elle continue à projeter son ombre sur la croissance.

Il est clair qu'il y a une incertitude considérable sur la croissance future, et sur ce point l'Argentine a trouvé une solution ingénieuse : un bon d'État indexé sur le PIB, qui rapporte plus quand la croissance est plus forte. Ce qui a l'avantage supplémentaire d'aligner les intérêts des créanciers et ceux des débiteurs : les créanciers ont désormais une incitation à aider l'économie à se développer plus vite.

Deuxièmement, toute solution doit admettre que les créanciers étrangers ne sont pas les seuls requérants. Il y a beaucoup de demandeurs publics en plus des créanciers officiels – par exemple tous ceux à qui l'État doit des pensions de retraite, ainsi que des services de santé et d'éducation. Une différence majeure sépare la restructuration de la dette souveraine et la faillite privée. Dans la faillite privée, on dresse la liste des créanciers, la liste des actifs, après quoi la législation sur les faillites et les contrats de prêt déterminent qui a les droits prioritaires ; dans la faillite souveraine, en revanche, il n'y a pas de liste bien définie – ni de créanciers, ni d'actifs. Et il faut fixer d'avance cette priorité : la primauté des obligations d'un État vis-à-vis de ses citoyens est inviolable[28].

Troisièmement, la restructuration doit être rapide et favorable au débiteur. Tout délai a un coût prodigieux – le retard à opérer un effacement suffisant de la dette de l'Amérique latine au début des années 1980 a provoqué dix ans de stagnation. Nous avons déjà montré comment le chapitre 11 du code des faillites des États-Unis permet une restructuration rapide à des conditions proposées par le débiteur. Aujourd'hui, de nombreux pays envisagent d'imiter ce chapitre 11. De même, un système international de restructuration des dettes doit comprendre certaines procédures d'urgence.

Quatrièmement, quelle que soit la procédure qui détermine l'étendue de la restructuration de la dette et/ou de son effacement, elle ne doit pas se trouver entre les mains des créanciers, FMI compris. Tout simplement parce qu'ils ne peuvent pas faire office de juge impartial.

Je suis convaincu que la mise en place d'une organisation des faillites internationales finira par s'imposer, tout comme les pays industriels avancés ont tous dû se doter d'un droit de la faillite et parfois de tribunaux spéciaux pour l'appliquer. Mais, à court terme, il pourrait être utile de créer un service de médiation internationale pour établir des normes. Après tout, depuis l'abandon de l'intervention militaire, la persuasion morale joue un rôle important pour inciter au remboursement, et déterminer quel est son montant équitable. La définition d'un ensemble de normes et d'attentes ferait beaucoup pour aplanir le processus de restructuration.

Outre la capacité de rembourser, deux facteurs devraient entrer en ligne de compte. Il faudrait se demander dans quelle mesure le prêteur a sciemment prêté dans une situation où existait un gros risque de ne pas être remboursé – et donner à cette considération un certain poids. Lorsque, comme pour la Russie, les prêteurs obtenaient des intérêts de 150 %, c'était bien parce qu'il y avait une forte probabilité de défaillance. À ce taux, si l'un d'eux prêtait en janvier, en octobre il avait pleinement récupéré sa mise. Tout ce qui suivait était pur profit. Si le prêt a été conclu sur cinq ans, le créancier aimerait évidemment que la restructuration continue à lui verser les 150 % promis, mais, de l'avis général, ce ne serait pas raisonnable. Il pourrait se plaindre que 7 % seulement, c'est du vol – que la dévalorisation du bon d'État est gigantesque. Mais le taux d'intérêt très élevé signifiait qu'il prenait sciemment le risque de recevoir une somme considérablement inférieure à la valeur nominale de ce bon d'État.

Le second facteur est le degré de culpabilité des prêteurs dans les problèmes qui accablent le pays. J'ai déjà évoqué un cas, les dettes odieuses, et suggéré qu'elles devraient être entièrement effacées. Mon analyse sur l'Argentine a souligné la lourde responsabilité du FMI dans les problèmes de ce pays, y compris dans son incapacité à rembourser. C'est pourquoi beaucoup d'Argentins estimaient que le FMI devait accepter un effacement de sa créance au moins aussi important que les créanciers privés (66 %). Ils ont été extrêmement déçus quand, en 2006, leur gouvernement a remboursé le FMI intégralement et en avance. Mais le gouvernement argentin a fait acte de pragmatisme : il voulait simplement se débarrasser une bonne fois du FMI. Le rembourser intégralement, ce n'était pas cher payé pour recouvrer sa souveraineté économique.

Dans de nombreuses situations, les torts sont partagés. Il semble raisonnable, dans ce contexte, d'ajuster le montant du remboursement au degré de culpabilité. Les économistes soulignent l'importance des incitations : faire supporter aux prêteurs (y compris le FMI) les conséquences de leurs actes (y compris de leurs conseils) les inciterait à améliorer la qualité desdits conseils, et à se montrer plus vigilants quand ils prêtent.

Considérons, par exemple, le prêt du FMI à la Russie en juillet 1998. Il avait pour but de soutenir le rouble. Mais, à cette date, le rouble était surévalué ; c'est pourquoi la Russie avait du mal à exporter quoi que ce soit en dehors du pétrole et d'autres matières premières. Avec la plupart de mes collègues de la Banque mondiale, j'étais persuadé que ce prêt ne maintiendrait pas bien longtemps le taux de change, et qu'il était pratiquement sûr que son seul effet serait d'endetter encore plus le pays. En outre, il y avait de fortes probabilités de corruption : cet argent allait vite quitter le pays, vraisemblablement dans les poches des oligarques. Le prêt avait une motivation essentiellement politique : à l'époque, les États-Unis désiraient vivement que le président Eltsine garde le pouvoir. Ils ne voulaient pas non plus regarder en face le bilan des politiques qu'ils avaient, avec le FMI, préconisées : en 1998, elles laissaient le PIB de la Russie 40 % plus bas – et sa pauvreté plus de 10 fois plus haut – que lors du début de la transition du communisme à l'économie de marché. (Paradoxalement, alors que les États-Unis faisaient la leçon à la Russie sur les dangers de la corruption, l'université Harvard, qui avait obtenu le contrat de gestion de l'aide américaine à la privatisation, était impliquée dans un énorme scandale de corruption[29].) Même si le prêt, en définitive, échouait, ce serait un petit prix à payer – un prix qui, de toute manière, serait payé par le peuple russe – s'il permettait de remettre à plus tard un débat du type « Qui a perdu la Russie[30] ? ».

Le prêt a échoué. L'argent a filé sur des comptes suisses et chypriotes plus vite que les adversaires de l'opération ne l'avaient cru possible. Le cas est plus compliqué que celui des dettes odieuses du Congo et d'autres pays cités plus haut, parce que le gouvernement russe avait été élu démocratiquement. Néanmoins, sur le plan éthique, la question se pose en ces termes : qui doit subir les conséquences, le peuple russe, qui n'a pas eu son mot à dire sur ce prêt, ou le prêteur, le FMI, qui l'a conçu ?

J'ai déjà expliqué pourquoi, en Argentine, le FMI était particulièrement coupable : l'Argentine se jugeait dépendante des prêts du FMI, qu'elle ne pouvait obtenir que si elle suivait les conseils de celui-ci, et ces conseils ont exacerbé ses problèmes économiques. Il en est allé de même en Russie. Le FMI a conseillé à la Russie, avant sa défaillance, de convertir une plus grande partie de sa dette de prêts libellés en roubles en prêts libellés en dollars. Or il savait – ou aurait dû savoir – que cela exposait le pays à un risque énorme. Le taux de change était surévalué : une dévaluation était prévisible. Avec une dette libellée en dollars, le bénéfice que la Russie retirerait de cette dévaluation – dû à l'augmentation de ses recettes d'exportation et à la baisse de ses importations – serait effacé par les pertes de sa balance des paiements. Sa dette (en roubles) allait augmenter énormément. Le FMI avait vu que les taux d'intérêt étaient plus bas sur les prêts en dollars, mais il aurait dû savoir que cet écart signifiait seulement que les marchés s'attendaient à une dévaluation du rouble.

L'Indonésie offre un autre exemple éloquent : le FMI et d'autres prêteurs, dont la Banque mondiale et la Banque asiatique de développement, ont fourni à ce pays environ 22 milliards de dollars de prêts pendant la crise asiatique. Officiellement, il s'agissait de renflouer l'Indonésie, mais un regard plus attentif révèle que, comme à l'accoutumée, c'étaient en réalité les banques occidentales qu'on renflouait. À quel point les vrais bénéficiaires étaient les créanciers occidentaux et non pas l'Indonésie, on l'a vu clairement quand le FMI a exigé la réduction des aides à l'alimentation et au combustible des pauvres, au motif que, même si on disposait de milliards de dollars pour rembourser les banques occidentales, il n'y avait pas assez d'argent pour aider les Indonésiens pauvres (pourtant, si ces aides ne représentaient qu'un petit pourcentage de l'argent versé au pays). Et cela, alors que le chômage avait décuplé et que les salaires réels s'étaient effondrés – en partie à cause des politiques exigées par le FMI. C'est en Indonésie un sentiment très largement partagé : puisque le FMI porte une si lourde responsabilité dans les problèmes économiques du pays, il devrait y avoir un gros effacement de la dette. Mais, jusqu'au tsunami du 26 décembre 2004, ces arguments sont tombés dans l'oreille d'un sourd. Le tsunami a donné à l'assouplissement un motif humanitaire, et les versements sur quelque 3 milliards de dollars de dettes dues en 2005 ont été remis d'un an.

Dans d'autres cas, on pourrait soutenir que le prêteur est encore plus coupable – par exemple quand un projet de la Banque mondiale échoue parce qu'elle n'avait pas porté une attention suffisante à l'impact sur l'environnement, ou parce que son analyse économique était inadéquate. C'est la Banque mondiale qui est censée avoir les experts, et – notamment dans le passé – les pays en développement ont fait confiance à ses spécialistes. Mais quand les projets ne fonctionnent pas, ou n'ont pas le rendement que l'on attendait, ce n'est pas la Banque mondiale qui en supporte les conséquences. C'est le pays en développement, qui reste tenu de rembourser le prêt.

Des principes directeurs plus clairs sur les conditions qui doivent entraîner l'effacement de la dette auraient deux effets. Le processus de restructuration serait aplani et reviendrait moins cher, ce qui réduirait le risque d'une crise coûteuse comme celle qu'a subie l'Argentine ; et, si cela coûte moins cher, les pays saisiraient plus facilement le tribunal pour faire restructurer leurs dettes. Les longues périodes pendant lesquelles le fardeau d'une dette non remboursée ralentit la croissance et entrave le développement seraient abrégées. En

même temps, les incitations aux prêteurs seraient plus vigou-
reuses : on leur signifierait clairement qu'ils doivent être plus
attentifs quand ils prêtent. S'ils se montraient plus prudents
dans leurs décisions, la croissance serait peut-être plus faible à
court terme, mais les bénéfices à long terme seraient énormes.
Les crises qui ont accablé les pays en développement ne
seraient pas éliminées, mais leur fréquence et leur gravité dimi-
nueraient. Par conséquent, la croissance à long terme serait en
réalité renforcée.

Ces idées vont se heurter à une forte résistance. Les États-
Unis, on l'a vu, se sont opposés à l'établissement d'un processus ordonné de restructuration des dettes. Sur les marchés
financiers, certains ne veulent pas de procédure régulière ; ils
veulent que la défaillance coûte très cher, pour qu'elle reste
rare. Ils affirment qu'avec un système régulier il y aura plus
de défaillances, donc que les taux d'intérêt vont monter, donc
qu'il y aura moins d'emprunts. En fait, puisque l'un des problèmes de fond est leur trop grand nombre, ce résultat serait
tout à fait souhaitable[31]. Même de nombreux marchés émergents rejetteront à grands cris ce type de réformes – en particulier ceux que les marchés financiers soupçonnent d'être à la
limite du défaut de paiement. Ils font du spectacle à l'intention des créanciers : en se disant prêts à subir de terribles
souffrances en cas de défaillance, ils leur signifient que la
défaillance est pour eux totalement exclue. (Leur véritable
opinion sur ces réformes – y sont-ils réellement hostiles ? –
est une autre question.)

De nombreux problèmes de remboursement ne sont pas dus
à des erreurs des pays en développement mais à l'instabilité
du système économique et financier mondial. Le besoin de
meilleurs mécanismes de partage des risques et de règlement
des problèmes d'endettement restera fort tant que les marchés
financiers internationaux resteront aussi instables. Pour que la
mondialisation fonctionne, il faut s'attaquer à cette instabilité.
Ce sera le sujet du chapitre suivant.

9

Réformer le système de réserve mondial

Le système financier mondial fonctionne mal, et il fonctionne particulièrement mal pour les pays en développement. L'argent coule de bas en haut : il va des pauvres vers les riches. Le pays le plus riche du monde, les États-Unis, ne parvient apparemment pas à vivre selon ses moyens : il emprunte 2 milliards de dollars par jour à des pays pauvres.

Certains des dollars qui passent du monde en développement au monde développé remboursent les dettes gigantesques que nous venons d'évoquer au chapitre précédent. D'autres viennent acheter des bons d'État aux États-Unis et dans d'autres pays à devise « forte » ; ces bons seront ajoutés aux réserves du pays en développement. Ils ont un gros avantage : ils sont extrêmement liquides, et ce pays pourra les vendre immédiatement s'il a besoin d'argent. Mais ils ont aussi un gros inconvénient : ils rapportent très peu. La plupart sont des bons du Trésor à court terme des États-Unis (communément appelés *T-bills*), qui ont rapporté ces dernières années des intérêts misérables – ils sont descendus jusqu'à 1 %. Il est bien curieux de voir des pays pauvres ayant désespérément besoin d'argent prêter des centaines de milliards de dollars au pays le plus riche du monde. En 2004, le seul flux venu de Chine, de Malaisie, des Philippines et de Thaïlande, essentiellement pour accumuler des réserves, a atteint le niveau monstrueux de 318 milliards de dollars[1] !

Nous avons vu au chapitre précédent tout le mal qu'une dette trop lourde inflige aux pays en développement. Nous avons vu également que l'extrême instabilité de l'économie mondiale – dont celle des taux d'intérêt et des taux de change – peut en un clin d'œil transformer un endettement modéré en fardeau écrasant. *Il faudrait* assurer des transferts de moyens financiers des riches vers les pauvres, et des transferts de risques des pauvres vers les riches. Or le système financier mondial ne fait ni l'un ni l'autre.

Puisqu'on laisse les pays pauvres supporter l'essentiel du risque, les crises sont devenues un mode de vie : il y en a eu plus d'une centaine durant les trois dernières décennies[2]. Ce sont les vices du système de réserve mondial qui expliquent en grande partie ceux du système financier mondial. Une réforme simple du système de réserve créerait une économie mondiale plus forte et plus stable. Cette réforme résoudrait aussi l'un des plus graves problèmes de la planète : le manque d'argent pour promouvoir le développement, combattre la pauvreté et assurer une meilleure éducation et une meilleure santé à tous.

Tous les pays du monde ont des réserves. Elles ont de multiples objectifs. Sur le plan historique, elles ont servi à soutenir la devise nationale. Les détenteurs de rands sud-africains ou de pesos argentins se sentaient plus à l'aise en sachant que, derrière ces devises, il y avait des dollars ou de l'or appartenant aux pays qui les émettaient, qu'il leur était en fait possible de convertir ces monnaies en dollars ou en or, lesquels pouvaient servir à acheter des biens et services. Historiquement, l'or a servi de « monnaie » – de moyen d'échange commercial. Les gens achetaient et vendaient des produits alimentaires en les échangeant contre des pièces d'or. Puis on a découvert que la monnaie fiduciaire – des bouts de papier convertibles en or – était beaucoup plus commode. Les États et les banques centrales ont alors émis cette monnaie. Au début, on pensait que la couverture devait être totale : pour chaque dollar de monnaie fiduciaire émis, l'État ou la banque centrale devait posséder la valeur d'un dollar en or. On a ensuite constaté que ce n'était pas nécessaire : tout ce qu'il fallait, c'était la confiance dans la monnaie. Cela voulait dire que les habitants du pays étaient prêts à accepter cette monnaie en paiement, et on pouvait obtenir cette confiance avec une couverture partielle. On a cru au départ que la confiance n'était possible que si l'on avait de l'or en couverture, puis on a compris que l'on pouvait utiliser la devise (ou la dette) d'économies fortes : d'abord la livre sterling britannique, puis, après la Seconde Guerre mondiale, le dollar américain.

Les réserves aident aussi les pays à gérer les risques auxquels ils sont confrontés, ce qui renforce la confiance tant dans le pays que dans sa monnaie. On peut y avoir recours dans les temps difficiles. Elles amortissent le choc des changements imprévus du coût de l'endettement que provoquent les hausses des taux d'intérêt. S'il y a une épreuve soudaine, par exemple une mauvaise récolte, le pays peut utiliser ses réserves pour importer des produits alimentaires. Le montant des réserves dont un pays a besoin est variable, mais, en gros, il lui en faut suffisamment pour couvrir au moins quelques mois d'importations. Autrefois, les pays en développement détenaient des réserves valant trois à quatre mois d'importations. Ces dernières années, ils les ont portées jusqu'à huit mois.

Au chapitre précédent, j'ai évoqué un autre risque. De nombreux pays ont emprunté à l'étranger en dollars, à court terme. Les prêteurs à court terme sont souvent inconstants. Si une peur soudaine balaie le marché, une crainte que le pays ne puisse pas s'acquitter de ses obligations de débiteur, ils exigent simultanément d'être remboursés – ce qui transforme automatiquement leur crainte en réalité, puisque les pays sont en général incapables de rembourser la totalité de leurs dettes à si bref délai. Si un pays détient de grosses réserves, les investisseurs vont probablement moins paniquer, et, s'ils paniquent, leur débiteur sera plus à même de satisfaire à ses obligations. Aujourd'hui, la prudence exige que les pays conservent des réserves au moins égales à leurs dettes à court terme libellées en dollars ou dans d'autres devises fortes, comme le yen ou l'euro[3].

Les réserves peuvent également servir à gérer le taux de change. Sans elles, celui-ci peut chuter, souvent dans des proportions spectaculaires, quand des investisseurs imprévisibles, des spéculateurs avides ou des opérateurs en devises vendent la monnaie d'un pays. L'instabilité des taux de change peut provoquer une terrible instabilité économique. En contrant ces initiatives – en achetant la devise du pays quand les autres la vendent ou en la vendant quand ils l'achètent –, les États peuvent stabiliser le taux de change, donc l'économie. Mais ils ne peuvent vendre des dollars pour acheter la monnaie locale que s'ils ont des dollars à vendre – dans leurs réserves[4].

Les pays ont toujours détenu des réserves, mais leur montant a considérablement augmenté. En quatre ans seulement, de 2001 à 2005, huit pays d'Asie orientale (le Japon, la Chine, la Corée du Sud, Singapour, la Malaisie, la Thaïlande, l'Indonésie et les Philippines) ont plus que doublé leurs réserves totales (elles sont passées d'environ 1 000 milliards à 2 300 milliards de dollars). Mais la vraie superstar a été la Chine, qui, au milieu de l'année 2006, avait accumulé des réserves de près de 900 milliards de dollars – soit nettement plus de 700 dollars de réserves pour chaque homme, femme et enfant dans le pays. Cet exploit est d'autant plus stupéfiant qu'à la même date le revenu par habitant de la Chine était inférieur à 1 500 dollars par an. Pour les pays en développement pris globalement, les réserves sont passées de 6-8 % du PIB pendant les années 1970 et 1980 à près de 30 % du PIB en 2004[5]. Fin 2006, à en croire les estimations, elles devraient atteindre 3 350 milliards de dollars.

S'il n'y a aucun consensus sur l'explication de cette énorme augmentation, deux facteurs ont manifestement joué un rôle important : le haut degré d'instabilité économique et financière mondiale et la façon dont la crise asiatique de 1997 a été gérée par le FMI. Les pays concernés ont eu le sentiment de perdre leur souveraineté économique ; pire : les politiques imposées par le FMI ont rendu les récessions bien plus graves qu'elles ne l'auraient été sans elles. L'une des raisons pour lesquelles les pays d'Asie orientale de la « classe 1997 » – ceux qui ont appris dans la douleur les leçons de l'instabilité pendant les crises qui ont commencé cette année-là – ont accru leurs réserves, c'est qu'ils veulent être certains qu'ils n'auront plus jamais besoin d'emprunter au FMI. Les autres, qui ont vu souffrir leurs voisins, en sont arrivés à la même conclusion : il est impératif d'avoir assez de réserves pour résister aux pires vicissitudes de l'économie mondiale. La gestion du taux de change joue aussi un rôle dans cette accumulation de réserves ; un taux de change faible stimule les exportations, et un pays peut le maintenir à bas niveau en vendant la monnaie locale pour acheter des dollars.

Le coût élevé des réserves pour les pays en développement

Historiquement, je l'ai dit, les réserves étaient détenues en or, et dans certains pays elles le sont encore. Mais aujourd'hui la quasi-totalité des réserves sont des actifs libellés en dollars : parfois des dollars proprement dits, mais plus souvent des bons du Trésor américain, facilement convertibles en dollars. La popularité du dollar dans les réserves internationales est essentiellement due à la domination des États-Unis sur l'économie mondiale et à la grande stabilité historique de cette devise. Est-il possible et souhaitable que le dollar reste la base du système de réserve international ? C'est l'une des questions que je vais traiter. Mais il faut d'abord mesurer le coût sidérant des réserves pour les pays en développement.

Quels que soient les avantages de la détention de ces comptes, ces pays paient très cher l'assurance qu'ils fournissent. Aujourd'hui, les pays en développement obtiennent en moyenne un retour réel de 1 à 2 %, voire moins, sur leurs réserves de plus de 3 000 milliards de dollars[6]. La plupart de ces pays manquent cruellement d'argent. Ils ont des milliers de projets qui pourraient rapporter gros ; et s'ils n'avaient pas mis cet argent dans leurs réserves, s'ils ne l'avaient pas prêté aux États-Unis à des taux aussi bas, ils auraient pu l'investir dans ces projets, et il leur aurait rapporté dans les 10-15 % par an[7]. Ce différentiel de taux d'intérêt peut être considéré comme le coût des réserves. Les économistes appellent ces coûts – la différence entre ce qu'on aurait pu gagner et ce qu'on a vraiment gagné – les « coûts d'opportunité ».

Si l'on évalue à 10 % – estimation prudente – la différence moyenne entre les deux pourcentages, le coût réel de ces réserves pour les pays en développement dépasse les 300 milliards de dollars par an. C'est considérable[8]. Pour mettre ce chiffre en perspective, il représente le quadruple de l'aide étrangère venue du monde entier, soit plus du double du PIB cumulé de tous les pays en développement. Il correspond, en gros, aux estimations de ce qui leur manque pour atteindre les Objectifs du millénaire pour le développement, qui comprennent une réduction de la pauvreté de moitié[9]. Il est de loin supérieur aux gains que les pays en développement pourraient attendre en cas d'accord commercial vraiment favorable dans le Doha Round. (En réalité, nous l'avons vu au chapitre 3, ce qui va probablement en sortir sera au mieux d'une valeur limitée pour ces pays.)

Les coûts du système de réserve mondial pour les pays en développement peuvent être mesurés sous un autre angle. Supposons qu'une entreprise d'un pays pauvre emprunte à court terme 100 millions de dollars à une banque américaine à un taux d'intérêt, disons, de 20 %. Conformément à la règle prudentielle imposant aux pays de maintenir des réserves égales à leur dette à court terme libellée en dollars, le gouvernement de ce pays pauvre devrait – s'il ne veut pas courir le risque d'une crise soudaine – ajouter 100 millions de dollars à ses réserves. Il achète alors pour 100 millions de dollars de bons du Trésor américain, dont le retour est de 5 %. L'emprunt effectué par l'entreprise n'a donc provoqué aucun flux net de capitaux des États-Unis vers le pays en développement. Les deux opérations s'annulent. Mais la banque américaine demande beaucoup plus pour les 100 millions de dollars qu'elle a prêtés que le gouvernement des États-Unis ne paie pour les 100 millions de dollars qu'il a reçus. Il y a donc transfert net de 15 millions de dollars vers les États-Unis. L'affaire est excellente pour la banque américaine et les États-Unis en général, mais mauvaise pour le pays en développement. On voit mal comment le transfert net par le pays en développement de 15 millions de dollars aux États-Unis va stimuler sa croissance ou accroître sa stabilité.

De plus, il y a eu de fait, dans le pays en développement, un transfert de moyens financiers du secteur public au secteur privé. Le secteur privé a gagné quelque chose à l'opération (sinon, il n'aurait pas emprunté à ce taux élevé), mais l'État a dû bloquer dans ses réserves de l'argent qu'il aurait pu dépenser pour construire des écoles, des hôpitaux ou des routes.

En dépit de ces coûts importants, les réserves ont un effet bénéfique pour les pays en développement : si elles fonctionnent comme prévu, l'économie est moins instable que si elles n'existaient pas. (À les voir accepter de payer un prix aussi exorbitant, on mesure l'énormité des coûts de l'instabilité pour les pays en développement.) Mais les vrais bénéficiaires du système de réserve mondial sont les pays dont les monnaies sont utilisées comme instruments de réserve. Ils obtiennent des prêts à prix réduit : sans la demande de leur devise pour les réserves, il est probable que leurs coûts d'emprunt seraient nettement plus élevés. Puisque près des deux tiers des réserves sont détenues en dollars, les États-Unis sont, en ce sens, le grand gagnant[10]. En supposant que le taux d'intérêt qu'ils paient sur ces 3 000 milliards prêtés par les pays pauvres soit inférieur de 1 % seulement à ce qu'ils auraient dû payer normalement, les États-Unis reçoivent plus des pays en développement grâce au système de réserve mondial qu'ils ne leur donnent au titre de l'aide.

Affaiblissement de l'économie mondiale

Le coût du système de réserve mondial actuel pour les pays en développement est le plus visible, mais ce n'est pas le plus important d'un point de vue mondial. Le système de réserve déprime et déstabilise l'économie mondiale. Il rend bien difficile le plein emploi. Cet argent mis dans les réserves, c'est de l'argent qui pourrait contribuer à la demande globale mondiale. On pourrait s'en servir pour stimuler l'économie mondiale. Au lieu de le dépenser en consommation ou de l'investir, les États le mettent sous clé.

Pour bien saisir l'ampleur du problème, il faut savoir que les économies de la planète détiennent plus de 4 500 milliards de dollars dans leurs réserves, qui augmentent à un taux proche de 17 % par an. Autrement dit, chaque année, 750 milliards de dollars de pouvoir d'achat sont retirés de l'économie mondiale. Comme si on les enterrait[11]. Une économie mondiale forte exige une forte demande de biens et de services – assez forte pour correspondre à la capacité de production du monde. On appelle « demande globale mondiale » la demande totale de biens et de services (la somme de la demande des ménages pour consommer, des entreprises pour investir et des administrations publiques) dans le monde entier. Pour que le monde ne subisse pas une insuffisance de la demande globale – qui affaiblirait l'économie mondiale –, il faut, d'une manière ou d'une autre, compenser cette perte. Autrefois, de nombreux pays en développement le faisaient par le laxisme monétaire et budgétaire, qui leur permettait de dépenser au-delà de leurs moyens. Mais si ces dépenses « contribuaient » à la demande globale mondiale, les politiques budgétaires laxistes alourdissaient l'endettement des États, ce qui, nous l'avons vu au chapitre précédent, provoquait souvent des crises coûteuses. Après plus d'une centaine de crises depuis trente ans, la plupart des pays en développement ont compris la leçon.

Un seul pays peut compenser le déficit de demande globale dû à cet enterrement de pouvoir d'achat. Les États-Unis sont devenus le consommateur de dernier ressort. Ils ont la capacité et – notamment depuis 2000 – la volonté d'avoir d'énormes déficits. L'appétit pour leurs bons d'État comme instruments de réserves est apparemment insatiable, et il n'est que trop facile à l'État d'un pays à monnaie de réserve de s'endetter de plus en plus pour l'alimenter. Les dirigeants politiques américains ont bien du mal à résister à la tentation puisque les autres veulent leur prêter à si bas prix. Depuis que le dollar est devenu la principale monnaie de réserve, c'est si facile d'avoir des déficits budgétaires, de dépenser plus que ce qu'on a. Par deux fois – en 1981 et en 2001 –, les États-Unis ont financé d'énormes réductions d'impôt par le déficit. Ce qui contribue à expliquer l'une des observations faites plus haut : les États-Unis sont le pays le plus riche de la planète, et pourtant ils vivent au-dessus de leurs moyens. Ce faisant, ils rendent service au monde. Sans les folles dépenses des États-Unis, la peur de voir l'économie mondiale devenir très faible, si faible, peut-être, que les prix pourraient se mettre à baisser, aurait pu devenir réalité – cette peur de la déflation qui s'est exprimée dans les premières années du XXIe siècle et qui tourmente le Japon depuis dix ans[12]. D'où la question : combien de temps encore les États-Unis pourront-ils continuer à rendre ce service, à dépenser sans compter ? Et y a-t-il d'autres solutions possibles, plus équitables, pour éviter une récession mondiale ?

INSUFFISANCE DE LA DEMANDE GLOBALE
DANS LE PAYS À MONNAIE DE RÉSERVE

Nous avons vu que le système de réserve mondial crée un problème général d'inadéquation de la demande globale mondiale. Il crée aussi un problème particulier d'insuffisance de la demande globale dans le pays à monnaie de réserve.

S'il veut que l'on continue à utiliser sa devise à cette fin, un pays dont la monnaie est utilisée comme instrument de réserve doit « vendre » sa monnaie (ou plus exactement ses bons du Trésor ou ses bons d'État) à d'autres pays qui vont la

garder[13]. Lorsqu'un pays vend un bon du Trésor à un autre, il
est clair que le premier emprunte de l'argent au second, tout
simplement. Un État emprunte lorsqu'il dépense plus qu'il ne
gagne, et il emprunte à l'étranger lorsque ses propres citoyens
n'épargnent pas assez, du moins par rapport à ce qu'ils investissent. Dans ce cas de figure, puisqu'il n'y a pas assez
d'argent dans le pays pour financer les dépenses de l'État,
celui-ci doit s'adresser à des étrangers pour financer son déficit budgétaire.

Disons-le autrement : un pays, pris globalement, emprunte
à l'étranger quand ce pays, pris globalement, dépense plus
qu'il ne gagne. Ce qui signifie qu'il importe plus qu'il
n'exporte – et il emprunte pour payer la différence.

Le déficit commercial et l'emprunt extérieur sont les deux
faces de la même pièce. Si l'emprunt extérieur augmente, le
déficit commercial augmentera aussi : si l'État emprunte
davantage sans augmentation correspondante de l'épargne privée (ou sans diminution correspondante de l'investissement
privé), le pays devra emprunter plus à l'étranger et le déficit
commercial augmentera.

C'est pourquoi les économistes évoquent souvent le « problème des déficits jumeaux ». Quand l'emprunt de l'État augmente – c'est-à-dire quand le déficit budgétaire augmente –, il
est probable que le déficit commercial augmentera aussi[14].

On peut considérer le pays à monnaie de réserve comme un
exportateur de bons du Trésor. Mais exporter des bons du
Trésor, ce n'est pas comme exporter des voitures, des ordinateurs ou tout autre produit : c'est une exportation qui ne crée
pas d'emplois. C'est pourquoi les pays dont les devises servent
d'instruments de réserve et qui exportent des bons du Trésor
au lieu d'exporter des marchandises ont souvent un problème
d'insuffisance de la demande globale[15]. Pour le dire autrement : nous avons vu que la contrepartie de l'emprunt à
l'étranger (l'émission de bons du Trésor) est un déficit commercial ; les importations sont supérieures aux exportations ;
or, si les exportations créent des emplois, les importations en
détruisent ; donc, quand les importations dépassent les expor-

tations, cela crée un risque réel d'insuffisance de la demande globale. La demande globale qui aurait dû se traduire par des emplois dans le pays se traduit par une demande de marchandises produites à l'étranger.

La plupart des gouvernements démocratiques ne peuvent pas rester les bras croisés face à la montée du chômage. Ils interviennent en général en réduisant les taux d'intérêt ou en augmentant les dépenses publiques. Malheureusement, comme l'a montré le ralentissement des États-Unis de 2001 à 2003, même des taux d'intérêt proches de zéro ne suffisent pas toujours à rétablir la croissance forte et le plein emploi. De grosses dépenses financées par le déficit peuvent être nécessaires[16]. Selon cette analyse, c'est le déficit commercial qui induit le déficit budgétaire et non l'inverse. L'examen de la structure des déficits commerciaux et budgétaires américains depuis un quart de siècle confirme cette façon de voir. Ce qui est remarquable dans le cas des États-Unis, c'est qu'ils ont eu des déficits commerciaux dans les bonnes comme dans les mauvaises périodes – qu'il y ait eu ou non un déficit budgétaire. On peut considérer les années 1990 comme une période exceptionnelle : grâce au boom de l'investissement, l'économie a pu rester en situation de plein emploi même sans déficit budgétaire ; mais l'écart entre investissement et épargne a persisté – si l'élimination du déficit budgétaire a accru l'épargne nationale, l'investissement national a augmenté presque d'autant. Donc, même si le déficit budgétaire a disparu, le déficit commercial est resté massif, puisque les États-Unis ont continué à fournir au monde les bons du Trésor que les autres pays voulaient pour leurs réserves.

Vue sous cet angle, la raison profonde du déficit commercial persistant des États-Unis est leur rôle de pays à monnaie de réserve : les autres pays persistent à accumuler des bons du Trésor américain. Le problème est que ce système est insoutenable. La montée de l'endettement finit par miner la confiance, qui est nécessaire pour maintenir le dollar dans son rôle de monnaie de réserve. Certes, l'Amérique a les moyens de rembourser ce qu'elle doit. Mais plus son endettement

grandit, plus grandit le risque d'une réduction de la valeur de
sa dette en termes réels – par l'inflation. Même une légère
hausse du taux d'inflation peut avoir un gros impact d'« effacement » partiel de la valeur réelle de la dette. Au cours de
mes discussions dans diverses régions du monde avec des
investisseurs et des dirigeants de banques centrales, j'entends
cette crainte s'exprimer de plus en plus ouvertement. Et si la
confiance dans le dollar faiblit, la valeur du dollar devient
plus instable.

Instabilité

Cette remarque m'amène au dernier type de coûts majeurs
du système de réserve mondial : l'instabilité qu'il provoque.
Les réserves ont pour objectif de réduire les coûts de l'instabilité. Or, paradoxalement, si elles réduisent ces coûts pour
chaque pays, le système de réserve mondial actuel, directement et indirectement, est un stimulant majeur de l'instabilité
mondiale. Et celle-ci a été vraiment énorme. Par exemple, en
moins de deux ans, de février 2002 à décembre 2004, la
valeur du dollar par rapport à l'euro s'est effondrée de près de
37 %. Cette chute considérable a secoué le monde financier et
balayé l'idée, alors largement partagée, selon laquelle la puissante position du dollar était inexpugnable.

On en avait déjà douté à une autre époque. Trop lointaine
pour que les jeunes *traders* qui ont décidé du destin des taux
de change au début des années 2000 s'en souviennent. Une
crise passée, au début des années 1970, offre une toile de fond
aux angoisses d'aujourd'hui. Depuis la Seconde Guerre mondiale, les États-Unis étaient persuadés que les attaques spécu-
latives contre les monnaies pouvaient être un problème pour
les pays faibles d'Europe, mais qu'eux-mêmes n'auraient
jamais à affronter ce type de difficulté. Ce n'était qu'un vain
espoir. Les États-Unis avaient, à l'époque, un taux de change
fixe – le dollar était convertible en or, à 35 dollars l'once. Une
attaque spéculative contre le dollar les a alors obligés à renon-

cer à la convertibilité du dollar en or : ils ont laissé le dollar flotter, et les marchés déterminer eux-mêmes le taux de change.

Le système de réserve mondial fonctionne, même s'il fonctionne mal. Mais il souffre d'un vice caché fondamental : il s'autodétruit. Le pays à monnaie de réserve est conduit à s'endetter de plus en plus, ce qui finit par rendre sa devise inapte à servir de monnaie de réserve.

Déjà, le système s'effiloche sur les bords. Début 2005, la Chine a fait savoir qu'elle ne s'engageait plus à détenir ses réserves en dollars. Elle en avait d'ailleurs déjà transféré une partie importante (environ un quart) hors du dollar, mais l'annoncer publiquement avait une immense portée symbolique. D'autres banquiers centraux, plus fidèles à leur habitude de fuir le regard du public, m'ont discrètement confié qu'ils en faisaient autant.

Ces changements dans la politique des banques centrales, ce désengagement du dollar sont rationnels. Quand on était persuadé que les réserves devaient être composées d'or ou de dollars fondés sur l'or, nul ne songeait à les gérer. Depuis 2000, un bouleversement majeur s'est produit dans les esprits. Les banquiers centraux ont compris qu'ils n'ont pas besoin de dollars pour soutenir leur monnaie ; les devises étant librement convertibles entre elles, l'important n'est pas le nombre de dollars mais la valeur totale des réserves. La question devient donc : comment gérer au mieux cette fortune – et les principes de la gestion des fortunes sont bien connus, notamment la diversification. Puisqu'une si forte proportion des réserves est en dollars, diversifier signifie sortir du dollar.

L'une des raisons de ce changement de mentalité est claire : les banques centrales avaient constaté que le dollar était un mauvais instrument pour stocker de la valeur. Traditionnellement, les banquiers centraux concentrent leur attention sur l'inflation : personne ne veut détenir une monnaie dont la valeur, en termes de pouvoir d'achat, est en train de considérablement s'éroder. Avec son inflation faible, le dollar paraissait un excellent moyen de stocker de la valeur. Mais pour ceux qui vivent hors des États-Unis, sa valeur dépend du taux de change. Les banquiers centraux et le FMI auraient dû créer un système de taux de change stables : ils ont échoué – lamentablement échoué. Lorsque son taux de change avec le yen était relativement stable, le dollar était un bon moyen de stocker de la valeur pour les Japonais. Mais quand sa volatilité s'est accrue, quand son taux de change avec le yen s'est mis à fluctuer énormément, le dollar a perdu cette qualité : il ne pouvait plus être un bon instrument de conservation de valeur pour le Japon. Il en a été de même en Europe et ailleurs : à cause de son instabilité croissante, le dollar n'est plus, au niveau mondial, un bon moyen de conserver de la valeur.

En 1995, par exemple, le dollar a perdu en quelques mois 20 % de sa valeur par rapport au yen. L'inflation aux États-Unis était faible, mais les Japonais qui avaient des comptes en dollars ont constaté que leur pouvoir d'achat au Japon en avril 2005 était bien inférieur à celui de janvier. Avec l'euro, la perte de valeur du dollar a été encore plus forte, et sur une période plus longue. Les coûts d'opportunité étaient aussi extrêmement lourds : s'ils avaient conservé leur fonds en euros et non en dollars, les détenteurs de réserves s'en seraient beaucoup mieux trouvés. Cette notion de coût d'opportunité, de « manque à gagner », devient particulière-ment importante dans le cas des pays d'Asie orientale, qui détenaient, fin 2003, environ 1 600 milliards de dollars en devises fortes (essentiellement des dollars). Si leurs réserves, l'année suivante, avaient été en euros et non en dollars, leurs bilans auraient été supérieurs de 11 % – 180 milliards de dol-lars environ. C'est beaucoup d'argent jeté par les fenêtres.

Certes, nul ne peut prédire les mouvements des taux de change, mais c'est justement pour cela que la théorie moderne du portefeuille insiste sur la diversification : ne mettez pas tous vos œufs dans le même panier. Une dynamique s'est enclenchée qui n'est pas bonne pour le dollar : quand les banques centrales se dégagent du dollar, il s'affaiblit, ce qui renforce l'idée qu'il n'est pas un bon instrument pour stocker de la valeur.

L'émergence de l'euro a accéléré l'effritement du système de réserve fondé sur le dollar. Bien que l'Europe soit accablée de problèmes – croissance faible, chômage élevé, crise de la constitution –, l'euro reste une monnaie forte. La logique de la diversification est claire : quel que soit le jugement que l'on porte sur l'avenir respectif de l'Europe et des États-Unis, il faut avoir dans ses réserves de grosses quantités de leurs devises.

Au début, l'Europe s'est réjouie du phénomène. La perspective de voir l'euro devenir monnaie de réserve l'a soulagée, car elle voulait que sa nouvelle devise inspire le respect. Et son adoption comme instrument de réserve prouvait qu'elle l'inspirait. Mais, quand la réalité des conséquences de ce statut s'est éclaircie, l'enthousiasme européen est devenu moins unanime. Quand les banques centrales vont acheter des euros pour faire une plus large place à cette monnaie dans leurs réserves, le cours de l'euro va monter, ce qui va gêner les exportations de l'Europe et exposer son territoire à une marée d'importations[17]. Il lui sera de plus en plus difficile de maintenir le plein emploi. Comme le chômage y est déjà très élevé et que sa banque centrale est tenue de se concentrer exclusivement sur l'inflation et pas du tout sur l'emploi et la croissance, il y a vraiment de quoi s'inquiéter sur les perspectives macroéconomiques de l'Europe[18].

SCÉNARIOS – DE L'INSTABILITÉ ÉVOLUTIVE À LA CRISE

Le problème inhérent au système de réserve mondial est clair. La façon dont il va se résoudre l'est moins. Plusieurs scénarios sont possibles – des crises à l'évolution graduelle.

Voici ce qui pourrait se produire dans les prochaines années. Les États-Unis étant toujours plus endettés, les doutes sur la santé du dollar se précisent. Au début, quelques investisseurs pensent qu'il serait plus prudent de placer leur argent ailleurs. Ils le font, et le dollar chute. (Sa remontée partielle en 2005 est due, au moins en partie, aux rapatriements de profits des entreprises. Les profits rapatriés cette année-là ont bénéficié de taux d'imposition particulièrement faibles, ce qui a induit des taux de rapatriement anormalement élevés. Au milieu de 2006, le dollar a recommencé à s'affaiblir.) Compte tenu de cette dévalorisation du dollar, il apparaît que conserver ses capitaux en dollars est une ineptie : les retours sont vraiment trop réduits pour justifier ce risque. Certes, tout pari comporte une part d'incertitude, mais si le dollar leur paraît vraiment risqué, les investisseurs seront toujours plus nombreux à faire passer une part toujours plus importante de leurs capitaux du dollar à l'euro, au yen ou, si possible, au yuan, la monnaie chinoise. (En 2004, malgré les contrôles des mouvements de capitaux, environ 100 milliards de dollars sont entrés en Chine en plus de l'investissement direct étranger.) Cette évolution soumettra le dollar à une pression à la baisse de plus en plus vive. Simultanément, comme les investisseurs se désengageront des titres américains, les cours des actions commenceront à baisser ou à stagner. Garder de l'argent aux États-Unis passera de plus en plus pour une mauvaise idée.

Les conséquences des hausses de taux d'intérêt à moyen et à long terme risquent d'être particulièrement graves, étant donné l'endettement massif des ménages, dont beaucoup ont effectué de gros emprunts immobiliers en raison de l'exceptionnelle faiblesse des taux d'intérêt. L'important n'est pas le niveau moyen d'endettement mais le nombre des ménages qui auront des difficultés à rembourser. La part croissante des emprunts immobiliers à taux variables rend la situation particulièrement inquiétante.

La sortie du dollar peut se faire de manière ordonnée, en douceur, s'étendre sur plusieurs mois, voire sur des années. Elle peut aussi être désordonnée : un krach. Dans le premier cas, le marché boursier américain subirait un simple malaise ; les cours pourraient même continuer à monter, mais moins vite qu'ils ne l'auraient fait sans cela. Dans le second, l'économie américaine entrerait en récession. Si un krach a lieu, il est difficile de prédire, comme toujours, quel genre d'événement pourrait le déclencher. Même avec le recul, on a du mal à mettre au compte d'un événement précis celui d'octobre 1987, qui a effacé en un jour près de 25 % de la valeur des actions américaines. Mais quantité d'événements, dont des rumeurs sans fondement, pourraient faire l'affaire. La situation au Moyen-Orient pourrait se détériorer encore plus. Un nouvel attentat terroriste aux États-Unis pourrait montrer que, malgré l'argent dépensé, l'Amérique reste vulnérable.

Si l'endettement croissant des États-Unis – évolution historique prévisible pour le pays à monnaie de réserve – est une source majeure de l'instabilité financière que subit aujourd'hui le monde, la contrepartie de cet endettement – la détention massive de dollars par la Chine et le Japon – a été une force stabilisatrice. À eux deux, ces pays ont énormément accru leurs réserves, de plus de 1 000 milliards de dollars entre 2000 et 2006 seulement. Une saine gestion, je l'ai dit, incite à se dégager du dollar et à faire une plus large place à l'euro – la Chine évolue déjà dans cette direction. Mais c'est là que la Chine et le Japon ont un problème : leurs avoirs en dollars sont si colossaux que, s'ils en vendent rapidement de gros volumes, ils déclencheront une pression à la baisse sur le dollar qui va dévaloriser le reste de leurs réserves, toujours en dollars. Les banques centrales chinoise et japonaise ont intérêt à maintenir la stabilité, et elles ne sont sujettes ni aux paniques, ni aux accès de pessimisme ou d'optimisme irrationnels qui caractérisent les marchés.

De plus, toute stratégie de taux de change a une dimension politique, et particulièrement celle de la Chine. Dans les relations économiques sino-américaines, chacun est en partie l'otage de l'autre. La Chine dégage un énorme excédent de son commerce bilatéral avec les États-Unis : elle leur vend beaucoup plus qu'elle ne leur achète. Mais, en achetant des bons américains pour des milliards et des milliards de dollars, elle permet aux États-Unis de poursuivre leurs dépenses déficitaires. Les États-Unis et la Chine connaissent la nature de leur dépendance mutuelle ; c'est pourquoi leurs différends dépassent rarement le stade de la rhétorique.

Les États-Unis affirment à grands cris que l'injuste politique de taux de change de la Chine est à la source de leurs déficits commerciaux. La Chine a laissé son taux de change s'apprécier légèrement, mais elle sait que, même s'il montait davantage, l'excédent du commerce bilatéral ne diminuerait que fort peu. En outre, une modification du taux de change du yuan n'aurait aucun impact sur le déficit commercial global des États-Unis, qui est lié à leurs déséquilibres macroéconomiques – ils épargnent moins qu'ils n'investissent, et leur énorme déficit budgétaire aggrave le problème. Les Américains achèteraient simplement davantage de textile, disons, au Bangladesh. En même temps, une forte appréciation de la devise chinoise réduirait les prix des produits agricoles, déjà faibles en raison de la distorsion des prix mondiaux par les subventions américaines et européennes, comme nous l'avons vu au chapitre 3. Elle rendrait donc la vie plus difficile aux Chinois du secteur rural – composante de la population qui prend déjà du retard. La Chine pourrait compenser cet effet en subventionnant ses agriculteurs, mais elle devrait alors réorienter à cette fin des ressources financières dont elle a grand besoin pour promouvoir son développement. Bref, la Chine sait que, si elle laissait s'apprécier son taux de change, cela lui coûterait fort cher – et ne rapporterait pas grand-chose aux États-Unis. Et il est probable que ceux-ci le comprennent aussi.

Bien que la Chine et les États-Unis aient besoin l'un de l'autre, il est évidemment toujours à craindre que des forces politiques échappent soudain à tout contrôle : un parlementaire américain, élu dans une circonscription où l'emploi a particulièrement souffert des importations chinoises, pourrait tenter d'agiter l'opinion sur l'injustice supposée des pratiques commerciales de la Chine ; les États-Unis pourraient prendre parti pour Taiwan à l'heure où certains hommes politiques de l'île agitent les eaux troubles des relations sino-taiwanaises. Sera-t-il acceptable dans ces conditions, étant donné le système politique chinois, que la Chine aide ouvertement les États-Unis en leur prêtant des centaines de milliards de dollars ? Y aura-t-il des pressions sur le gouvernement chinois pour qu'il se défasse, au moins, d'une grosse quantité de dollars, même s'il doit lui en coûter ? Bien que les banques centrales œuvrent pour la stabilité, la politique peut prendre le pas sur l'économie et imposer des actes qui, économiquement, ne sont dans l'intérêt de personne. La possibilité d'une vente massive de dollars déclenchée par des forces politiques ne saurait être écartée, et, si elle se produit, nous pourrions voir le dollar chuter. Les économistes se plaisent à croire que tous les prix dépendent de forces économiques, mais ceux des devises nationales, au moins, sont déterminés autant par la politique que par l'économie.

Si, dans les deux pays, les esprits raisonnables comprennent les réalités, il y a en fait une forte asymétrie : la Chine n'a pas vraiment besoin d'envoyer ses produits aux États-Unis en échange de bouts de papier dont la valeur diminue et qui servent à financer les déficits américains. Il est un peu paradoxal de constater que la Chine a financé une réduction des impôts des individus les plus riches du pays le plus riche du monde. Au lieu de prêter de l'argent aux États-Unis pour accroître la consommation de ces gens-là, elle pourrait le prêter à son propre peuple, ou financer des investissements sur son propre territoire. Il serait infiniment plus facile à la Chine de réorienter sa production vers ses consommateurs ou son investissement qu'aux États-Unis de trouver une autre source de financement bon marché de leurs déficits.

Mais, heureusement, les conséquences économiques à long terme de tensions dans les relations sino-américaines ne sont aujourd'hui que l'ombre d'un nuage à l'horizon lointain. Elles ne font qu'ajouter un élément d'incertitude de plus à un système financier mondial déjà sous très forte tension.

Faire fonctionner la mondialisation : un nouveau système de réserve mondial

Le système de réserve fondé sur le dollar n'est peut-être pas la seule source de l'instabilité financière mondiale, mais il y contribue. L'économie mondiale va-t-elle dériver vers un autre mécanisme tout aussi problématique – comme le système à deux devises dont elle semble se rapprocher aujourd'hui –, ou s'attaquera-t-on au problème de fond ? Toute la question est là.

Il existe une solution d'une simplicité remarquable, trouvée depuis longtemps par Keynes : la communauté internationale pourrait fort bien émettre une monnaie fiduciaire nouvelle qui servirait de monnaie de réserve (Keynes l'appelait le « bancor »)[19]. Les pays du monde accepteraient de changer cette monnaie fiduciaire – appelons-la les *greenbacks*[*] *mondiaux* – contre leur propre devise, par exemple en temps de crise.

Ce n'est pas seulement une possibilité théorique. En Asie, une initiative régionale en partie fondée sur les mêmes concepts est déjà en cours. Ses origines remontent à la crise asiatique : au plus fort de la tourmente, le Japon avait proposé que les pays d'Asie coopèrent pour créer un Fonds monétaire asiatique, et avait généreusement offert de contribuer à son financement à hauteur de 100 milliards de dollars. On avait grand besoin de cet argent pour aider au rétablissement des économies de la région. Mais les États-Unis et le FMI ont tout fait pour empêcher cela. Tous deux craignaient qu'un Fonds monétaire asiatique ne compromette leur influence dans cette zone, et ils ont fait passer sans hésiter leurs intérêts égoïstes avant le bien-être des pays d'Asie : ils ont réussi à mettre le projet dans l'impasse. Mais quelques années plus tard, en mai 2000, les membres de l'ASEAN (l'Association des pays du Sud-Est asiatique) ainsi que la Chine, le Japon et la Corée du Sud se sont réunis en Thaïlande pour donner le coup d'envoi à l'Initiative de Chiang Mai : ils acceptaient de « s'échanger des réserves », posant ainsi les bases d'un nouveau dispositif de coopération régionale qui les rendrait capables de mieux résister aux crises financières.

La gestion de la crise de 1997 par le FMI a clairement montré les divergences d'intérêts qui opposent cette institu-

---

[*] *Greenback* était l'appellation populaire du « dollar non convertible » créé par Lincoln pendant la guerre de Sécession. Il est ensuite devenu aux États-Unis l'enjeu et le symbole d'une lutte sociale intense en faveur d'une création monétaire active.

tion – et par extension les États-Unis – aux pays de la région. Ces pays se sont tout naturellement demandé : pourquoi placer l'argent de nos importantes réserves dans des pays occidentaux qui nous ont si mal traités, alors que, si chacun de nous détenait les monnaies des autres, nous pourrions garder ces réserves en Asie ? Nous avons besoin d'investir davantage et, si nous devons prêter pour stimuler la consommation de quelqu'un, pourquoi ne serait-ce pas celle, si faible, de nos propres peuples plutôt que les dépenses fastueuses des États-Unis ?

L'initiative avait des dimensions à la fois économiques et politiques. Dans le système de réserve fondé sur le dollar, le taux d'intérêt était plus bas sur l'argent que prêtaient les pays d'Asie que sur celui qu'ils empruntaient. Ils en étaient d'autant plus irrités qu'ils épargnaient davantage que les États-Unis et les autres pays avancés et suivaient des politiques budgétaires beaucoup plus prudentes. De plus, ils étaient les éternels perdants de l'instabilité du taux de change. Dans les années 1990, alors qu'ils étaient débiteurs, la chute de leurs monnaies les avait forcés à rembourser une somme considérablement supérieure – calculée dans leurs propres devises – à celle qu'ils avaient empruntée. Dans les années 2000, maintenant qu'ils sont créanciers, la chute du dollar implique qu'en termes réels on leur remboursera beaucoup moins qu'ils n'ont prêté.

En novembre 2005, une soixantaine de milliards de dollars en monnaies asiatiques avaient été consacrés à ces échanges entre les pays d'Asie, et des accords avaient été conclus pour accroître ce montant. Comme le montre cette initiative, on peut concevoir les réserves comme un système coopératif d'assurance mutuelle. Si chaque pays détient les monnaies des autres dans ses réserves, c'est comme si les autres s'engageaient à mettre des ressources à sa disposition en période difficile.

La communauté internationale a déjà compris, avec les droits de tirage spéciaux (DTS), qu'elle peut fournir le type de liquidité qu'envisageait Keynes : les DTS ne sont rien d'autre qu'une monnaie internationale que le FMI est autorisé à créer[20].

Ma proposition de *greenbacks mondiaux* ne fait qu'étendre ce concept. J'appelle cette nouvelle monnaie *greenbacks mondiaux* pour deux raisons : pour souligner que c'est une nouvelle monnaie de réserve mondiale que l'on crée, et pour éviter toute confusion avec le système existant des DTS. Celui-ci pose en effet deux problèmes : les DTS ne sont créés qu'épisodiquement, tandis que les *greenbacks mondiaux* seraient créés tous les ans ; et les DTS vont essentiellement aux pays riches, tandis que les *greenbacks mondiaux* ne serviraient pas seulement à résoudre les problèmes financiers de la planète mais aussi certains autres, très graves, auxquels elle est aujourd'hui confrontée, comme la pauvreté et la dégradation de l'environnement au niveau mondial[21].

Voici une présentation simplifiée du fonctionnement possible de ce système. Chaque année, chaque membre du club – tout pays ayant adhéré au nouveau système de réserve mondial – verserait une contribution d'un montant spécifié à un fonds mondial de réserve, lequel émettrait simultanément des *greenbacks mondiaux* de valeur équivalente et les remettrait à ce pays pour qu'il les garde dans ses réserves[22]. Cette opération ne change rien pour aucun pays : la valeur nette que chacun possède reste la même. Le pays membre a acquis un actif (qui est une créance sur les autres) et il leur a remis une créance sur lui-même. Mais il s'est tout de même passé quelque chose de réel : ce pays a obtenu un actif qu'il pourra utiliser en cas d'urgence. En situation de crise, il pourra convertir ses *greenbacks mondiaux* en euros, en dollars, en yens. Si le problème est une mauvaise récolte, ces devises permettront d'acheter des produits alimentaires. Si la crise est due à un effondrement des banques, elles serviront à les recapitaliser. S'il s'agit d'une récession, elles seront utilisées pour stimuler l'économie.

L'importance des émissions annuelles serait liée aux accroissements de réserves, ce qui abolirait l'impact dépressif du système de réserve mondial actuel. En postulant qu'au fil des ans le rapport réserves/PIB reste à peu près constant, et que le revenu mondial augmente au rythme de 5 % par an, avec un PIB mondial d'environ 40 000 milliards de dollars, les émissions annuelles seraient approximativement de 200 milliards de dollars. Mais si c'est le rapport réserves/importations qui reste constant, et que les importations augmentent deux fois plus vite que le PIB, les émissions annuelles seraient d'environ 400 milliards de dollars.

Évidemment, ces échanges de bouts de papier ne devraient faire, normalement, aucune différence. Chaque pays continue à vivre sa vie comme avant. Il laisse sa politique monétaire et sa politique budgétaire à peu près inchangées. Même en temps de crise, la vie ressemble beaucoup au passé. Imaginons, par exemple, une attaque contre la devise. Autrefois, le pays aurait vendu des dollars pour faire remonter sa propre monnaie et soutenir sa valeur – ce qu'il peut continuer à faire tant qu'il lui reste des dollars dans ses réserves (ou qu'il peut en obtenir du FMI). Dans ce nouveau régime, il changerait des *greenbacks mondiaux* en devises fortes traditionnelles, comme le dollar ou l'euro, qu'il vendrait pour soutenir sa monnaie.

(Il y a un détail important : le taux de change entre les *greenbacks mondiaux* et les diverses devises. Dans un monde de taux de change fixes [le type de monde pour lequel le système des DTS a été initialement conçu], ce ne serait évidemment pas un problème. Avec les taux de change flexibles, c'est beaucoup plus délicat. On pourrait utiliser les taux courants du marché ; ou alors fixer un taux officiel – disons, la moyenne des taux de change des trois dernières années. Dans ce cas, pour éviter que les banques centrales ne profitent des écarts entre les taux courants et le taux officiel, on pourrait imposer des restrictions sur les changes [par exemple, en les limitant aux situations de crise, définies comme un changement majeur du taux de change d'un pays, de son PIB ou de son taux de chômage]. Les *greenbacks mondiaux* que j'envisage ici ne pourraient être détenus que par des banques centrales, mais une version plus ambitieuse de cette proposition permettrait aussi aux particuliers d'en posséder ; dans ce cas, ces *greenbacks* auraient leur marché et on pourrait les traiter comme n'importe quelle devise forte.)

Puisque chaque pays détient des *greenbacks mondiaux* dans ses réserves, il n'est plus obligé d'y mettre (autant de) dollars et (d')euros. Les conséquences sont énormes, tant pour les anciens pays à monnaie de réserve (c'est-à-dire ceux d'aujourd'hui) que pour l'économie mondiale.

Nous avons déjà relevé que le système actuel tend à s'auto-détruire : puisque le pays à monnaie de réserve s'endette de plus en plus, sa devise finit par ne plus être une bonne monnaie de réserve. C'est ce qui est en train de se produire pour le dollar. Avec un système de réserve mondial qui ne reposerait plus sur l'endettement croissant d'un seul pays – car là est la contradiction fondamentale du système actuel, qui rend l'instabilité à peu près inévitable –, le monde serait beaucoup plus stable.

Le système des *greenbacks mondiaux* renforcera la stabilité de la planète pour une autre raison. Les déficits commerciaux ont été l'un des facteurs essentiels des crises à répétition de ces dernières décennies. Quand des pays importent plus qu'ils n'exportent, ils doivent emprunter la différence. Tant que les déficits commerciaux se poursuivent, l'emprunt extérieur se poursuit aussi. Mais un jour les créanciers s'alarment : le pays est trop endetté, il n'est peut-être pas prudent de continuer à lui prêter. Dès que ces questions commencent à se poser, il est probable qu'une crise va vite éclater.

C'est une évidence : si un pays exporte plus qu'il n'importe, d'autres pays doivent importer plus qu'ils n'exportent. En fait, hors discordances statistiques, la somme des déficits et des excédents commerciaux du monde est égale à zéro. Autrement dit, la somme de tous les déficits doit être égale à celle de tous les excédents. C'est la loi d'airain des déficits commerciaux internationaux. Par conséquent, pour qu'un pays comme le Japon, qui tient à être excédentaire, ait un excédent, un ou plusieurs autres pays doivent avoir un déficit de même valeur. De même, lorsqu'un pays parvient à effacer son déficit, il y a forcément ailleurs soit des déficits qui augmentent, soit des excédents qui diminuent, soit les deux.

En ce sens, les déficits sont comme des « patates chaudes » qu'on se refile. Quand, après la crise asiatique, la Corée du Sud, la Thaïlande et l'Indonésie ont éliminé leurs déficits commerciaux et les ont transformés en excédents, il était pratiquement inévitable qu'un ou plusieurs autres pays se retrouvent avec un déficit de très vaste envergure pour équilibrer les gains des premiers. En l'occurrence, ce fut le Brésil. Mais, si la Corée du Sud et la Thaïlande ne pouvaient pas se permettre un déficit commercial, le Brésil ne le pouvait pas non plus. Lorsque les investisseurs ont vu monter le déficit brésilien, leur réaction a été la même que tant de fois dans le passé : ils ont exigé le remboursement de leurs prêts et provoqué une crise. Quand l'économie brésilienne a sombré dans la récession, ses importations se sont contractées et le déficit du Brésil s'est mué en excédent. Et cet excédent signifie, là encore, qu'un déficit de même ampleur a été créé quelque part dans le reste du système mondial.

Si le FMI – et plus généralement la communauté financière – ont été obnubilés par les pays déficitaires, dans lesquels ils ont vu la source de l'instabilité mondiale, l'analyse à laquelle je viens de procéder suggère que le problème vient tout autant des excédents commerciaux que des déficits. D'ailleurs, Keynes, réfléchissant il y a soixante ans aux problèmes du système financier mondial, est allé jusqu'à suggérer de lever un impôt sur les pays excédentaires pour les dissuader de laisser trop grossir leur surplus[23].

Si mal qu'ait fonctionné le système, cela aurait pu être pire. Un seul pays peut – jusqu'à présent – conserver un déficit commercial sans provoquer de crise. Ce sont les États-Unis. Ils sont devenus non seulement le consommateur de dernier ressort, mais aussi le déficit de dernier ressort. Ce pays peut agir ainsi sans problème parce qu'il est le plus riche du monde et que les autres veulent des dollars dans leurs réserves. Mais, si les États-Unis sont capables d'accumuler les déficits plus longtemps que les autres, ils ne pourront pas le faire éternellement. Un jour, il faudra bien faire les comptes.

Le système des *greenbacks mondiaux* mettrait fin au jeu à somme nulle qui provoque les crises à répétition. Certes, la somme des déficits resterait toujours égale à celle des excédents, mais il y aurait une émission annuelle de *greenbacks mondiaux* pour compenser – financer – ces déficits commerciaux. Tant qu'ils resteraient modérés, il n'y aurait aucun problème. Il y aurait un amortisseur égal à l'émission de *greenbacks mondiaux*. Le jeu des déficits-patates chaudes serait bel et bien fini, et on aurait doté l'économie mondiale d'un mécanisme stabilisateur face aux chocs inévitables auxquels elle est confrontée.

Les États-Unis vont peut-être conclure que le système des *greenbacks mondiaux* dégraderait leur situation, puisque avec lui ils ne recevraient plus d'argent prêté à petit prix par les pays en développement. Mais ces prêts à faible taux d'intérêt que les pays pauvres octroient au plus riche sont, de toute évidence, assez inconvenants. Et les États-Unis bénéficieraient autant que les autres d'une meilleure stabilité de la planète. Avec le système des *greenbacks mondiaux*, il leur serait plus facile de maintenir leur économie au plein emploi sans déficit budgétaire massif (puisque l'enchaînement que nous venons de décrire – de l'augmentation des réserves en dollars à l'étranger à l'affaiblissement de la demande globale aux États-Unis – serait aboli[24]).

S'il se révèle impossible de persuader les États-Unis d'entrer dans le nouveau système de réserve mondial, il existe une autre méthode, plus musclée. Le reste du monde peut s'entendre pour passer à ce système fondé sur l'aide mutuelle et la coopération. Chaque pays accepterait alors d'accroître progressivement dans ses réserves la part des devises des autres pays membres de cette coopérative. Voyant ainsi diminuer les bénéfices engendrés par leur exploitation des pays en développement, les États-Unis seraient de plus en plus incités à adhérer, eux aussi, au nouveau système.

La réforme et le programme général de la mondialisation

Qui recevrait les émissions annuelles de *greenbacks mondiaux* ? La réponse à cette question a des conséquences importantes pour le bien-être de l'humanité.

La communauté mondiale tient ici une belle occasion de faire fonctionner infiniment mieux la mondialisation[25]. Celle-ci entraîne une intégration plus étroite des pays du monde entre eux ; cette intégration accroît leur interdépendance, et plus il y a d'interdépendance, plus on ressent la nécessité d'une action commune. Les biens publics mondiaux, dont tous les membres de la communauté mondiale bénéficient, prennent davantage d'importance – pensons par exemple à la santé (trouver un vaccin contre la malaria ou contre le sida), à l'environnement (réduire les émissions de gaz à effet de serre, maintenir la biodiversité dans les forêts tropicales). Ils devraient être tout à fait prioritaires dans l'usage de ces fonds.

Non seulement le nouveau système de réserve mondial résoudrait le problème du financement des biens publics mondiaux, mais il pourrait aussi donner à la communauté mondiale un moyen de manifester son engagement pour la justice sociale au niveau planétaire. Le gros des fonds qui resteraient après le financement des biens publics mondiaux pourrait aller aux pays pauvres. Ce serait un changement majeur de philosophie par rapport à celle que professe implicitement le FMI : s'il a compris la nécessité d'augmenter la liquidité en émettant des DTS, il le fait selon le principe « on donnera à celui qui a* ». Les riches ont la part du lion.

Il y a de nombreuses façons possibles de gérer ces fonds. Inévitablement, on ne sera pas d'accord sur la meilleure ; mais ne laissons pas le mieux prouver qu'il est l'ennemi du bien[26]. Le plus raisonnable est probablement d'associer plusieurs

---

* Évangile selon saint Matthieu, 13, 12.

méthodes. La première consisterait à attribuer les fonds aux pays sur la base de leur revenu et de leur population (conformément aux principes de justice sociale, les plus pauvres recevraient une allocation par habitant plus importante). Après l'échec historique de la conditionnalité, les seules conditions concerneraient les externalités mondiales – les coûts qu'un pays impose aux autres. Le plus important est probablement la prolifération nucléaire – seuls les pays fermement attachés à un régime non nucléaire seraient éligibles. Les autres conditions pourraient porter sur des externalités environnementales mondiales comme les émissions de gaz à effet de serre, les émissions de gaz qui fragilisent la couche d'ozone, la pollution des océans, le respect des accords internationaux sur les espèces en péril, etc.

Deuxième méthode : confier la répartition de ces sommes à des institutions internationales – celles qui existent, ou bien de nouveaux « fonds spéciaux » créés sous les auspices de l'ONU –, lesquelles pourraient les remettre à des pays qui accepteraient de verser à ces fonds des Nations unies une contribution d'un montant équivalent. Une partie pourrait aider à atteindre les Objectifs du millénaire pour le développement – les buts que s'est fixés la communauté internationale pour réduire la pauvreté à l'horizon 2015, et qui comprennent un effort dans le domaine de la santé, le relèvement du taux d'alphabétisation et l'amélioration de l'environnement dans les pays en développement[27]. Prenons la santé. Le bilan de l'Organisation mondiale de la santé est impressionnant. Certaines maladies, dont la variole, la polio et l'onchocercose*, ont été pratiquement éliminées. Avec davantage d'argent, on pourrait faire beaucoup plus, à un coût relativement faible[28]. Nous savons déjà qu'il est possible de réduire considérablement l'incidence de la malaria en drainant les eaux stagnantes des marais et en utilisant des moustiquaires imprégnées

---

* Répandue en Afrique noire et en Amérique centrale notamment, cette maladie contractée par piqûres d'insectes provoquait des lésions oculaires pouvant évoluer vers la cécité.

d'insecticide. J'ai visité dans le monde entier des baraques enfumées où la pollution intérieure provoque maladies pulmonaires et affections des yeux ; il suffirait de les doter d'une cheminée. J'ai déjà dit au chapitre 2 que l'on peut réaliser de gros progrès de santé publique ne serait-ce qu'en apprenant aux gens à construire les latrines en aval des sources d'eau potable. Ce sont de petits changements qui peuvent avoir un gros impact sur la vie de millions de personnes, et un accroissement des moyens financiers y aiderait énormément.

De même, on pourrait consacrer une partie de cet argent à universaliser l'alphabétisation. Aujourd'hui, 770 millions de personnes dans le monde restent incapables de lire et d'écrire. L'un des Objectifs du millénaire pour le développement est de permettre à chaque enfant de la planète de recevoir une éducation primaire complète en 2015. Cela ne coûterait pas très cher – de 10 à 15 milliards de dollars par an[29] –, mais, jusqu'à présent, la communauté internationale n'a pas donné le financement nécessaire. Remettre une partie des nouveaux *greenbacks mondiaux* à un fonds spécial de l'UNICEF pour l'éducation pourrait changer nettement la situation.

Comme nous l'avons vu au chapitre 6, le réchauffement du climat est un problème planétaire. La communauté internationale a créé une ligne de crédit mondiale pour aider à financer par des prêts « environnementaux » les surcoûts liés à la réduction des gaz à effet de serre et à d'autres politiques écologiquement saines. Mais elle est considérablement sous-financée. Une partie des *greenbacks mondiaux* pourrait l'alimenter.

Une troisième méthode consisterait à attribuer des fonds à des projets de développement en les mettant en concurrence. Les États et les ONG pourraient se porter candidats. Cette concurrence pousserait peut-être à innover dans les moyens de promouvoir le bien-être des populations du monde en développement.

Une quatrième solution, la distribution directe aux individus, pose certainement trop de problèmes pour être praticable. Outre la difficulté de faire parvenir de l'argent aux plus pauvres, cela n'aurait peut-être pas grand sens de leur en donner, puis de leur faire payer les soins médicaux essentiels et l'éducation de base. Les deux versants de la transaction induiraient dépenses inutiles et imperfections. Mieux vaut financer directement des services d'éducation et de santé pour les plus pauvres[30].

Au cours de séminaires tenus dans le monde entier, j'ai lancé l'idée d'une réforme du système de réserve mondial, et l'ampleur du soutien qui a été exprimé m'a beaucoup encouragé. George Soros préconise une émission unique de DTS pour financer le développement[31]. Mais pourquoi se limiter à un événement ponctuel ?

Les problèmes de l'ordre financier mondial sont systémiques, et ont beaucoup à voir avec le système de réserve mondial. Le monde est déjà en train de sortir de l'ère du dollar, mais cela ne veut pas dire qu'il se dirige vers un meilleur système, et – c'est triste à dire – il y a eu fort peu de réflexion là-dessus : on ne s'est guère demandé où il allait, ni quelle serait l'évolution souhaitable. À elle seule, l'initiative proposée ici ferait plus que n'importe quelle autre pour que la mondialisation « marche ». Elle n'éliminerait pas les problèmes auxquels les pays en développement sont confrontés, mais elle améliorerait beaucoup les choses. Elle renforcerait la stabilité et l'équité dans le monde. Ce n'est pas une idée neuve, mais c'est peut-être une idée dont l'heure est venue.

10

Démocratiser la mondialisation

La mondialisation devait apporter à tous des bénéfices sans précédent. Curieusement, elle est aujourd'hui honnie à la fois dans le monde développé et dans le monde en développement. Les États-Unis et l'Europe voient la menace de l'externalisation, de la délocalisation ; les pays en développement voient les pays industriels avancés tourner contre eux le système économique mondial. Dans les deux cas, les populations voient les intérêts des entreprises passer avant d'autres valeurs. Dans ce livre, j'ai soutenu qu'il y a beaucoup de vrai dans ces critiques, mais qu'elles visent la façon dont la mondialisation est gérée. J'ai essayé de montrer comment nous pourrions la réorienter, pour qu'elle soit mieux à même de tenir ses promesses.

Le sujet central de cet ouvrage a été l'aspect économique de la mondialisation. Mais j'ai signalé dès le premier chapitre l'une des grandes raisons de ses problèmes : la mondialisation économique est allée plus vite que la mondialisation politique, et les effets économiques de la mondialisation plus vite que notre aptitude à la comprendre, à l'orienter et à gérer ses conséquences par des processus politiques. Réformer la mondialisation relève de la politique. Dans ce chapitre de conclusion, je voudrais aborder quelques-uns des problèmes politiques cruciaux. Notamment, les perspectives d'avenir des travailleurs non qualifiés et l'impact de la mondialisation sur l'inégalité ; le déficit démocratique dans nos institutions économiques mondiales, qui affaiblit la démocratie à l'intérieur même de nos propres pays ; et la tendance humaine à penser à l'échelle locale alors que, de plus en plus, nous vivons dans une économie mondiale.

Lorsque, en février 2004, le principal conseiller économique du président Bush, N. Gregory Mankiw, s'est félicité de la chance que représentait pour les entreprises américaines l'externalisation, qui réduit leurs coûts donc accroît leurs profits, il y a eu un tollé. Les Américains étaient inquiets pour les emplois industriels – dont plus de 2,8 millions ont été perdus de 2001 à 2004 – et même pour ceux des secteurs de la technologie avancée et des services[1]. En un sens, l'externalisation n'est pas un phénomène nouveau : les firmes américaines transfèrent des emplois outre-mer depuis des décennies. Le nombre d'emplois industriels aux États-Unis diminue depuis 1979, et le pourcentage d'Américains travaillant dans l'industrie depuis les années 1940. (En 1945, ils représentaient 37 % des actifs ; aujourd'hui, ils sont moins de 11 %[2].)

Certes, une économie dynamique se caractérise par des pertes et des créations d'emplois – la perte des moins productifs et le transfert de ceux qui les occupaient dans des secteurs où la productivité est plus élevée. Avec l'arrivée de l'automobile, la production de voitures hippomobiles a été réduite. Pendant le débat autour de l'Accord de libre-échange nord-américain, Ross Perot, candidat à l'élection présidentielle de 1992, a prédit « un bruit d'aspirateur géant » : les emplois allaient être « aspirés » hors des États-Unis. L'administration Clinton a répondu que les États-Unis ne voulaient pas de ces emplois à bas salaires et à faible qualification, que le marché en créerait d'autres, mieux payés et plus qualifiés. Et, pendant les premières années de l'ALENA, le chômage aux États-Unis a en réalité baissé : de 6,8 % lors de l'entrée en vigueur du traité, il est descendu jusqu'à 3,8 %.

De même que, il y a plus de cent ans, les États-Unis et les

pays européens étaient passés de l'agriculture à l'industrie, ils ont opéré ces dernières années une transition de l'industrie aux services. La part de l'industrie dans l'emploi et la production s'est réduite, non seulement aux États-Unis mais aussi en Europe et au Japon (à 20 %)[3]. À mesure que l'Amérique et l'Europe perdaient des emplois industriels, elles en gagnaient dans les services, secteur où certains emplois sont peu qualifiés (comme la préparation des hamburgers), mais d'autres très bien payés (dans les services financiers par exemple). On a cru qu'avec le haut niveau de compétences de leur main-d'œuvre et leur économie dominée par les services, les États-Unis seraient à l'abri de la concurrence du monde extérieur. Ce qui fait si peur dans l'externalisation, c'est que même des emplois très qualifiés ont commencé à partir à l'étranger. La stratégie de « hausse des qualifications » et du niveau d'éducation, si elle est manifestement précieuse et importante, ne répond pas complètement à la question : que faire face à la concurrence mondiale ?

L'envergure et le rythme de la menace concurrentielle, des pertes d'emplois en un temps relativement bref, dépassent tout ce qui s'est jamais produit. C'est le revers d'un autre bouleversement sans précédent : deux pays, la Chine et l'Inde, qui étaient autrefois désespérément pauvres et économiquement coupés du monde, font aujourd'hui partie intégrante de l'économie mondiale. Jamais les revenus de tant de gens n'ont augmenté si vite[4].

La théorie économique admise, celle qui justifie la libéralisation des échanges, comprend un scénario sur ce qui devrait se passer en cas de libéralisation totale – un scénario que les champions du libre-échange mentionnent rarement, mais auquel nous avons fait allusion au chapitre 3. Si l'intégration économique mondiale est totale, le monde deviendra comme un seul pays, et les salaires des travailleurs non qualifiés seront les mêmes partout sur la planète, où qu'ils vivent. Qu'ils se trouvent aux États-Unis, en Inde ou en Chine, les employés non qualifiés ayant des compétences comparables et exécutant un travail comparable seront payés de la même façon. En théorie, ce salaire se situera *quelque part* entre celui que reçoivent aujourd'hui les travailleurs non qualifiés indiens ou chinois et celui de leurs homologues américains ou européens. En pratique, étant donné la dimension relative des populations, il est probable que le salaire unique vers lequel elles vont converger sera plus proche de celui de la Chine et de l'Inde que de celui des États-Unis ou de l'Europe.

Certes, la suppression des droits de douane et de toutes les entraves au commerce ne conduira pas instantanément à une intégration totale, ni à l'égalisation des salaires. Il y aura encore les coûts de transport, et, dans le cas des pays très pauvres et très lointains, ils resteront lourds. Dans le passé, deux facteurs au moins ont joué un rôle dans la persistance des écarts de salaires. Le premier est la pénurie de capital dans les pays en développement. C'est important parce que, avec moins de capital (de machines récentes, de technologies nouvelles), les travailleurs sont moins productifs. Dans le tissage, les métiers à main sont moins productifs que les métiers mécaniques – et, les travailleurs étant en conséquence moins productifs, leurs salaires seront plus bas. Le second facteur est l'écart des connaissances entre pays développés et pays moins développés : les compétences et la technologie ont pris du retard dans le monde en développement, ce qui a réduit la productivité et pesé sur les salaires.

Mais ces obstacles à l'égalisation des salaires sont en voie de disparition. Les marchés des capitaux internationaux se sont énormément améliorés. Aujourd'hui, tout en épargnant 42 % de son PIB, la Chine reçoit plus de 50 milliards de dollars par an d'investissement direct étranger, soit près de 4 % de son PIB[5]. Et, ces dernières années, le flux de connaissances qui va du monde développé vers les pays en développement s'est accéléré.

Il faudra des décennies pour combler pleinement l'écart du savoir et la pénurie de capital dans le monde en développement. La bonne nouvelle, c'est qu'une force puissante va faire remonter les salaires en Chine et en Inde. La mauvaise, c'est qu'une force puissante les fera baisser pour les travailleurs non qualifiés en Occident. Par conséquent, les Américains et les Européens pourront se réjouir de la hausse des niveaux de vie des travailleurs non qualifiés du monde en développement, mais ils s'inquiéteront de ce qui arrivera chez eux. Ce n'est pas seulement une question de nombre total d'emplois externalisés – perdus au profit de la Chine ou de l'Inde. Le vrai problème est que même un écart relativement réduit entre l'offre et la demande de travail peut créer de grosses difficultés, conduisant à la stagnation et à la baisse des salaires et faisant vivre dans l'angoisse les nombreux travailleurs qui estiment leur emploi menacé. C'est ce qui semble se passer.

Certes, on l'a vu, la mondialisation et la libéralisation du commerce augmenteront les revenus globaux (si le pays parvient à maintenir le plein emploi, et c'est un grand « si »). Mais il s'ensuit qu'avec des revenus qui, en moyenne, augmentent, et des salaires qui, notamment au bas de l'échelle, stagnent ou diminuent, les inégalités vont s'accroître. Ceux qui appartiennent aux branches vaincues par la concurrence vont particulièrement souffrir : ils risquent de constater que leur « capital humain » – les investissements qu'ils ont faits dans des compétences particulières – ne vaut plus grand-chose. Dans les cinq dernières années, les salaires réels aux États-Unis ont fondamentalement stagné ; au bas de l'échelle des revenus, ils stagnent depuis plus d'un quart de siècle[6]. Des villes, des régions entières pourraient se trouver en difficulté. Avec les fermetures d'entreprises et les pertes d'emplois, les prix de l'immobilier vont chuter, ce qui frappera la plupart des habitants puisque leur avoir principal est leur maison.

RÉPONDRE AUX DÉFIS DE LA MONDIALISATION

Les pays industriels avancés peuvent répondre à ces défis de trois façons. La première consiste à ignorer le problème et à laisser monter les inégalités. Ceux qui adoptent cette position (dont beaucoup croient à la théorie aujourd'hui discréditée du ruissellement, d'après laquelle, du moment qu'il y a croissance, *tout le monde* va en bénéficier) invoquent la puissance inhérente à l'économie de marché et son aptitude à réagir aux changements. Peut-être ne savons-nous pas où seront créés les nouveaux emplois, disent-ils, mais, si nous laissons les marchés accomplir leurs merveilles, il y aura de nouveaux emplois. C'est seulement quand l'État interfère avec les processus du marché en protégeant les emplois, comme en Europe, qu'il y a des problèmes de chômage.

Mais, en Europe comme aux États-Unis, cette approche ne fonctionne pas. S'il y a des gagnants de la mondialisation, il y a beaucoup de perdants. La mondialisation n'est, bien sûr, que l'une des nombreuses forces qui influencent nos sociétés et nos économies. Même sans elle, les inégalités augmenteraient. Les changements technologiques ont accru la prime accordée par le marché à certaines compétences, si bien que les gagnants dans l'économie d'aujourd'hui sont ceux qui les ont acquises ou peuvent les acquérir. Ces changements technologiques jouent peut-être, en définitive, un rôle plus important que la mondialisation dans la montée des inégalités et même dans la baisse des salaires non qualifiés. Les électeurs ne peuvent pas grand-chose contre le progrès technologique ; mais ils peuvent faire quelque chose – par l'intermédiaire de leurs élus – contre la mondialisation. Les sentiments protectionnistes se sont accrus presque partout. Aux États-Unis, même un petit accord de commerce, le libre-échange avec l'Amérique centrale, a suscité une opposition considérable et n'a été voté à la Chambre des représentants, en juillet 2005, que par 217 voix contre 215. Je ne crois pas qu'il soit acceptable de prétendre que tout ira bien si nous laissons faire les marchés. Et il n'est pas plus acceptable de demander aux travailleurs de garder la foi dans la mondialisation, qui, s'ils sont assez patients, va améliorer leur sort à tous, bien que pour l'instant ils doivent accepter une baisse des salaires et de la sécurité de l'emploi. Même s'ils voulaient bien croire que la mondialisation va accélérer la croissance du PIB, pourquoi devraient-ils en conclure que cela va accélérer la croissance de *leur propre* revenu ou améliorer globalement *leur propre* bien-être ? Les dirigeants politiques font allusion de manière détournée aux leçons de la science économique pour rassurer les électeurs, mais en réalité la théorie économique admise et une surabondance de chiffres confirment pleinement les intuitions des salariés : sans politique de redistribution forte de la part de l'État, les travailleurs non qualifiés risquent de voir leur situation s'aggraver.

Les migrations de main-d'œuvre posent le même type de problème. J'ai expliqué au chapitre 3 qu'elles pouvaient améliorer l'efficacité mondiale et être particulièrement avantageuses pour les populations du monde en développement. Mais la migration d'une main-d'œuvre non qualifiée induit une baisse des salaires pour les travailleurs non qualifiés du monde développé. La libéralisation du commerce et la migration pourront être globalement bénéfiques pour le pays, mais, au bas de l'échelle sociale, elles vont probablement dégrader la situation.

La seconde voie que peuvent suivre les pays industriels avancés, c'est la résistance, le refus d'une mondialisation équitable. Selon ceux qui la préconisent, c'est maintenant que l'Amérique et l'Europe doivent utiliser leur puissance économique pour fixer des règles du jeu qui les favoriseront en permanence – ou du moins le plus longtemps possible. La puissance engendre la puissance, et, en associant leurs forces économiques actuelles, elles peuvent au moins maintenir leurs positions, peut-être même les renforcer. C'est un point de vue qui n'est pas fondé sur le juste ou l'équitable, mais sur la *Realpolitik*.

Dans cette logique, les États-Unis, sans cesser de rendre hommage verbalement au juste commerce, doivent se protéger contre l'invasion des produits étrangers et contre l'externalisation, tout en faisant leur possible pour s'ouvrir les marchés extérieurs. Le cynisme évident d'une Amérique qui double ses subventions agricoles tout en prêchant le libre-échange illustre bien cette démarche. Dans le but d'apaiser les tenants de l'équité, on fera peut-être quelques efforts pour trouver des moyens « légaux » de verser ces aides, par exemple en imaginant un concept comme les « subventions qui ne créent pas de distorsions au commerce », en faisant admettre aux autres pays l'autorisation de ce type de subventions, puis en affirmant que les siennes sont de ce type-là. On postule, apparemment, que tout ce qui est légal est légitime.

Cette approche ne me paraît ni acceptable moralement, ni viable économiquement et politiquement. Longtemps, la position des États-Unis dans le monde a été due non seulement à leur puissance économique et militaire, mais aussi à leur autorité morale, à la volonté de faire ce qui est juste et équitable. Mais les partisans de la *Realpolitik* ne se soucient guère de cet argument. L'important, c'est que nous avons déjà trop avancé sur la voie de la mondialisation pour que leur option soit vraiment possible. Si les accords commerciaux de l'Uruguay Round ne sont pas justes pour les pays en développement, ils ont créé dans le commerce le début d'un semblant d'état de droit international, auquel les États-Unis doivent obéir.

De plus, l'un des succès des trois dernières décennies a été la création de démocraties fortes dans de nombreuses régions du monde en développement. Leurs citoyens sont bien informés de ce qui se passe, et, quand un projet d'accord commercial est fondamentalement injuste, ils le savent. Les citoyens américains ne se soucient peut-être pas de l'hypocrisie de leurs dirigeants quand ils vantent le libre-échange en maintenant les subventions agricoles, mais les citoyens brésiliens et argentins, oui.

L'enjeu est trop gros – et trop de gens ont déjà bénéficié de la mondialisation – pour que les États-Unis et l'Europe puissent quitter le jeu, se retirer simplement de la mondialisation. Et celle-ci a fait trop de perdants dans le monde en développement pour que le monde développé puisse encore tenter de la modeler injustement en sa faveur.

Cela ne laisse qu'une seule orientation possible : vivre avec la mondialisation et la réorganiser. Pour les États-Unis, « vivre avec » signifie admettre qu'elle va faire pression à la baisse sur les salaires non qualifiés. Les pays industriels avancés doivent continuer à relever le niveau de qualification de leur main-d'œuvre, mais ils doivent aussi renforcer leurs dispositifs de sécurité sociale et rendre plus progressifs leurs systèmes d'impôts sur le revenu. Ce sont les milieux proches du bas de l'échelle sociale qui ont été frappés par la mondialisation (et probablement par d'autres forces, comme l'évolution technologique). La bonne stratégie consisterait donc à réduire leurs impôts et à augmenter ceux des catégories qui ont été si bien servies par la mondialisation. Malheureusement, aux États-Unis et ailleurs, la politique s'est orientée dans le sens diamétralement opposé. Investir dans la recherche pour accroître la productivité de l'économie est tout aussi important. Ces investissements produisent des retours élevés. La hausse de la productivité conduira probablement à celle des salaires et des revenus, et si on consacre ne serait-ce qu'une fraction du gain de revenu qui en résulte à un programme social d'éducation et de santé, le bien-être de tous les citoyens progressera.

Ceux qui critiquent la mondialisation ont raison : telle qu'elle a été gérée, il y a trop de perdants. Et je pense que parmi eux les optimistes – ceux qui, dans des rassemblements comme le Forum social mondial de Bombay sur lequel j'ai ouvert ce livre, clament qu'« un autre monde est possible » – ont aussi raison. Ce livre a exposé plusieurs réformes qui permettraient à la mondialisation de s'approcher davantage de ses potentialités bénéfiques, pour les populations des pays développés comme pour celles du monde en développement : cette mondialisation réformée pourrait jouir d'un soutien populaire des deux côtés.

Le déficit démocratique

Dans ce livre, j'ai voulu montrer qu'il nous faut apprendre à faire face à la mondialisation (tant dans les pays développés que dans les moins développés). Nous devons également apprendre à mieux la gérer, en nous souciant à la fois des pays pauvres, des populations pauvres des pays riches, et des valeurs plus importantes que les profits et le PIB. Le problème est qu'il y a un déficit démocratique dans la gestion de la mondialisation. Les institutions internationales (le Fonds monétaire international, la Banque mondiale, l'Organisation mondiale du commerce) auxquelles on a confié le soin d'écrire les règles du jeu et de gérer l'économie mondiale défendent les intérêts des pays industriels avancés – ou plus exactement des intérêts particuliers en leur sein (comme l'agriculture et le pétrole). Ce déséquilibre résulte parfois d'un système de droits de vote biaisé[7] ; dans d'autres cas, il vient simplement de la puissance économique des pays et des intérêts en question. On le constate à la fois dans les points dont on discute et dans le résultat des discussions, et cela dans tous les domaines de la mondialisation, du commerce à l'environnement et aux questions financières. Nous le voyons à ce qui figure à l'ordre du jour comme à ce qui n'y figure pas.

Depuis deux siècles, les démocraties ont appris à modérer les excès du capitalisme, c'est-à-dire à canaliser la puissance du marché pour qu'il y ait plus de gagnants et moins de perdants. Cette démarche a été extraordinairement bénéfique, elle a assuré à quantité d'habitants du Premier Monde une hausse merveilleuse du niveau de vie, bien supérieure à tout ce qu'on aurait pu imaginer en 1800.

Mais, au niveau international, nous n'avons pas réussi à créer les institutions politiques démocratiques nécessaires pour que la mondialisation fonctionne – pour que la puissance de l'économie mondiale de marché conduise bien à une vie meilleure la grande majorité des habitants de la planète, et pas seulement les individus les plus riches des pays les plus riches. À cause du déficit démocratique dans la gestion de la mondialisation, ses excès n'ont pas été modérés ; en fait, nous l'avons vu, la mondialisation a parfois réduit la capacité des démocraties nationales à modérer l'économie de marché.

Le besoin d'institutions mondiales n'a jamais été plus grand, mais la confiance qu'on a en elles et en leur légitimité s'érode. Les échecs répétés du FMI dans la gestion des crises de la dernière décennie ont constitué le coup de grâce, faisant suite à des années d'insatisfaction envers ses programmes en Afrique et ailleurs, notamment envers les plans d'austérité excessifs qu'il a imposés à ces pays. L'échec des pays qui ont suivi les politiques idéologiques du Consensus de Washington, cher au FMI et à la Banque mondiale, et le contraste avec le succès durable des pays d'Asie orientale, que j'ai évoqué au chapitre 2, n'ont rien fait pour restaurer la confiance dans ces institutions. Pas plus que l'arrogance avec laquelle le FMI a exigé qu'on lui donne mandat d'imposer aux pays en développement l'ouverture de leurs marchés aux flux de capitaux spéculatifs, avant de reconnaître discrètement, quelques années plus tard, que la libéralisation des marchés des capitaux crée peut-être l'instabilité mais pas la croissance. Et, pendant que le FMI et la Banque mondiale imposaient un programme déstabilisant pour les marchés des capitaux, ils ne faisaient rien contre l'une des causes essentielles de l'instabilité mondiale : le système de réserve mondial. À l'OMC, sur le front du commerce, ce n'est pas mieux. Après avoir reconnu à Doha, en novembre 2001, que le cycle précédent des négociations commerciales était injuste, les pays industriels avancés ont en réalité fini par renier leur promesse d'un « Round du développement ».

En un sens, ce ne sont pas les institutions elles-mêmes qu'il faut blâmer : elles sont gérées par les États-Unis et par les autres pays industriels avancés. Leurs échecs, c'est l'échec de la politique de ces pays. La fin de la guerre froide a donné aux États-Unis, seule superpuissance restante, la possibilité de remodeler le système économique et politique mondial sur la base de principes de justice et de sollicitude pour les pauvres ; mais la disparition de la concurrence de l'idéologie communiste leur a aussi donné une autre possibilité : remodeler le système mondial en fonction de leurs propres intérêts égoïstes et de ceux de leurs multinationales. Malheureusement, dans la sphère économique, les États-Unis ont choisi cette seconde voie.

De même qu'on ne peut pas tout reprocher aux institutions internationales – les gouvernements qui les dominent ont nécessairement une certaine responsabilité –, on ne peut pas tout reprocher à ces gouvernements : leurs électeurs ont leur part de responsabilité. Nous faisons de plus en plus partie d'une économie mondiale, mais nous vivons presque tous dans des communautés locales, et nous continuons à penser d'une façon extraordinairement locale. Il est naturel pour nous d'accorder bien plus de valeur à un emploi perdu chez nous qu'à deux gagnés à l'étranger (ou, en temps de guerre, à une vie perdue chez nous qu'aux pertes des étrangers). Avec la mentalité qu'induit cette pensée locale, nous ne réfléchissons pas souvent à l'impact des politiques que nous préconisons sur d'autres populations et sur l'économie mondiale. Ce qui retient toute notre attention, c'est leur effet direct sur *notre bien-être à nous*. Aux États-Unis, les planteurs de coton voient tout ce que les subventions leur font gagner, mais pas tout ce qu'elles font perdre à des millions d'habitants du reste du monde.

Pour que la mondialisation fonctionne, il faudra un changement d'état d'esprit : nous devrons penser et agir plus « mondialement ». Aujourd'hui, ce « sentiment d'identité mondiale » est trop rare. Un vieil aphorisme dit que toute politique est locale, et, puisque la plupart des gens vivent « localement », on ne saurait s'étonner que la mondialisation soit pensée du point de vue très étroit de la politique locale. Alors que le monde devient interdépendant économiquement, la pensée reste locale. Cette disjonction entre politique locale et problèmes mondiaux est à la source de bien des mécontentements face à la mondialisation.

En matière d'analyses et de recommandations de politiques, le contraste est très tranché selon que l'on se situe au niveau national ou au niveau mondial. Dans chaque pays, nous sommes bien conscients que les lois et les réglementations n'ont pas le même impact sur tous les citoyens. Pour chaque impôt, chaque loi, chaque réglementation, les économistes calculent soigneusement la façon dont les différentes catégories de revenus seront touchées. Et lorsque nous argumentons pour ou contre des politiques, l'objet du débat est de déterminer si elles sont justes, si elles aggravent le sort des pauvres, si l'effort qu'elles demandent pèse de façon disproportionnée sur les plus défavorisés.

Au niveau international, non seulement nous ne faisons pas cette analyse, mais nous ne recommandons pratiquement jamais une politique en faisant valoir qu'elle est juste. Nous demandons à nos négociateurs d'obtenir le meilleur accord de commerce possible pour les intérêts de notre pays. Ils n'arrivent pas à Genève (où ont lieu, en général, les négociations commerciales) en ayant mandat de parvenir à un accord équitable pour tous. Si certains font l'objet d'une attention spéciale, ce ne sont pas, comme il le faudrait, les plus pauvres, mais les plus puissants – par exemple les intérêts privés qui ont le plus généreusement contribué aux campagnes électorales du président et du parti au pouvoir. En fait, des intérêts particuliers sont souvent promus à la dignité d'intérêt national. Faire au mieux pour les firmes pharmaceutiques américaines, pour Microsoft et pour ExxonMobil, devient synonyme de faire au mieux pour le pays en général. C'est ce que résume une célèbre remarque faite en 1953 par le président de General Motors, Charles Wilson : « Ce qui est bon pour notre pays est bon pour General Motors et vice versa[8]. » À l'ère de la mondialisation, ce n'est plus vrai – pour autant que ça l'ait jamais été.

Même au sein des institutions internationales, il est rare que la politique mondiale soit analysée en termes de justice sociale. On fait semblant de croire qu'il n'y a pas d'arbitrage à faire, et que la prise de décision peut donc être déléguée à des technocrates, chargés de la tâche complexe de trouver et de gérer le meilleur système économique, et considérés comme mieux à même que les hommes politiques de décider en toute objectivité. Il existe, bien sûr, des problèmes qu'il faut leur déléguer – choisir le meilleur système informatique pour gérer la sécurité sociale, par exemple. Mais déléguer à des technocrates la rédaction des règles du jeu économique ne pourrait se justifier que par l'existence d'un seul bon ensemble de règles, capable de propulser tout le monde dans une meilleure situation que tout autre ensemble de règles. Ce n'est absolument pas le cas ; cette idée est non seulement fausse mais dangereuse. À de rares exceptions près, il y a toujours des arbitrages. Leur existence même signifie qu'il faut faire des choix. Ce n'est qu'à travers le système politique qu'on peut les faire correctement, et c'est pourquoi il est si important de remédier au déficit démocratique mondial.

Quand on dépolitise le processus de prise de décision, on aboutit à des décisions non représentatives des intérêts généraux de la société. En retirant de la vie politique *publique* le choix du bon régime commercial ou du bon régime de propriété intellectuelle, on ouvre la porte à l'influence *secrète* d'intérêts particuliers sur ces choix. Les compagnies pharmaceutiques peuvent modeler les accords sur la propriété intellectuelle ; les producteurs, et non les consommateurs, la politique commerciale. La politique monétaire illustre aussi cette vérité. Aucun problème économique ne touche davantage les citoyens que la situation macroéconomique. La hausse du taux de chômage dégrade la situation des travailleurs, mais la baisse de l'inflation qui en résulte réjouit les détenteurs d'obligations. Équilibrer ces intérêts est une activité fondamentalement politique, mais les milieux financiers ont tenté de dépolitiser la décision, de la confier à des technocrates ayant mandat de suivre des politiques qui soient dans l'intérêt des marchés financiers. Le FMI a incité – et parfois contraint (c'était l'une des conditions de son aide) – les pays à demander à leur banque centrale de se concentrer *exclusivement* sur l'inflation.

L'Europe a succombé à ces doctrines. Aujourd'hui, dans tout l'« Euroland », on se plaint de voir la Banque centrale européenne suivre une politique monétaire certes merveilleuse pour les marchés obligataires, puisqu'elle maintient l'inflation à bas niveau et les cours à haut niveau, mais désastreuse pour la croissance et l'emploi en Europe.

RÉAGIR AU DÉFICIT DÉMOCRATIQUE

Il y a deux réponses au problème du déficit démocratique dans les institutions internationales. La première : changer les règles, dans le sens suggéré plus haut dans cet ouvrage. Mais cela n'arrivera pas en une nuit. La seconde : réfléchir plus attentivement au type de décisions qui se prennent au niveau international.

Avec la mondialisation, ce qui se passe dans une région du monde fait des vagues ailleurs, puisque les idées et les connaissances, les biens et les services, les capitaux et les personnes franchissent plus facilement les frontières. Les épidémies ne les ont jamais respectées, mais, puisqu'on voyage davantage sur toute la planète, les maladies se répandent plus vite. Les gaz à effet de serre produits dans les pays industriels avancés provoquent un réchauffement du climat partout dans le monde. Le terrorisme, lui aussi, est devenu planétaire. Plus l'intégration entre les pays du monde se resserre, plus ils deviennent interdépendants. Et la montée de l'interdépendance accroît le besoin d'action collective pour résoudre les problèmes communs.

Les objectifs de cette action collective doivent se concentrer sur les points les plus essentiels pour servir toute la communauté mondiale. Les autres ne doivent pas figurer à l'ordre du jour[9]. Au chapitre 4, j'ai montré que nous n'avons aucun besoin d'un ensemble uniforme de règles sur les droits de propriété intellectuelle ; outre qu'elle réduit sensiblement la souveraineté politique, l'uniformisation poussée trop loin est, en fait, contre-productive. Condenser l'ordre du jour est particulièrement important, car la tendance à le gonfler est en soi un désavantage pour les pays en développement, qui ne peuvent s'offrir de grosses équipes d'experts pour négocier. L'action collective mondiale doit se concentrer sur un besoin : faire cesser les externalités négatives – les actes d'une partie qui ont un impact négatif sur d'autres ; et sur une possibilité : promouvoir, en agissant ensemble, le bien-être de tous par la fourniture de biens publics mondiaux, dont jouiront les populations du monde entier.

Plus le monde se « mondialisera » et s'intégrera, plus il y aura de domaines où apparaîtront des occasions de coopérer, et où cette action collective sera non seulement souhaitable mais nécessaire. Il existe toute une gamme de biens publics mondiaux – de la paix mondiale à la santé mondiale, à la préservation de l'environnement mondial, au savoir mondial.

S'ils ne sont pas pourvus *collectivement* par la communauté internationale, le risque existe – c'est même une probabilité – qu'ils ne le soient pas suffisamment[10].

Pour fournir des biens publics mondiaux, il faut un système de financement. Le chapitre 9 a prouvé qu'une réforme du système de réserve mondial peut créer une vaste source de fonds, de l'ordre de 200 à 400 milliards de dollars par an. Une seconde idée consiste à consacrer aux biens publics mondiaux des revenus issus de la gestion des ressources mondiales : vendre aux enchères les droits de pêche, les droits d'extraction des ressources naturelles sous-marines, les permis d'émission de carbone. Enfin, il existe des cas où lever un impôt peut bel et bien contribuer à l'efficacité économique. Ces taxes, perçues pour résoudre des problèmes d'externalité négative, sont appelées « taxes correctrices ». La fiscalité sur les externalités négatives mondiales – les ventes d'armes aux pays en développement, la pollution, les flux financiers transfrontaliers déstabilisants – peut constituer une troisième source de revenus pour financer les biens publics mondiaux.

À long terme, les changements les plus importants qui s'imposent pour faire fonctionner la mondialisation sont ceux qui visent à réduire le déficit démocratique. Sans eux, toute réforme risque d'être vidée de sa substance. C'est un danger réel : nous avons vu au chapitre 3, par exemple, que, lorsqu'on a réduit les droits de douane, on a érigé des obstacles non tarifaires. Ce n'est pas le lieu d'exposer en détail comment il faudrait réformer chaque institution internationale. Je préfère énumérer les axes majeurs de tout projet de réforme :

– *Changer la structure des droits de vote* au FMI et à la Banque mondiale pour donner plus de poids aux pays en développement. Au FMI, les États-Unis restent le seul pays ayant un droit de veto effectif. Dans les deux institutions, l'importance des droits de vote est largement fondée sur la puissance économique – et, trop souvent, pas telle qu'elle est aujourd'hui, mais telle qu'elle existait lors de la création de ces institutions, il y a plus d'un demi-siècle[11].

– *Changer la nature de la représentation* : qui représente chaque pays. Tant que la politique commerciale sera faite par les ministres du Commerce et la politique financière par les ministres des Finances, d'autres domaines concernés, comme l'environnement ou l'emploi, seront négligés. L'une des réformes possibles serait d'imposer que, lorsque plusieurs domaines ou préoccupations se chevauchent, tous les ministères intéressés soient représentés. Lorsqu'on discute de dispositions à prendre sur la propriété intellectuelle, il est certain que les ministres de la Science et de la Technologie doivent être présents – ils auront non seulement une position plus équilibrée, mais même une certaine connaissance de la question.

– *Adopter des principes de représentation.* Il est difficile de prendre des décisions ou de négocier à 100 pays ou davantage. Mais la façon, par exemple, dont les négociateurs des accords commerciaux ont pu répondre à ce problème doit être entièrement récusée : elle est inacceptable[12]. Certes, il y aura déséquilibre de puissance économique quoi qu'on fasse, et on ne peut pas grand-chose pour empêcher les puissants d'utiliser leur force ; mais les procédures officielles, au moins, doivent être conformes aux principes démocratiques. Les grands pays doivent négocier avec des représentants de chaque grande catégorie : les pays les moins avancés, les petits exportateurs de produits agricoles, etc. Quelques progrès en ce sens sont d'ailleurs déjà en cours.

Vu la difficulté de réaliser ces changements majeurs, il est d'autant plus important de mettre en œuvre les réformes suivantes dans le mode opératoire des institutions internationales :

– *Accroître la transparence.* Puisqu'il n'y a pas de responsabilité démocratique directe (nous n'élisons ni nos représentants dans ces institutions, ni leurs dirigeants), la transparence, garantie par des lois fortes sur la liberté de l'information, est cruciale. Paradoxalement, ces institutions sont *moins* transparentes que les plus démocratiques de leurs États membres.

– *Améliorer les règles sur les conflits d'intérêts.* Ces mesures renforceront la confiance dans la gouvernance, donc sa légitimité, et (si les économistes ont raison de croire à l'importance des incitations) elles pourraient même induire, en fait, des politiques plus proches de l'intérêt général.

– *Accroître l'ouverture, notamment en améliorant les procédures* pour garantir plus de transparence, mais aussi pour permettre à davantage de voix de se faire entendre. Les ONG ont acquis un rôle important pour assurer la présence d'autres voix que celles des multinationales dans les procédures de prise de décision économique mondiale. Dans des démocraties comme les États-Unis, lorsqu'une instance de réglementation propose des règles, il est prévu que les parties concernées puissent exprimer leurs commentaires, et l'administration doit leur répondre. Il devrait en être de même pour les institutions et instances de réglementation mondiales.

– *Renforcer la capacité des pays en développement à participer réellement à la prise de décision*, en les aidant à estimer l'impact qu'auront sur eux les changements proposés. Le département du Trésor des États-Unis et les ministères des Finances de certains autres pays industriels avancés ont les moyens de faire leurs propres évaluations, mais les pays en développement, en général, ne les ont pas. Les délibérations de l'OMC et des autres organisations économiques internationales seraient également facilitées s'il existait un organisme indépendant pour évaluer les différentes propositions et leur impact respectif sur les pays en développement.

– *Améliorer la responsabilité.* Même en l'absence de responsabilité directe devant les électeurs, il faut mesurer l'action des institutions économiques internationales de façon plus indépendante. Si la Banque mondiale et le FMI le font aujourd'hui – et y consacrent d'ailleurs des sommes considérables –, les équipes qui se chargent de ce travail font en général massivement appel à un personnel temporaire qui leur est fourni par le FMI ou la Banque mondiale. C'est peut-être un avantage au sens où ces personnes sont bien informées sur ce qui se passe, mais il leur est difficile de donner une évaluation pleinement indépendante. La tâche devrait être transférée, par exemple à l'ONU. Il faut réfléchir à l'écart entre les conséquences prédites et ce qui se passe vraiment. Ainsi, pourquoi les plans de renflouement du FMI n'ont-ils pas fonctionné comme prévu pendant les crises ? Pourquoi y avait-il de l'argent pour renflouer les banques internationales mais pas pour maintenir les subventions qui réduisent le coût de l'alimentation des pauvres ? Pourquoi les bénéfices tirés du dernier cycle de négociations commerciales par bon nombre de pays très pauvres ont-ils été aussi inférieurs à ce qu'on leur avait promis ?

– *Améliorer les procédures judiciaires.* Ce besoin ressort clairement de nos analyses du chapitre 3 sur la méthode des États-Unis pour imposer des droits antidumping : ils sont simultanément le procureur, le juge et le jury. Ce type de procédure judiciaire est manifestement vicié. Il faut une instance judiciaire mondiale indépendante pour déterminer, en l'occurrence, s'il y a eu ou non dumping, et, si oui, quel doit être le montant des droits antidumping.

– *Faire mieux respecter l'état de droit international.* J'ai souligné à maintes reprises que l'Uruguay Round a beaucoup apporté en créant le début d'un semblant de droit international. Il est désormais possible que des principes, et plus seulement la puissance, régissent les relations commerciales. C'est peut-être un droit imparfait, mais il vaut mieux que le non-droit. Or, sur de nombreux points, la loi existante améliorerait la mondialisation *si elle était appliquée.* Nous en avons vu un exemple important au chapitre précédent : le refus des États-Unis de prendre la moindre mesure contre le réchauffement de la planète peut être considéré comme une subvention commerciale majeure et injustifiée. Faire respecter la réglementation qui interdit ce type de subvention contribuerait à la fois à rendre le régime commercial plus juste et à traiter l'un des problèmes les plus graves du monde actuel.

Nous avons un système imparfait de gouvernance mondiale sans gouvernement mondial ; et l'une de ses imperfections est qu'il limite notre capacité à faire respecter les accords internationaux et à éliminer les externalités négatives. Nous devons absolument utiliser les instruments que nous avons – dont les sanctions commerciales[13].

Au chapitre 3, j'ai signalé un autre problème majeur : la fragmentation du système commercial mondial par toute une série d'accords bilatéraux et régionaux. Le grand acquis du système commercial multilatéral depuis soixante ans, le principe de la nation la plus favorisée en vertu duquel chaque pays accorde les mêmes conditions à tous les autres, est aujourd'hui miné par les États-Unis, et d'autres les suivent. Ces accords ne sont légaux dans le cadre des règles de l'OMC que s'ils créent plus de commerce qu'ils n'en détournent ; il est à peu près sûr que certains ne satisfont pas à ce critère. Il faut qu'un tribunal international détermine, au moment où chaque accord est proposé, s'il est légal, en faisant reposer la charge de la preuve sur les pays qui tentent de morceler le système commercial mondial. Ce tribunal déterminerait, par exemple, si les gains apportés au Mexique par l'ALENA, dans la mesure où ils existent, ont été essentiellement dus au détournement d'un commerce de textiles que les États-Unis auraient pu acheter dans d'autres pays latino-américains que le Mexique. Cet examen judiciaire pourrait ralentir, voire arrêter, la multiplication malsaine des accords bilatéraux qui risque de miner le système commercial multilatéral.

TROUVER UN NOUVEL ÉQUILIBRE

Ce qu'il faut pour que la mondialisation fonctionne, c'est un régime économique international où le bien-être des pays développés et celui du monde en développement soient mieux équilibrés : un nouveau contrat social mondial entre pays développés et pays moins développés. Voici certains de ses ingrédients essentiels :

– Les pays développés optent pour un régime commercial plus équitable qui contribue réellement à promouvoir le développement (sur les bases exposées au chapitre 3).

– La propriété intellectuelle et la promotion de la recherche sont envisagées sous un autre angle : on fournit toujours à l'innovation des incitations et des ressources, mais on reconnaît l'importance de l'accès des pays en développement au savoir, la nécessité d'une disponibilité des médicaments à prix abordables, et le droit des pays en développement à faire protéger leurs connaissances traditionnelles.

– Les pays développés acceptent d'indemniser les pays en développement pour leurs services environnementaux : la préservation de la biodiversité et la séquestration du carbone, qui contribue à la lutte contre le réchauffement de la planète.

– Nous tous, pays développés et en développement, reconnaissons que nous partageons une seule planète et que le réchauffement du climat représente pour elle une réelle menace – dont les effets peuvent être particulièrement désastreux pour certains pays en développement. Par conséquent, nous devons tous limiter nos émissions de carbone – mettre de côté nos querelles sur les responsabilités des uns et des autres et passer aux choses sérieuses : l'action. Les États-Unis, le pays le plus riche du monde et le plus prodigue en énergie, y sont particulièrement tenus – et un de leurs États, la Californie, a déjà prouvé qu'on peut réduire énormément les émissions sans baisse du niveau de vie.

– Les pays développés s'engagent à payer équitablement les ressources naturelles des pays en développement – et à les extraire sans laisser derrière eux un environnement dévasté.

– Les pays développés réaffirment l'engagement qu'ils ont déjà pris de fournir aux pays pauvres une aide financière égale à 0,7 % de leur PIB, mais cette fois en faisant en sorte de tenir parole. Si les États-Unis peuvent dépenser 1 000 milliards de dollars pour une guerre en Irak, ils peuvent sûrement trouver moins de 100 milliards par an pour une guerre mondiale contre la pauvreté.

– L'accord pour l'effacement de la dette conclu en juillet 2005 est élargi à un plus grand nombre de pays. Trop de pays voient leurs aspirations au développement écrasées par les sommes considérables qu'ils dépensent pour payer le service de leur dette – si considérables que, nous l'avons dit, les flux financiers nets de certaines années récentes vont des pays en développement vers les pays développés.

– Des réformes de l'architecture financière mondiale réduisent son instabilité – qui a eu un impact si écrasant sur tant de pays en développement – et transfèrent une plus grande part du risque aux pays développés, infiniment mieux équipés pour y faire face. Parmi les réformes cruciales, il y a celle du système de réserve mondial, exposée au chapitre 9 : son impact stabilisateur serait bénéfique pour tous, et elle pourrait aussi aider à financer les biens publics mondiaux, si importants pour que la mondialisation fonctionne.

– De nombreuses réformes institutionnelles (juridiques) ont lieu – par exemple pour empêcher l'émergence de nouveaux monopoles mondiaux, pour gérer de façon juste les réalités complexes des faillites transfrontalières, tant de débiteurs souverains que d'entreprises, et pour obliger les multinationales à faire face à leurs responsabilités, notamment en cas de dommages à l'environnement.

· Si les pays développés ont donné trop peu d'argent au monde en développement, ils lui ont donné trop d'armes ; ils ont été partenaires et complices d'une grande partie des transactions entachées de corruption ; et, par divers autres biais, ils ont miné les démocraties naissantes. Le contrat social mondial implique que l'éloge de la démocratie ne suffit plus. Les pays développés renoncent à toutes les pratiques fragilisant la démocratie et prennent des mesures pour la soutenir – ils font notamment plus d'efforts pour limiter les ventes d'armes, le secret bancaire et les pots-de-vin.

Pour que la mondialisation fonctionne, les pays en développement doivent évidemment faire leur part du travail. La communauté internationale peut contribuer à créer un environnement où le développement est possible ; elle peut aider à fournir des ressources et des occasions d'avancer. Mais en dernière analyse, c'est aux pays en développement eux-mêmes qu'incombe la responsabilité de réaliser un développement réussi, durable, et dont les fruits soient largement partagés. Ils n'y parviendront pas tous, mais je suis tout à fait persuadé qu'avec le contrat social mondial exposé plus haut les succès seront beaucoup plus nombreux qu'auparavant.

Certains éléments de ce nouveau contrat social mondial sont déjà en place. À la conférence internationale sur le financement du développement réunie par les Nations unies à Monterrey (Mexique) en mars 2002, les pays industriels avancés ont pris l'engagement d'augmenter leur aide en la portant à 0,7 % de leur PIB. Mais cette conférence a été importante aussi parce qu'elle a admis – enfin – que le développement est une chose trop sérieuse et trop compliquée pour qu'on le laisse aux ministres des Finances. Les ministres des Finances et les gouverneurs de banque centrale apportent au débat un point de vue particulier – qui est important, mais qui n'est pas le seul. Prenons le problème de la restructuration de la dette souveraine. Aucun État ne confierait le soin d'appliquer la législation fixant le cadre des faillites à un comité dominé par les créanciers et leurs intérêts ; or confier au FMI la mise en œuvre des procédures de faillite, comme le voulait le FMI, aurait créé le même type de situation. Ces décisions doivent être prises de façon plus équilibrée.

L'un des moyens d'agir de façon plus équilibrée consiste à donner plus de poids au Conseil économique et social de l'ONU. Il pourrait jouer un rôle important pour définir le programme de l'action économique mondiale, en veillant à ce qu'il ne porte pas sur les seuls problèmes qui intéressent les pays industriels avancés, mais sur ceux qui sont essentiels au bien-être du monde entier. Il pourrait encourager la discussion d'une réforme financière mondiale qui s'attaquerait aux problèmes des pays en développement – tels que le fait qu'on les laisse porter tout le poids du risque de taux de change et de taux d'intérêt. Il pourrait promouvoir une réforme du système de réserve mondial, ou de nouvelles méthodes de restructuration des dettes souveraines, où les procédures de faillite ne seraient pas sous le contrôle des pays créanciers. Son rôle serait particulièrement précieux sur les nombreuses questions qui traversent plusieurs des « silos » où sont si souvent confinés les processus de décision au niveau international. Il pourrait faire avancer l'initiative sur les forêts tropicales exposée au chapitre 6, qui apporterait aux pays en développement à la fois des incitations à entretenir leurs forêts tropicales (ce dont le monde bénéficierait énormément sur le plan du réchauffement de la planète et sur celui de la biodiversité) et de l'argent pour se développer. Il pourrait promouvoir un régime de propriété intellectuelle favorisant les progrès de la science et respectant comme il convient d'autres valeurs, telles que la vie et l'accès à la connaissance. Il pourrait veiller à ce que toute supervision internationale (« surveillance », comme on dit souvent) de la politique économique d'un pays ne se concentre pas uniquement sur l'inflation, qui préoccupe tant les marchés financiers, mais aussi sur le chômage, qui pèse tant sur les travailleurs.

La mondialisation telle qu'elle a été gérée inspire un double mécontentement : on est mécontent du résultat et mécontent du manque de démocratie dans les procédures. Réduire le déficit démocratique serait un pas en avant majeur pour faire fonctionner la mondialisation sur les deux plans. Je suis sûr que des politiques et des programmes qui auront été soumis à un examen démocratique seront plus efficaces et plus sensibles aux préoccupations des citoyens.

L'IMPORTANCE DE L'ENJEU

Si le débat sur la mondialisation s'est fait si âpre, c'est que nous jouons très gros – pas seulement le bien-être économique, mais la nature même de notre société, voire sa survie sous la forme que nous lui avons connue. Peut-être les mondialisateurs d'il y a vingt ans se disaient-ils que les doctrines économiques qu'ils imposaient par le biais des institutions internationales auraient aujourd'hui tellement accru le bien-être général que tout leur serait pardonné. Peut-être espéraient-ils que, même s'il y avait montée des inégalités, du moment que suffisamment d'argent ruissellerait jusqu'à eux, les pauvres pourraient être apaisés. Même si l'on refusait à quelques-uns l'accès aux médicaments qui les auraient sauvés, du moment que, globalement, beaucoup verraient leur santé s'améliorer, ils seraient contents. Pour trop de gens, nous l'avons vu, les promesses ne se sont pas concrétisées.

Mais même si la mondialisation avait mieux réussi *économiquement*, un mécontentement face à certains de ses aspects aurait existé – et, si davantage de gens avaient compris ce qui se passait, il aurait pu être encore plus fort. Les États-Unis soutiennent que le maintien de l'ouverture des frontières au commerce est plus important que la préservation de la culture ou la protection de la sécurité alimentaire, du moins contre ce qu'ils perçoivent comme des peurs irrationnelles sur les OGM. Mais même eux reconnaissent qu'il existe des valeurs plus importantes que la mondialisation économique – au moins une : la sécurité. Ils plaident vigoureusement pour des restrictions au commerce qui, selon eux, renforceront leur sécurité nationale. Ils subventionnent le pétrole et n'autorisent pas les bâtiments étrangers à transporter des marchandises dans leurs eaux territoriales : dans les deux cas, ils invoquent la sécurité nationale. Ils préconisent même des « boycotts secondaires » : non seulement ils interdisent à leurs entreprises de vendre à la Chine des produits susceptibles d'avoir un usage militaire, mais ils soumettent l'Europe à des pressions considérables pour qu'elle en fasse autant. Le *Helms-Burton Act*, voté par les États-Unis en 1996, impose des sanctions aux firmes étrangères qui commercent avec Cuba même si les lois de leur pays autorisent ces échanges. La peur de l'anthrax de 2001 (qui, en définitive, n'a jamais pu être rattachée à un terrorisme au-delà du territoire américain) a conduit au vote d'une loi sur le bioterrorisme qui impose immatriculation et tenue de comptes à ceux qui souhaitent exporter aux États-Unis. Washington affirme que ces exigences ne sont ni pesantes ni coûteuses.

Beaucoup de firmes étrangères disent qu'elles le sont. Au strict minimum, elles représentent un coût supplémentaire pour vendre aux États-Unis. De plus, puisqu'il est devenu plus difficile d'obtenir un visa, les entreprises étrangères ont plus de mal à faire des affaires aux États-Unis, et à y fournir des services. Si d'autres pays répondent de la même façon, on verra clairement que, lorsqu'on détruit un type de barrière artificielle au commerce, on en construit un autre.

Oui, la première responsabilité d'un pays à l'égard de ses citoyens est de les protéger, et la sécurité nationale doit avoir priorité. Ce sont des préoccupations réelles. Les inquiétudes sur la sécurité ne sont pas des vues de l'esprit. L'Europe dépend aujourd'hui du gaz importé de Russie, les États-Unis du pétrole importé de l'étranger. Pour que la mondialisation fonctionne, il faut universaliser ces préoccupations et démocratiser les procédures. On ne peut autoriser les États-Unis à répondre à leurs inquiétudes sécuritaires sans permettre aux autres d'en faire autant ; ni les laisser décider seuls avec quels pays les entreprises européennes ont le droit de commercer et quels produits elles peuvent vendre.

Mesurées pleinement, les conséquences potentielles de la sécurité pour la mondialisation sont énormes. La crainte de ne plus avoir accès, en situation de crise, à tout ce qui est essentiel et qu'on achète à l'étranger (par exemple l'énergie, ou les produits alimentaires) est un argument qui conduit à restreindre les importations et à subventionner la production nationale. Lorsqu'on suit ce raisonnement jusqu'à sa conclusion logique, le cadre entier de la libéralisation du commerce vacille. Chaque pays accepte-t-il ces risques, tout simplement, comme l'un des prix à payer pour avoir une économie mondiale plus efficace ? L'Europe doit-elle seulement dire : « Si le gaz russe est le moins cher, nous devons acheter à la Russie », quelles que soient les conséquences pour sa sécurité, ou a-t-elle le droit d'intervenir sur le marché de l'énergie pour réduire sa dépendance ? Faut-il accueillir sereinement la montée de l'interdépendance, avec les risques qu'elle apporte, en y voyant des incitations supplémentaires au règlement pacifique des diffé-

rends politiques internationaux ? Faut-il instaurer une procédure internationale pour déterminer quand il est permis
d'intervenir dans le commerce au nom de la sécurité nationale ? Ou faut-il simplement laisser chaque pays jouer la carte
de la sécurité nationale pour faire du protectionnisme à sa
guise ?

Le débat autour de « sécurité et mondialisation » le révèle
clairement – même à ceux qui étaient les plus chauds partisans de la mondialisation : d'autres valeurs que le bien-être
économique sont en jeu. Mais ces autres valeurs ont été
expulsées sans ménagement du mode opératoire de la mondialisation. Pour une raison simple : le déficit démocratique. À
cause de lui, des problèmes qui sont importants, ou devraient
l'être, pour les citoyens ne reçoivent pas l'attention qu'ils
méritent. Le pays le plus riche, les États-Unis, sait qu'il peut
avoir ce qu'il veut – il peut faire ce qu'il veut chaque fois que
ses préoccupations, notamment sécuritaires, sont en jeu. Le
reste du monde, du moins jusqu'à présent, n'a pas voulu lui
résister. Trop de pays se sont simplement laissé emporter dans
une euphorie orchestrée par les États-Unis pour la mondialisation, sans prêter attention à la façon dont elle était pensée et
gérée. Mais le temps viendra où les États-Unis ne pourront
plus faire ce qu'ils veulent. Les forces du changement économique, social, politique et environnemental planétaire sont
plus fortes à long terme que la capacité d'un pays, même le
plus puissant, à modeler le monde en fonction de ses intérêts
ou de ses idées.

Le débat autour de « sécurité et mondialisation » souligne
bien un second thème de ce livre : la mondialisation économique est allée plus vite que la mondialisation politique.

Nous sommes devenus interdépendants au niveau économique plus vite que nous n'avons appris à vivre ensemble
pacifiquement. Si les liens que forgent la mondialisation économique – l'interdépendance qu'elle implique et la meilleure
compréhension que créent les interactions quotidiennes – sont
une force puissante en faveur de la paix, à eux seuls ils ne suffisent pas ; et sans la paix il ne peut y avoir de commerce.

Une fois déjà, il y a un siècle, le tumulte de la guerre a fait reculer la mondialisation. Mesurée, par exemple, à la proportion du commerce mondial par rapport au PIB mondial, elle allait mettre plus d'un demi-siècle à repartir du point où elle s'était arrêtée[14]. Une fois déjà, à la fin de la Première Guerre mondiale, les États-Unis, qui étaient déjà le pays le plus puissant du monde, ont tourné le dos au multilatéralisme en se retirant de la Société des Nations, l'institution internationale qu'on avait créée pour contribuer à assurer la paix mondiale. Et l'administration Bush, après avoir annoncé son rejet du protocole de Kyoto, de la Cour pénale internationale et d'accords très importants visant à limiter la course aux armements, s'est aussi retirée des Nations unies quand elle a attaqué l'Irak dans une guerre préventive, en violation du droit international.

L'ONU a prouvé la valeur de la démocratie délibérative : après avoir soigneusement pesé les preuves qu'on lui a présentées à propos d'une menace imminente d'armes de destruction massive, elle a conclu qu'elles étaient insuffisantes pour justifier que l'on s'écarte des préceptes bien établis pour engager des hostilités préventives. Cette conclusion s'est révélée juste. Aucune arme de destruction massive n'a été trouvée. L'unique superpuissance du monde pousse à la mondialisation économique en même temps qu'elle affaiblit les fondements politiques nécessaires à son fonctionnement. Elle invoque pour se justifier le renforcement des démocraties dans le monde, mais elle mine la démocratie mondiale. Elle parle des droits de l'homme, mais elle les piétine en défendant indignement son droit à torturer, en infraction à la Convention de l'ONU contre la torture, et de bien d'autres façons.

S'il existe un pays qui devrait répondre à l'appel de ceux qui veulent une mondialisation plus juste fondée sur un état de droit international, c'est bien les États-Unis : leur Déclaration d'indépendance ne dit pas « Tous les Américains sont égaux », mais « Tous les hommes sont égaux ». Les Pères fondateurs se souciaient de l'universalité des principes qu'ils ont si bien formulés, et la Déclaration d'indépendance, la

Constitution, la Déclaration des droits, les dix premiers amendements à la Constitution ont servi de modèle dans une grande partie du reste du monde ; les auteurs de ces documents auraient été heureux de l'adoption par l'ONU de la Déclaration universelle des droits de l'homme le 10 décembre 1948. Depuis leur naissance en tant que nation, les États-Unis ont profité de la mondialisation à travers l'immigration massive de travailleurs sur leur territoire, soutenue par des capitaux et des idées venus de l'étranger. Aujourd'hui, ils comptent parmi les plus gros bénéficiaires de la mondialisation économique. Il est dans leur intérêt de faire en sorte que chacun ne se replie pas dans ses tranchées ; mais, dès lors, il est aussi dans leur intérêt de faire en sorte que l'écart entre mondialisation économique et mondialisation politique se réduise[15].

Pour une grande partie du monde, la mondialisation telle qu'elle a été gérée ressemble à un pacte avec le diable. Dans le pays, une poignée d'individus s'enrichissent ; les statistiques du PIB, à prendre pour ce qu'elles valent, ont meilleure mine, mais les modes de vie et les valeurs fondamentales sont menacés. Dans certaines régions du monde, les gains sont encore plus minces, les coûts plus palpables. Les progrès de l'intégration dans l'économie mondiale ont apporté plus d'instabilité, plus d'insécurité, plus d'inégalité. Et ils ont même compromis des valeurs essentielles.

Ce n'est pas une fatalité. Nous pouvons faire fonctionner la mondialisation, pas seulement pour les riches, pour les puissants, mais pour tout le monde, y compris les habitants des pays pauvres. Ce sera long et difficile. Nous avons déjà beaucoup trop attendu. Nous devons nous y mettre immédiatement.

Notes

NOTES DE LA PRÉFACE

1. C'est d'autant plus important que les efforts du FMI pour me discréditer au lieu d'engager un débat intellectuel, tant pendant qu'après mon action en qualité d'économiste en chef de la Banque mondiale, ont porté sur ce point. Le FMI a tenté de donner l'impression que ce que j'ai écrit dans *La Grande Désillusion* était différent de ce que j'avais dit quand j'étais à la Banque mondiale. Rien ne pourrait être plus loin de la vérité. (Je devrais plutôt le remercier de la violence de ses réactions à mon livre, car elles ont stimulé les ventes dans la plupart des pays : dans l'un d'eux, l'éditeur a même inséré un extrait de l'attaque du FMI sur la couverture de l'ouvrage.)

2. Soyons clair : les fondements intellectuels du fanatisme du marché ont été détruits, mais des éditorialistes et d'autres faiseurs d'opinion – même, à l'occasion, une poignée d'économistes – invoquent parfois encore la « science » économique à l'appui de leurs positions.

3. Ces travaux ont été cités lorsqu'on m'a décerné le prix Nobel.

4. Voir Bruce Greenwald et Joseph E. Stiglitz, « Externalities in economies with imperfect information and incomplete markets », *Quarterly Journal of Economics*, vol. 101, n° 2, mai 1986, p. 229-264.

5. Joseph E. Stiglitz, *Quand le capitalisme perd la tête*, trad. fr. de Paul Chemla, Paris, Fayard, 2003.

6. Comme dit le philanthrope George Soros.

7. Matthew Miller, *The Two Percent Solution : Fixing America's Problems in Ways Liberals and Conservatives Can Love*, New York, Public-Affairs, 2003. Voici comment Miller formule le problème dans le prologue de son livre : « Nous allons d'abord faire un pas en arrière et nous livrer à un petit travail philosophique de base : examiner l'omniprésence de la

chance dans l'existence, et constater que prendre au sérieux la "loterie pré-natale" peut créer le consensus dont nous avons besoin pour avancer. »

8. De même, nous ne pouvons pas déléguer ces décisions sociétales cruciales à des technocrates. C'est une des grandes critiques que fait ce livre à la mondialisation : elle a tenté de « dépolitiser » des décisions fondamentalement politiques.

9. Comme nous le verrons au chapitre 3, les forces économiques qui impulsent la mondialisation peuvent, elles aussi, changer avec le temps, quand le rapport de la production et du commerce change.

10. Ces notions sont déjà intégrées à la gouvernance d'entreprise dans de nombreux pays d'Europe. Mais, je dois le dire, les idées que j'exprime ici, aussi raisonnables qu'elles puissent paraître au non-initié, sont très controversées – en particulier dans les milieux universitaires américains. Il existe des conditions extrêmes dans lesquelles on peut prouver que la maximisation de la valeur (ou du profit) par les entreprises conduit à l'efficacité économique, et c'est sur ces modèles extrêmes que se concentre une grande partie de la littérature économique. Mais, tant que l'information est imparfaite ou que les marchés constituent un ensemble incomplet, maximiser le bien-être des actionnaires ne conduit ni à l'efficacité économique, ni au bien-être général. Voir, par exemple, Sanford J. Grossman et Joseph E. Stiglitz, « On value maximization and alternative objectives of the firm », *Journal of Finance*, vol. 32, n° 2, mai 1977, p. 389-402.

NOTES DU CHAPITRE 1

1. Commission mondiale sur la dimension sociale de la mondialisation, *Une mondialisation juste : créer des opportunités pour tous*, Genève, Bureau international du travail, 2004, p. x-xi ; en ligne à l'adresse : www.ilo.org/public/french/fairglobalization/report/index.htm.

2. Commission mondiale sur la dimension sociale de la mondialisation, *Une mondialisation juste : créer des opportunités pour tous*, op. cit., p. 49 ; et Giovanni Andrea Cornia et Tony Addison, avec Sampsa Kiiski, « Income distribution changes and their impact in the post-World War II period », document d'analyse 2003/28 de l'Institut mondial de recherche sur l'économie du développement (UNU/WIDER), mars 2003. L'inégalité est mesurée par l'une des méthodes les plus courantes : le coefficient de Gini.

3. Même le seuil de deux dollars par jour représente moins d'un cinquième du seuil de pauvreté utilisé aux États-Unis et en Europe occidentale.

4. Shaohua Chen et Martin Ravallion, « How have the world's poorest fared since the early 1980s ? », World Bank Development Research Group, World Bank Policy Research Working Paper 3341, juin 2004. La

définition précise du seuil d'un dollar par jour est en réalité 1,08 dollar en dollars « réels » (parité de pouvoir d'achat) 1993. Celle du seuil de deux dollars par jour est 2,15. La réduction de la pauvreté en Chine a été vraiment remarquable. Au seuil d'un dollar par jour, le nombre de pauvres est passé de 634 millions à 212 millions. Le nombre d'êtres humains sortis de la pauvreté absolue équivaut à toute la population de l'Europe et dépasse celle des États-Unis.

5. Le projet *Les Voix des pauvres* a été entrepris quand j'étais économiste en chef de la Banque mondiale, dans le cadre de la préparation du rapport décennal sur la pauvreté (*Rapport sur le développement dans le monde 2000-2001 : combattre la pauvreté*). Il s'agissait d'un effort sans précédent pour comprendre la pauvreté du point de vue des pauvres eux-mêmes. Ses résultats ont été publiés en trois volumes, dont le premier a paru en français sous le titre *La parole est aux pauvres*, t. 1 : *Écoutons-les*, Paris, Eska, 2001 [en anglais : *Can Anyone Hear Us ?* (t. I), *Crying Out for Change* (t. II), *From Many Lands* (t. III), Washington, DC, Banque mondiale, 2002].

6. De 1985 à 2000, le pourcentage de la population mondiale vivant dans des pays démocratiques a augmenté : il est passé de 38 à 57 %. Le pourcentage de la population vivant sous des régimes autoritaires, lui, a diminué : il est passé de 45 à 30 %. Voir le diagramme 1.1 *in* Programme des Nations unies pour le développement (PNUD), *Rapport mondial sur le développement humain 2002 : approfondir la démocratie dans un monde fragmenté*, PNUD, 2002, p. 15 ; en ligne à l'adresse : http://hdr.undp.org/reports/global/2002/fr/.

7. Il y a huit grands Objectifs du millénaire pour le développement : réduire l'extrême pauvreté et la faim ; assurer l'éducation primaire pour tous ; promouvoir l'égalité et l'autonomisation des femmes ; réduire la mortalité infantile ; améliorer la santé maternelle ; combattre le VIH (sida), le paludisme et d'autres maladies ; assurer un environnement durable ; mettre en place un partenariat mondial pour le développement. Voir www.un.org/french/millenniumgoals/.

8. En 2004, les pays de l'OCDE n'ont contribué à l'aide au développement que pour 0,25 % de leur PIB – moins de 0,2 % pour le Japon, les États-Unis et l'Italie (0,7 %, c'est moins que ce qu'ont dépensé les États-Unis pour la guerre d'Irak). Seuls la Norvège, le Luxembourg, le Danemark, la Suède et les Pays-Bas ont tenu l'engagement des 0,7 %. Voir OCDE, « Données préliminaires de l'aide publique au développement (APD) par donneur en 2004 – publiées le 11 avril 2005 », en ligne à l'adresse : www.oecd.org/document/39/0,2340,fr_2649_34485_35398951_1_1_1_1,00. html.

9. Voir HM Treasury, « G-8 Finance Ministers' conclusions on development, London 10-11, June 2005 », à l'adresse : www.hm-treasury.gov.uk/otherhmtsites/g7/news/conclusions_on_development_110605.cfm.

10. Voir le tableau A.24 *in* Banque mondiale, *Global Development Finance : The Development Potential of Surging Capital Flows*, Washington, DC, Banque mondiale, 2006 ; accessible à l'adresse : http://siteresources.worldbank.org/INTGDF2006/Resources/GDF06_complete.pdf.

11. Voir PNUD, *Making Global Trade Work for People*, Londres et Sterling, VA, Earthscan Publications, 2003.

12. Voir Oxfam, « Running into the sand : why failure at the Cancun trade talks threatens the world's poorest people », document d'information Oxfam n° 53, septembre 2003.

13. Eswar Prasad, Kenneth Rogoff, Shang-Jin Wei et M. Ayhan Kose, « Effects of financial globalization on developing countries : some empirical evidence », étude spéciale [Occasional Paper] du FMI n° 220, mars 2003. Même *The Economist*, qui s'est longtemps fait le champion des marchés déréglementés en général et de la libéralisation des marchés des capitaux en particulier, l'a admis dans un excellent article, « A fair exchange ? », 30 septembre 2004.

14. L'expression « Consensus de Washington » a été initialement forgée par un éminent économiste, John Williamson, pour désigner les réformes mises en œuvre en Amérique latine. Sa liste était plus longue (elle comprenait 10 points) et plus nuancée. Voir John Williamson, « What Washington means by policy reform », chapitre 2 de John Williamson (éd.), *Latin American Adjustment : How Much Has Happened ?*, Washington, DC, Institute for International Economics, 1990 ; et Joseph E. Stiglitz, « The Post Washington Consensus Consensus », document de travail de l'IPD, université Columbia, 2004, présenté au forum « From the Washington Consensus towards a new global governance », Barcelone, 24-25 septembre 2004.

15. Les idées du grand philosophe de Harvard John Rawls ont eu beaucoup d'influence. Il préconisait de penser la justice sociale « derrière un voile d'ignorance », avant de connaître la position que nous occuperions quand nous serions nés. Voir John Rawls, *Théorie de la justice*, trad. fr. de Catherine Audard, Paris, Seuil, 1987 et 1997 ; et Patrick Hayden, *John Rawls : Towards a Just World Order*, Cardiff (G.-B.), University of Wales Press, 2002.

16. Certains de ces changements sont liés aux évolutions structurelles de la production, et pourraient se reproduire, puisque les économies du monde vont être de plus en plus fondées sur les services.

17. Voir Karl Polanyi, *La Grande Transformation. Aux origines politiques et économiques de notre temps*, trad. fr. de Catherine Malamoud et Maurice Angeno, Paris, Gallimard, coll. « Bibliothèque des sciences humaines », 1983. Dans la préface de la réédition de 2001 de cet ouvrage de 1944 (*The Great Transformation : The Political and Economic Ori-*

gins of Our Time, Boston, Beacon Press, 2001), je mets en parallèle ces deux bouleversements historiques.

NOTES DU CHAPITRE 2

1. Voir William Easterly, *Les pays pauvres sont-ils condamnés à le rester ?*, trad. fr. d'Aymeric Piquet-Gauthier, Paris, Éditions d'organisation, 2006 [*The Elusive Quest for Growth : Economists' Adventures and Misadventures in the Tropics*, Cambridge, MA, MIT Press, 2001].

2. Cet « autre point de vue » ressemble un peu à la « troisième voie » couramment associée au Premier Ministre britannique Tony Blair, au président américain Bill Clinton et au chancelier allemand Gerhard Schröder. Le rapport annuel *Economic Report of the President* des premières années de la présidence Clinton a formulé ces idées, en liant étroitement les interventions souhaitables de l'État aux limites du marché.

3. L'effort pour comprendre les conditions dans lesquelles les marchés conduisent ou ne conduisent pas « comme par une main invisible » à l'efficacité économique promise par Adam Smith est au centre de la recherche économique depuis deux siècles. Kenneth J. Arrow et Gérard Debreu ont remporté des prix Nobel pour leurs analyses mathématiques rigoureuses. Ils ont défini les conditions idéales dans lesquelles Smith avait raison, mais aussi identifié les nombreux cas d'échec du marché où il avait tort – par exemple lorsqu'il y a des externalités (comme la pollution), les actes d'un individu ayant des effets sur les autres pour lesquels ils ne sont pas indemnisés. Mes propres travaux ont allongé la liste des situations où les échecs du marché conduisent à l'inefficacité – où l'information est imparfaite et/ou asymétrique (c'est-à-dire où des individus savent certaines choses que les autres ne savent pas). L'analyse d'Arrow et de Debreu postulait aussi que la technologie ne changeait pas, ou du moins n'était pas affectée par les actes des participants au marché ; or les changements technologiques sont au cœur même du développement.

4. Gunnar Myrdal, *Le Drame de l'Asie : une enquête sur la pauvreté des nations*, étude condensée par Seth King, trad. fr. de Michel Janin, Paris, Seuil, coll. « Esprit. Frontière ouverte », 1976 [*Asian Drama : An Inquiry into the Poverty of Nations*, New York, Pantheon, 1968].

5. Ses résultats des quinze dernières années ont été légèrement meilleurs – une maigre augmentation annuelle du revenu par habitant de 0,2 %.

6. Voir Banque mondiale, *China 2020 : Development Challenges in the New Century*, Washington, DC, Banque mondiale, 1997, p. 3 ; en ligne à l'adresse : http://www-wds.worldbank.org/servlet/WDSContentServer/WDSP/IB/1997/09/01/000009265_3980625172933/Rendered/PDF/multi0page.pdf.

7. Depuis 1970, l'augmentation totale du revenu par habitant (avec entre parenthèses son taux de croissance annuel moyen) a été : Chine, 923 % (6,8 %) ; Corée du Sud, 566 % (5,6 %) ; Indonésie, 286 % (4,0 %) ; Malaisie, 283 % (3,9 %) ; Thaïlande, 347 % (4,4 %). Bien que les statistiques de la pauvreté sur une période aussi longue ne soient pas aussi fiables, et soient lacunaires, il apparaît qu'en moins de deux décennies, au seuil de deux dollars par jour, le taux de pauvreté en Chine est passé de 67 à 47 % entre 1987 et 2001 ; celui de l'Indonésie, de 76 à 52 % entre 1987 et 2002 ; celui de la Malaisie, de 15 à 9 % entre 1987 et 1997 ; et celui de la Thaïlande, de 37 à 32 % entre 1992 et 2000. Au seuil d'un dollar par jour, l'éradication de la pauvreté a été encore plus spectaculaire. Voir Banque mondiale, *World Development Indicators*. PIB par habitant (en dollars US constants 2000) et nombre de pauvres au seuil de deux dollars par jour (PPP) [en pourcentage de la population]. Banque mondiale, *Development Data and Statistics* ; accessible sur abonnement à l'adresse : www.worldbank.org/data/onlinedatabases/onlinedatabases.html.

8. Au seuil d'un dollar par jour. Voir Banque mondiale, *World Development Indicators*. Banque mondiale, *Development Data and Statistics* ; accessible sur abonnement à l'adresse : www.worldbank.org/data/onlinedatabases/onlinedatabases.html.

9. Source : IFS data [statistiques financières internationales du FMI], 1963-2003 ; accessible sur abonnement à l'adresse : http://ifs.apdi.net.

10. Elle est passée de 64 % en 1981 à 16 % en 2001. Voir Chen et Ravallion, « How have the world's poorest fared since the early 1980s ? », *op. cit.*

11. Calcul de l'auteur à partir du tableau 1 de Leandro Prados de la Escosura, « Growth, inequality, and poverty in Latin America : historical evidence, controlled conjectures », Universidad Carlos III de Madrid, Departamento de Historia Economica e Instituciones, document de travail 05-41, 2005 ; en ligne à l'adresse : http://docubib.uc3m.es/WORKINGPAPERS/WH/wh054104.pdf.

12. De nombreuses études suggèrent un triplement de la pauvreté en Russie, de 11,5 % en 1989 à 34,1 % en 1999 (voir Anthony Shorrocks et Stanislav Kolenikov, « Poverty trends in Russia during the transition », Institut mondial de recherche sur l'économie du développement [UNU/WIDER], mai 2001, tableau 1). La montée de la pauvreté dans d'autres économies en transition a été encore pire, si bien que, pour l'ensemble de la région, elle a presque été multipliée par 10. Voir Chen et Ravallion, « How have the world's poorest fared since the early 1980s ? », *op. cit.*

13. La Pologne est souvent considérée comme un pays ayant suivi la voie de la thérapie de choc mais ayant plutôt réussi (pas si on la compare à la Chine, mais si on la compare à la Russie). La Pologne, effectivement, a suivi une macropolitique de thérapie de choc qui a rapidement

éliminé son inflation ; après quoi elle a adopté une approche plus graduée, par exemple en matière de privatisation.

14. La différence de résultats entre la Chine et la Russie a fait couler beaucoup d'encre (nul ne conteste vraiment le relatif succès de la Chine pour la croissance et la réduction de la pauvreté ; et nul ne conteste vraiment que la Russie était beaucoup plus proche des politiques du Consensus de Washington que la Chine). Il y a ceux qui assurent que la Chine, finalement, a appliqué une version à elle de la thérapie de choc ; ceux qui disent que son succès relatif s'explique par d'autres facteurs ; et ceux qui prétendent que, si la Chine avait suivi la thérapie de choc, elle aurait connu une croissance encore plus rapide. Voir, par exemple, les chapitres 7 et 8 *in* Jeffrey D. Sachs, *The End of Poverty : Economic Possibilities for Our Time*, New York, Penguin, 2005 ; Jeffrey D. Sachs et Wing Thye Woo, « Structural factors in the economic reforms of China, Eastern Europe, and the former Soviet Union », *Economic Policy*, vol. 9, n° 18, avril 1994, p. 101-145 ; ou la gamme des points de vue sur la transition affichée sur le site Internet du FMI : https://www.imf.org/External/Pubs/FT/staffp/2001/04/.

15. Dani Rodrik et Arvind Subramanian, « From "Hindu Growth" to productivity surge : the mystery of the Indian growth transition », document de travail du NBER n° 10376, mars 2004. Ils concluent que l'élément crucial a été le changement d'attitude (de l'hostilité à la sympathie) à l'égard des milieux d'affaires – mais on était très loin des politiques libérales du Consensus de Washington.

16. On trouvera une analyse plus complète au chapitre 10 de J.E. Stiglitz, *Quand le capitalisme perd la tête, op. cit.*

17. Le PNUD, dans sa publication annuelle *Rapport mondial sur le développement humain*, donne une mesure synthétique dite « indicateur du développement humain » (IDH), qui combine diverses mesures concernant le revenu, la santé et d'autres aspects du bien-être humain. L'IDH 2005 classe les États-Unis dixièmes derrière la Norvège, l'Islande, l'Australie, le Luxembourg, le Canada, la Suède, la Suisse, l'Irlande et la Belgique.

18. Banque mondiale, *Papua New Guinea Environment Monitor 2002*, à l'adresse : http://www-wds.worldbank.org/external/default/main?pagePK=64193027&piPK=64187937&theSitePK=523679&menuPK=64154159&searchMenuPK=64187514&theSitePK=523679&entityID=000012009_20030729110929&searchMenuPK=64187514&theSitePK=523679.

19. En 2000, le salaire des P-DG a représenté plus de 500 fois celui du salarié moyen, contre 85 fois au début de la décennie et 42 fois vingt ans plus tôt. Voir J.E. Stiglitz, *Quand le capitalisme perd la tête, op. cit.*, p. 168.

20. Voir Karl Polanyi, *La Grande Transformation, op. cit.*

21. Roderick Floud et Bernard Harris, « Health, height, and welfare : Britain, 1700-1980 », *in* Richard Steckel et Roderick Floud (éd.), *Health and Welfare During Industrialization*, Chicago, University of Chicago Press, 1997, p. 91-126.

22. Les économistes disent que les individus ont une « aversion pour le risque ». Leur disposition à payer des sommes considérables pour réduire les risques cruciaux auxquels ils sont confrontés montre bien l'importance de la sécurité.

23. L'ancien économiste de la Banque mondiale William Easterly a consacré un livre à ces changements de perspective. Voir W. Easterly, *Les pays pauvres sont-ils condamnés à le rester ?*, *op. cit.*

24. Mais certains partisans du libre marché ont pu dire que c'était à cause de l'intervention des puissances coloniales pour empêcher le développement – par exemple les restrictions tristement célèbres qui furent imposées à l'Inde.

25. Le cadre intellectuel de cette nouvelle approche a été posé dans « Towards a new paradigm for development : strategies, policies, and processes », la conférence Prebisch que j'ai donnée à la CNUCED (Conférence des Nations unies sur le commerce et le développement) le 19 octobre 1998, en ligne à l'adresse : http://ww2.gsb.columbia.edu/faculty/jstiglitz/papers.cfm.

26. Depuis 1976, fin de la Révolution culturelle, le taux de croissance du revenu par habitant en Chine a été en moyenne de 7,8 %. Depuis 1990, le taux de croissance a été de 8,3 %. Source : Banque mondiale, *World Development Indicators*, PIB par habitant (en dollars US constants 2000) ; disponible sur abonnement à l'adresse : www.worldbank.org/data/onlinedatabases/onlinedatabases.html.

27. Voir le livre fort d'Amartya Sen, *Development as Freedom*, New York, Oxford University Press, 2001 ; trad. fr. de Michel Bessières, *Un nouveau modèle économique : développement, justice, liberté*, Paris, Odile Jacob, 2000.

28. La mise en valeur de l'importance du savoir dans le développement, et de la nécessité de ce rééquilibrage dans l'éducation, constitue à mon sens l'un des principaux changements intervenus quand j'étais économiste en chef à la Banque mondiale. Voir *Rapport sur le développement dans le monde 1998-1999 : le savoir au service du développement*, Paris, Eska, 1999.

29. Nous évoquerons au chapitre 6 l'immense contribution des pays en développement à l'environnement planétaire : des services estimés à des dizaines de milliards de dollars, pour lesquels ils ne sont pas indemnisés.

30. C'est ce qu'on appelle la « surveillance par les pairs ». J'ai élaboré la théorie économique qui explique le succès de ces institutions de prêt il y a près de vingt ans. Voir Joseph E. Stiglitz, « Peer monitoring and

credit markets », *World Bank Economic Review*, vol. 4, n° 3, septembre 1990, p. 351-366.

31. Voir par exemple Deepa Narayan, *The Contribution of People's Participation : Evidence from 121 Rural Water Supply Projects*, Washington, DC, Banque mondiale, 1995, qui conclut que la participation locale aux projets d'alimentation en eau dans les campagnes a sensiblement accru le nombre de systèmes d'adduction en bon état, le pourcentage de la population effectivement desservie et les bénéfices économiques et environnementaux globaux. Pour s'informer sur les projets en cours, voir le site Internet « Participation » de la Banque mondiale à l'adresse : www.worldbank.org/participation.

32. Thomas L. Friedman, *The World Is Flat : A Brief History of the Twenty-First Century*, New York, Farrar, Straus and Giroux, 2005.

33. Friedman est lui-même conscient que le monde n'est pas plat : il consacre un chapitre au « monde non plat » [« The Un-Flat World »].

NOTES DU CHAPITRE 3

1. Ce qui reflétait essentiellement, bien sûr, la dimension de l'économie des États-Unis. Depuis son élargissement en 2004, l'Union européenne a une population de plus de 450 millions d'habitants. La dimension de son économie est comparable à l'ALENA.

2. OCDE, *Études économiques de l'OCDE : Mexique*, vol. 2003, suppl. n° 1, « Migrations : contexte économique et conséquences », Paris, OCDE, 2003, p. 254-319.

3. Au début de l'administration Clinton, on a demandé au Council of Economic Advisers (j'étais à l'époque l'un de ses membres) son point de vue sur l'ALENA. Beaucoup pensaient dans l'administration que, avec la force de l'opposition à ce traité et la controverse sur d'autres priorités du programme Clinton (la santé, la réforme du système de prestations sociales), l'effort pour faire ratifier l'ALENA devait être différé, au moins pour un temps. Nous avons conclu que les États-Unis seraient peu touchés – cela ne ferait pas beaucoup de différence pour notre économie. L'effet principal serait de réduire la pression sur l'immigration – ce qui avait, à notre avis, un intérêt considérable. Nous pensions que le Mexique allait bénéficier énormément du traité, et que la « solidarité » du continent américain serait renforcée si nous parvenions à réduire l'écart des revenus. Avec le recul, nous nous sommes trompés dans nos estimations sur ce qu'allait gagner le Mexique. J'explique plus loin certaines raisons de nos erreurs de jugement.

Si nous avons eu tort pour les effets sur le Mexique, nous avons eu raison pour les effets sur les États-Unis. Ross Perot, dans sa campagne présidentielle, avait prétendu qu'il y aurait un « bruit d'aspirateur géant », car les emplois américains allaient passer au Mexique. Je n'ai pas été surpris que l'ALENA ait eu un effet si réduit sur l'économie américaine. Les droits de douane étaient déjà faibles et, avec la puissance des marchés américains, l'économie était tout à fait capable de s'ajuster. En fait, dans les mois et les années qui ont suivi l'ALENA, le chômage est passé de 6,6 à 5,5 %, pour finalement tomber à 3,8 %.

4. Les statistiques de la croissance dépendent considérablement de la façon dont on mesure le produit, ce qui est particulièrement problématique dans les périodes de grosses fluctuations de taux de change. Si le taux de change s'apprécie, la valeur en dollars du produit d'un pays augmente, même s'il ne produit pas plus qu'avant. En conséquence, les économistes se concentrent sur ce qui arrive au revenu réel, mesuré en pouvoir d'achat. La croissance du revenu réel par habitant a fluctué entre les 3,5 % des années 1960, les 3,2 % des années 1970 et les 2,7 % des années 1950.

5. Source : Instituto Nacional Estadística Geografía e Informática, cité *in* William C. Gruben, « Was Nafta behind Mexico's high maquiladora growth ? », *Economic and Financial Review*, 3e trimestre 2001, p. 11-21.

6. Globalement, l'emploi dans l'industrie tournée vers le marché intérieur a baissé dans la décennie qui a suivi l'ALENA. L'emploi industriel à l'exportation a légèrement augmenté, mais ses gains ont été largement dépassés par les pertes d'emplois agricoles, et on ne sait pas clairement jusqu'à quel point les emplois créés seront permanents. À la fin de la première décennie, 30 % de ceux qui avaient été créés au début des années 1990 dans la zone des *maquiladoras* avaient disparu. Voir Sandra Polaski, « Mexican employment, productivity, and income a decade after NAFTA », Carnegie Endowment for International Peace, mémoire soumis au Comité permanent des affaires étrangères du Sénat du Canada, 25 février 2004.

7. Voir W. C. Gruben, « Was Nafta behind Mexico's high maquiladora growth ? », *op. cit.* Dans le cas du Mexique, le débat est compliqué par sa crise financière de 1994-1995. Une étude de la Banque mondiale a conclu que, sans l'ALENA, le revenu par habitant y aurait été inférieur de 4 %. (Daniel Lederman, William F. Maloney et Luis Servén, *Lessons from NAFTA for Latin America and the Caribbean Countries : A Summary of Research Findings*, Banque mondiale, décembre 2003.) Mais il y avait de sérieux défauts dans cette étude. Voir, par exemple, Mark Weisbrot, David Rosnick et Dean Baker, « Getting Mexico to grow with NAFTA : the World Bank analysis », Center for Economic Policy Research, 20 septembre 2004, en ligne à l'adresse : www.cepr.net/publications/nafta_2004_10.htm. Outre ce débat statistique, il est frappant que même les partisans de l'ALENA ne lui prêtent, au mieux, qu'un petit effet sur

la croissance, et cela dans une période où, en raison de la crise mexicaine, le commerce extérieur était vital.

L'entrée du Mexique à l'OMC en janvier 1995 a peut-être, à certains égards, pesé plus lourd que l'ALENA, parce qu'elle a limité les possibilités d'action de l'État au lendemain de la crise de 1994-1995. (Dans les crises précédentes, le gouvernement avait imposé de nombreuses restrictions quantitatives au commerce, auxquelles certains attribuent des effets négatifs durables.)

Les partisans de l'ALENA soutiennent parfois que sa contribution réelle a été l'ouverture aux investissements et non le développement du commerce. Mais, répondent leurs adversaires, si son effet sur le volume global de l'investissement est incertain, certains aspects de l'investissement étranger ont peut-être contribué à ralentir la croissance du Mexique. Quand les banques internationales ont acheté toutes les banques mexicaines sauf une – acquisitions que l'ALENA a de fait encouragées –, l'accès au crédit des PME nationales est devenu limité, et la croissance a faibli (en dehors des entreprises liées aux exportations internationales). De plus, comme nous le verrons, la protection déséquilibrée des investisseurs – les étrangers étant mieux protégés que les nationaux – a mis en danger les réglementations environnementales et autres.

8. Voir Instituto Nacional Estadística Geografía e Informática, « Personal ocupado en la industria maquiladora de exportación según tipo de ocupación » ; en ligne à l'adresse : www.inegi.gob.mx/est/contenidos/espanol/rutinas/ept.asp?t=emp75&c=1811.

9. En 1993, le revenu PPP (parité de pouvoir d'achat) par habitant du Mexique était de 3,6 fois celui de la Chine. En 2003, ce rapport a été réduit de moitié, à 1,8 %. La Chine avait un avantage salarial très net sur le Mexique : les salaires chinois représentaient un huitième des salaires mexicains. Mais, pendant la période de l'ALENA, les salaires ont augmenté en Chine et stagné au Mexique. Le succès relatif de la Chine est donc nécessairement fondé sur d'autres facteurs.

10. Certains modèles simples – où il n'y a aucun coût de transport et où tout le monde a accès au même *savoir* (à la même technologie) – prédisent qu'il y aura égalisation complète du prix des facteurs. C'est-à-dire que les salaires des travailleurs qualifiés, ceux des travailleurs non qualifiés et le retour du capital seront les mêmes partout dans le monde. C'est comme si l'économie mondiale totale était pleinement intégrée : les salaires des travailleurs, à tous les niveaux de compétence, sont les mêmes dans le monde entier. Voir l'article classique du grand économiste du xxᵉ siècle Paul A. Samuelson, « International trade and the equalization of factor prices », *Economic Journal*, vol. 58, juin 1948, p. 163-184, où il montre que, même si elle ne va pas jusqu'au libre-échange, la libéralisation du commerce conduit à l'égalisation des prix des facteurs. Voir aussi

Wolfgang F. Stolper et Paul A. Samuelson, « Protection and real wages », *Review of Economic Studies*, vol. 9, p. 58-73.

11. Quand ils se font poètes pour chanter les vertus de la libéralisation du commerce, les dirigeants politiques répètent souvent que les exportations *créent* des emplois. Mais, selon la même logique, les importations *détruisent* des emplois. Ce qui explique les positions incohérentes de nombreux gouvernements qui, tout en se disant favorables au commerce, sont contre les importations.

12. Le récent ouvrage de Louis Uchitelle, *The Disposable American : Layoffs and their Consequences* (New York, Knopf, 2006), offre une analyse convaincante des coûts importants subis par les travailleurs qui perdent leur emploi – et de ceux que supporte globalement la société. Les pertes de salaires ne sont pas simplement celles d'un sursalaire, plus élevé qu'il n'était normal, dont jouissaient des travailleurs syndiqués dans des secteurs protégés. Il y a aussi de gros coûts liés à la perte de capital humain réel : des compétences ne sont plus pertinentes dans les nouveaux emplois.

13. John Maynard Keynes, *A Tract on Monetary Reform*, Londres, Macmillan, 1923 [trad. fr. de Paul Franck, *La Réforme monétaire*, Paris, Éditions du Sagittaire, 1924].

14. Voir *supra*, note 10. En fait, quand on prend en compte les effets de l'imperfection des marchés du risque, le libre-échange, au lieu d'améliorer la situation pour tous, peut l'aggraver pour tous. Cela parce qu'il accroît les risques auxquels sont confrontés les ménages et les entreprises. Voir Partha Dasgupta et Joseph E. Stiglitz, « Tariffs versus quotas as revenue raising devices under uncertainty », *American Economic Review*, vol. 67, n° 5, décembre 1977, p. 975-981 ; et David M. Newbery et Joseph E. Stiglitz, « Pareto inferior trade », *Review of Economic Studies*, vol. 51, n° 1, janvier 1984, p. 1-12.

15. Les données suggèrent aussi que la mondialisation s'est accompagnée d'une hausse des inégalités dans les pays en développement, pour des raisons qui ne sont pas encore pleinement comprises.

16. Le 13 janvier 2006, par exemple, l'International Trade Administration des États-Unis a imposé des droits antidumping à divers producteurs de jus d'orange brésiliens, à des taux qui allaient de presque 10 % à 60 %. Elle impose des droits de sauvegarde en fonction du niveau des prix. Certaines années, les droits moyens ont dépassé 50 %. Voir aussi Hans Peter Lankes, « Market access for developing countries », *Finance & Development* (publication trimestrielle du FMI), vol. 39, n° 3, septembre 2002 ; en ligne à l'adresse : www.imf.org/external/pubs/ft/fandd/2002/09/lankes.htm.

17. Par exemple, en pourcentage du PIB, les droits de douane sont en Afrique 14 fois supérieurs à ceux des pays (industriels avancés) de

l'OCDE. Ils représentent près de 5 % du PIB au Pakistan, 6,7 % à l'île Maurice et 3 % au Costa Rica, mais seulement 0,27 % aux États-Unis, 0,13 % en France, 0,35 % au Royaume-Uni et 0,21 % au Japon et en Allemagne. Ces chiffres sont de 1995 ; source : Liam Ebrill, Janet Stosky et Reint Gropp, *Revenue Implications of Trade Liberalization,* étude spéciale [Occasional Paper] du FMI n° 180, Washington, DC, Fonds monétaire international, 1999.

18. Pour une plus ample analyse des arguments en faveur d'une « aide au commerce », voir Joseph E. Stiglitz et Andrew Charlton, « Aid for trade : a report for the Commonwealth Secretariat », communication à une réunion de l'OMC à Genève, 24 mars 2006 ; en ligne à l'adresse : http://www2.gsb.columbia.edu/faculty/jstiglitz/download/2006_Aid_For_ Trade.pdf. Résumé dans *Papers and Proceedings of the Annual Bank Conference on Development Economics,* Tokyo, 2006 (à paraître).

19. L'argument de l'industrie naissante en faveur du protectionnisme a un pedigree presque aussi long et distingué que le raisonnement qui fonde le libre-échange. Il a été développé au XIXe siècle par Friedrich List dans *Système national d'économie politique* [1841], trad. fr. d'Henri Richelot, Paris, Gallimard, coll. « Tel », 1998. Voir Ha-Joon Chang, « Kicking away the ladder : Infant industry promotion in historical perspective », *Oxford Development Studies,* vol. 31, n° 1, 2003, p. 21-32 ; et Partha Dasgupta et Joseph E. Stiglitz, « Learning by doing, market structure, and industrial and trade policies », *Oxford Economic Papers,* vol. 40, n° 2, 1988, p. 246-268. La théorie générale de l'« apprentissage » et les raisons pour lesquelles une intervention de l'État peut être nécessaire ont été développées par le Prix Nobel d'économie Kenneth Arrow dans « The economic implications of learning by doing », *Review of Economic Studies,* vol. 29, n° 3, juin 1962, p. 155-173.

20. Une illustration spectaculaire en a été donnée par la décision illégale des États-Unis d'instaurer des droits de douane sur l'acier le 20 mars 2002, en réponse aux pressions politiques des sidérurgistes. (Ils ont été supprimés le 4 décembre 2003, après un jugement défavorable de l'OMC.) Selon les estimations de la Consuming Industries Trade Action Coalition, ces droits de douane sur l'acier ont provoqué la perte de près de 200 000 emplois américains – alors que la sidérurgie n'emploie en tout que 190 000 personnes. Voir Joseph Francois et Laura M. Baughman, « The unintended consequences of U.S. steel import tariffs : a quantification of the impact during 2002 », CITAC Foundation, 2003 ; en ligne à l'adresse : www.citac.info/steeltaskforce/studies/attach/2002_Job_Study.pdf.

21. Voir Bruce Greenwald et Joseph E. Stiglitz, « Helping infant economies grow : foundations of trade policies for developing countries », *American Economic Review,* vol. 96, n° 2, mai 2006, p. 141-146.

22. Voir PNUD, *Making Global Trade Work for People*, Londres et Sterling, VA, Earthscan Publications, 2003. Pour les arguments qui entendent prouver que la mondialisation et/ou le commerce vont stimuler la croissance, voir Martin Wolf, *Why Globalization Works*, New Haven, Yale University Press, 2004 ; Jagdish N. Bhagwati, *In Defense of Globalization*, New York, Oxford University Press, 2004 ; Banque mondiale, *Mondialisation, développement et pauvreté : bâtir une économie intégrée*, Washington, DC, Banque mondiale, Paris, Eska, 2002 ; Jeffrey D. Sachs et Andrew M. Warner, « Economic reform and the process of global integration », *in* William C. Brainard et George L. Perry (éd.), *Brookings Papers on Economic Activity 1995*, t. 1, *Macroeconomics*, Washington, DC, Brookings Institution Press, 1995, p. 1-95. Dani Rodrik et Francisco Rodríguez procèdent à une critique impressionnante des études économétriques dans leur article « Trade policy and economic growth : a skeptic's guide to the cross-national evidence », *in* Ben S. Bernanke et Kenneth S. Rogoff (éd.), *NBER Macroeconomics Annual 2000*, Cambridge, MA, MIT Press, 2001, p. 261-325.

23. Il existe un important mouvement du « commerce équitable », qui est particulièrement influent en Europe. Il se concentre sur un ensemble de questions légèrement différentes. Ce qui le préoccupe, c'est le fait que les agriculteurs des pays du monde en développement reçoivent une si faible part du prix ultime payé par les consommateurs, alors que des intermédiaires en prennent l'essentiel : le pourcentage du prix de la tasse de café qui va vraiment au planteur de café est minuscule. Ce mouvement cherche des moyens de faire en sorte que les agriculteurs soient traités plus équitablement. Ici, je m'intéresse aux « règles du jeu » – et à leur injustice pour les habitants du monde en développement.

24. L'injustice du régime commercial international n'est nulle part plus évidente que dans le processus d'adhésion des nouveaux candidats à l'OMC. Si la plupart des pays sont membres depuis le début, plusieurs, comme le Cambodge, la Russie et le Vietnam, ne l'étaient pas. Tout pays peut opposer son veto à leur admission. Donc, tout pays a le pouvoir de leur imposer les règles qu'il désire – qu'elles soient justes ou non. Aucun argument économique ne peut justifier ce traitement spécial des nouveaux candidats. Ce n'est qu'une nouvelle manifestation de la *Realpolitik*. Les États-Unis ont le pouvoir, donc ils en usent – et en abusent. Oxfam, une ONG d'aide au développement international, a baptisé cette pratique « l'extorsion à la porte d'entrée ». (Voir Oxfam, « Extortion at the gate », document d'information d'Oxfam n° 67, novembre 2004.) Même à des pays très pauvres comme le Cambodge, on fait savoir que, s'ils souhaitent entrer à l'OMC, ils devront accepter des contraintes plus terribles que celles qu'on impose aux membres existants. Le Cambodge, par exemple, devra respecter les exigences de l'OMC sur la propriété

intellectuelle beaucoup plus vite que des membres en bien meilleure situation que lui, comme l'Inde. Une solution s'impose et elle est simple : tout pays qui souhaite adhérer aux accords de commerce de l'OMC (avec des périodes d'ajustement correspondant à son degré de développement) doit être admis.

25. Dans le cadre de l'accord multifibre (AMF), qui a expiré le 1er janvier 2005, des quotas étaient négociés produit par produit et pays par pays. C'est pourquoi tant d'usines de confection se sont ouvertes dans le monde entier, dans des endroits où l'on ne se serait pas attendu à les trouver. La Chine était peut-être le pays producteur où les coûts étaient les plus faibles, mais, quand le quota chinois était atteint, les importateurs devaient bien se tourner vers un autre pays – le moins cher qui avait encore un quota. Quand l'accord a pris fin, beaucoup d'entreprises se sont mises à acheter en Chine. Les perdants ont alors été non seulement les producteurs de l'Union européenne et des États-Unis, mais aussi ceux d'autres pays en développement. On a fait pression sur la Chine pour qu'elle limite ses exportations, ce qui constitue un reniement manifeste de l'esprit de la libéralisation du commerce.

26. Un autre problème est que cette procédure judiciaire, comme beaucoup d'autres, est très longue : alors que le Brésil a introduit sa plainte sur le coton en septembre 2002 et qu'un jugement contre les États-Unis a été prononcé en avril 2004, les subventions sur le coton sont toujours en vigueur au moment où ce livre est mis sous presse. Le contraste est très net avec les droits antidumping évoqués plus haut : les États-Unis imposent constamment des droits provisoires élevés, qui sont souvent révisés à la baisse après examen attentif des preuves.

27. Les cycles commerciaux portent le nom de la ville où ils ont commencé ou celui du président sous lequel ils ont été lancés. Peut-être Clinton espérait-il que, comme le cycle inauguré à Genève le 4 mai 1964 avait été baptisé le « Kennedy Round », on appellerait celui qui devait s'ouvrir à Seattle le « Clinton Round ». Aujourd'hui, ce qui est resté dans les mémoires, ce sont les émeutes de Seattle.

28. Voir PNUD, *Rapport mondial sur le développement humain 1997 : le développement humain au service de l'éradication de la pauvreté*, Paris, Economica, 1997.

29. La Banque mondiale appelle « pays au revenu moyen supérieur » ceux qui ont un revenu par habitant compris entre 3 256 et 10 065 dollars. La catégorie « moyenne inférieure » est définie par un revenu par habitant situé entre 826 et 3 255 dollars. Les « pays à faible revenu » sont ceux dont le revenu par habitant est inférieur à 826 dollars.

30. Voir United States International Trade Commission, « Interactive tariff and trade dataweb », à l'adresse : http://dataweb.usitc.gov/.

31. Voir le chapitre 3 de Joseph E. Stiglitz et Andrew Charlton, *Fair Trade for All : How Trade Can Promote Development*, New York, Oxford University Press, 2005.

32. En tant qu'économiste en chef de la Banque mondiale, j'avais préconisé un « cycle du développement » dans un discours prononcé à l'OMC en mars 1999, où j'avais expliqué les multiples façons dont l'Uruguay Round avait désavantagé les pays en développement.

33. À l'heure où ce livre est mis sous presse, le Doha Round n'est pas terminé, mais les paramètres de tout accord potentiel sont suffisamment clairs pour que l'on puisse avancer ces conclusions avec beaucoup d'assurance.

34. Voir J. E. Stiglitz et A. Charlton, *Fair Trade for All, op. cit.*

35. L'une des formes principales que prend le traitement différentiel consiste à laisser aux pays en développement un délai supplémentaire pour s'ajuster. Des marchés qui fonctionnent bien facilitent l'ajustement en contribuant à redéployer les ressources. Quand ils fonctionnent, un travailleur sans emploi ne met pas longtemps à en trouver un nouveau. Mais quand ils ne fonctionnent pas bien, cela peut prendre beaucoup de temps, et le laisser au chômage pendant une période prolongée. C'est l'une des nombreuses raisons qui expliquent que les pays moins développés ont besoin de plus de temps pour s'ajuster, et qu'il leur faudra une aide financière pour les aider à opérer ces ajustements à un régime commercial plus libéral.

36. La proposition d'ouvrir les marchés d'un pays à tous les pays plus petits et plus pauvres que lui est avancée dans J. E. Stiglitz et A. Charlton, *Fair Trade for All, op. cit.*, et précisée dans Andrew Charlton, « A proposal for special treatment in market access for developing countries in the Doha Round », *in* John M. Curtis et Dan Ciuriak (éd.), *Trade Policy Research 2005*, Ottawa, Department of International Trade, 2005.

37. La nouvelle politique de l'Europe annoncée en février 2001 a été baptisée l'initiative « Tout sauf les armes » (TSA), mais des esprits critiques l'ont baptisée « Tout sauf les fermes », car elle répond fort mal à nombre des préoccupations des pays en développement sur l'agriculture. On trouvera un bref survol de l'initiative TSA dans Banque mondiale, *Global Economic Prospects 2004 : Realizing the Development Promise of the Doha Agenda*, Washington, DC, Banque mondiale, 2003. Et, en ligne, une explication plus complète à l'adresse : http://europa.eu.int/ comm/trade/issues/global/gsp/eba/ug.htm. Il est remarquable que l'initiative TSA ait si peu accru le commerce. Des clauses techniques compliquées (des règles d'origine qui détaillent la proportion de la « valeur ajoutée » du produit à fabriquer sur le territoire du pays concerné) semblent en partie l'expliquer, ce qui souligne l'importance des petits caractères dans les accords de commerce.

38. C'est pourquoi j'ai surnommé cette proposition l'initiative « TSP » : on ouvre les marchés à « Tout sauf ce que vous produisez ».

39. OCDE, *Les Politiques agricoles dans les pays de l'OCDE : suivi et évaluation*, Paris, OCDE, 2005.

40. En 2004, les subventions de l'OCDE se sont montées à 279 milliards de dollars, en comprenant dans ce chiffre les subventions sur l'eau et d'autres aides indirectes. Voir *ibid.*

41. En parité de pouvoir d'achat, le revenu de l'agriculteur est un peu plus élevé : entre 1 100 et 1 200 dollars.

42. Le Comité consultatif international du coton (CCIC), association de 41 pays producteurs, consommateurs et vendeurs de coton constituée en 1939, estime que l'élimination des subventions sur le coton américain provoquerait une hausse du cours mondial de ce produit de l'ordre de 15 à 26 %. Oxfam estime les pertes pour l'Afrique à 301 millions de dollars par an, dont la plus grande partie (191 millions de dollars par an) est supportée par huit pays d'Afrique occidentale. Au Mali, au Burkina Faso et au Bénin, les subventions américaines font perdre plus de 1 % du PIB tous les ans. Voir Kevin Watkins, « Cultivating poverty : the impact of US cotton subsidies on Africa », Oxfam, document d'information n° 30, 2002.

43. Puisque les subventions sont proportionnelles aux ventes, les petits agriculteurs n'en ont pas beaucoup. Ces chiffres portent sur la période 1995-2004. Elle décrit la répartition des sommes entre les agriculteurs qui reçoivent des subventions. Mais 60 % de l'ensemble des agriculteurs et *ranchers* n'ont aucune aide de l'État, essentiellement parce qu'ils ne produisent pas de denrées subventionnées. Source : Environmental Working Group's Farm Subsidy Database, « Total USDA subsidies in United States », en ligne à l'adresse : www.ewg.org/farm/progdetail.php?fips=00000&progcode=total&page=conc.

44. L'Union européenne mais surtout les États-Unis affirment parfois qu'ils ont « découplé » subventions et production, c'est-à-dire qu'ils ont conçu les premières pour qu'elles n'entraînent pas une hausse de la seconde. Ces assertions sont suspectes – comme l'a jugé l'OMC au sujet du coton. Mais même des subventions prétendument découplées peuvent avoir des effets sur la production, puisqu'elles donnent aux agriculteurs plus de moyens financiers pour acheter des engrais, semences et autres intrants qui accroissent le produit.

45. Selon l'*Harmonized Tariff Schedule of the United States* (2005), le droit de douane général sur les oranges importées est de 1,9 cent le kilo (0805.10.00) ; sur les agrumes confits au sucre, de 6 cents le kilo (2006.00.60) ; sur la confiture d'oranges, de 3,5 cents le kilo (2007.91.40) ; sur la pulpe d'orange, de 11,2 cents le kilo (2008.30.35) ; sur les oranges conditionnées en milieu liquide dans un récipient hermétiquement clos,

de 14,9 cents le kilo (2008.92.90.40) ; et sur le jus d'orange surgelé, de 7,85 cents le litre (2009.11).

46. C'est ce qu'on appelle l'accès aux marchés pour les produits non agricoles, ou AMNA, dans le jargon technique de l'OMC.

47. Parfois, on défend le *Jones Act* au nom de la sécurité nationale : les États-Unis doivent avoir leur propre marine marchande. Le paradoxe, c'est que dans la situation d'urgence la plus récente, quand l'ouragan Katrina a frappé, il a fallu suspendre le *Jones Act*. (Pour une analyse un peu plus poussée sur le thème « mondialisation et sécurité », voir le chapitre 10.)

48. Ce serait bénéfique aussi pour les pays développés globalement, mais leurs travailleurs à bas salaires seraient perdants. Les effets sont analogues à ceux qui sont analysés plus haut pour la libéralisation du commerce (ce qui n'a rien d'étonnant, puisque le commerce des marchandises, on l'a vu, est un substitut de la circulation des personnes). Et les réactions nécessaires – en termes d'aide aux perdants de la mondialisation, sujet abordé plus loin dans ce livre – sont du même ordre. Parmi les autres avantages, il y a les transferts de connaissances et l'accès aux marchés que ce genre de migration facilite. L'histoire d'Infosys en est un exemple : plusieurs de ses fondateurs avaient longtemps séjourné aux États-Unis.

49. Les chiffres de la Banque interaméricaine de développement sur les 23 pays latino-américains indiquent que, pour chacun d'eux, les sommes envoyées par les migrants dépassent de loin l'aide étrangère. Elles représentent au moins 10 % du PIB à Haïti, au Nicaragua, au Salvador, à la Jamaïque, en République dominicaine et à la Guyana. L'Amérique centrale et la République dominicaine réunies ont reçu plus de 10 milliards de dollars, les pays andins plus de 7 milliards. En 2004, les envois d'argent des immigrés vers l'Amérique latine ont atteint un total de 41 milliards de dollars, montant pratiquement identique aux 45 milliards de dollars que le continent a reçus en investissement direct étranger net. Voir les chiffres sur les transferts financiers des migrants *in* Banque mondiale, *Global Economic Prospects 2006 : Economic Implications of Remittances and Migration*, Washington, DC, Banque mondiale, 2006 ; FDI – Banque mondiale, *World Development Indicators,* investissement direct étranger, net (balance des paiements, en dollars US courants).

50. Le gouvernement mexicain a travaillé avec les États-Unis pour réduire ces coûts et, en 2004, le Trésor américain affirmait qu'il les avait réduits de 60 %. Voir USINFO, « Treasury official notes importance of remittance in the Americas », 7 octobre 2004, en ligne à l'adresse : http://usinfo.state.gov/wh/Archive/2004/Oct/08-233308.html.

51. Comme nous l'avons noté *supra*, note 20, l'OMC a déclaré illégaux les droits de sauvegarde sur l'acier imposés en mars 2002 par les États-Unis. Ceux-ci ont fini par se plier au jugement en les supprimant fin 2003.

52. Ces tribunaux ne seraient probablement pas très indulgents non plus pour la demande de protection des États-Unis, après la signature de l'ALENA, contre un « déferlement » de balais venus du Mexique – qui menaçaient de détruire 100 à 300 emplois. Il est certain que les États-Unis avaient les moyens d'y faire face sans recours au protectionnisme.

53. La loi de finances 2002 contenait un amendement précisant que seuls les Ictaluridae nés en Amérique pouvaient être appelés « poissons-chats ».

54. Le coût est un concept plus difficile à cerner que les non-économistes ne le pensent souvent. L'important, c'est le coût marginal, le coût supplémentaire lié à la production d'une unité de plus du produit, et prendre en considération ce coût (ou un substitut que l'on essaie de lui trouver) est la norme dans les litiges intérieurs. Dans les litiges internationaux, il n'y a pas une telle clarté conceptuelle. On utilise souvent les coûts moyens à long terme, et, dans les industries cycliques, le coût marginal en phase descendante est généralement inférieur au coût moyen. Ce qui compte, c'est le coût supplémentaire pour produire une tonne d'acier aujourd'hui, pas le coût de l'usine, des machines, tous ces coûts qui seront supportés de toute manière, que l'on réussisse ou non à produire davantage d'acier. Pour les produits agricoles, la méthode honnête pour calculer la formation des prix des tomates serait d'analyser leurs prix pour l'ensemble de la saison et de comparer ces prix aux coûts. Mais les Américains n'ont examiné que les deux premiers mois de 1996 et le dernier de 1995 – l'époque où les prix étaient au plus bas. En limitant leur analyse à ces trois mois, ils sont parvenus à justifier de fortes mesures de protection antidumping. La loi antidumping autorise même à ajouter une marge de profit artificiellement élevée dans le cadre du calcul du coût.

55. Les dirigeants chinois taquinent parfois leurs homologues américains avec un syllogisme simple. Les Américains sont persuadés que les économies qui réussissent le mieux (ou les seules qui réussissent) sont les économies de marché. Il est clair que la Chine réussit. Donc la Chine est *forcément* une économie de marché.

56. Par exemple, Lester C. Thurow, l'ancien doyen de la Sloan School of Management du MIT, a écrit que, « si la loi avait été appliquée aux entreprises nationales, 18 des 20 premières firmes de la liste des 500 de *Fortune* auraient été convaincues de dumping en 1982 » (Lester C. Thurow, *The Zero-Sum Solution : Building a World-Class American Economy*, New York, Simon & Schuster, 1985, p. 359). Une étude de l'économiste de Princeton Robert D. Willig conclut que « dans plus de 90 % [des cas] les indicateurs semblent ne pas confirmer l'hypothèse qu'il était nécessaire d'intervenir pour protéger la concurrence d'une prédation internationale, ou de quoi que ce soit d'autre » (Robert D. Willig,

« Economic effects of antidumping policy », *in* Robert Z. Lawrence [éd.], *Brookings Trade Forum : 1998*, Washington, DC, Brookings Institution Press, 1998, p. 57-79).

57. L'OMC a décidé en janvier 2003 que le *Continued Dumping and Subsidy Offset Act* du 28 octobre 2000 (l'amendement Byrd) était contraire tant à la lettre qu'à l'esprit des accords de l'OMC. Les représailles ont été autorisées à l'automne 2004. Jusqu'à présent, il n'y en a pas eu.

58. Quand ils sont accusés de dumping, les pays doivent répondre dans un bref délai à de longs questionnaires conçus pour établir leurs coûts de production. Ils doivent le faire en anglais, et s'ils ne répondent pas, ou si leur réponse ne satisfait pas le département du Commerce, celui-ci leur impose des droits fondés sur « la meilleure information disponible », qui est généralement celle qu'ont fournie les intérêts américains à l'origine de l'accusation de dumping. Non seulement le producteur étranger doit remplir un questionnaire, mais l'importateur et l'acheteur aussi. Sur le site Internet de l'International Trade Commission des États-Unis, l'un des questionnaires habituels fait vingt-deux pages. Après une audition publique, le producteur étranger accusé de dumping doit remettre un autre mémoire. Pour une analyse plus complète, voir par exemple J. Michael Finger, *Antidumping : How It Works and Who Gets Hurt*, Ann Arbor, University of Michigan Press, 1993 ; et Joseph E. Stiglitz, « Dumping on free trade : the U.S. import trade laws », *Southern Economic Journal*, vol. 64, n° 2, octobre 1997, p. 402-424.

59. Une autre mesure, les droits compensateurs, permet au pays d'imposer des droits de douane pour « annuler » – compenser – les effets des subventions (mais évidemment pas des subventions agricoles ni de quelques autres, comme celles que l'on procure indirectement aux firmes de construction aéronautique par les contrats de défense). Elle n'est pas d'usage fréquent.

60. L'ALEAC (Accord de libre-échange avec l'Amérique centrale) a été voté de justesse à la Chambre des représentants en juillet 2005, par 217 voix contre 215, quelques minutes après le revirement du représentant républicain Robin Hayes, qui est passé du non au oui. Pour quelle raison a-t-il renoncé à son opposition résolue à cette loi ? Parce que le *speaker* de la Chambre, J. Dennis Hastert, avait promis à Hayes, qui représente la Caroline du Nord et ses industries textiles, qu'il ferait pression pour des restrictions sur les importations chinoises de vêtements : il échangeait ainsi un ensemble de droits de douane contre un autre. Voir Edmund L. Andrews, « Pleas and promises by G.O.P. as trade pact wins by 2 votes », *New York Times*, 29 juillet 2005, p. A1. L'accueil de cet accord dans la région a été tout aussi mitigé. Les pays centraméricains ont été confrontés à une hausse des prix des médicaments (voir chapitre 4) et à une concurrence nouvelle du géant du Nord. Mais ils n'étaient pas très sûrs de ce qu'ils obtenaient en échange. L'ALEAC n'a

cessé de connaître des problèmes – dont la ratification dans les pays d'Amérique centrale et des difficultés de mise en œuvre souvent liées à la vérification du respect des règles d'origine.

61. Les pays rivalisent pour attirer les entreprises en leur offrant des réductions d'impôts. Pendant qu'ils surenchérissent les uns sur les autres, les vrais vainqueurs sont les entreprises, qui parviennent ainsi à éviter de payer l'essentiel de leurs impôts. S'il peut être dans l'intérêt de chaque pays de participer à cette course, globalement ils sont perdants. Les chapitres suivants analyseront les effets débilitants de la corruption et du secret bancaire.

62. « Discours des quatorze points », prononcé à la séance commune du Congrès du 8 janvier 1918.

63. Après Cancún, la représentation et les possibilités d'expression des pays en développement se sont améliorées. Ce qu'il faut, c'est une conception un peu plus systématique de la représentation.

64. L'idée est très proche de celle des droits d'émission négociables, qui sont devenus partie intégrante de la gestion de l'action contre le réchauffement de la planète dans le cadre du protocole de Kyoto. Voir le chapitre 6.

NOTES DU CHAPITRE 4

1. Voir, par exemple, Robert B. Zoellick, « When trade leads to tolerance », *New York Times*, 12 juin 2004, p. A13.

2. Déclaration du représentant au Commerce Robert B. Zoellick après la ratification par le Sénat de l'accord de libre-échange avec le Maroc.

3. Aux États-Unis, par exemple, les producteurs de génériques peuvent fabriquer leurs produits à l'avance et les faire mettre en rayon, prêts à la vente, le jour même de l'expiration du brevet. Dans le cadre de l'accord avec le Maroc, les producteurs marocains de génériques ne pourront peut-être pas en faire autant. Les firmes pharmaceutiques ont aussi plaidé pour un droit d'« exclusivité sur les données » : « l'information clinique qui est essentielle à l'approbation d'un produit pharmaceutique » est considérée comme protégée pour une certaine période. Elles ont exigé des restrictions sur l'usage des données même quand elles ont été publiées et sont accessibles au public, et même quand la recherche a été en partie financée sur fonds publics. Il est bien sûr inefficace de se limiter à dupliquer une recherche qui a été faite, mais il y a pis : les tests pharmaceutiques exigent qu'une fraction de la population reçoive un placebo ou un médicament différent. Mais on pourrait soutenir qu'il est contraire à l'éthique de mener des tests où certains patients reçoivent un produit dont on sait pertinemment qu'il est moins efficace qu'un médicament disponible sur le marché. (Les pays pourraient, certes, changer leur

réglementation, et décider que tout médicament approuvé aux États-Unis le serait automatiquement chez eux. Il suffirait alors de montrer que l'élément chimique générique est bien le même. C'est ce qui se passe aux États-Unis. Mais on se doute que le gouvernement de Washington interviendrait de tout son poids contre ce type de changement de réglementation. Ce que veut l'industrie pharmaceutique américaine, c'est retarder l'introduction des génériques.)

4. Voir Khabir Ahmad, « USA-Morocco deal may extend drug patents to 30 years », *Lancet*, vol. 362, 6 décembre 2003, p. 1904.

5. Les accords sont complexes et difficiles à interpréter. Il reste donc des incertitudes sur leurs conséquences. Ces ambiguïtés sont peut-être délibérées. Le pays en développement peut déclarer qu'il a obtenu une certaine « flexibilité » dans l'application, disons, des mesures de protection des droits de propriété intellectuelle – il pourrait autoriser la production de génériques dans le cas d'un besoin de santé publique avéré –, et le bureau du représentant américain au Commerce peut dire à son donneur d'ouvrage, l'industrie pharmaceutique, qu'il a obtenu des concessions majeures puisqu'il a prolongé la durée de vie effective du brevet. Quand les pays en développement cherchent à utiliser les « flexibilités » qu'ils ont cru avoir gagnées au cours de la négociation des accords, les États-Unis déchaînent leur énorme puissance économique pour les arrêter – comme l'ont découvert le Brésil et l'Afrique du Sud lorsqu'ils ont tenté de produire des versions génériques des médicaments antisida dans les années qui ont suivi la signature de l'accord sur les aspects des droits de propriété intellectuelle touchant au commerce (accord sur les ADPIC).

6. Dans le cadre de l'accord sur les ADPIC, tous les membres de l'OMC sont tenus d'avoir un régime de la propriété intellectuelle qui satisfasse des normes « élevées » – fondamentalement, celles des pays industriels avancés. Chaque pays conserve néanmoins la responsabilité de gérer ses propres bureaux des brevets et des copyrights.

7. Il y a eu une autre critique contre l'accord sur les ADPIC : il était injuste pour les pays en développement sur deux plans. S'il assurait aux pays industriels avancés la protection qu'ils souhaitaient, il n'apportait pas aux pays en développement la protection de leur savoir traditionnel (voir l'analyse qui suit). Et, si l'accord réduisait l'accès des pays en développement aux connaissances et leur imposait de payer des milliards de royalties, il devait s'inscrire dans le « grand marchandage » évoqué au chapitre 3, par lequel les pays en développement obtenaient un accès plus large pour leurs produits agricoles et une réduction des subventions des pays industriels avancés à leur agriculture. Or les pays développés n'ont pas fait leur part de concessions dans cet accord.

8. Ces exemples illustrent une proposition générale : tout droit de propriété a des limites. Dans le même ordre d'idées, en juin 2005, la Cour

suprême des États-Unis a une fois de plus réaffirmé le droit souverain d'expropriation de l'État. Le particulier ne peut pas faire ce qu'il veut de sa propriété (ni même la vendre à qui il veut) si l'État en décide autrement. Manifestement, ces importantes restrictions sont là pour prévenir les abus de ces immenses pouvoirs.

9. Souvent, certes, la propriété intellectuelle ne conduit pas à un vrai monopole – c'est-à-dire au cas de figure où une seule entreprise fabrique un produit sans aucune concurrence –, mais il est incontestable qu'elle modifie l'intensité et la nature de la concurrence, et les résultats peuvent être encore pires que ceux du monopole à l'état pur. Prenons, par exemple, l'industrie pharmaceutique, où la recherche fondamentale est assurée par le secteur public. Les compagnies pharmaceutiques jouent un rôle pour apporter les résultats de ces recherches jusqu'au marché, mais, dans le système actuel, elles se concurrencent surtout par le marketing et la différenciation des produits. Si une firme découvre un médicament, les autres essaient d'utiliser une variante de son idée (un médicament « moi aussi ») qui n'est pas couverte par le brevet initial – mais cela n'apporte pas grand-chose de plus aux consommateurs. Les profits sont gaspillés, au moins en partie, dans cette forme de concurrence inefficace.

10. Paul A. Samuelson a formalisé le concept il y a un peu plus d'un demi-siècle dans son article classique « The pure theory of public expenditures », *Review of Economics and Statistics*, vol. 36, n° 4, novembre 1954, p. 387-389. La distinction cruciale avec les produits ordinaires est ce qu'on appelle la « consommation non rivale ». Si je mange un bol de riz, vous ne pouvez pas le manger aussi. Mais si je sais quelque chose, le fait que vous le sachiez n'enlève rien à mon savoir (même si cela a évidemment un impact sur les rentes que je peux tirer de ce savoir).

11. Pour qu'un brevet soit accepté, il doit satisfaire à un certain nombre de conditions décrites plus haut (par exemple l'originalité) ; il est clair qu'il ne doit pas y avoir de brevet antérieur pour une idée qui serait fondamentalement la même. Beaucoup de demandes de brevet sont rejetées, et parfois des brevets déjà accordés ne sont pas maintenus, à la suite d'un procès (généralement très coûteux). Dans le système européen des brevets, les tiers ont la possibilité de s'opposer à une demande de brevet avant qu'il ne soit accordé. Aux États-Unis, ils ne sont entendus qu'après.

12. Selden a sollicité le brevet pour la première fois le 8 mai 1879, par une demande qui comprenait à la fois le moteur et son utilisation dans une voiture à quatre roues. Il a ensuite déposé tant de modifications à cette demande de brevet qu'il a prolongé la procédure pendant seize ans. Le brevet (n° 549.160) lui a finalement été accordé le 5 novembre 1895.

13. Ces inquiétudes ont été particulièrement claires pour les brevets sur le savoir traditionnel. L'un des problèmes soulevés par la Commission

mondiale sur la dimension sociale de la mondialisation, dans son rapport *Une mondialisation juste : créer des opportunités pour tous* (*op. cit.*), a été « l'impact des règles internationales adoptées pour les droits de propriété intellectuelle, qui laissent le champ libre à la privatisation des savoirs indigènes » (p. 25).

14. Voir par exemple « A tragedy of the public knowledge "commons" ? », de Paul A. David, éminent professeur d'histoire économique à Stanford et Oxford, en ligne à l'adresse : www.cepr.stanford.edu/papers.html ; le professeur de droit James Boyle a beaucoup écrit sur les aspects juridiques, par exemple « The second enclosure movement and the construction of the public domain », *Law and Contemporary Problems*, vol. 66, hiver/printemps 2003, p. 33-74. Voir aussi Richard Poynder, « Enclosing the digital commons », *Information Today*, vol. 20, n° 5, mai 2003, p. 37-38 ; et Lawrence Lessig, *L'Avenir des idées : le sort des biens communs à l'heure des réseaux numériques*, trad. fr. de Jean-Baptiste Soufron et Alain Bony, Lyon, Presses universitaires de Lyon, 2005 [*The Future of Ideas : The Fate of the Commons in a Connected World*, New York, Random House, 2001].

15. Dans les négociations avec AOL, par exemple, Microsoft a exigé que ce dernier supprime de RealNetworks Realplayer, qui était en concurrence directe avec son Windows Media Player. La plainte antitrust de RealNetworks contre Microsoft cite ce propos d'un haut dirigeant de cette firme : Microsoft allait attaquer RealNetworks « pour l'effacer ». Voir John Markoff, « RealNetworks accuses Microsoft of restricting competition », *New York Times*, 19 décembre 2003, p. C5. Pour plus de détails sur les agressions de Microsoft contre Netscape et les procès qui ont suivi, voir Paul Abrahams et Richard Waters, « You've got competition », *Financial Times*, 24 janvier 2002, p. 16. Quand j'en étais membre, puis président, le Council of Economic Advisers s'est inquiété de l'impact économique de la position dominante de Microsoft. Plus tard, j'ai servi en qualité d'expert dans plusieurs litiges contre les pratiques anticoncurrentielles de Microsoft aux États-Unis, en Europe et en Asie. Fondées sur une analyse attentive des données, les conclusions répétées des tribunaux, aux États-Unis et ailleurs, n'ont pas été une surprise : ils ont dit que Microsoft abusait de sa position de monopole.

16. Pour une analyse plus développée de cet épisode, voir William Greenleaf, *Monopoly on Wheels : Henry Ford and the Selden Automobile Patent*, Detroit, Wayne State University Press, 1961.

17. Pour une analyse de la question, voir, par exemple, Tom D. Crouch, *The Bishop's Boys : A Life of Wilbur and Orville Wright*, New York, W. W. Norton, 1989. Le pool des brevets a été mis en place en juillet 1917. Joel Klein l'a évoqué dans un discours prononcé le 2 mai 1997, quand il était adjoint du ministre de la Justice par intérim pour la

division antitrust du département américain de la Justice. Voir www. usdoj.gov/atr/public/speeches/1118.htm.

18. Dans certains cas, grâce à une meilleure commercialisation, les médicaments imités ont eu autant ou plus de succès que l'original. Le Zantac, par exemple, est un antiulcéreux « moi aussi » inspiré par un médicament pionnier, le Tagamet (fondé sur des travaux couronnés par un prix Nobel). Si certaines recherches suggèrent qu'en général le Zantac n'est pas plus efficace que le Tagamet, il jouit d'un meilleur marketing et se vend beaucoup mieux. (Son succès pourrait aussi être dû au fait qu'il a moins d'effets secondaires.)

19. Les dépenses totales sont gigantesques. Réunies, les dépenses de recherche-développement des sept premières compagnies pharmaceutiques aux États-Unis ont représenté à elles seules 17 milliards de dollars en 2001. Voir « Industry dominates R&D spending in US », *Chemical and Engineering News*, 28 octobre 2002, p. 50-52. Les dépenses de recherche-développement ont énormément augmenté, sans que les compagnies aient pu montrer beaucoup de résultats. De 2000 à 2004, le nombre annuel moyen de demandes d'autorisation de mise sur le marché de nouveaux médicaments (*new drug application,* NDA) soumises à la FDA a été de 107. Cette moyenne est plus ou moins en baisse depuis qu'on a commencé à tenir ces statistiques en 1970. Plus révélateur encore : sur les 46 NDA du premier semestre 2005, 7 seulement ont été déposées pour une nouvelle entité moléculaire. En 2004, sur les 113 NDA, 31 seulement portaient sur des entités moléculaires nouvelles. La plupart des autres concernaient soit une nouvelle préparation, soit un nouveau fabricant. Voir US Food and Drug Administration Center for Drug Evaluation and Research, « CDER drug and biologic approval reports », en ligne à l'adresse : www.fda.gov/cder/rdmt/default.htm.

20. Voir Ha-Joon Chang, *Kicking Away the Ladder : Development Strategy in Historical Perspective*, Londres, Anthem Press, 2002 ; et Eric Schiff, *Industrialization without National Patents : The Netherlands, 1869-1912 ; Switzerland, 1850-1907*, Princeton, Princeton University Press, 1971. Aujourd'hui encore, de nombreux pays restent innovants sans mesures fortes de protection de la propriété intellectuelle comme celles des États-Unis. (La protection du copyright au Japon, par exemple, est plus faible.) Voir H. Stephen Harris Jr., « Competition law and patent protection in Japan : a half-century of progress, a new millennium of challenges », *Columbia Journal of Asian Law*, vol. 16, automne 2002, p. 71-140.

21. La recherche fondamentale n'est possible, bien sûr, que parce qu'elle trouve des sources de financement, comme l'État ou les fondations. Même un savant dévoué a besoin d'un laboratoire, et les laboratoires coûtent cher. Les profits de monopole qu'assure la propriété

intellectuelle fournissent une autre source possible de financement, une source dont les coûts pour la société sont élevés et doivent être comparés aux bénéfices.

22. Le navigateur Firefox a été écrit dans le cadre du projet Mozilla. Ce projet produit des logiciels libres, et il est soutenu par la fondation Mozilla, dont le lancement a été financé par la division Netscape d'AOL. (On trouvera plus d'informations sur www.mozilla.org.). En mars 2006, dix-huit mois après son lancement, on estimait que Mozilla Firefox détenait 10 % du marché. Voir Antony Savvas, « Firefox reaches one in ten », *ComputerWeekly.com*, 5 avril 2006, en ligne à l'adresse : www. computerweekly.com/Articles/2006/04/05/215224/Firefoxreachesoneinten. htm.

23. Le président Jefferson, qui, lorsqu'il était secrétaire d'État, a été l'un des rédacteurs du *Patent Act* de 1793, n'envisageait de brevets que pour des inventions matérielles et utiles. Néanmoins, lors du vote de la loi de 1952, un rapport du Congrès affirmait qu'était brevetable « tout ce qui est fait par l'homme sous le soleil ». Après quoi, il y a eu une immense expansion du brevetable. En 1980, dans l'affaire Diamond v. Chakrabarty, la Cour suprême a jugé que les bactéries génétiquement modifiées étaient brevetables. Depuis, on a étendu les brevets aux procédés des entreprises.

24. Voir James Meek, « The race to buy life », *The Guardian*, 15 novembre 2000, en ligne à l'adresse : www.guardian.co.uk/genes/ article/0,2763,397827,00.html ; et le Center for the Study of Technology and Society, « Genome patents », à l'adresse : www.tecsoc.org/biotech/ focuspatents.htm.

25. La firme est basée à Salt Lake City (Utah) et elle a été cofondée par Walter Gilbert, qui a reçu le prix Nobel de chimie en 1980 pour ses contributions au développement de la technologie de séquençage de l'ADN.

26. Voir Claude Henry, *La Fièvre des brevets dans les pays développés et ses retombées sur les pays en voie de développement*, Paris, Centre Cournot pour la recherche en économie, Prisme n° 6, mai 2005 ; et Andrew Pollack, « Patent on test for cancer is revoked by Europe », *New York Times*, 19 mai 2004, p. C3. Myriad a fini par mettre au point une technologie de dépistage, et demande 3 000 dollars pour un test complet. Il refuse de laisser d'autres entreprises l'utiliser. La province d'Ontario ignore ses exigences et offre à ses citoyens un dépistage gratuit.

27. Le chiffre mondial monte très vite – il a augmenté de 14 % en trois ans seulement. La base de données des statistiques sur la propriété intellectuelle (Intellectual Property Statistics Database) est en ligne à l'adresse : www.wipo.int/ipstatsdb/en/stats.jsp.

28. Tim Berners-Lee, *Weaving the Web : The Original Design and Ultimate Destiny of the World Wide Web*, New York, HarperCollins, 2000.

29. La disposition sur l'« exclusivité des données » – conçue pour limiter l'usage de l'information –, dont les États-Unis ont exigé l'insertion dans leurs récents accords de commerce bilatéraux, est totalement contraire à l'esprit de cette exigence traditionnelle.

30. Il y a une tension curieuse dans les positions de certains des tenants du libre marché qui sont les plus chauds partisans des droits de propriété intellectuelle : alors que, sur le plan général, ils soutiennent un programme de libéralisation-privatisation qui implique de réduire le plus possible le rôle de l'État, voici qu'avec ce nouvel ensemble de réformes ils veulent un État plus actif et un ensemble de réglementations nouvelles et restrictives sur l'usage du savoir.

31. Leur investissement dans le lobbyisme a rapporté gros. Voir Stephanie Saul, « Drug lobby got a victory in trade pact vote », *New York Times*, 2 juillet 2005, p. C1.

32. Le Congrès a changé les règles des brevets en 1994 pour se conformer aux normes du GATT. Désormais, un brevet dure vingt ans à partir de la date où la demande a été déposée, alors qu'avant il durait dix-sept ans à partir de sa date d'octroi. La durée de vingt ans peut être prolongée pour compenser tout retard dans le processus d'octroi du brevet.

33. L'OMPI a été précédée par les Bureaux internationaux réunis pour la protection de la propriété intellectuelle, établis en 1993 afin d'administrer la Convention de Berne pour la protection des œuvres littéraires et artistiques (le premier accord international sur le copyright).

34. Lier un problème d'action publique (les normes des conditions de travail ou la propriété intellectuelle) au commerce (et aux sanctions commerciales), cela s'appelle, naturellement, *linkage* – « couplage ». Le couplage s'impose avec le plus de force quand l'enjeu est le bien-être de chacun sur la planète. Au chapitre 6, je soutiens qu'il serait tout à fait sensé de lier les accords commerciaux à la mise en œuvre des accords environnementaux mondiaux, tel le protocole de Kyoto sur le réchauffement de la planète.

35. Plus tard ce même mois, à Séoul, lors d'une conférence ministérielle des pays les moins avancés réunie par l'OMPI, j'ai expliqué à quoi pourrait ressembler un tel régime de propriété intellectuelle. Voir « Towards a pro-development and balanced intellectual property regime », en ligne à l'adresse : www.gsb.columbia.edu/faculty/jstiglitz/download/ 2004_TOWARDS_ A_PRO_DEVELOPMENT.htm.

36. Malheureusement, les États-Unis, dans leurs nombreux accords de commerce bilatéraux récents, ont exigé et obtenu un renforcement de la protection de la propriété intellectuelle, un « ADPIC+ » – le type d'accord contre lequel on a protesté au Maroc. Des protestations comparables ont

marqué les négociations d'autres accords bilatéraux, par exemple en Thaïlande.

37. C'est ce que l'on entend lorsqu'on qualifie le savoir de « bien public ».

38. Voir l'article de Donald G. McNeil Jr., « A nation challenged : the drug ; a rush for Cipro, and the global ripples », *New York Times*, 17 octobre 2001, p. A1.

39. Pourquoi les compagnies pharmaceutiques se souciaient-elles à ce point des génériques dans les pays en développement ? Cela paraissait une énigme. Après tout, les profits qu'elles font aujourd'hui dans ces pays sont très limités ; si la production locale de génériques réduit ces profits, ce n'est donc pas une grosse perte. Peut-être même gagneront-elles davantage avec les redevances qu'elles recevront pour les licences. La réponse que donnent généralement les compagnies, c'est qu'elles craignent que ces médicaments bon marché ne soient exportés vers les États-Unis et vers l'Europe, ce qui pourrait avoir un impact considérable sur leurs profits. Mais l'argument n'est pas totalement convaincant. Il existe déjà d'énormes écarts de prix dans le monde, et les infractions demeurent limitées, essentiellement parce qu'il s'agit d'une industrie extrêmement réglementée, où les importations sont étroitement contrôlées et où la plupart des achats sont payés par des tiers. La vraie raison, je crois, est la peur de la réaction des Américains (ou des Européens) : s'ils remarquaient l'écart entre le prix que les compagnies pharmaceutiques leur demandent et celui auquel ils pourraient acheter les médicaments, il y aurait d'énormes pressions sur le système de prix des compagnies.

40. Les compagnies pharmaceutiques ont porté plainte contre le gouvernement sud-africain, lui contestant le droit d'utiliser les dispositions de l'OMC permettant l'accès aux médicaments – en l'occurrence la licence obligatoire – pour mettre à la disposition de sa population des remèdes contre le virus du sida. Cette plainte a été retirée en avril 2001.

41. Voir le paragraphe 6 de la Déclaration sur l'accord sur les ADPIC et la santé publique adoptée à Doha : « Nous reconnaissons que les membres de l'OMC ayant des capacités de fabrication insuffisantes ou n'en disposant pas dans le secteur pharmaceutique pourraient avoir des difficultés à recourir de manière effective aux licences obligatoires dans le cadre de l'accord sur les ADPIC. » En dépit de l'urgence de la situation, alors que des milliers de personnes mouraient du sida, l'administration Bush, sous la pression des compagnies pharmaceutiques, a refusé d'accepter un accord qui faisait l'unanimité parmi les autres pays. Finalement, en août 2003, un accord a été conclu : les États-Unis, changeant de position, ont autorisé les pays les moins développés à importer les génériques de producteurs à bas prix des pays en développement ne déte-

nant pas les brevets. Mais, à cette date, le problème avait déjà fait un tort considérable à la réputation de l'OMC dans le monde en développement.

42. En fait, puisque les médicaments vitaux sont une nécessité, le pouvoir des compagnies pharmaceutiques d'augmenter les prix et d'accroître ainsi leurs profits grâce à eux est beaucoup plus important qu'avec leurs produits cosmétiques et de « style de vie ».

43. Les technologies nouvelles pourraient faciliter le repérage du lieu de fabrication des médicaments, ce qui rendrait le contournement (on dit parfois : les « importations parallèles ») encore plus ardu.

44. Une étude publiée dans *Lancet* constate que, « sur 1 393 nouvelles entités chimiques mises sur le marché entre 1975 et 1999, 16 seulement concernaient les maladies tropicales et la tuberculose » (P. Trouiller *et al.*, « Drug development for neglected diseases : a deficient market and a public-health policy failure », *Lancet*, vol. 359, 22 juin 2002, p. 2188-2194). « Sur les 137 médicaments contre les maladies infectieuses préparant leur sortie en 2000, relève une autre étude, un seul a mentionné comme indication la maladie du sommeil et un seul le paludisme. Il n'y avait aucun nouveau médicament pour la tuberculose ou la leishmaniose. La liste actuelle du PhRMA qui indique les "nouveaux médicaments en développement" en signale huit contre l'impuissance et les dysfonctionnements de l'érection, sept contre l'obésité et quatre contre les troubles du sommeil » (Médecins sans frontières, campagne pour l'accès aux médicaments essentiels et groupe de travail « Médicaments pour les maladies négligées », *Fatal Imbalance : The Crisis in Research and Development for Drugs for Neglected Diseases*, Médecins sans frontières, septembre 2001, p. 12). Un article de 2001 de la Families USA Foundation, intitulé « Off the charts : pay, profits and spending by drug companies », indique qu'en 2000, pour huit des neuf plus grandes compagnies pharmaceutiques des États-Unis, les dépenses de marketing ont représenté plus du double des dépenses de recherche-développement. Quant à la neuvième, elle a dépensé 1,5 fois plus en marketing qu'en recherche. Pour un article plus récent qui soutient qu'une baisse des prix des médicaments ne réduira pas la recherche, voir Donald Light et Joel Lexchin, « Will lower drug prices jeopardize drug research ? A policy fact sheet », *American Journal of Bioethics*, vol. 4, n° 1, janvier 2004, p. W1-W4.

45. Une troisième solution est le soutien direct à la recherche, par exemple à travers les National Institutes of Health aux États-Unis et des institutions de recherche comparables dans d'autres pays.

46. D'autres réformes seraient aussi susceptibles de réduire les incitations à produire des médicaments « moi aussi ». L'État pourrait, par exemple, diffuser des informations sur l'efficacité et la sécurité relatives des médicaments. Les compagnies d'assurances se verraient alors obligées de n'autoriser l'usage d'un médicament plus coûteux que s'il était

prouvé qu'il est nettement plus efficace ou plus sûr. Cette réforme encouragerait la concurrence sur la qualité des produits et sur le prix.

47. Le savoir est un bien public mondial – un bien dont tout le monde bénéficie. Les marchés privés, par eux-mêmes, fournissent toujours les biens publics en quantité insuffisante. Au fil de cette analyse, je n'ai pas abordé la question de la meilleure localisation de la recherche : dans le secteur public, le secteur privé ou le secteur non gouvernemental. Beaucoup d'innovations très importantes ont lieu dans les laboratoires et les universités de l'État. Il est clair que ces derniers ont les moyens de faire des recherches de premier ordre. James Love, avec le Consumer Project on Technology, s'est fait le champion de l'idée d'un fonds qui remettrait des prix. Le parlementaire Bernard Sanders a déposé le projet de loi HR 417, sur le « prix de l'innovation médicale 2005 », pour concrétiser l'idée.

48. Des prix pour la lutte contre les maladies qui existent dans les pays en développement bénéficieraient essentiellement, bien sûr, à leurs habitants. On peut considérer ces dépenses comme une forme importante d'aide étrangère.

49. Si le premier président Bush a refusé de signer l'accord, le président Clinton l'a fait le 4 juin 1993. Mais le Congrès a refusé de le ratifier.

50. Ruth Brand, « The basmati patent », in Ernst Ulrich von Weizsäcker, Oran R. Young et Matthias Finger (éd.), *Limits to Privatization : How to Avoid Too Much of a Good Thing*, Londres et Sterling, VA, Earthscan Publications, 2005. Devinder Sharma, « Basmati patent : let us accept it, India has lost the battle », 22 juin 2005 ; en ligne à l'adresse : http://www.eftafairtrade.org/Document.asp?DocID=150&tod=2112.

51. Détail intéressant, les savants en question venaient d'Asie du Sud.

52. Les États-Unis ont fini par invalider l'ensemble des demandes de brevet, sauf cinq, et ont refusé de laisser RiceTec commercialiser son riz en tant que « riz basmati ». RiceTec peut, bien sûr, avoir amélioré la variété traditionnelle ; mais ses adversaires font valoir que son brevet tentait de privatiser simultanément un corpus considérable de connaissances traditionnelles. Voir Brand, « The basmati patent », *op. cit.* ; et John Madeley, « US rice group wins basmati patents », *Financial Times*, 24 août 2001, rubrique « Commodities & Agriculture», p. 24.

53. Voir Vandana Shiva et Ruth Brand, « The fight against patents on the neem tree », in *Limits to Privatization*, *op. cit.*

54. Le qinghao est une armoise dont la matière active s'appelle artémisine. Les Chinois ont sollicité l'approbation de l'OMS pendant des années avant que les Suisses ne réussissent à l'avoir à une vitesse record. En même temps, Novartis a partagé les droits du brevet avec l'Institut de microbiologie et d'épidémiologie de l'Académie des sciences médicales militaires de Pékin. Voir Howard W. French, « Malaria remedy proves a tonic for

remote China », *International Herald Tribune*, 12 août 2005, p. 1 ; et « A Feverish response : treating malaria », *The Economist*, 20 novembre 2004.

55. D'autres réformes des procédures concernant les brevets sont nécessaires. Voir par exemple la note 11 de ce chapitre.

56. La remarque est évidemment plus générale : ils ont aussi besoin d'une aide juridictionnelle, par exemple pour lutter contre les nombreux obstacles non tarifaires décrits au chapitre 3.

57. Dans l'industrie du film comme dans les autres, les entreprises nationales tentent d'obtenir des mesures protectionnistes, et les justifient souvent par une prétendue promotion de la culture. Je tiens à être clair : je ne défends pas le protectionnisme ; mais je défends le droit des États à promouvoir leur culture.

58. Il est certain qu'il n'y a jamais eu la moindre discussion ouverte à la Maison-Blanche sur ces articles, et j'étais censé participer à toutes les réunions importantes qui traitaient des problèmes d'environnement. Quand, par la suite, j'ai demandé à Mickey Kantor, le représentant au Commerce d'alors, s'il était au courant de cette disposition, il a répondu pour sa défense que l'accord avait été négocié sous le premier président Bush. Il l'avait simplement pris tel qu'il était, en se concentrant sur des accords d'accompagnement pour apaiser les syndicats et les organisations de défense de l'environnement, qui ne semblaient pas non plus informés de l'existence ni de l'importance potentielle de ces articles.

NOTES DU CHAPITRE 5

1. Pour une histoire du pétrole de l'Azerbaïdjan, voir Natig Aliyev, « The history of oil in Azerbaijan », *Azerbaijan International*, vol. 2, n° 2, été 1994, p. 22-23.

2. Voir Terry Lynn Karl, *The Paradox of Plenty : Oil Booms and Petro-States*, Studies in International Political Economy, n° 26, Berkeley, University of California Press, 1997.

3. Xavier Sala-i-Martin et Arvind Subramanian, « Addressing the natural resource curse : an illustration from Nigeria », université Columbia, département d'économie, document d'analyse, série 0203-15, mai 2003, en ligne à l'adresse : www.columbia.edu/cu/economics/discpapr/DP0203-15.pdf.

4. Même au sens strict du seuil de deux dollars par jour qu'utilise la Banque mondiale, un tiers du pays vit dans la pauvreté.

5. L'expression « malédiction des ressources » est due à Richard M. Auty in *Sustaining Development in Mineral Economies : The Resource Curse Thesis*, Londres et New York, Routledge, 1993.

6. Le consensus que j'ai contribué à forger lors de cette réunion a fini par aboutir à la Convention de l'OCDE sur la lutte contre la corruption d'agents publics étrangers dans les transactions commerciales internationales, signée le 17 décembre 1997 et entrée en vigueur le 15 février 1999. Les signataires étaient les trente pays membres de l'OCDE et six pays non membres (l'Argentine, le Brésil, la Bulgarie, le Chili, l'Estonie et la Slovénie). Cinq ans après notre réunion, l'OCDE a noté combien les États avaient été lents à réagir. La France vient seulement d'abroger l'article de loi qui lui permettait de parrainer les pots-de-vin, par la déductibilité fiscale, pour les contrats signés avant la convention de l'OCDE ; et la Nouvelle-Zélande ne s'est pas encore pleinement mise en conformité. Voir Trade Compliance Center, OECD Antibribery Report 2001, « Laws prohibiting tax deduction of bribes », en ligne à l'adresse : www.mac.doc.gov/tcc/anti_b/oecd2001/html/ch04.html.

7. Pour le cas d'ExxonMobil au Kazakhstan, voir « Kazakhstan president Nazarbayev accepted bribes, U.S. alleges », Bloomberg.com, 16 avril 2004, en ligne à l'adresse : http://quote.bloomberg.com/apps/news?pid=10000087&sid=a_8QW26uoX_I&refer=top_world_news ; Daniel Fisher, « ExxonMobil's Kazakstan quagmire », *Forbes*, 23 avril 2003, en ligne à l'adresse : www.forbes.com/2003/04/23/cz_df_0423xom.html ; Seymour M. Hersh, « The price of oil », *The New Yorker*, 9 juillet 2001, p. 48-65 ; et Thomas Catan et Joshua Chaffin, « Bribery has long been used to land international contracts. New laws will make that tougher », *Financial Times*, 8 mai 2003, p. 19. « Au total, note l'article du *Financial Times*, les autorités ont accusé [Giffen] d'avoir pris plus de 78 millions de dollars de commissions et d'honoraires à Mobil et à d'autres compagnies pétrolières occidentales, puis de les avoir illégalement remis à de hauts responsables kazakhs. » Le procès est en cours.

8. Il y a eu finalement un règlement de conciliation, en vertu duquel les compagnies pétrolières ont payé à l'État d'Alaska plus d'un milliard de dollars. L'Alaska n'a pas été le seul État à avoir des problèmes. L'Alabama en a eu aussi – et il a réussi à obtenir une grosse somme de la part des compagnies pétrolières.

9. Les États peuvent évidemment choisir de transférer une part du risque à d'autres. Ils pourraient vendre le pétrole sur les marchés à terme – et obtenir ainsi le prix certain d'aujourd'hui au lieu du prix incertain qu'aura le pétrole dans deux ou trois ans. Les contrats entre compagnies pétrolières et pays pourraient aussi prévoir certains transferts de risques. Si l'État exige une part plus importante des surprofits que créent les envols de prix, on pourrait imaginer que les compagnies pétrolières offrent un paiement initial plus réduit. Mais rien n'indique que ce soit le cas, du moins à une échelle significative.

10. Formellement, la valeur de l'actif est la valeur actualisée des profits futurs estimés qu'il va générer (les rentes de ressources naturelles). Les très gros profits qu'ont faits de nombreuses entreprises privatisées suggèrent que les acheteurs les ont acquis au-dessous de leur pleine valeur.

11. Sous le président Reagan, les États-Unis ont hâtivement donné à bail des terrains pétrolifères – les adversaires ont parlé de « braderie ». Le résultat a été une forte baisse de la somme reçue en moyenne par l'État pour chaque terrain. Voir Jeffrey J. Leitzinger et Joseph E. Stiglitz, « Information externalities in oil and gas leasing », *Contemporary Economic Policy*, vol. 1, n° 5, p. 44-57.

12. L'emprunt des entreprises publiques est traité comme s'il s'agissait d'un emprunt de l'État lui-même. Ce qui veut dire qu'un pays comme le Brésil, qui s'est engagé à maintenir l'endettement de l'État sous un certain plafond, doit réduire d'autres dépenses publiques – comme l'éducation ou la santé – s'il souhaite investir davantage dans les entreprises du secteur public, quelle que soit l'ampleur des retours à attendre de ces investissements.

13. Dr Mahathir Bin Mohamad dans un discours au Global Leadership Forum, Kuala Lumpur, 7 septembre 2005, intitulé « The past, present and future – Malaysia's challenges in a competitive global landscape », et dans des conversations personnelles avec l'auteur.

14. Le Chili est souvent présenté par le FMI comme un exemple du succès du modèle du Consensus de Washington. Mais, comme me l'a fait remarquer l'ex-président Ricardo Lagos, la politique chilienne se distinguait du Consensus de Washington sur plusieurs points importants – dont son refus d'une privatisation totale. Le Chili n'a pas non plus, par exemple, entièrement libéralisé ses marchés de capitaux. Plus important : il a fait un effort considérable pour l'éducation et la lutte contre la pauvreté – problèmes tout à fait étrangers au Consensus de Washington.

15. Chrystia Freeland, *Sale of the Century : The Inside Story of the Second Russian Revolution*, New York, Crown, 2000.

16. Le Nigeria, par exemple, avait une dette envers le Club de Paris (c'est-à-dire due par l'État) de plus de 30 milliards de dollars, avant qu'elle ne soit réduite en octobre 2005.

17. Vers la fin de sa note d'information au public n° 01/73 (27 juillet 2001), intitulée « IMF concludes 2001 Article IV consultation with Chile », le FMI signale que, si ses estimations des équilibres budgétaires du gouvernement chilien sont différentes de celles du Chili lui-même (c'est-à-dire plus négatives), c'est parce qu'il ne traite pas de la même façon les revenus provenant du Fonds de stabilisation du cuivre (et le produit des privatisations).

18. Voir le site Internet du State Oil Fund of the Republic of Azerbaijan (SOFAZ) à l'adresse : www.oilfund.az.

19. Voir le site Internet de Norges Bank Investment Management (NBIM) à l'adresse : www.norgesbank.no/english/petroleum_fund/.

20. De même, s'il est vrai qu'une économie de marché qui fonctionne bien exige des droits de propriété sûrs, dans une démocratie les droits de propriété ne peuvent être sûrs que s'ils sont perçus comme légitimes. Pour une analyse plus large de ces questions, voir par exemple Karla Hoff et Joseph E. Stiglitz, « After the big bang ? Obstacles to the emergence of the rule of law in post-communist societies », *American Economic Review*, vol. 94, n° 3, juin 2004, p. 753-776 ; et Karla Hoff et Joseph E. Stiglitz, « The creation of the rule of law and the legitimacy of property rights : the political and economic consequences of a corrupt privatization », document de travail du NBER n° 11772, novembre 2005.

21. Pour des analyses plus approfondies sur ce grand pas en avant qu'est l'Initiative pour la transparence des industries extractives (ITIE) – dite parfois « Publish what you pay » (« Publiez ce que vous payez ») –, voir www.eitransparency.org/.

22. En soutenant les conflits, les ventes d'armes créent une externalité négative majeure, et une réaction courante aux externalités consiste à les taxer. Les dirigeants de plusieurs pays industriels avancés ont préconisé ce type d'impôt. Voir « Action against hunger and poverty : report of the Technical Group on Innovative Financing Mechanisms », présenté à l'ONU en septembre 2004, rapport préparatoire rédigé par Anthony Atkinson *et al.*, Groupe technique sur les mécanismes innovants de financement, Brasilia, 2004, en ligne à l'adresse : www.globalpolicy.org/socecon/glotax/general/2004/09innovative.pdf.

23. Jusqu'à présent, il semble relativement inefficace. Un rapide sondage auprès des diamantaires de New York m'a permis de le constater : fort peu étaient au courant du problème, fort peu s'en souciaient, et la plupart disaient simplement que cet embargo était irréalisable.

24. En principe, le bois est, comme le poisson, une ressource naturelle renouvelable – à la différence du pétrole, du gaz et des minerais qui peuvent s'épuiser –, mais les forêts mettent si longtemps à pousser qu'elles sont de fait une ressource qui risque de s'épuiser.

25. Voir par exemple Sachs, *The End of Poverty, op. cit.*

26. Et, de fait, une bonne partie de l'aide apportée à la Russie s'est vite retrouvée sur des comptes en banque à Chypre et ailleurs. Voir Joseph E. Stiglitz, *La Grande Désillusion*, trad. fr. de Paul Chemla, Paris, Fayard, 2002, p. 201.

27. La Banque mondiale a tenté de jouer un rôle positif en fixant des normes – pour garantir que les ressources rapportées par le projet pétrolier Tchad-Cameroun qu'elle contribuait à financer iraient bien, pour

l'essentiel, au développement et non aux achats d'armes. On craignait que l'argent du pétrole ne serve qu'à renforcer la dictature militaire tchadienne. Un fonds compliqué censé recevoir cet argent a été fondé. Mais, peu après que le pétrole eut commencé à couler, le régime militaire du Tchad a exigé sa suppression : il voulait que l'argent lui revienne directement, faute de quoi il menaçait d'arrêter les ventes de pétrole (au moment où ce livre est mis sous presse, le dénouement de cette affaire n'est pas encore certain). Les pires craintes des adversaires du projet se sont réalisées. Pourquoi, avaient-ils demandé, ExxonMobil a-t-il besoin de l'aide de la Banque mondiale ? Si le projet était bon, il aurait dû pouvoir trouver des financements sans elle. Peu avant, une étude indépendante sur les prêts de la Banque mondiale aux industries d'extraction les avait déconseillés dans des pays comme le Tchad, où il était improbable que l'argent contribuerait à soulager la pauvreté. Elle lui recommandait d'approfondir la question par d'autres travaux, mais cette suggestion n'a pas été retenue par la Banque mondiale – un rejet poli.

NOTES DU CHAPITRE 6

1. C'est Garrett Hardin qui a popularisé cette expression, avec l'article classique qu'il a écrit sous ce titre dans *Science*, vol. 162, 13 décembre 1968, p. 1243-1248. Il y a une différence fondamentale entre les « communaux » du savoir et ceux dont il est question ici. Celui qui utilise les premiers n'enlève rien à ce dont disposent les autres ; une clôture ne fait donc que restreindre l'usage, elle est un facteur d'inefficacité. Dans le cas des terres de pâture ou des pêcheries communes, celui qui utilise les communaux réduit les ressources disponibles pour les autres. Pour user du jargon des économistes, dans le premier cas, le coût marginal d'utilisation est nul ; dans le second, il est positif.

2. Voir au chapitre 3, p. 132, l'analyse du concept d'externalité et du rôle de l'État face aux inefficacités qui en résultent.

3. Les gaz à effet de serre comprennent non seulement le dioxyde de carbone et le méthane (les concentrations atmosphériques moyennes mondiales du méthane se sont accrues de 150 % depuis 1750), mais aussi des gaz comme l'hémioxyde d'azote (N_2O). Voir le rapport du Groupe intergouvernemental sur l'évolution du climat (GIEC) [Intergovernmental Panel on Climate Change], *Climate Change 2001 : The Scientific Basis*, Genève, PNUE, 2001.

4. Les études scientifiques les plus exhaustives sur le réchauffement de la planète sont celles que publie le Groupe intergouvernemental sur l'évolution du climat [Intergovernmental Panel on Climate Change, IPCC] dans ses rapports périodiques. Voir IPCC, *IPCC Third Assessment : Climate Change 2001*, Cambridge (G.-B.), Cambridge University Press, 2001. Les

deux évaluations précédentes (IPCC, *IPCC First Assessment Report, 1990*, Cambridge [G.-B.], Cambridge University Press, 1990, et IPCC, *IPCC Second Assessment : Climate Change 1995*, Cambridge [G.-B.], Cambridge University Press, 1995) sont en ligne à l'adresse : www.ipcc.ch/pub/reports.htm.

5. Le Groupe intergouvernemental sur l'évolution du climat (GIEC) a été créé en 1988 par deux organisations des Nations unies, l'Organisation météorologique mondiale et le Programme des Nations unies pour l'environnement, afin d'évaluer « les risques liés au changement climatique d'origine humaine ». Depuis, il s'est réuni presque en permanence pour analyser les nouvelles données et études dès qu'elles devenaient disponibles. J'ai participé à la seconde évaluation (*IPCC Second Assessment : Climate Change 1995, op. cit.*).

6. La réduction moyenne était de 5,2 % en 2012 par rapport à 1990. Si la moyenne est à 5,2 %, c'est parce qu'on a accordé à certains pays, dont la Russie et l'Australie, des augmentations, ou du moins parce qu'on les a dispensés de réduction. Ce pourcentage peut paraître faible, mais il représente en fait une diminution de 29 % par rapport au niveau d'émission prévisible sans le protocole. (2012 est la date d'expiration du protocole lui-même. On envisage d'établir ensuite des normes plus strictes.)

7. Council of Economic Advisers, « The Kyoto Protocol and the President's policies to address climate change : administration economic analysis », juillet 1998.

8. Energy Information Administration, *International Energy Annual 2003*, Washington, DC, US Department of Energy, 2005, tableau E.1G.

9. *Ibid.*, tableau H.1GCO2.

10. Voir *ibid.*, tableau H.1 ; et National Environmental Trust, *First in Emissions, Behind in Solutions : Global Warming Pollution from U.S. States Compared to 149 Developing Countries*, Washington, DC, National Environmental Trust, 2003 ; en ligne à l'adresse : www.net.org/reports/globalwarming/emissionsreport.pdf.

11. Voir tableau H.1GCO2 *in* Energy Information Administration, *International Energy Annual 2003, op. cit.* J'ai dit au chapitre 2 que le PIB est une mesure imparfaite des niveaux de vie, et j'ai signalé que l'ONU utilise une mesure plus exhaustive appelée l'« indicateur du développement humain » (IDH). Suivant cet indicateur, les États-Unis se classent dixième dans le monde en 2005.

12. Aux chapitre 2 et 5, j'ai expliqué pourquoi le PIB n'est pas une bonne mesure du bien-être social durable. Donc, lorsque l'industrie dit et répète que réduire la pollution a un coût en termes de PIB, l'argument est non seulement intéressé mais absurde. À supposer même que le PIB mesuré aujourd'hui diminue, mais qu'il en résulte une forte baisse des

futures pertes qu'auraient provoquées les effets du réchauffement de la planète, restreindre les émissions est efficace du strict point de vue du PIB, si on l'envisage à long terme. Les arguments sur les pertes d'emplois sont absurdes aussi : si les autorités chargées de la politique budgétaire font leur travail, de nouveaux emplois seront créés ailleurs dans l'économie.

13. Voir la base de données consultable du World Resources Institute, « CO_2 cumulative emissions, 1900-2002 », en ligne à l'adresse : http:// earthtrends.wri.org/. Elle est compilée à partir de diverses données publiées par le département américain de l'Énergie.

14. Le XIe Plan quinquennal de la Chine, annoncé en mars 2006, se concentre sur l'environnement, et notamment sur le relèvement de l'efficacité énergétique. Dans les semaines qui ont suivi cette annonce, le gouvernement a augmenté les impôts sur l'essence et sur d'autres produits pétroliers et envisagé d'autres mesures pour décourager la déforestation – dont un impôt sur les baguettes en bois.

15. Energy Information Administration, *International Energy Outlook 2004*, Washington, DC, US Department of Energy, 2004, tableau 72. Ici, la comparaison entre pays en développement et pays développés ignore la catégorie « Europe de l'Est/ex-Union soviétique », qui devrait représenter un pourcentage relativement stable pendant toute la période : 12 % des émissions.

16. Des forces complexes sont à l'œuvre. La production agricole, si elle ne contribue pas aux émissions autant que la production industrielle, ajoute tout de même des gaz à effet de serre. Le bétail, par exemple, produit beaucoup de CH_4 (méthane). La déforestation est un problème majeur, dont une analyse plus détaillée sera donnée plus loin. Les pays en développement sont aussi très inefficaces – c'est, presque par définition, ce qui caractérise un moindre développement –, et cela signifie qu'ils ont des émissions élevées par unité produite. D'un côté, il en résulte que, lorsqu'ils s'industrialisent, les émissions augmentent vite, mais cela indique aussi qu'ils ont une marge considérable de réduction possible de ces émissions en devenant plus efficaces. Dans certains pays en développement comme la Chine, la faiblesse des prix de l'énergie contribue à cette inefficacité. Si les pays en développement suivent l'exemple de l'Europe et non pas celui des États-Unis – s'ils taxent lourdement les produits pétroliers –, l'augmentation de leurs émissions sera limitée. Même sans ces impôts, la Chine a montré qu'on peut associer une croissance extrêmement rapide – 7 à 9 % par an – et une hausse des émissions assez réduite. Pour une analyse des projections sur les émissions, voir Mustafa H. Babiker, John M. Reilly, Monika Mayer, Richard S. Eckaus, Ian Sue Wing et Robert C. Hyman, « The MIT Emissions Prediction and Policy Analysis (EPPA) model : revisions, sensitivities, and comparisons of results »,

rapport n° 71 du MIT Joint Program on the Science and Policy of Global Change, février 2001. Des projections plus récentes, publiées par l'Energy Information Administration dans *International Energy Outlook 2004, op. cit.*, prévoient que les émissions des pays en développement dépasseront celles des pays développés en 2030 et non en 2025.

17. Il y a aussi quelques problèmes difficiles liés aux accroissements démographiques, que nous n'avons pas la place de traiter ici.

18. Sur la base des calculs de l'auteur, en utilisant les chiffres de l'ONU pour les émissions par habitant (United Nations Millennium Indicators data series, « Carbon dioxide emissions [CO_2], metric tons of CO_2 per capita [CDIAC] », en ligne à l'adresse : http://unstats.un.org/unsd/mi/mi_series_list.asp).

19. C'est l'une des façons possibles de rétablir l'équilibre. L'Europe pourrait, par exemple, imposer une taxe sur le carbone (l'administration Clinton a proposé ce type de taxe) – une taxe sur toutes les marchandises, fondée sur l'importance des émissions dans leur production, mais en comptant comme crédit d'impôt les taxes énergétiques déjà payées. Les producteurs européens, bien sûr, auraient un gros crédit, puisque le pétrole est déjà très imposé.

20. Pour ces « services de nettoyage », la Coalition Forêts tropicales (voir *infra*) ne demande pas d'indemnisation, en partie parce qu'ils sont difficiles à estimer, en partie parce que les forêts des pays industriels avancés, dont celles des États-Unis, fournissent des services analogues et que, pour eux, ces « émissions négatives » n'ont pas été comprises dans la comptabilité du carbone.

21. Plusieurs détails techniques sont à mettre au point pour concrétiser ces plans sur le déboisement évité, par exemple pour la surveillance. Avec la technologie moderne, c'est beaucoup plus facile qu'il y a vingt ans.

22. La constitution de la Coalition Forêts tropicales a été annoncée le 15 janvier 2005 à l'université Columbia à New York dans un discours de Sir Michael Somare, Premier ministre de Papouasie-Nouvelle-Guinée. Elle s'est aujourd'hui assuré le soutien d'au moins douze pays en développement, dont le Costa Rica, le Nigeria, le Vietnam et l'Inde. Voir le site www.rainforestcoalition.org/eng.

23. Même l'approche qui vient d'être esquissée impose des coûts différents selon les pays, mais les différences sont faibles. Techniquement, on appelle le coût d'inefficacité d'une taxe le « triangle de Harberger », et il est lié à l'élasticité de l'offre et de la demande. En général, ces coûts sont réduits par rapport au PIB. Si, au lieu de taxer le revenu, on taxe la pollution, le coût du changement de système est la différence entre le triangle de Harberger lié à une taxe sur la pollution et celui, disons, d'un impôt sur le revenu – et cette différence devrait être vraiment réduite.

Enfin, l'impact sur la répartition est lié à la différence dans cette différence – un chiffre qui, lui aussi, sera probablement minuscule.

24. Il y a une raison de s'attendre à une hausse de la fiscalité sur le pétrole, le gaz et le charbon au fil du temps, si nous continuons à réduire les émissions : si notre effort pour réduire la consommation d'énergie réussit, la demande de ces ressources va baisser, et le prix de marché avant impôt aussi ; mais s'il y a baisse des prix, l'incitation à réduire les émissions diminuera également.

25. Jared Diamond, *Collapse : How Societies Choose to Fail or Succeed*, New York, Viking, 2005, p. 498.

26. J'ai déja dit que les sanctions sont un moyen justifié d'assurer le respect des accords mondiaux ; de même, il est raisonnable que l'aide dépende du respect de ces accords (dont ceux qui portent sur les réductions des émissions de gaz à effet de serre par unité de PIB et sur la non-prolifération des armes nucléaires). Cette conditionnalité-là serait, à mon avis, à la fois applicable et efficace.

NOTES DU CHAPITRE 7

1. En 2005, les flux entrants d'investissement direct étranger (IDE) vers les pays en développement ont été de 233 milliards de dollars. Voir Conférence des Nations unies sur le commerce et le développement (CNUCED), *World Investment Report 2005 : Transnational Corporations and the Internationalization of R&D*, en ligne à l'adresse : www.unctad.org/en/docs/wir2005_en.pdf.

2. Certaines publicités, bien sûr, ne sont que de l'information – comme les annonces d'offres d'emplois, ou celles qui indiquent au consommateur quels produits sont disponibles et à quel prix.

3. Plus de cent autres réseaux électriques de tramways dans quarante-cinq villes, dont New York, Philadelphie, Saint Louis, Salt Lake City et Tulsa, ont connu le même sort. (Les forces du marché les auraient peut-être éliminés elles-mêmes, mais General Motors et les autres compagnies dominantes de l'industrie automobile ont jugé dans leur intérêt d'accélérer les choses.) Pour une analyse plus approfondie, voir Bradford C. Snell, *American Ground Transport : A Proposal for Restructuring the Automobile, Truck, Bus and Rail Industries*, rapport présenté au comité des Affaires judiciaires du Sénat des États-Unis, sous-comité Antitrust et Monopoles, 26 février 1974, Washington, DC, United States Government Printing Office, p. 16-24.

4. Comme nous l'avons dit (chapitre 2, note 3), l'un des principaux axes de recherche de la science économique moderne consiste à déterminer dans quel sens et à quelles conditions les marchés, comme chez Adam Smith, conduisent à l'efficacité. Pour notre propos, les subtilités

sur lesquelles on a tant attiré l'attention n'ont guère d'intérêt : il est clair que la société souffre, par exemple, quand les grandes firmes polluent et n'en paient pas les conséquences.

5. Mais les contributions de campagne pour obtenir un titre de noblesse pourraient avoir des conséquences économiques limitées.

6. « "Buy now, save later : campaign contributions & corporate taxation". A joint project of the Institute on Taxation & Economic Policy, Citizens for Tax Justice, and Public Campaign », novembre 2001, en ligne à l'adresse : www.itepnet.org/camptax.pdf.

7. M. Asif Ismail, « Prescription for power : drug makers' lobbying army ensures their legislative dominance », Center for Public Integrity, 28 avril 2005, en ligne à l'adresse : www.publicintegrity.org/lobby/report.aspx?aid=685&sid=200. Voir aussi : http://njcitizenaction.org/drugcampaignreport.html.

8. Ces dernières années, on a admis toujours plus largement que, pour que les sociétés fonctionnent – et même pour que les marchés fonctionnent –, il faut un certain climat de confiance, qui repose sur un sens de la collectivité. Le problème est qu'un marché sans entraves – notamment dans le contexte de la mondialisation – risque de détruire cette confiance, ou du moins de la fragiliser. Il existe actuellement un vaste corpus d'écrits sur le concept de capital social (qui comprend la confiance et d'autres aspects de la coopération sociale) et le rôle qu'il joue dans le fonctionnement de la société et des marchés. Voir, par exemple, Robert D. Putnam, avec Robert Leonardi et Raffaella Y. Nanetti, *Making Democracy Work : Civic Traditions in Modern Italy*, Princeton, Princeton University Press, 1993 ; Robert D. Putnam, *Bowling Alone : The Collapse and Revival of American Community*, New York, Simon & Schuster, 2000 ; Partha Dasgupta, « Social capital and economic performance : analytics », *in* Elinor Ostrom et Toh-Kyeong Ahn (éd.), *Foundations of Social Capital*, Cheltenham, G.-B., et Northampton, MA, Edward Elgar Publishing, 2003 ; Partha Dasgupta, « Economic progress and the idea of social capital », *in* Partha Dasgupta et Ismail Serageldin (éd.), *Social Capital : A Multifaceted Perspective*, Washington, DC, Banque mondiale, 2000 ; Partha Dasgupta, « Trust as a commodity », *in* Diego Gambetta (éd.), *Trust : Making and Breaking Cooperative Relations*, Oxford et New York, Basil Blackwell, 1988 ; Avner Greif, « Cultural beliefs and the organization of society : a historical and theoretical reflection on collectivist and individualist societies », *Journal of Political Economy*, vol. 102, p. 912-950.

9. Wal-Mart a suscité une énorme littérature. Voir Andy Miller, « Wal-Mart stands out on rolls of PeachCare ; sign-up ratio far exceeds other firms », *Atlanta Journal-Constitution*, 27 février 2004, en ligne à l'adresse : www.goiam.org/territories.asp?c=5236.

10. L'importance de la séparation entre propriété et contrôle a été soulignée dans les années 1930 par Adolf A. Berle et Gardiner C. Means. Voir Adolf A. Berle et Gardiner C. Means, *The Modern Corporation and Private Property*, New York, Macmillan, 1934. Encore plus tôt, le grand économiste de Cambridge Alfred Marshall voyait dans l'analyse de la différence entre le comportement des grandes firmes et celui de l'entreprise à propriétaire unique le problème le plus important à étudier à la fin du XIXe siècle. Voir Alfred Marshall, « The old generation of economists and the new », *Quarterly Journal of Economics*, vol. 11, janvier 1897, p. 115-135. Dans les années 1960, un grand nombre d'économistes soutenaient que la société anonyme moderne ne pouvait pas être décrite par les modèles simples de maximisation de la valeur ou du profit chers aux économistes classiques. Voir par exemple William J. Baumol, *Business Behavior, Value and Growth*, New York, Macmillan, 1959 ; Robin Lapthorn Marris, *The Economic Theory of « Managerial » Capitalism*, Londres, Macmillan, 1968 [trad. fr. de Jacques Lleu et Dominique S. Delorme, *L'Entreprise capitaliste moderne*, Paris, Dunod, 1971] ; et John Kenneth Galbraith, *American Capitalism : The Concept of Countervailing Power*, Boston, Houghton Mifflin, 1952 [trad. fr. de M.-Th. Génin, *Le Capitalisme américain. Le concept du pouvoir compensateur*, Paris, Éditions Genin, 1956].

Herbert A. Simon, Prix Nobel d'économie, a poursuivi l'étude du comportement des entreprises comme organisations en montrant qu'en général ceux qui sont à l'intérieur n'ont pas intérêt à avoir le comportement qui aurait conduit les entreprises qu'ils gèrent à se comporter de la manière prédite par la théorie classique. Voir Herbert A. Simon, « New developments in the theory of the firm », *American Economic Review*, vol. 52, n° 2, *Papers and Proceedings of the Seventy-Fourth Annual Meeting of the American Economic Association (May 1962)*, p. 1-15 ; et James G. March et Herbert A. Simon, *Organizations*, New York, Wiley, 1958 [trad. fr. de J.-C. Rouchy et G. Prunier, *Les Organisations : problèmes psychosociologiques*, Paris, Dunod, 1991].

Par la suite, en collaboration avec Sanford J. Grossman, j'ai montré que, quand l'information est imparfaite et les marchés du risque incomplets (ils le sont toujours), maximiser la valeur de marché ne conduit pas, en général, à l'efficacité économique. Voir Sanford J. Grossman et Joseph E. Stiglitz, « On value maximization and alternative objectives of the firm », *Journal of Finance*, vol. 32, n° 2, mai 1977, p. 389-402, et « Stockholder unanimity in the making of production and financial decisions », *Quarterly Journal of Economics*, vol. 94, n° 3, mai 1980, p. 543-566 ; et Joseph E. Stiglitz, « On the optimality of the stock market allocation of investment », *Quarterly Journal of Economics*, vol. 86, n° 1, février 1972, p. 25-60, et « The inefficiency of the stock market equilibrium », *Review of Economic Studies*, vol. 49, n° 2, avril 1982, p. 241-261. Surtout, j'ai exposé les problèmes liés à ce qu'on a appelé depuis la « gouvernance d'entreprise », et montré comment la théorie économique de l'information pouvait servir à fonder une théorie cohérente de l'entreprise moderne. Voir Joseph E. Stiglitz, « Credit markets and the control of capital », *Journal of Money, Banking, and Credit*, vol. 17, n° 2, mai 1985, p. 133-152, et « The contributions of the economics of information to Twentieth Century economics », *Quarterly Journal of Economics*, vol. 115, n° 4, novembre 2000, p. 1441-1478 ; et Bruce Greenwald et Joseph E. Stiglitz, « Information, finance and markets : the architecture of allocative mechanisms », *Industrial and Corporate Change*, vol. 1, n° 1, 1992, p. 37-63.

11. L'épisode de Bhopal a été très largement rapporté dans la presse et ailleurs. Voir, par exemple, Amnesty International, *Clouds of Injustice : Bhopal Disaster 20 Years On*, Londres, Amnesty International, 2004, en ligne à l'adresse : http://web.amnesty.org/library/Index/ENGASA201042004?open&of=ENG-398.

12. Ce ne sont pas les seuls cas où les multinationales se servent de la politique. Les P-DG qui expliquent combien il est important que l'État se tienne à l'écart sont tout à fait disposés à l'appeler à la rescousse quand ils en ont besoin. Lorsque Aguas Argentinas – dont le groupe français Suez est un actionnaire majeur – a jugé qu'elle avait payé trop cher une concession, elle a demandé au gouvernement français de faire pression sur l'Argentine pour qu'il y ait renégociation. Et ce n'est pas à sens unique : quand les profits sont exagérément élevés et que ce sont les États étrangers qui s'efforcent de renégocier les concessions, les gouvernements occidentaux interviennent de tout leur poids pour expliquer que les contrats sont sacro-saints.

13. Pour une analyse de cette affaire et d'autres liées au chapitre 11 de l'ALENA, voir Public Citizen (association à but non lucratif), « Table of NAFTA Chapter 11 Investor-State Cases & Claims », en ligne à l'adresse : www.citizen.org/documents/Ch11cases_chart.pdf.

14. J'ai été impressionné par la force et la diversité du mouvement de responsabilité des entreprises. Hydro, une firme norvégienne qui travaille dans toute une série de domaines, dont le gaz, a non seulement promu la transparence dans les pays où elle opère, mais s'est faite le héraut de la Déclaration universelle des droits de l'homme de l'ONU. ABN Amro, une très grande banque néerlandaise, ne parle pas seulement de durabilité dans ses pratiques de prêts mais a des projets d'aide au développement dans plusieurs pays. Beaucoup d'entreprises sont passées à ce qu'on appelle la *triple bottom line* : elles pensent non seulement aux profits mais aussi à l'impact sur l'environnement et à des problèmes généraux de responsabilité sociale.

15. Adam Smith, *La Richesse des nations*, I, x, 2 ; trad. fr. de Germain Garnier revue par Adolphe Blanqui, Paris, Flammarion, coll. « GF », 1991, t. I, p. 205.

16. Les accords internationaux censés traiter du comportement anticoncurrentiel ajoutent un niveau de complexité supplémentaire. Si l'OMC autorise les pays à imposer des droits antidumping, comme nous l'avons vu au chapitre 3, le dumping tel qu'on le définit traditionnellement a peu de rapports avec un comportement anticoncurrentiel. De plus, si le dumping concerne des entreprises qui font payer trop peu, l'OMC ne paraît pas se soucier du danger beaucoup plus important de la monopolisation, des entreprises qui font trop payer. Dans un cas, les États-Unis ont accusé le Japon de comportement anticoncurrentiel dans les pellicules (Fuji en vendait au Japon deux fois plus que Kodak, alors qu'aux États-Unis c'était l'inverse). Mais la position américaine n'a pas été soutenue.

17. Voir Joseph E. Stiglitz, *La Grande Désillusion, op. cit.*, p. 232.

18. Certains pays européens ont des cadres juridiques qui reconnaissent les obligations des entreprises à l'égard non seulement de leurs actionnaires, mais aussi d'autres parties touchées par leurs politiques.

19. Si l'Amérique est la juridiction préférée, c'est parce que, traditionnellement, elle a la législation de la concurrence la plus stricte. La décision de 2005 de la Cour suprême a été prise dans l'affaire F. Hoffman-LaRoche Ltd (une multinationale basée en Suisse qui opère dans plus de 150 pays) vs. Empagran SA (une compagnie équatorienne lésée d'avoir dû payer au prix fort la vitamine C qu'elle utilisait dans ses cultures de crevettes et de poissons). Hoffman-LaRoche et d'autres producteurs de vitamine C ont été jugés coupables de fixation des prix, mais ils ont d'abord réglé en conciliation les plaintes des Américains qui avaient été lésés aussi. Une fois les plaignants américains évacués, la Cour suprême a jugé qu'Empagran et vingt autres compagnies étrangères ne pouvaient pas chercher réparation devant les tribunaux américains. Les principes en cause m'ont paru si importants pour la préservation de la concurrence mondiale que j'ai déposé un mémoire *amicus curiae* (ami de la Cour), exposant les risques de monopole mondial et ce qu'il conviendrait de faire. Si la Cour s'est prononcée contre Empagran, son jugement suggérait tout de même une certaine conscience des problèmes que posent les monopoles mondiaux.

20. Élaborer un régime juridique mondial qui soit à la fois juste pour les personnes lésées et propre à inciter les entreprises à un comportement responsable a d'innombrables dimensions. Une réforme juridique fondamentale séparerait les problèmes de la sanction et de la dissuasion de celui de la juste indemnisation. Un « bureau des plaintes » pourrait établir, par exemple, l'ampleur du dommage subi par chaque individu et l'indemniser sur cette base. Un tribunal séparé pourrait établir l'ampleur

de la culpabilité de l'entreprise, dire si elle a commis des actes qui ont fait du tort – par exemple en raison d'une politique environnementale inadaptée –, puis évaluer, à l'aide d'un modèle statistique, les peines appropriées. Il pourrait évaluer aussi des dommages et intérêts punitifs supplémentaires pour dissuader encore plus ou réagir à un comportement particulièrement révoltant.

NOTES DU CHAPITRE 8

1. On est passé de 6,28 roubles pour 1 dollar avant la crise à 23 roubles pour 1 dollar en janvier 1999.

2. L'Argentine a abandonné en décembre 2001 son régime de change où le peso était convertible en dollar sur une base de un contre un. Cette initiative a été largement perçue comme un prélude à l'annonce d'un arrêt du remboursement de la dette, qui a eu lieu au début de l'année suivante. Voir Paul Blustein, *And the Money Kept Rolling In (and Out) : Wall Street, the IMF, and the Bankrupting of Argentina*, New York, PublicAffairs, 2005.

3. Lettre de Luis M. Drago, ministre des Affaires étrangères de la République argentine, à M. Mérou, ambassadeur d'Argentine aux États-Unis, 29 décembre 1902, « Documents of American History », Durham Trust Library. Traduction anglaise en ligne à l'adresse : www.theantechamber. net/UsHistDoc/DocOfAmeriHist/DocOfAmeriHist3.html. Drago écrit aussi : « La reconnaissance de la dette, son paiement dans sa totalité peuvent et doivent être effectués par la nation sans diminution de ses droits intrinsèques d'entité souveraine. »

4. Voir Carlos Marichal, *A Century of Debt Crises in Latin America : From Independence to the Great Depression, 1820-1930*, Princeton, Princeton University Press, 1989.

5. La somme due se montait à près de 100 millions de livres, soit 11,12 milliards de dollars d'aujourd'hui (en utilisant l'indice historique des prix à la consommation et le taux de change dollar/livre du 23 novembre 2005). Source : EH.Net, à l'adresse : www.eh.net/hmit/ppowerbp/. Voir D. C. M. Platt, *Finance, Trade and Politics in British Foreign Policy 1815-1914*, Oxford, Clarendon Press, 1968.

6. Je remercie David Hale pour cet exemple. Voir David Hale, « Newfoundland and the global debt crisis », *The Globalist*, 28 avril 2003 ; en ligne à l'adresse : www.theglobalist.com/DBWeb/StoryId.aspx?StoryId=3088.

7. La très respectée commission Pearson (présidée par l'ex-Premier ministre canadien et Prix Nobel de la paix Lester B. Pearson) a défendu une idée semblable dans son rapport remis à la Banque mondiale il y a près de vingt ans, où elle écrit : « La suraccumulation de dettes résulte en général de la conjonction d'erreurs des États emprunteurs et de leurs

créanciers étrangers » (Lester B. Pearson *et al.*, *Partners in Develop-ment : Report of the Commission on International Development*, New York, Praeger, 1969, p. 153 *sq.* ; trad. fr., Commission d'étude du déve-loppement international, *Vers une action commune pour le développe-ment du tiers-monde, rapport*, Paris, Denoël, 1969).

8. Mais, tout comme les emprunteurs se concentrent sur les gains à court terme – en laissant à leurs successeurs les problèmes du rembour-sement –, les prêteurs laissent à leurs propres successeurs les problèmes de la récupération des fonds.

9. Des choses semblables se produisent, bien sûr, dans les pays déve-loppés. Le problème est que, dans les pays en développement, où l'on a moins d'expérience, on peut se laisser influencer plus facilement par les « conseils » d'une banque occidentale chevronnée, même s'ils sont inté-ressés. Les pots-de-vin et la corruption (analysés de plus près dans cer-tains chapitres précédents) jouent aussi parfois un rôle.

10. L'argument est le suivant : en empruntant en dollars ou en euros, le pays établirait un point de repère par rapport auquel on pourrait fixer les taux d'intérêt des emprunts privés. Ces taux sont souvent fixés en ajou-tant une prime de risque entreprise à la prime de risque pays. Donc, si le Vietnam pouvait emprunter, disons, à 8 %, une banque qui envisageait de prêter à une entreprise vietnamienne relativement saine pourrait lui demander 10 %, en ajoutant une prime de risque entreprise de 2 % à celle du pays. Mais si le Vietnam ne pouvait emprunter qu'à 10 %, les banques n'accepteraient de prêter à cette entreprise qu'à 12 %.

11. Pour se protéger contre le risque de faillite, les entreprises devraient s'assurer contre les baisses du taux de change qui augmente-raient la valeur de leur dette. Et elles le font souvent, même si c'est moins souvent que ne le prédit la théorie économique admise. Mais, si elles estiment que l'État va empêcher les fortes fluctuations du taux de change, ce type d'assurance pourrait être moins demandé ; et si la plupart des entreprises ne sont pas assurées, la baisse de la devise risque de ne pas stimuler beaucoup l'économie. En effet, si l'affaiblissement d'une devise entraîne une hausse des exportations, elle renchérit aussi les dettes extérieures, donc le pays s'appauvrit ; et cette situation a elle-même pour effet de décourager la consommation et l'investissement. Bref, les mesures du FMI ont en fait réduit l'efficacité du taux de change en tant qu'élé-ment du processus d'ajustement de l'économie, aggravé l'exposition des pays aux risques, et alourdi le coût de l'instabilité des taux de change.

12. Du point de vue des créanciers, en fait, le système ne fonctionne pas mal : ils reçoivent en moyenne sur ce type de prêt un retour plus élevé que le retour normal, même après ajustement pour le risque.

13. Dans le cadre du « plan Brady », les anciens bons d'État ont été échangés contre de nouveaux, couverts par des bons du Trésor américain.

14. Les conséquences budgétaires d'une privatisation de la caisse de retraite ont joué un rôle majeur dans le débat sur sa privatisation partielle aux États-Unis : on a noté que, dans les dix premières années seulement, elle ferait augmenter le déficit de plus de 1 000 milliards de dollars.

15. Certes, s'il y avait un seul prêteur mondial, il voudrait peut-être punir le pays déviant pour donner une leçon à tout candidat à la défaillance. Mais, sur des marchés financiers concurrentiels, personne n'a intérêt à infliger ce châtiment.

16. Comme nous l'avons dit au chapitre 1, la dette des pays en développement en 2006 est d'environ 1 500 milliards de dollars.

17. La liste comprend le Bénin, la Bolivie, le Burkina Faso, l'Éthiopie, le Ghana, la Guyana, le Honduras, Madagascar, le Mali, la Mauritanie, le Mozambique, le Nicaragua, le Niger, le Rwanda, le Sénégal, la Tanzanie, l'Ouganda et la Zambie. D'autres pays pourraient se qualifier plus tard.

18. Quand le pays, de toute façon, n'aurait pas remboursé, en quoi lui accorder un allégement de sa dette va-t-il réellement lui apporter une aide supplémentaire ? Certes, ne plus avoir les créanciers sur le dos peut être un soulagement considérable pour les pays en développement. Et l'opération peut être traitée comme « aide » par les donateurs, qui passent la dette par pertes et profits sur leurs livres de comptes.

19. Il en est ainsi, notamment, parce que les taux d'intérêt sur les prêts de la Banque mondiale, par exemple, sont très inférieurs à ceux du marché. Le prêt est en fait largement un don – en général aux deux tiers. On calcule la composante « don » en prenant la valeur actualisée de la différence entre le taux d'intérêt « non subventionné » et celui que les pays doivent payer.

20. Mais les Européens ont raison de souligner que les prêts ont toujours un rôle important à jouer, par exemple pour financer les projets de centrales électriques. De plus, un pays pourra être plus attentif à l'emprunt et dépenser l'argent à meilleur escient si celui-ci vient d'un prêt qu'il doit rembourser et non d'un simple don.

21. Il existe sur les dettes odieuses une littérature importante et en expansion. Patricia Adams, *Odious Debts : Loose Lending, Corruption, and the Third World's Environmental Legacy*, Londres, Earthscan Publications, 1991, passe en revue la littérature historique. Pour une analyse générale, et celle de l'application à l'Irak, voir Joseph E. Stiglitz, « Odious rulers, odious debts », *Atlantic Monthly*, vol. 292, n° 4, novembre 2003, p. 39-45. Pour une analyse de l'impact sur le prêt légitime, voir Seema Jayachandran, Michael Kremer et Jonathan Shafter, « Applying the odious debts doctrine while preserving legitimate lending », décembre 2005, en ligne à l'adresse : http://post.economics.harvard.edu/faculty/kremer/ webpapers/Odious_Debt_Doctrine.pdf.

22. Là encore, dans le jargon économique en vigueur, c'est un cas classique d'externalité.

23. Ces politiques sont décrites aux chapitres 1 et 2.

24. Voir Barry Eichengreen et Ricardo Hausmann (éd.), *Other People's Money : Debt Denomination and Financial Instability in Emerging Market Economics*, Chicago, University of Chicago Press, 2005.

25. La Banque mondiale, à un moment ou à un autre, a emprunté dans plus de quarante devises. (Pour une liste partielle, voir World Bank Treasury, « List of selected recent World Bank bonds », à l'adresse : http://treasury.worldbank.org/Services/Capital%2bMarkets/Debt+Products/List+of+Recent+WB+Bond+Issuance.html.) Cela a pu servir de catalyseur pour la création de marchés obligataires locaux.

26. John Maynard Keynes, *Les Conséquences économiques de la paix* [1920], trad. fr. de David Todd, Paris, Gallimard, coll. « Tel », 2002.

27. Il y a deux explications envisageables à la position américaine. L'une est la volonté de Wall Street de faire en sorte que les emprunteurs remboursent – donc de rendre les défaillances aussi difficiles que possible. L'autre est idéologique. L'administration Bush s'est constamment opposée aux efforts pour créer et renforcer des institutions multilatérales ; un tribunal international des faillites, qui pourrait émerger naturellement d'un effort pour créer un mécanisme de restructuration des dettes souveraines, lui apparaîtrait comme une abomination.

28. La loi américaine des faillites reconnaît cette différence. Elle a un chapitre distinct (chapitre 9) qui traite des instances publiques.

29. Andrei Shleifer, professeur à Harvard, très lié au sous-secrétaire au Trésor de l'époque, Larry Summers, dont il était l'ami et l'associé, a été chargé de conseiller la Russie sur sa privatisation dans le cadre d'un contrat de l'AID (Agence de l'aide au développement américaine) avec Harvard. (À cette date, le Trésor jouait un rôle central dans la conception de la politique économique à l'égard de la Russie.) Le conseiller de Harvard étant accusé d'avoir utilisé des informations internes pour des transactions en Bourse, et des contacts internes pour obtenir le droit de créer une société financière, l'AID a suspendu puis annulé le contrat, et porté plainte pour récupérer ce qu'elle avait dépensé. Le tribunal a donné raison à l'AID et confirmé les accusations portées contre Shleifer. Après avoir dépensé des millions en frais de justice, Harvard, dans un règlement de conciliation, a payé plus de 25 millions de dollars et Shleifer plus de 2 millions de dollars. Summers, alors président de Harvard, a démissionné peu après, en partie sous la pression de cet incident. Mais, au moment où ce livre est mis sous presse, Harvard n'a toujours pris aucune sanction contre Shleifer. Pour une analyse détaillée de l'affaire, voir David McClintick, « How Harvard lost Russia », *Institutional Investor*,

13 janvier 2006 ; en ligne à l'adresse : www.dailyii.com/print.asp?ArticleID =1039086.

30. Voir John Lloyd, « Who lost Russia ? », *New York Times Magazine*, 15 août 1999.

31. Des taux d'intérêt plus élevés pourraient même accroître l'efficacité globale en réduisant l'écart entre coûts sociaux et coûts privés.

NOTES DU CHAPITRE 9

1. Au moment où ce livre est mis sous presse, le flux de capital net est sortant tous les ans depuis 1997 pour les nouveaux pays industrialisés. Il est sortant tous les ans depuis 2000 pour les autres pays en développement. Voir FMI, *Perspectives de l'économie mondiale*, septembre 2004, Washington, DC, FMI, 2004, appendice statistique, tableau 25 ; en ligne à l'adresse : www.imf.org/external/pubs/ft/weo/2004/02/pdf/statappx.pdf.

2. Gerard Caprio, James A. Hanson et Robert E. Litan (éd.), *Financial Crises : Lessons from the Past, Preparation for the Future*, Washington, DC, Brookings Institution Press, 2005.

3. C'est-à-dire que les pays doivent avoir l'essentiel des fonds nécessaires pour payer les importations et pour couvrir le niveau de la dette à court terme libellée en dollars.

4. La crise du 2 juillet 1997 en Thaïlande, par exemple, s'est produite quand on a compris que le pays n'avait pas assez de réserves pour soutenir sa monnaie.

5. Voir Dani Rodrik, « The social cost of foreign exchange reserves », document de travail du NBER n° 11952, présenté à l'assemblée de l'American Economic Association, Boston, janvier 2006 ; en ligne à l'adresse : www.nber.org/papers/w11952. Les réserves des pays développés n'ont pas beaucoup changé en pourcentage du PIB : elles sont restées légèrement inférieures à 5 %.

6. FMI, *Perspectives de l'économie mondiale*, septembre 2005, Washington, DC, FMI, 2005, appendice statistique, tableau 35.

7. Dans les premières années de cette décennie, le taux d'intérêt des bons du Trésor est tombé à 1 %. À la mi-2006, il était monté à 5 %. En termes réels, c'est-à-dire en tenant compte de l'inflation, les retours ont été encore plus minuscules. Ils sont passés de −2 % en 2003 à légèrement plus de 1 % en 2006.

8. Rodrik, « The social cost of foreign exchange reserves », *op. cit.*, présente un ensemble de calculs plus prudent. Il se concentre sur les réserves excédentaires – celles qui dépassent la règle traditionnelle des trois mois d'importation – et il effectue des calculs fondés sur un écart de 3, 5 ou 7 % entre le taux de prêt et le taux d'emprunt des souverains. En

retenant le nombre médian, il aboutit à un coût proche de 1 % du PIB des pays en développement.

9. PNUD, *Investir dans le développement : plan pratique pour réaliser les Objectifs du millénaire pour le développement*, en ligne à l'adresse : http://www.unmillenniumproject.org/reports/french.htm, p. 57.

10. FMI, *Rapport annuel*, avril 2005, appendice I : Réserves internationales, tableau I.2 ; en ligne à l'adresse : www.imf.org/external/pubs/ft/ar/ 2005/fra/pdf/file7.pdf.

11. FMI, International Financial Statistics, « Total Reserves 1s (w/gold at SDR 35 per oz) », consulté le 15 mai 2006 à l'adresse : http:// ifs.apdi.net (en utilisant un facteur de conversion de 1,5 dollar par DTS).

12. La déflation est un symptôme d'insuffisance de la demande globale ; et, avec une demande globale faible, la production sera faible et le chômage élevé. Mais la déflation peut être en elle-même un problème, car les emprunteurs doivent rembourser davantage en dollars réels qu'ils n'ont emprunté et prévu de rembourser. L'accroissement du fardeau réel de la dette (associé à l'anémie de l'économie) entraîne souvent des taux de défaillance élevés, lesquels provoquent des problèmes dans le système bancaire. La fin du XIXe siècle et la Grande Dépression ont été des périodes de déflation. L'un des grands économistes de la première moitié du XXe siècle, Irving Fischer, a analysé le rôle de la déflation et de la dette dans la Grande Dépression. Plus récemment, ses théories ont été ressuscitées et modernisées dans des travaux menés par Bruce Greenwald et moi-même. Voir, par exemple, Joseph E. Stiglitz et Bruce Greenwald, *Towards a New Paradigm in Monetary Economics*, New York, Cambridge University Press, 2003.

13. En termes d'offre et de demande, le désir des autres de détenir ces bons du Trésor constitue (une partie de) leur demande, et il est facile aux États de répondre à cette demande : il leur suffit d'emprunter de l'argent (en émettant des bons du Trésor). L'emprunt à l'étranger est souvent appelé « flux entrant de capitaux ».

14. L'épargne nationale totale est la somme des épargnes des ménages, des entreprises et de l'État. Le déficit budgétaire – la différence entre les recettes de l'État et ses dépenses – représente tout simplement une épargne négative. Quand le déficit budgétaire augmente, le résultat (sauf si l'épargne des ménages ou des entreprises augmente) est une baisse de l'épargne nationale globale ; et si l'investissement reste le même, cela signifie qu'il y aura pénurie de capitaux : le pays devra emprunter davantage à l'étranger. C'est pourquoi les déficits budgétaire et commercial évoluent parallèlement, sauf si l'investissement ou l'épargne privée changent aussi. Dans les années 1990, le déficit budgétaire a diminué mais l'investissement a augmenté, si bien que le déficit commercial est resté important. Les déficits budgétaires signifient que l'État est de plus

en plus endetté. Les déficits commerciaux signifient que le pays est de plus en plus endetté. Les deux phénomènes peuvent poser problème, notamment quand le pays ou l'État dépensent en consommation ce qu'ils empruntent au lieu de l'investir.

15. Le risque d'insuffisance de la demande globale se manifeste non seulement au niveau mondial, mais aussi dans le pays à monnaie de réserve. Techniquement, nous pouvons formuler ce qui se passe de la façon suivante : les importations nettes retirent quelque chose à la demande globale. (Il y a un autre canal par lequel la demande étrangère de réserves peut faire pression à la baisse sur la demande globale dans le pays : la hausse de la demande de la monnaie du pays de réserve, ou de ses bons du Trésor, entraîne, dans un système de taux de change flexibles, une appréciation de sa devise, ce qui affaiblit ses exportations et accroît ses importations.)

16. Quel que soit le parti au pouvoir, étant donné l'insuffisance de la demande globale, il y aurait des pressions politiques en faveur d'une politique budgétaire expansionniste. De ce point de vue, il faut percevoir le déficit commercial comme un phénomène déterminé, au moins en partie, par la demande de bons du Trésor du pays pour les réserves. Le déficit budgétaire s'ajuste aux variations du déficit commercial. Cette perspective tranche sur une grande partie des analyses actuelles, qui estiment que le déficit budgétaire est déterminé par des décisions politiques (comme les réductions d'impôts), et que le déficit commercial s'ajuste pour refléter les écarts qui en résultent dans l'épargne nationale et l'investissement intérieur.

17. Bien sûr, il pourra plus tard arriver un moment où la confiance dans l'euro s'érodera aussi, en raison de l'ampleur croissante de la dette en euros.

18. De plus, le pacte de stabilité et de croissance européen interdit aux pays membres de l'Union européenne d'effectuer d'importantes dépenses par le déficit. Comme ces limites de déficit sont régulièrement violées, on peut se demander si, *de facto*, ce pacte est encore en vigueur.

19. John Maynard Keynes, « Proposals for an International Clearing Union » (1942), *in* Donald E. Moggridge (éd.), *The Collected Writings of John Maynard Keynes*, t. 25, *Activities 1940-1944*, Londres, Macmillan, 1980, p. 168-195.

20. Cela a été fait deux fois, pour une valeur totale de 21,4 milliards de DTS (au 14 juin 2006, un DTS vaut 1,47 dollar). Un DTS est un actif détenu par les banques centrales, convertible dans toute devise. En 1997, le conseil d'administration du FMI a approuvé une nouvelle émission doublant les DTS ; elle deviendra effective quand 60 % des membres (111 pays), représentant 85 % des voix, l'auront acceptée. Fin août 2005,

les États-Unis, qui détiennent 17,1 % des voix, ont exercé leur veto de fait.

21. La logique économique qui sous-tend cette proposition est énoncée plus complètement dans Bruce Greenwald et Joseph E. Stiglitz, « A modest proposal for international monetary reform », communication à l'American Economic Association, Boston, 4 janvier 2006 ; en ligne à l'adresse : www.ofce.sciences-po.fr/pdf/documents/international_monetary_reform.pdf.

22. De même que les banques centrales n'ont pas besoin d'une couverture totale de la monnaie qu'elles émettent, la nouvelle autorité monétaire mondiale émettant les *greenbacks mondiaux* n'a pas besoin de détenir dans ses réserves un montant égal aux *greenbacks mondiaux* qu'elle émet. Comme le FMI ou la Banque mondiale, les pays membres pourraient accepter de soutenir les *greenbacks mondiaux* si nécessaire. Cette garantie renforcerait la confiance dans le nouveau système de réserve mondial, mais il est peu probable qu'on ait à faire appel à elle. (Les *greenbacks mondiaux* ne seraient pas un moyen de transaction ordinaire ; ils constitueraient un simple entrepôt de valeur, convertible, dans des conditions spécifiées, en devises utilisables pour acheter des biens et des services.)

L'un des aspects importants de la proposition qui va être exposée est qu'il n'est pas nécessaire de lier étroitement l'émission de *greenbacks mondiaux* aux contributions financières effectuées pour aider à fonder le nouveau système de réserve mondial. J'ai montré comment le système pourrait fonctionner comme un « pur bureau de change » entre les *greenbacks mondiaux* et les devises nationales, mais l'autorité mondiale pourrait simplement émettre les *greenbacks mondiaux* (de la même façon que toute autre banque centrale émet une monnaie fiduciaire). J'énonce plus bas les principes qui pourraient guider l'attribution de ces émissions annuelles. Ou alors, ceux qui reçoivent les *greenbacks mondiaux* pourraient accepter de contribuer pour un même montant au financement des biens publics mondiaux et du développement, de la façon qui sera précisée plus loin.

23. John Maynard Keynes, « Proposals for an International Clearing Union » (1942), in *The Collected Writings of John Maynard Keynes*, t. 25, *op. cit.*

24. J'ai déjà dit que le système de réserve mondial encourage la dépense par le déficit. La facilité d'emprunter crée la tentation de le faire sans retenue, comme l'Amérique ces dernières années. Si le dollar n'était plus une monnaie de réserve, cette tentation diminuerait, et les États-Unis n'auraient pas besoin d'énormes déficits budgétaires pour stimuler l'économie, pour compenser les effets du déficit commercial, lequel, nous

l'avons vu, n'est que le revers de la médaille de l'accumulation des bons du Trésor américains pour les réserves.

25. Même une réforme plus limitée que celle proposée dans cette section serait extrêmement fructueuse. Même si les *greenbacks mondiaux* étaient remis aux pays en proportion de leur PIB, les réformes proposées dans ce chapitre amélioreraient la force et la stabilité de l'économie mondiale.

26. Il pourrait y avoir des désaccords sur le rôle des institutions internationales existantes. Certains de leurs adversaires ont moins confiance dans la compétence de ces institutions que dans celles des États nationaux, et ils soutiennent que, avec leurs problèmes presque intrinsèques de gouvernance et de manque de responsabilité démocratique, un succès de la réforme serait peu probable.

27. Un rapport de l'ONU a conclu que le coût de réalisation de ces objectifs était modeste – mais très nettement supérieur au niveau actuel des dépenses d'aide extérieure. Cela suggère un niveau plausible d'aide globale au développement permettant d'atteindre les Objectifs du millénaire pour le développement pendant la décennie qui vient : il faudrait 135 milliards de dollars en 2006, et relever le montant jusqu'à 195 milliards en 2015. Ces chiffres représentent respectivement 0,44 et 0,54 % du PIB des pays donateurs (PNUD, *Investir dans le développement*, *op. cit.*).

28. Selon l'Initiative internationale pour un vaccin contre le sida, les dépenses totales de recherche-développement sur un vaccin contre le VIH en 2002 se sont situées entre 430 et 470 millions de dollars, dont 50 à 70 millions seulement sont venus de l'industrie privée. En revanche, les dépenses totales de recherche-développement biopharmaceutiques sont d'environ 50 milliards de dollars par an. Initiative internationale pour un vaccin contre le sida, « Delivering an AIDS vaccine : a briefing paper », document d'information du Forum économique mondial, 2002.

29. Voir Shantayanan Devarajan, Margaret J. Miller et Eric V. Swanson, « Goals for development : history, prospects and costs », World Bank Policy Research Working Paper n° 2819, avril 2002.

30. Il y a un seul argument en faveur des transferts directs dans beaucoup de pays en développement : la qualité des services publics de santé et d'éducation est insuffisante. Si les usagers achetaient ces services eux-mêmes (avec de l'argent fourni par les transferts), elle pourrait augmenter sensiblement.

31. Voir George Soros, *Guide critique de la mondialisation*, trad. fr. de Fortunato Israël, Paris, Plon, 2002.

NOTES DU CHAPITRE 10

1. En janvier 2001, il y avait 17,1 millions d'emplois industriels ; en décembre 2004, le chiffre était tombé à 14,3 millions. Voir Bureau of Labor Statistics (à l'adresse www.bls.gov/), « Employment, hours, and earnings from the current employment statistics survey (National), manufacturing employees (seasonally adjusted) ».

2. Voir Bureau of Labor Statistics (à l'adresse www.bls.gov/), « Employment, hours, and earnings from the current employment statistics survey (National), manufacturing employees and total nonfarm employees (seasonally adjusted) ». Mais un autre facteur a probablement été plus important que l'« externalisation » : les gains de productivité fantastiques dans l'industrie. Avec cette hausse de la productivité, il y aurait eu de toute façon de grosses pertes d'emplois dans l'industrie.

3. Banque mondiale, *World Development Indicators*, industrie manufacturière, valeur ajoutée (pourcentage du PIB). Banque mondiale, *Development Data and Statistics* ; accessible sur abonnement à l'adresse : www.worldbank.org/data/onlinedatabases/onlinedatabases.html.

4. Comme nous l'avons vu au chapitre 2, les taux de croissance de l'Inde et de la Chine ont été de deux à trois fois supérieurs à ceux de la révolution industrielle ou de l'âge d'or des années 1950 et 1960 aux États-Unis. Voir Nicholas Crafts, « Productivity growth in the industrial revolution : a new growth accounting perspective », *Journal of Economic History*, vol. 64, n° 2, juin 2004, p. 521-535.

5. *OECD Observer* [*L'Observateur de l'OCDE*], « China ahead in foreign direct investment », août 2003 ; en ligne à l'adresse : www. oecdobserver.org/news/fullstory.php/aid/1037/China_ahead_in_foreign_ direct_investment.html.

6. Economic Policy Institute, « Hourly wage decile cutoffs for all workers, 1973-2003 (2003 dollars) », à l'adresse : www.epinet.org/datazone/ 05/wagecuts_all.pdf.

7. Même le directeur général du FMI a reconnu le problème en appelant à une redistribution des droits de vote à la réunion du printemps 2006 du Conseil des gouverneurs. Dans un discours prononcé à New Delhi le 20 février 2006, Mervyn King, le gouverneur de la Banque d'Angleterre, la Banque centrale du Royaume-Uni, a préconisé une vaste réforme du FMI.

8. Charles Wilson semble avoir lui-même pris quelque distance avec l'idée d'une identité des deux intérêts. Voici sa formulation exacte dans son témoignage au Congrès : « J'avais pris l'habitude de penser que ce qui était bon pour notre pays était bon pour General Motors et vice

versa. » Voir James G. Cobb, « G.M. removes itself from industrial pedestal », *New York Times*, 30 mai 1999, sect. 3, p. 4.

9. C'est une illustration de ce qu'on appelle parfois le « principe de subsidiarité » : les problèmes doivent être traités au plus bas niveau auquel ils peuvent l'être efficacement.

10. Exactement comme, sans les États-nations, il y aurait sous-approvisionnement en biens publics nationaux. Les économistes appellent cela le « problème du passager clandestin » : puisque tout le monde en profite (et il peut être impossible ou coûteux d'exclure quelqu'un), chacun a tendance à jouer au passager clandestin, c'est-à-dire à bénéficier gratuitement des efforts des autres.

11. À l'assemblée générale du FMI du printemps 2006, son directeur général a proposé, dans cet esprit, de modestes changements dans la structure des droits de vote, mais, comme on pouvait s'y attendre, ces propositions se sont heurtées à la résistance de certains de ceux dont la part des droits de vote diminuerait.

12. Voir l'analyse du chapitre 3.

13. Nous avons noté au chapitre 3 que le système actuel de sanctions commerciales est beaucoup plus efficace pour permettre les réactions des pays développés à des violations des règles de l'OMC par les pays en développement que l'inverse.

14. Voir tableau 1 *in* Robert C. Feenstra, « Integration of trade and disintegration of production in the global economy », *Journal of Economic Perspectives*, vol. 12, n° 4, automne 1998, p. 31-50.

15. De ce point de vue, l'unilatéralisme du président Bush ne sera, j'espère, qu'une aberration temporaire des huit premières années du XXIᵉ siècle.

Table des matières

Alain Gras
Fragilité de la puissance.
Se libérer de l'emprise technologique, 2003.
Serge Halimi
Le Grand Bond en arrière.
Comment l'ordre libéral s'est imposé au monde, 2004, rééd. 2006.
Ivan Illich
Œuvres complètes, vol. 1, 2004.
La Perte des sens, 2004.
Œuvres complètes, vol. 2, 2005.
Internationale situationniste
Internationale situationniste, 1997.
La Véritable Scission de l'Internationale situationniste, 1998.
Raoul-Marc Jennar
Europe, la trahison des élites, 2004.
Serge Latouche
Justice sans limites. Le défi de l'éthique
dans une économie mondialisée, 2003.
Roger Lenglet, Jean-Luc Touly
L'Eau des multinationales. Les vérités inavouables, 2006.
Jean-Claude Liaudet
Le Complexe d'Ubu ou la névrose libérale, 2004.
Helena Norberg-Hodge
Quand le développement crée la pauvreté.
L'exemple du Ladakh, 2002.
René Passet
L'Illusion néo-libérale, 2000.
Éloge du mondialisme par un « anti » présumé, 2001.
Majid Rahnema
Quand la misère chasse la pauvreté, 2003
(en coédition avec Actes Sud).
Joël de Rosnay, en collaboration avec Carlo Revelli
La Révolte du pronétariat.
Des mass média aux média des masses, 2006.
Edward W. Said
Culture et impérialisme, 2001
(en coédition avec *Le Monde diplomatique*).
Culture et résistance, 2004.
D'Oslo à l'Irak, 2005.
Humanisme et démocratie, 2005.
Vandana Shiva
Le terrorisme alimentaire : comment les multinationales
affament le tiers-monde, 2001.

Joseph E. Stiglitz
La Grande Désillusion, 2002.
Quand le capitalisme perd la tête, 2003.
Roger Sue
La Société contre elle-même, 2005.
Aminata Traoré
Le Viol de l'imaginaire, 2002
(en coédition avec Actes Sud).
*Lettre au Président des Français
à propos de la Côte d'Ivoire et de l'Afrique en général*, 2005.
Patrick Viveret
Pourquoi ça ne va pas plus mal ?, 2005.

Impression réalisée sur CAMERON par
BRODARD ET TAUPIN
La Flèche

pour le compte des Éditions Fayard
en septembre 2006

Imprimé en France
Dépôt légal : septembre 2006
N° d'édition : 78930 – N° d'impression : 37476
ISBN : 2-213-62748-7
35-57-2948-4/02